histoire
de l'Art

naissance de l'art
de la préhistoire à l'art romain

sous la direction de

Albert Châtelet

et de

Bernard Philippe Groslier

Larousse

17, RUE DU MONTPARNASSE - 75298 PARIS CEDEX 06

Secrétariat de rédaction
Monique Le Noan-Vizioz, Claudine Antonin, Claire Marchandise

Illustration
Bernard Crochet, Monique Plon, Viviane Seroussi

Index
Jocelyne Bierry

Maquette
Serge Lebrun

Direction artistique
Henri Serres-Cousiné

Responsable de fabrication
Janine Mille

Cet ouvrage est extrait de l'*Histoire de l'art*, 1985

ISBN 2-03-720051-X

LISTE DES COLLABORATEURS

Directeur de l'ouvrage
Albert **Châtelet**
Professeur à l'université de Strasbourg-II

† Bernard Philippe **Groslier**
Directeur de recherche au C.N.R.S.

avec la collaboration de
Claude **Rolley**
Professeur à l'université de Dijon

Francis **Croissant**
Professeur à l'université de Nancy-II

Jean-René **Jannot**
Professeur à l'université de Nantes

Jean **Margueron**
Professeur à l'université de Strasbourg-II

Jean-Paul **Morel**
Professeur à l'université de Provence (Aix-Marseille-I)

Olivier **Pelon**
Professeur à l'université de Lyon-II

Christian **Peyre**
Directeur du laboratoire d'archéologie à l'École normale supérieure de la rue d'Ulm

Véronique **Schiltz**
Maître de conférences à l'université de Besançon

Christiane **Ziegler**
*Conservateur au département des Antiquités égyptiennes
du musée du Louvre*

TABLE DES MATIÈRES

L'Europe occidentale de la préhistoire à l'art celtique (*Christian Peyre*)
L'art paléolithique (de 30000 à 10000 av. J.-C.)   1
L'art de l'époque néolothique et de l'âge du bronze (de 4000 à 750 av. J.-C.)   5
L'art de l'Europe occidentale méditerranéenne à l'âge du fer (de 750 à 200 av. J.-C.)   8
L'art de l'Europe occidentale celtique à l'âge du fer (de 750 av. J.-C. à notre ère)   10

L'Orient ancien (*Jean Margueron*)
La naissance d'un art oriental   16
La naissance des empires (2200-1100 av. J.-C.)   27
La marche aux empires universels   40

L'Égypte (*Christiane Ziegler*)
Des origines au temps des pyramides   53
Le Moyen Empire ou l'âge du Classicisme   64
Le Nouvel Empire ou le temps des conquêtes   75
La Basse Époque ou les derniers feux de l'art égyien   87

La Crète minoenne et les Cyclades (*Olivier Pelon*)   98

La Grèce mycénienne (*Olivier Pelon*)   112

L'art grec (*Francis Croissant*)
L'art géométrique (XIᵉ-VIIIᵉ s. av. J.-C.)   125
L'art orientalisant (VIIᵉ s. av. J.-C.)   135
L'Archaïsme (VIᵉ s. av. J.-C.)   147
Le premier Classicisme (Vᵉ s. av. J.-C.)   158
Le second Classicisme (IVᵉ s. av. J.-C.)   170
L'art hellénistique (IIIᵉ-Iᵉʳ s. av. J.-C.)   181

L'art de la Perse achéménide (*Véronique Schiltz*)   193

L'art des steppes (*Véronique Schiltz*)   205

L'art étrusque (*Jean-René Jannot*)   216

L'art romain (*Jean-Paul Morel*)
La République   228
De César à Auguste   237
Le premier siècle de notre ère   249
Le deuxième siècle de notre ère   260
Le Bas-Empire   271

Index   283

L'EUROPE OCCIDENTALE DE LA PRÉHISTOIRE À L'ART CELTIQUE

Christian Peyre

Cette immense période où naît l'art débute une trentaine de millénaires avant notre ère et s'achève, selon les pays (par Europe occidentale, on entendra l'Espagne, la France et l'Italie ; les îles Britanniques, la Belgique, les Pays-Bas et le Danemark ; l'Allemagne, le Luxembourg, la Suisse et l'Autriche), quelques siècles avant ou après le début de celle-ci, à mesure que se développent les civilisations méditerranéennes classiques et que la conquête romaine étend son hégémonie ou diffuse son attrait. Si on ne considère que les faits de civilisation, c'est, pour l'historien, l'introduction de l'écriture qui marque la fin de la protohistoire, d'abord par l'apparition d'inscriptions plus ou moins rudimentaires, ensuite par celle d'une littérature écrite où le mythe, l'épopée, le théâtre et l'histoire constituent les genres principaux les plus anciens. Avant le moment où l'écriture entre en usage, le seul langage soumis à notre déchiffrement, par bribes, au gré des découvertes, est celui des œuvres d'art, de la plus rudimentaire à la plus savante, de la moins consciente à la plus volontaire.

L'effort critique qu'exige la juste compréhension de ces œuvres a bénéficié d'un très large renouveau depuis quelques décennies. L'archéologie a perfectionné ses méthodes de fouille en examinant avec une minutie croissante les archives matérielles du plus lointain passé, enfouies dans le sol par couches successives. Les sciences de la nature ont mis au point des procédés expérimentaux variés, qui peuvent révéler certains secrets des techniques anciennes, rechercher la chronologie absolue ou étudier jusqu'à l'échelle microscopique tous les vestiges du milieu géographique ou de l'activité humaine. Les sciences de l'homme, de leur côté, multiplient les procédés d'enquête sur les sociétés, les mentalités et les techniques elles-mêmes, auxquelles la genèse des œuvres d'art et leur interprétation sont intimement liées. Aussi l'histoire de l'art préhistorique et protohistorique commence-t-elle, à son tour, à pouvoir reconstituer certains fragments du passé qui a vu naître ces œuvres. On n'en mesure d'ailleurs que mieux à quel point leur sensibilité plastique et leur style défient les âges, puisque, même dans l'ignorance où nous sommes de leur contenu conceptuel historique, elles continuent de nous émouvoir et d'exercer leur charme sur notre imagination comme si elles étaient filles d'un rêve de notre propre temps.

L'ART PALÉOLITHIQUE

(DE 30000 À 10000 AV. J.-C.)

C'est celui de la phase récente de l'époque paléolithique, dite paléolithique supérieur. Les premières manifestations de l'art commencent entre 35000 et 30000 av. J.-C. et, dans l'état actuel des connaissances archéologiques, il se trouve que l'Europe occidentale en fournit les plus anciens témoignages. Après un très lent développement et alors qu'il a atteint une extraordinaire perfection, cet art disparaît brusquement vers 10000 av. J.-C.

en ne laissant à peu près aucune postérité. Au moment où il s'éteint, les glaciers qui couvrent encore le nord de l'Europe occidentale reculent devant des conditions climatiques sensiblement voisines de celles que nous connaissons aujourd'hui. La faune d'herbivores ou de félins qui inspire l'art paléolithique est celle que l'homme a affrontée dans la steppe qui couvre alors d'immenses étendues du paysage. Ni l'agriculture, ni l'élevage, ni le travail des métaux ne sont encore connus. Les armes et les outils sont débités dans le silex, le bois, l'os, la corne ou l'ivoire. L'homme (dont la morphologie physique est celle de l'Homo sapiens sapiens, c'est-à-dire la nôtre) vit de la cueillette, de la chasse et de la pêche. Il n'est pas sédentaire mais, au contraire, doit se déplacer constamment pour traquer son gibier habituel ou découvrir de nouveaux territoires à exploiter.

LES ŒUVRES

Nous possédons un vaste échantillonnage de l'art paléolithique, malgré des pertes évidemment plus vastes encore, soit à cause des accidents de transmission, soit parce que la matière même des œuvres était périssable (bois, peau de bête, argile crue). Les moyens utilisés pour les créer étaient réduits : des burins, des lames ou des grattoirs de silex, des touffes de poils ou des tiges végétales pouvant servir de pinceaux ou de pochoirs et, pour couleurs, quelques pigments simples d'origine minérale. Les matières conservées sont l'os animal, la corne ou le bois de renne, l'ivoire de mammouth et la pierre elle-même, plaquettes ou parois rocheuses des abris ou des grottes. Des séries d'objets d'utilisation quotidienne portent une ornementation à caractère géométrique ou végétal (*Baguettes d'Isturitz,* Basses-Pyrénées), ou bien des représentations animales ou humaines. Cet art figuré est le plus fréquent. Les objets ainsi ornés sont des harpons et des sagaies, des baguettes, des bâtons perforés qui servaient sans doute à redresser à chaud les flèches et les sagaies, des spatules et des propulseurs utilisés pour lancer les sagaies avec plus de vigueur, ainsi que toute une série

d'autres objets faits pour être suspendus : des rondelles, des pendeloques ou amulettes et de petites pièces dites « contours découpés », qui figurent presque toujours une tête de cheval. Tout un art mobilier, lié à des concepts religieux, s'est développé aussi avec des statuettes animales ou humaines, ces dernières étant presque toujours féminines, ainsi qu'avec des plaquettes gravées, qui semblent avoir été déposées contre les parois des grottes. Les créations les plus spectaculaires sont celles d'un art pariétal qui a recouvert de ses peintures, de ses incisions, de ses sculptures en haut ou bas relief les flancs ou le plafond d'abris, de galeries ou de salles souterraines creusées naturellement par l'érosion, dans lesquelles on tient désormais pour établi que les hommes se réunissaient en vue de célébrer un culte. L'existence de tels sanctuaires montre que, si l'homme paléolithique n'était pas lui-même architecte faute de moyens techniques, il était du moins sensible à la mystérieuse leçon de ces architectures fortuites que la nature proposait à son imagination.

LES STYLES ET LA CHRONOLOGIE

Leur étude a fait l'objet d'une analyse systématique de la part d'A. Leroi-Gourhan, grâce à la longue série continue que forment les représentations animales dans le domaine franco-cantabrique, qui englobe l'Espagne du Nord, la France du Sud-Ouest et du Centre.

Les premiers essais, eux-mêmes précédés par de longs tâtonnements imputables non plus à l'*Homo sapiens sapiens* mais à l'homme de Néandertal, sont datés entre 30000 et 27000 av. J.-C. (aurignacien) : ce sont des gravures sur plaques calcaires représentant des cupules, des vulves et des silhouettes animales sommaires (style I d'A. Leroi-Gourhan). On les trouve surtout, et d'ailleurs en petit nombre, en Dordogne. Entre 25000 et 18000 av. J.-C. (gravettien, solutréen ancien), les œuvres, encore peu nombreuses, commencent à se diversifier : les objets utilitaires à décor figuratif apparaissent, ainsi que des statuettes animales ou humaines et les premières manifestations de l'art pariétal (style II). La répartition géographique des œuvres s'élargit considérablement et des constantes de style s'affirment soit avec les statuettes féminines dites « vénus aurignaciennes », soit avec la représentation des animaux dont le dos et la croupe sont figurés par une ligne amplement sinueuse, tandis que les pattes sont omises ou seulement esquissées. Entre 17000 et 13000 av. J.-C. (solutréen, magdalénien ancien), la maîtrise des silhouettes animales se perfectionne en continuité avec les traditions du style II : le corps conserve sa ligne dorsale souple et sinueuse, mais il grossit et devient ballonné au détriment de la tête et des pattes (style III) ; on a d'ailleurs décrit les bêtes, mâles ou femelles indistinctement, comme « gravides ». L'art pariétal produit alors ses premiers chefs-d'œuvre comme, pour les peintures, ceux de Lascaux (Dordogne) ou d'Altamira (Espagne, province de Santander) et, pour les bas-reliefs, ceux de Roc-de-Sers (Charente) ou de Bourdeilles (Dordogne).

À partir de 13000 av. J.-C. commence l'âge d'or de l'art paléolithique, période de plein épanouissement, où la production artistique est la plus abondante. Dans une première phase (magdalénien moyen), les proportions des silhouettes animales deviennent anatomiques, mais en conservant encore une certaine raideur et en donnant l'impression que l'animal, dépourvu de poids, reste suspendu au-dessus du sol (style IV ancien). À partir de 11000 av. J.-C. (magdalénien récent), les attitudes, le modelé et la pesanteur physique de la bête deviennent parfaitement naturalistes (style IV récent). Une partie des peintures de Lascaux est attribuable au style IV, ainsi que le grand plafond d'Altamira. Parmi les nombreuses grottes ornées de cette période, on peut évoquer celles des Combarelles et de Font-de-Gaume (aux Eyzies, en Dordogne), celles de Rouffignac (Dordogne), de Niaux ou des Trois-Frères (Ariège) et de Las Monedas (prov. de Santander), cette dernière offrant les seuls vestiges actuellement connus du style IV récent pour l'Espagne.

Cette veine naturaliste, dont la perfection ne sera plus dépassée par la suite, s'épuise brutalement à la fin de l'époque magdalénienne : les représentations animales deviennent maladroites et sommaires, à peine esquissées par quelques traits dispersés et sans vigueur, marquant la fin d'un cycle artistique complet dont on suit sur vingt millénaires le développement régulier, de sa formation à son déclin. On a pu expliquer la disparition de cet art par le départ des chasseurs de rennes, poursuivant le gibier attiré vers l'Europe du Nord par le retrait des glaciers. Mais les modalités d'un aussi vaste bouleversement du peuplement et des conditions d'existence demeurent obscures, et énigmatique l'absence presque complète d'une tradition artistique héritière d'un aussi riche courant.

LES REPRÉSENTATIONS DE L'ANIMAL

Le chasseur paléolithique a été fasciné par les animaux qu'il poursuivait comme gibier ou qu'il devait affronter pour s'en défendre. Un certain nombre des espèces représentées existent toujours en Europe occidentale (cheval, cerf, bouquetin, ours), d'autres y ont été exterminées ou s'en sont retirées (bison, renne, loup, aurochs ou bœuf urus, grands félins, rhinocéros) ; l'une d'entre elles est éteinte, celle du mammouth. Confrontation redoutable, dont l'art paléolithique a fait son exercice favori de méditation et de spiritualité.

La maîtrise qui s'affirme dans les représentations animales à partir du style III doit sa vigueur d'une part à la simplicité des moyens disponibles pour peindre, sculpter ou graver, d'autre part à l'exigence des traditions millénaires qui régissaient la polychromie, l'application des couleurs, le rendu de la lumière et de la perspective, ou celui du modelé et des particularités morphologiques distinctives des espèces. L'expression des attitudes de l'animal est dense, tendue. Que la bête soit représentée à l'arrêt ou en mouvement, il émane toujours d'elle une impression de vitalité et de puissance, et certaines attitudes de bond ou de galop sont de savantes mises en scène qui dramatisent les manifestations de son impétuosité instinctive. Une telle maîtrise, spectaculaire dans les grands ensembles peints comme Lascaux ou Altamira, n'est pas moins achevée dans des œuvres de dimensions modestes comme les bisons modelés dans l'argile du Tuc d'Audoubert (Ariège) ou dans les figurines animales sculptées en grand nombre dans la corne, l'os ou l'ivoire, comme le cheval du propulseur pour javelot de Bruniquel (Tarn-et-Garonne).

Pour que cet art réponde pleinement à ce que la sensibilité moderne attend d'un art animalier, il ne lui manque même pas cet au-delà imaginaire de la représentation naturaliste, qui dévoile, dans l'insaisissable ou le fugace du comportement de la bête, une parcelle de spiritualité où l'homme peut reconnaître un reflet de sa propre vie intérieure. Ainsi la malicieuse tendresse du petit bison à sa toilette de La Madeleine (Dordogne), ou la confiante lassitude du cheval pensif de Las Monedas, qui rêve immobile dans la steppe.

Cet art, pourtant, n'est pas simplement animalier. À la manière dont certaines représentations ont été frappées de multiples coups de sagaie, il est clair qu'elles assumaient une fonction rituelle dans des cérémonies magiques destinées à rendre la chasse plus fructueuse. Les préhistoriens ont aussi noté que les grottes peintes utilisées comme sanctuaires présentent des compositions où les espèces animales sont associées entre elles de manière volontaire et constante, dans des séquences qui invitent à y voir autre chose qu'un simple constat des associations naturelles dans la faune de l'époque. Il peut arriver, en outre, que s'y ajoutent des combinaisons de figures géométriques ou de systèmes de points. On a déduit de ces observations que le bestiaire paléolithique devait avoir une signification symbolique, qu'il illustrait sans doute un savoir conceptuel et qu'il transmettait un enseignement abstrait particulier. La difficulté est d'en déchiffrer l'énigme, car il peut s'agir de cultes primitifs, comme celui de la fécondité ou de l'association des principes mâle et femelle, ou bien d'un plus vaste ensemble de connaissances, formulation figurée de la première mythologie destinée à perpétuer le savoir de l'homme paléolithique et sa conception du sacré.

LES IMAGES DE L'ÊTRE HUMAIN

Infiniment moins fréquentes que celles de l'animal, ce sont des images féminines dans la majeure partie des cas. Les plus connues et les plus anciennes sont les *vénus* dites *aurignaciennes*, statuettes de quelques centimètres au visage aveugle, avec des bras atrophiés croisés au-dessus de seins énormes et pendants. Les hanches et les cuisses sont globulaires et monstrueuses, déformation que l'on interprète comme une stylisation symbolisant la fécondité féminine, au culte de laquelle pouvaient être consacrées ces statuettes. On retrouve une même stylisation avec le petit bas-relief de Laussel (Dordogne), où une femme rehaussée d'ocre rouge brandit de la main droite une corne de bison et fait penser à quelque divinité de l'Abondance.

À côté de cette série d'œuvres, qui évoquent certaines recherches de l'art abstrait, d'autres attestent le développement d'une veine différente, attentive au réalisme anatomique et à l'expression de la vie intérieure dans les attitudes du corps ou les traits du visage. Il en est ainsi des figurines de Brassempouy (Landes, style II) ou de la statuette de Laugerie-Basse (Dordogne, style IV), dite *Vénus impudique* comme si l'enfantine gracilité du torse, son déhanchement et le modelé tendu de ses longues jambes suggéraient en elle la provocation. Il en est de même des deux *Odalisques* de La Magdeleine (Tarn, style IV), dont la nonchalance et la sensualité anticipent sur Matisse, Ingres ou les *Majas* de Goya ; ou bien encore des visages gravés de face dans la grotte de Marsoulas (Haute-Garonne) et de profil sur un bloc de calcaire de celle de La Marche (Vienne), dans lesquels le portraitiste paraît s'amuser de la mélancolique tendresse des modèles (style IV). Le fait que ces œuvres aient eu, elles aussi, quelque fonction rituelle dans la célébration d'un culte n'ôte rien à la vigueur de leur témoignage humain.

Les compositions narratives sont rares. La plus riche est celle de la grotte d'Addaura (Sicile, Palerme), où sont réunis des chevaux, des rennes et une quinzaine de personnages gravés, qui agissent par groupes. Un homme chemine, sagaies sur l'épaule, suivi d'une femme portant sa hotte sur le dos. Deux hommes au sol, jambes repliées dans le dos et chevilles liées au cou, semble-t-il, par un lien tendu, sont entourés d'un groupe qui danse, peut-être pour une cérémonie de strangulation rituelle. D'autres personnages encore, occupés autrement, sont figurés dans des attitudes diverses. Plusieurs visages sont stylisés comme s'ils avaient un bec ou portaient un masque. Les corps sont simplement silhouettés.

Dans le domaine franco-cantabrique, les quelques scènes connues montrent un homme attaqué ou terrassé par l'animal qu'il affrontait. Ainsi à Lascaux, au fond du puits de la grotte, un bison, lui-même frappé d'un coup de lance et perdant ses entrailles, a renversé son chasseur et va l'encorner. L'homme est étendu sur le dos, bras écartés, mains ouvertes, dans une attitude pathétique. Son visage est un profil d'oiseau. Son corps est schématique, avec des traits épais pour les membres et un long rectangle pour le torse et les hanches. En contraste avec le naturalisme du bison, la signification de ce schématisme demeure énigmatique. Peut-être symbolise-t-il la métamorphose de la mort, de même qu'on le retrouve avec d'autres silhouettes masculines où l'être humain change aussi de forme, possède une tête encornée de cerf ou de bison, et parfois une queue. De telles silhouettes peuvent être l'image d'un chasseur travesti pour approcher son gibier sans lui donner l'éveil, d'un sorcier qui capte le mana de la bête dont il a revêtu l'apparence ou encore de quelque créature surnaturelle, démoniaque ou divine. L'association du schématisme avec ce répertoire imaginaire n'est sans doute pas fortuite. Il paraît impliquer une abstraction de la forme et de la nature humaine qui est en accord avec sa métamorphose.

SIGNIFICATION DE L'ART PALÉOLITHIQUE

L'évolution des styles et du traitement des sujets témoigne des progrès du savoir-faire des artistes et d'une maîtrise méthodiquement conquise des moyens de l'expression figurée. À cet égard, l'art paléolithique est imputable à des spécialistes et ne présente aucun caractère de ce qu'on appellerait aujourd'hui un art populaire. S'il l'avait été, il est d'ailleurs probable que sa disparition n'eût pas été aussi soudaine. Que cet art ait assumé une fonction rituelle et sacrée paraît signifier que l'artiste paléolithique avait une place éminente dans la société de son temps, où il était détenteur à la fois d'un savoir-faire et d'un savoir. Il est à présumer qu'à ce titre il était associé aux pratiques de magie aussi bien qu'à l'exercice d'une sorte de fonction sacerdotale, éventuellement dirigeante ou conseillère dans le groupe humain réuni pour la célébration des cultes. Or, le déplacement vers le nord des chasseurs de rennes, à la société desquels on a supposé que cet art était lié, n'aurait logiquement pas dû entraîner la disparition de celui-ci si le milieu humain auquel il devait d'exister n'avait pas lui aussi profondément changé. Il est donc vraisemblable que la société fut elle-même bouleversée dans ses propres structures, de telle manière que les artistes et la fonction sociale qu'ils exerçaient perdirent leur place éminente et que disparut brutalement la tradition qui s'était perpétuée grâce à eux.

L'ART DE
L'ÉPOQUE NÉOLITHIQUE
ET DE L'ÂGE
DU BRONZE

(DE 4000 À 750 AV. J.-C.)

UNE AUTRE RÉVOLUTION S'OPÈRE À L'ÉPOQUE NÉOLITHIQUE, quand l'homme, de prédateur qu'il était, ne vivant que de sa chasse et de sa cueillette, devient producteur, élève des animaux et cultive des céréales pour se nourrir. Ces mutations, parties du Proche-Orient (v. p. 18-19) et progressant vers l'ouest par la Méditerranée et la voie du Danube, atteignent l'Europe occidentale à partir du Ve millénaire av. J.-C. ; mais elles ne s'y développent à plus grande échelle qu'à partir du millénaire suivant. Elles sont accompagnées par l'usage de polir la pierre et par la technique de la terre cuite et de la poterie. La métallurgie du cuivre s'introduit à son tour dans la seconde moitié du IIIe millénaire av. J.-C., déterminant une phase de transition que les archéologues nomment chalcolithique. La métallurgie de l'or se développe au même moment. Celle du bronze, alliage de cuivre et d'étain, n'arrive qu'un peu plus tard, au début du IIe millénaire av. J.-C. Elle ouvre une nouvelle phase chronologique qui dure jusque vers 750 av. J.-C. L'artisanat du bronze devient florissant ; des itinéraires commerciaux se créent pour acheminer le cuivre et l'étain et distribuer les objets manufacturés. Des produits lointains, comme l'ambre de la Baltique, les perles en verre ou en faïence bleue de l'Égypte et de l'Égée, arrivent par diverses voies terrestres ou maritimes. La société, d'abord rurale et sans doute organisée de manière collectiviste, diversifie ses activités et se hiérarchise sous la conduite d'une aristocratie de plus en plus prospère. L'art atteste l'aventure d'une civilisation qui décuple son savoir-faire technique, s'enrichit en biens mobiliers et favorise le développement d'un goût profane et populaire pour le décor, la parure, l'ornementation.

LA TRADITION DE L'ART FIGURÉ

Exceptionnelles sont les œuvres néolithiques présentant quelque parenté avec le naturalisme paléolithique. On peut citer, en ambre, la figurine de cheval de Woldenberg (Brandebourg) et quelques amulettes animales du Danemark. Mais l'art pariétal du Levant espagnol (scènes de chasse ou de guerre, datées du paléolithique par l'abbé Breuil, mais attribuées maintenant soit au mésolithique soit au néolithique) et les peintures de l'île de Levanzo (Sicile) n'ont que de lointains rapports avec l'art paléolithique et sont bien plus caractéristiques de la tradition schématique qui s'établit comme de règle dans les représentations animales et humaines. Ce schématisme est attesté par des figurines d'idoles féminines en terre cuite ou en marbre (Sardaigne), au modelé plat à l'exception des seins, où rien ne subsiste de la stylisation adipeuse des vénus paléolithiques. Plus expressives et plus théâtrales sont quelques représentations humaines modelées sur des vases en terre cuite. Les œuvres schématiques les plus connues restent les statues-menhirs et les gravures rupestres alpines.

Les statues-menhirs, nombreuses en Provence et en Languedoc, et les œuvres qui leur sont apparentées (statues-piliers de Bretagne et déesses des Morts de la culture de Seine-Oise-Marne) sont datées de la fin du néolithique. Elles présentent à la fois, malgré certains détails réalistes, une schématisation déformante et une géométrisation du corps humain qui l'arrachent au réel et évoquent l'idée d'une absence surnaturelle. Les gravures rupestres, au contraire, sont grouillantes de vie et de réalité malgré leur schématisme. Les plus anciennes peuvent remonter à la seconde moitié du IIIe millénaire av. J.-C. Celles du mont Bégo et de la vallée des Merveilles (Alpes-Maritimes) datent surtout de l'âge du bronze. Les plus tardives du Val Camonica (Italie, prov. de Brescia) sont datées des abords de notre ère. Sur les falaises de ces vallées alpines, démunies de ressources pour une occupation humaine permanente, est gravé tout un peuple de petits personnages gesticulants et affairés. Ce sont des orants, c'est-à-dire des fidèles dont les bras sont levés et ployés dans un geste de prière, des laboureurs, des guerriers qui s'affrontent. Des attelages de bovidés tirent des araires ou des chars. Cet art rupestre semble être l'œuvre de pèlerins venus célébrer un culte qui exigeait d'eux de telles gravures : il s'agit donc à la fois d'un art religieux et d'un art populaire. Le schématisme y est une tradition. C'est aussi le style le plus spontané que pouvaient adopter ces créations naïves et expressives, mais sans savoir-faire artistique.

LES NOUVEAUX CRÉATEURS DE FORMES ET DE DÉCORS

Ce sont d'abord ceux qui ont poli les outils de pierre, dont les formes changent, dont la taille et le poids augmentent. Ils ont recherché, sous la contrainte des exigences fonctionnelles, l'harmonie des volumes, des proportions et des lignes, et souvent ils ont joué des effets de lumière sur le poli des veines minérales. Cet art quotidien et humble constitue cependant la base de celui du sculpteur et l'expression d'une exigence de beauté dans l'abstraction des formes et des surfaces. Les créateurs sont également les potiers et les artisans du métal, que l'on distingue entre eux parce que l'art de la poterie a été aussi pratiqué de manière familiale, alors que les forgerons du bronze et de l'or formaient une caste d'artisans spécialisés et mobiles. Mais les uns et les autres, héritiers de formes d'abord créées dans la pierre ou l'argile séchée, le bois, la vannerie et les peaux animales, pouvaient, grâce aux propriétés de la terre cuite et du métal, donner le champ libre à leur imagination.

Malgré la rusticité des moyens dont disposaient les potiers (le tour à volant, dont la rotation rapide est entraînée au pied, n'apparaît en Europe occidentale que dans la seconde moitié du Ier millénaire av. J.-C.), ils ont créé une multitude de formes de tasses, de gobelets, de flacons, d'urnes, de jarres et inventé mille procédés pour en décorer la surface. Tantôt ils l'ont lissée, tantôt ils l'ont conservée rugueuse, et quelquefois ils ont appliqué sur la surface une couverte lustrée noire ou grise. L'ornementation peinte ne se trouve qu'en Sicile (motifs linéaires en brun ou noir, sur fond rouge ou jaune) à l'âge du bronze ancien, avec des vases qui trahissent l'influence de formes égéennes. Le décor est ordinairement obtenu par incision (plus rarement par excision de figures géométriques) ou par estampages de toute nature (au doigt, à l'ongle, au bâtonnet, au peigne, au bord de coquillage, à la cordelette ou au poinçon plus ou moins élaboré). Les motifs se répètent en composant des figures ordonnées et géométriques. Quelquefois, enfin, c'est par adjonction de bossettes que la surface a été ornée. La combinaison du décor et de certains types de formes est caractéristique de groupes ethniques particuliers et permet de suivre leur migration ou leur expansion en Europe occidentale. Les propriétés du bronze et de l'or offraient aux artisans de multiples possibilités, qui ont été exploitées sans grande originalité pour fabriquer une vaisselle d'apparat, destinée aux banquets de l'aristocratie ou à des offrandes cultuelles, dont les formes imitent, en ces affinant un peu, celles de la vaisselle de terre cuite. C'est dans la fabrication des armes et des outils que s'est le mieux manifesté le renouvellement des dessins et des formes, avec des tranchants plus longs, des pointes plus acérées et un allégement des volumes par rapport à ceux de la pierre polie. Dans l'art des bijoux, la virtuosité s'est donné libre cours en adaptant leur forme à la partie du corps ou du vêtement destinée à les recevoir et en recherchant des combinaisons abstraites de lignes et de volumes. Mais là aussi, dans ce qui paraît propre au métal, comme les enroulements, les spires, les joncs torses, existe sans doute une tradition ornementale d'abord mise au point avec des matières périssables, comme le textile, le bois travaillé à chaud ou la vannerie. Les motifs ornementaux sont obtenus sur le métal par incision, estampage ou travail au repoussé. Ce sont des figures géométriques diverses, des lignes de points ou de bossettes, des cordons lisses ou torsadés, ou bien un motif en disque constitué par plusieurs cordons concentriques entourant une petite bossette, dans lequel s'inscrit un symbole solaire. À la fin de l'âge du bronze, ce disque solaire est représenté sur un char attelé d'un cheval (*Char de Trundholm*, Danemark) ou, plus couramment, sur une barque schématique dont les extrémités se relèvent en col de cygne. On voit là les vestiges d'un culte solaire dont la diffusion s'est faite non par la Méditerranée, mais par la voie danubienne et l'Europe centrale.

LE DÉVELOPPEMENT DE L'ARCHITECTURE

On entendra simplement, par architecture, la construction en pierre et de façon monumentale d'édifices généralement exemplaires, destinés à durer. Le phénomène concerne toute l'Europe atlantique, le Danemark et l'Allemagne du Nord, les régions méditerranéennes d'Espagne et de France ainsi que la Corse et la Sardaigne. Deux techniques sont attestées : celle de la construction en pierres sèches avec voûte à encorbellement, celle de la construction mégalithique (un peu postérieure à la précédente) avec dalles monolithes posées à plat sur orthostates.

L'architecture a d'abord été conçue pour le culte des morts, avec l'édification de tombes collectives recouvertes d'un tumulus parfois gigantesque (IVe millénaire av. J.-C.). L'apogée de ces monuments funéraires est marquée par les allées couvertes et les dolmens des IIIe et IIe millénaires av. J.-C. Les menhirs et les alignements de menhirs sont contemporains et ne sont pas moins spectaculaires : le grand ensemble de Carnac (Morbihan) s'étend sur 4 km de longueur et comprend près de 3 000 menhirs alignés. De tels ensembles avaient une fonction cultuelle, c'étaient de véritables sanctuaires. Celui de Stonehenge (près de Salisbury), édifié au début de l'âge du bronze sur une nécropole collective du néolithique final par acheminement des monolithes sur une distance de 230 km, était probablement un temple du Soleil. Une influence mycénienne s'est sans doute exercée sur sa dernière phase de construction. Il a servi jusqu'à l'époque celtique.

Ces techniques de construction, qui exigeaient des moyens considérables, ont été étendues au domaine profane. Au néolithique final, dans les Orcades, à Skara Brae, pour résister à la rigueur du climat, un hameau est édifié en grappe sous un énorme tumulus de sable, de fumier et de cendre. Los Millares, près d'Almeria, dans le Sud-Est espagnol, dont les tombes à tholos semblent influencées par celles de Mycènes, possède un village chalcolithique fortifié qui était un des grands foyers métallurgiques de l'Europe occidentale. En Sardaigne, à l'âge du bronze, s'édifient des forteresses, parfois entourées d'enceintes mégalithiques, dont les habitations sont des sortes de tours avec étage et voûte à encorbellement, civilisation dite des *nuraghi* (nouraghes). Et si, presque partout, persistent dans les villages les cabanes à poteaux de bois,

avec toit de branchages et parois clayonnées, un souci d'alignement préside à leur disposition sur les axes principaux de circulation. Ce préurbanisme et les manifestations de l'architecture profane ou religieuse accompagnent vraisemblablement le renforcement des structures sociales et un développement des premières formes complexes de leur organisation politique.

SITUATION DE L'ART AU NÉOLITHIQUE ET À L'ÂGE DU BRONZE

Après la disparition pratiquement sans héritage de l'art paléolithique, l'époque néolithique et l'âge du bronze ont réinventé l'art, avec des techniques et sur des bases radicalement nouvelles. Le savoir-faire artisanal est devenu fondamental ; dans l'art figuré, le schématisme s'est substitué au naturalisme ; l'ornementation est abstraite et géométrique. Les créations les plus spectaculaires sont celles de l'architecture mégalithique ; son gigantisme, toutefois, défi au temps et aux hommes, n'a laissé pour héritage que la tradition des tombes sous tumulus, et il est de bien moindre conséquence pour l'histoire ultérieure de l'art que l'habileté acquise par les artisans de la terre cuite et du métal.

L'ART DE L'EUROPE OCCIDENTALE MÉDITERRANÉENNE À L'ÂGE DU FER

(DE 750 À 200 AV. J.-C.)

DÈS LE DÉBUT DE L'ÂGE DU FER, À PARTIR DU VIIIe S. AV. J.-C., cette partie de l'Europe devient une aire d'expansion des colons méditerranéens orientaux, phéniciens, grecs et phocéens. C'est en Italie que les civilisations protohistoriques ont été le plus sollicitées, sous l'effet conjoint de la colonisation grecque et de l'essor de la civilisation étrusque, qui n'est elle-même qu'une variante occidentale de l'hellénisme. Les civilisations méditerranéennes réhabilitent le naturalisme en multipliant les représentations de l'homme et de l'animal et en introduisant les motifs végétaux dans l'ornementation.

LA PÉNINSULE IBÉRIQUE

À partir du IVe s. av. J.-C., auprès de grands sanctuaires des régions du Sud-Est espagnol, se développe un art aristocratique imprégné d'influences puniques ou helléniques. On lui doit une statuaire votive en pierre, animale (chevaux du temple d'El Cigarralejo, Murcie) ou humaine (*Dame d'Elche*, Alicante ; statues du sanctuaire de Cerro de los Santos, Albacete). Dans cette dernière, l'idéalisation archaïsante des visages s'ajoute à une attitude solennelle et compassée, comme hiératique. Les bijoux et les lourdes étoffes du vêtement sont traités avec réalisme et emphase. Dans les mêmes sanctuaires, on trouve aussi une abondante production de petits bronzes humains, souvent schématiques. La peinture sur vases témoigne d'un art plus spontané et plus alerte. Elle est faite au vernis brun sur fond ménagé ou sur couverte blanchâtre ; elle présente des décors animaux ou végétaux (où sont décelables des réminiscences de l'art orientalisant méditerranéen) et des personnages schématiques, qui tantôt servent de motifs décoratifs, tantôt sont intégrés dans des compositions narratives. Le traitement des étoffes atteste parfois aussi dans cette peinture le même goût du somptueux que la statuaire votive elle-même.

LA SARDAIGNE

Une civilisation pastorale et guerrière, accrochée à ses *nuraghi*, y a résisté à la colonisation punique et duré jusqu'à la conquête romaine, elle-même combattue par une résistance séculaire. À une époque que l'on fixe aujourd'hui entre les VIIIe et VIe s. av. J.-C., mais avec de longues survivances jusqu'au IIIe s. av. J.-C., les sanctuaires sardes ont reçu l'hommage de nombreuses figurines humaines en bronze. Celles-ci représentent des tireurs à l'arc, des guerriers brandissant l'épée et abrités derrière leur bouclier, des chefs dans une attitude de harangue ou de prière, des lutteurs, une divinité féminine tenant un guerrier mort sur ses genoux, un être surnaturel avec casque à deux hautes cornes, muni de deux paires d'yeux, de deux paires de bras et tenant deux boucliers. Dans ces petits bronzes, le schématisme se mêle intimement au réalisme, les visages sont impassibles, les attitudes à la fois sobres et solennelles. Des influences lointaines, orientales ou occidentales, sont décelables, et certains détails du vêtement se retrouvent dans l'art italique contemporain, mais l'originalité d'ensemble de cette production demeure cependant irréductible.

LA SICILE ET L'ITALIE

Les civilisations de l'âge du fer y sont multiples ; dans la Péninsule, la plupart d'entre elles appartiennent à un vaste ensemble dit « villanovien », doté d'une riche métallurgie et d'un artisanat florissant de la terre cuite. L'art figuré y a rencontré très tôt un terrain favorable. Dès le VIIIe s. av. J.-C., avec un mélange de maladresses formelles et de stylisations dont l'audace et la sûreté sont pleinement maîtrisées, les représentations de l'homme et de l'animal y ont fourni matière à une grande variété de métamorphoses, qui vont de l'abstraction de l'être humain focalisée sur son visage schématiquement géométrisé (tels les masques votifs en bronze de Sicile ou ceux qui commencent à anthropomorphiser les urnes en Toscane, comme celle de Saturnia, prov. de Grosseto) jusqu'à l'énigmatique parodie du couple que suggèrent les cynocéphales enlacés du couvercle de l'urne de Pontecagnano (Salerne). Nombreuses sont les interprétations ornementales de l'homme ou de l'animal comme anses de récipients ou prises sur leurs flancs et leur couvercle. Nombreux aussi les récipients de bronze ou d'argile qui sont un prétexte pour créer un bestiaire fabuleux, bien différent de celui que les modes orientalisantes vont commencer à répandre. Ainsi le petit char brûle-parfums à corps d'oiseau, pattes et têtes de cerf ou de bovidé de la nécropole de Monterozzi (Tarquinia) ; ou l'*Askos Benacci* de Bologne, en forme de bovidé-oiseau, muni d'un cavalier casqué en guise d'anse et recouvert d'un décor imprimé stylisant à la fois ailes, plumes ou pelage.

Les potiers et les artisans du bronze, non contents de poursuivre les rêves d'un tel répertoire, ont aussi créé un art narratif inspiré par la célébration des cérémonies cultuelles. Un vase de bronze de Bisenzio (Italie, lac de Bolsena) est orné d'une série de figurines qui dansent en procession rituelle autour d'un ours, servant lui-même de prise au couvercle (fin du VIIIe s. av. J.-C.). Cette tradition fera preuve d'une belle vitalité ; l'urne de Montescudaio (Volterra, milieu du VIIe s. av. J.-C.) présente sur son couvercle une scène de banquet funéraire où un petit serviteur gesticule sert son maître bedonnant, ancêtre des Étrusques obèses, attablé devant une profusion de plats. Sous l'influence de l'art étrusque, et en assimilant des formules plastiques orientalisantes et hallstattiennes, cette tradition s'épanouit en Italie du Nord, à partir du VIe s. av. J.-C., dans l'art des situles (sceaux de bronze), dont la diffusion couvre aussi l'Autriche et une partie de la Yougoslavie. Des motifs végétaux et des animaux fabuleux, cette fois typiques de l'orientalisant, y survivent comme décor couvrant à côté de petits personnages qui sont groupés par files, en processions guerrières, religieuses ou agricoles, en banquets ou en joutes athlétiques, monde grouillant d'animation et de vie, unissant le réalisme des détails à une stylisation conventionnelle de la silhouette.

Le cloisonnement entretenu par la chaîne des Apennins et celle des Alpes a favorisé les survivances isolées de cet art protohistorique. Les stèles funéraires ligures de VIIe et VIe s. av. J.-C. perpétuent la tradition des stèles-menhirs, et la statuaire funéraire monumentale italique du VIe s. av. J.-C., comme la tête casquée de Numana (Italie, Ancône) ou le *Guerrier de Capestrano* (*id.*, L'Aquila), prend superbement ses distances à l'égard de l'archaïsme

gréco-étrusque contemporain. On a vu que les incisions rupestres du Val Camonica continuent jusqu'à l'époque romaine, de même que, dans les sanctuaires du bassin de l'Adige, les offrandes de petits bronzes figurés ou les plaquettes votives, perpétuant l'art des situles.

L'ART ET LA SOCIÉTÉ INDIGÈNES

Il est malaisé de dégager des perspectives communes à un aussi large éventail de pays. On notera seulement que les pratiques cultuelles, celles qui sont le plus tenace fondement des mentalités, ont servi à maintenir vivaces les traditions plastiques indigènes et que le développement de l'art narratif, même dans l'aire de diffusion des situles, si proche de la Méditerranée, a ignoré les gestes héroïques ou divines de la mythologie gréco-étrusque. C'est un choix délibéré, par lequel l'art atteste la persistance du fonds originel des mentalités.

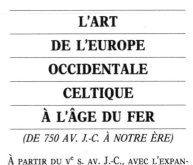

L'ART
DE L'EUROPE
OCCIDENTALE
CELTIQUE
À L'ÂGE DU FER

(DE 750 AV. J.-C. À NOTRE ÈRE)

À PARTIR DU Ve S. AV. J.-C., AVEC L'EXPANSION DÉMOGRAPHIQUE DES CELTES, que les auteurs antiques nomment aussi, indifféremment, Gaulois ou Galates, leur civilisation, qui présente des caractères homogènes et une évolution synchrone, s'étend à toute l'Europe occidentale transalpine. Au IVe s. av. J.-C., elle s'installe même dans la plaine du Pô. Aux VIIe et VIe s. av. J.-C., elle est précédée par une civilisation qui présente d'étroits rapports avec les cultures villanoviennes d'Italie et qui est particulièrement florissante au nord de l'arc alpin, en France de l'Est, en Suisse, en Allemagne méridionale et en Autriche, où se trouve, dans la région de Salzbourg, le village de Hallstatt, auquel elle doit son nom. Les peuples porteurs de cette civilisation étaient aussi considérés comme celtiques dans l'Antiquité, et l'archéologie admet également aujourd'hui le bien-fondé de cette identification.

L'ART HALLSTATTIEN

Le répertoire des formes et des décors géométriques de l'âge du bronze évolue rapidement au contact des influences méditerranéennes qu'un commerce actif diffuse au nord des Alpes. L'ornementation conserve le motif en disque à cercles concentriques, que l'on estampe aisément, et reprend de très anciens motifs, comme les combinaisons de losanges et de triangles ou les incisions obliques inversées en arête de poisson, en leur ajoutant le damier méditerranéen. Ce sont les potiers d'Allemagne méridionale qui ont tiré le meilleur parti décoratif de cette ornementation, en utilisant de savantes techniques pour la rehausser de couleurs. Ainsi le graphitage, qui donne un noir profond et lustré, ou l'application de pâtes blanches dans les décors incisés pour créer des effets de camaïeu, ou la peinture, qui combine librement aux graphismes toute une palette de blancs, de noirs, de bruns, de rouges et d'ocres, sans oublier l'incrustation de matières colorées. Les motifs zoomorphes en protomés d'oiseaux ou de bovidés sont habilement intégrés aux vases pour former des becs verseurs ou des anses, mais les vases zoomorphes proprement dits n'atteignent pas à la virtuosité des créations villanoviennes.

Les artisans du bronze ont créé à la cire perdue de nombreuses figurines d'hommes et d'animaux, utilisées en pendentifs, en fibules, en appliques, en figurines funéraires ou votives, ou comme anses de récipients. L'œuvre la plus connue de cette abondante production est le petit char votif ou cultuel de Strett-weg (Autriche). La chaudronnerie du bronze (vases et casques) essaime alors ses produits, ou peut-être même ses artisans, aux quatre coins de l'Europe : le casque à cornes de Vixsoe (Danemark) est un modèle d'Eu-rope centrale connu jusqu'en Méditerranée, comme le montrent les petits bronzes sardes précédemment évoqués. Les orfèvres, sollicités par une aristocratie très riche, ont exploité une ornementation géométrique identique à celle de la céramique (*Collier d'Uttendorf*, Autriche), mais le *Bol d'Alstetten* (Suisse), dont les bossettes, qui imitent la granulation étrusque, entourent des symboles astraux et une procession d'animaux en file, montre aussi comment ils ont interprété les modèles de l'orientalisant étrusque.

L'attrait des modèles méditerranéens culmine à partir du VIe s. av. J.-C. avec le riche mobilier importé des tombes princières (dont le *Cratère de Vix*). À cette phase appartient le témoignage exceptionnel de la *Stèle funéraire de Hirschlanden* (Wurtemberg), apparentée à la fois au schématisme rituel des statues-menhirs et à la tradition italique du *Guerrier de Capestrano*.

LES GRANDS STYLES ORNEMENTAUX À L'ÉPOQUE DE LA TÈNE

À partir de la fin du Ve s. av. J.-C., à l'époque de La Tène, les artisans redoublent d'activité, créant, en poterie, de nouvelles formes de flacons, d'urnes et de gobelets et, dans les arts du métal, une profusion d'objets ornés répondant à divers usages : des armes (casques, boucliers, épées, lances), de la vaisselle de banquet, des ornements pour chars et harnachements de chevaux, des bijoux d'or ou de bronze (colliers, dits « torques », boucles d'oreilles, bracelets, fibules). L'abondance et une savante exubérance caractérisent l'ornementation de l'époque de La Tène.

L'engouement pour l'ornementation végétale méditerranéenne introduit alors dans l'art celtique (fin du Ve-début du IVe s. av. J.-C.) des décors dérivés des frises de palmettes et de fleurs de lotus, répétitifs comme elles, mais qui substituent à leur réalisme une stylisation plus abstraite de leurs feuilles, de leurs pétales et de leurs enroulements (*Bol de Schwarzenbach*, Palatinat rhénan). Ces décors se développent d'abord en Allemagne, dans le bassin du

Rhin, et dans la Marne, cependant qu'en Autriche les composantes végétales donnent lieu, au contraire, à des interprétations géométriques à base de cercles, d'arcs et d'esses. L'incrustation de matières colorées (corail, ambre, pâte de verre) enrichit les objets les plus précieux (*Disque d'or* d'Auvers, Val-d'Oise). Cette ornementation caractérise le premier style celtique.

L'expérience esthétique approfondie qui accompagne l'invasion des Celtes en Italie (à partir de 390 env. av. J.-C.) contribue à la formation d'un décor végétal évolué où les rinceaux, les spires et les entrelacs, enchaînés de manière continue, s'alignent en frises couvrantes ou se combinent en vignettes complexes en exploitant savamment les ressources de la symétrie ou de l'asymétrie. Nombreux sont les torques et les bracelets ainsi ornés, ainsi que les fourreaux d'épée. Le chatoiement des incrustations colorées est plus que jamais de mode (casques d'Agris, Charente ; d'Amfreville, Eure ; de Canosa, Italie). De cette époque datent aussi de très beaux vases peints. Ce style est appelé *style végétal continu*, ou *style de Waldalgesheim* (localité du Palatinat rhénan où fut découverte une tombe princière riche en bijoux d'or), et il correspond à la grande phase d'expansion celtique du IVe s. av. J.-C.

À partir du IIIe s. av. J.-C., les reliefs du décor obtenus par travail au repoussé ou par fusion à la cire perdue deviennent de plus en plus accentués. Sur les motifs, les spires se gonflent, des triscèles turgescents apparaissent, des boules en grappes et des protubérances se multiplient, des cabochons surgissent, pastillés de pâte de verre ou bouletés de grains de corail. L'influence de l'orfèvrerie hellénistique, dont les bijoux sont alors surchargés de fleurettes soudées et parfois émaillées, peut aussi expliquer, dans l'orfèvrerie celtique, la vogue d'un décor fourmillant de bourgeonnements et d'efflorescences (*Bracelet* et *Torque de Lasgraisses,* Tarn ; *Torque de Fenouillet,* Haute-Garonne). Cette ornementation constitue le *style plastique*, une sorte de baroque du décor à reliefs, dans lequel se désagrègent en motifs séparés, de plus en plus abstraits, les compositions complexes du style végétal continu.

Celles-ci subsistent pourtant dans l'ornementation des fourreaux d'épée et se transmettent à l'art celtique des îles Britanniques, qui continuera d'en exploiter les ressources graphiques et plastiques jusqu'au début du Ier s. de notre ère.

L'ART FIGURÉ

La tradition narrative schématique de l'art hallstattien ne laisse que des traces isolées dans l'art de l'époque de La Tène, qui traite l'animal et l'homme en décor ou comme éléments de décor. Ainsi qu'on le trouve dans l'art gréco-étrusque, des statuettes animales servent d'anse à des récipients luxueux (*Œnochoé de Basse-Yutz,* Moselle, début du IVe s. av. J.-C.). En général, c'est le protomé animal ou le visage humain représenté de face et dit « masque » qui prend place comme ornement dans la composition décorative d'ensemble. Il en existe aussi des modèles gréco-étrusques. Mais la stylisation du masque celtique, auréolé de feuilles qui accentuent le nimbe des antéfixes méditerranéennes, subit l'assimilation de son environnement végétal (*Plaque de Weiskirchen,* Sarre, début du IVe s. av. J.-C.), et cette stylisation atteint une telle autonomie qu'on la retrouve même dans la statuaire, comme avec la *Tête biface de Heidelberg* (Bade-Wurtemberg, même époque). D'autres compositions mêlent les masques, ou quelquefois des sortes de bustes, à des animaux réels stylisés ou à des animaux fantastiques, comme les griffons du répertoire orientalisant méditerranéen : de telles combinaisons sont fréquentes sur les fibules, les torques et les bracelets pendant le premier style celtique. Les masques continuent d'être fréquents dans le style végétal continu, qui fait de l'arabesque du nez et des sourcils une partie d'entrelacs ou de rinceau. Dans le style plastique, des intentions humoristiques s'affirment, avec des masques qui grimacent en clignant de l'œil, comme sur un anneau passe-guide de Champagne. Au Ier s. av. J.-C., de petites têtes humaines surmontent les poignées d'épée anthropomorphes, et, par répétition, le masque, comme sur les *Phalères d'argent de Manerbio* (Lombardie), finit par constituer l'ensemble du décor. La continuité de la tradition est évidente ; il est tout aussi évident que la plastique humaine demeure systématiquement exclue de toutes ces œuvres profanes.

La statuaire, quant à elle, est demeurée, chez les Celtes, un privilège de l'art sacré. C'est ce que montre aussi, dans le répertoire décoratif, le témoignage narratif exceptionnel du *Chaudron de Gundestrup* (Danemark, Jutland, Ier s. av. J.-C. ?), sur lequel sont représentés dans un dessein cultuel des animaux, des dieux et une procession de guerriers participant, semble-t-il, à une cérémonie rituelle d'héroïsation. Le style de cette œuvre, schématique mais foisonnant de détails réalistes, dénote des influences italiques et romaines. Il est également vraisemblable que les interdits liés à l'usage sacré de la plastique humaine expliquent pourquoi l'art celtique, pourtant fasciné par le masque, n'ait jamais produit de portraits.

LA STATUAIRE MONUMENTALE DE LA GAULE MÉRIDIONALE

Cet aspect particulier de l'art figuré celtique se développe sans doute dès la fin du IVe s. av. J.-C. dans le domaine celto-ligure, où les influences méditerranéennes sont anciennes et plus vigoureuses. La statuaire est liée à des pratiques d'héroïsation funéraire (*Guerriers de Sainte-Anastasie* et de *Grézan,* Gard) ou aux cultes établis dans des sanctuaires monumentaux chez des peuplades dont la civilisation est elle-même en voie d'urbanisation sur le modèle méditerranéen classique. Les influences qui en expliquent la formation sont multiples : aux apports celtiques, il faut ajouter d'antiques traditions remontant aux *xoana* ioniens et des modèles plus récents ibériques et italiques.

Il s'agit d'une statuaire en pierre, qui a fourni des représentations d'animaux symboliques ou sacrés et surtout une iconographie anthropomorphe, presque toujours masculine, de héros, de dieux et de têtes coupées, celles-ci appartenant à un rituel fréquent dans la célébration des triomphes ou des cultes celtiques. Le style de ces œuvres, naturaliste au sens large, est pourtant très complexe. Il est réaliste par un certain nombre de particularités anatomiques ou vestimentaires ; mais il présente aussi une schématisation à caractère rituel (qui déforme les torses en triangles et peut les allonger sans souci des proportions réelles) et une idéalisation hiératique, rituelle elle aussi, qui commande les attitudes (absence de mouvement et rigidité, pose « en majesté » qui est celle du scribe ou du tailleur) et immobilise les traits du visage, vide de tout sentiment, passion ou souffrance.

Circonscrit dans un domaine géographique limité (le Gard et les Bouches-du-Rhône, avec les sanctuaires de Nages, de Glanum, d'Entremont et de Roquepertuse), cet art n'est pourtant pas demeuré sans parallèle dans la Celtique continentale, au Ier s. av. J.-C. et au Ier s. de notre ère, comme le montrent une statuette en calcaire récemment découverte à Saint-Marcel d'Argenton (Indre) et celle de bronze, au visage classicisant, découverte à Bouray (Essonne), qui représentent des dieux assis dans la même pose en tailleur.

L'ART DES MONNAIES CELTIQUES

Dès les premières émissions, au IIIe s. av. J.-C., et ensuite à diverses époques, les monnayages celtiques ont imité des monnaies méditerranéennes auxquelles étaient empruntées non seulement les caractéristiques métrologiques mais aussi l'iconographie. Celle-ci, perdant sa signification propre, pouvait alors solliciter l'imagination des graveurs chargés de fabriquer les coins. Les monnaies les plus imitées ont été le statère d'or de Philippe II de Macédoine (en France, au sud de la Seine et de la Marne), celui de Tarente (imité au nord de la Seine et de la Marne) et la drachme marseillaise (imitée en Italie septentrionale, au nord du Pô, chez les Gaulois, Insubres et Cénomans). Après une phase initiale d'imitation fidèle, les interprétations font preuve d'une liberté croissante. Les chevelures, les diadèmes et les profils des têtes divines du droit des monnaies grecques donnent alors naissance à des compositions abstraites de lignes et de reliefs dans lesquelles, au

Ier s. av. J.-C., le visage finit par perdre son identité humaine. Il en va de même pour les types du revers. Le lion passant de la drachme marseillaise donne naissance à une sorte de scorpion, dans un graphisme exubérant de points, de traits et de courbes ; l'attelage du char des statères devient un cheval dont le corps ondoie en spire, avec des pattes aux articulations en forme de boule, lancées dans un irréel galop.

Cette évolution des monnaies celtiques est contraire à celle des monnaies méditerranéennes, sur lesquelles, des types divins, les graveurs sont passés au portrait des hommes politiques qui commanditent l'émission. Mais le portrait est étranger à l'art celtique : même les statères de Vercingétorix, dont le droit porte le nom du chef arverne en légende de ce qui doit être son effigie, ne restituent que l'image idéalisée d'une tête juvénile.

L'ARCHITECTURE CELTIQUE

Les Celtes ne sont souvent considérés que comme de bons bâtisseurs de vastes et fonctionnelles cabanes. En matière d'architecture, ils ont eu pourtant, dès l'Antiquité, la réputation de savoir édifier, autour de leurs habitats, de monumentales enceintes résistant à l'incendie, aux sapes et aux coups du bélier et dont l'aspect présentait une certaine beauté. César, qui n'a pas toujours réussi à les prendre d'assaut, les a décrites (*De Bello Gallico*, VII, 23) et le nom de *murus gallicus* leur a été donné pour distinguer leur technique de construction, dont les fouilles attestent diverses variantes. Cette muraille gauloise était un rempart de 4 à 5 m d'épaisseur, formé d'un talus de terre compacte parementée de pierre et charpenté par un poutrage interne orthogonal de troncs d'arbres, que des broches de fer assemblaient entre eux et dont les extrémités apparaissaient en quinconce dans les parements. La tradition de ces enceintes remontait aux remparts à caissons de bois, connus dès l'âge du bronze (Moulins-sur-Céphons, Indre). Il existe à la Heunebourg (Wurtemberg) des vestiges d'une enceinte édifiée en briques crues sur soubassement de pierre (VIe s. av. J.-C.),

comme on en rencontre en Sicile et en Grèce. Mais cette technique méditerranéenne, inadaptée au climat, n'a laissé que ce témoignage exceptionnel et n'a pas supplanté la technique traditionnelle des remparts celtiques.

LA POSTÉRITÉ DE L'ART CELTIQUE

L'art celtique s'est beaucoup inspiré des modèles méditerranéens, mais il l'a toujours fait dans la ligne de son génie propre, qui était semble-t-il de tendre à l'abstraction et à la métamorphose. Ces tendances ont longuement persisté dans l'art de l'Europe occidentale, en Gaule romaine, chez les Celtes insulaires et jusque dans l'art médiéval.

CE SURVOL DE TRENTE MILLÉNAIRES DE CRÉATION ARTISTIQUE révèle, malgré la diversité des époques et l'étendue du champ d'observation, un fait constant que l'on doit, pour cela même, considérer comme significatif : l'art figuré anthropomorphe demeure bien moins fréquent que l'art figuré animalier et que l'ornementation géométrique ou végétale. En outre, quand l'être humain a été pris pour sujet de la représentation, son image semble être quasiment une esquisse de la créature vivante, de son anatomie et de l'arrière-plan spirituel qui donne leur sens à ses attitudes et aux expressions de son visage. Les vénus paléolithiques symbolisent une idée, sans doute celle de la fécondité féminine ; les personnages des gravures rupestres et des bronzes votifs sont schématiques : ou bien ils sont figés dans une attitude symbolique, ou bien ils sont simplement gesticulants, pour signifier rituellement leur participation à une activité cérémonielle qui transcende l'homme. La statuaire funéraire ibérique dépersonnalise par idéalisation ses essais de portrait ; la statuaire sacrée celto-ligure hiératise et dépouille de sentiment ses héros ou ses dieux. D'un tel art se dégage, sous des formes diverses, l'idée de civilisations dans lesquelles l'homme n'a pas encore attiré sur son être et en lui-même le point convergent où viennent s'amalgamer les acquis de la connaissance, du savoir-faire et de la sagesse, au contraire des civilisations méditerranéennes classiques, qui sont humanistes et pour lesquelles l'Europe occidentale était demeurée un monde barbare qui effrayait leur propre mentalité. Mais un jugement de ce type a perdu tout son sens. La culture d'aujourd'hui, dont l'humanisme plus historique est fasciné par le devenir des civilisations, n'attend plus qu'on réhabilite l'art de la préhistoire et de la protohistoire. Elle découvre en lui des formes de l'imaginaire et une diversité d'expériences qui rejoignent toutes celles par lesquelles elle-même continue d'interroger son destin.

Bibliographie sommaire

BIANCHI BANDINELLI (R.), *les Étrusques et l'Italie avant Rome*, L'Univers des Formes, Gallimard, Paris, 1973. BREZILLON (M.), *Dictionnaire de la préhistoire*, Larousse, Paris, 1969. DE LUMLEY (H.) GUILAINE (J.), *la Préhistoire française*. I, 1-2, les civilisations paléolithiques et mésolithiques ; II, les civilisations néolithiques et protohistoriques de la France, C.N.R.S., Paris, 1976. DUVAL (P.-M.), *les Celtes*, L'Univers des Formes, Gallimard, Paris, 1977. LAMING-EMPERAIRE (A.), *la Signification de l'art rupestre paléolithique*, Picard, Paris, 1962. LEROI-GOURHAN (A.), *Préhistoire de l'art occidental,* Mazenod, Paris, 1965. MANSUELLI (G. A.), *les Civilisations de l'Europe ancienne*. Arthaud, Paris, 1967. MEGAW (J. V. S.), *Art of the European Iron Age, a Study of the Elusive Image*. Adams and Dart, Bath, 1970. MÜLLER-KARPE (H.), *Handbuch der Vorgeschichte*. C. H. Beck, Munich, 9 vol., 1966-1980. SCARRE (CHR.) éd., *Ancient France, Neolithic Societies and their Landscapes, 6000-2000 B. C.* University Press, Edimbourg, s. d. (1983).

L'ORIENT ANCIEN

Jean Margueron

LA NAISSANCE
D'UN ART
ORIENTAL

Les conditions
de la création

IL N'Y A GUÈRE PLUS D'UN SIÈCLE ET DEMI que les fouilles pratiquées en Orient ont rendu à la lumière des œuvres d'art produites par des civilisations qui n'étaient connues que par les textes bibliques, comme celle de l'Assyrie, quand elles n'avaient pas été complètement oubliées, comme celle de Sumer. Car, à la différence des civilisations classiques de la Méditerranée antique ou de l'Égypte, il ne subsistait pratiquement pas de vestiges apparents des réalisations, pourtant grandioses, qui avaient vu le jour dans cet Orient aux espaces infinis, et l'on n'imaginait guère que ces collines désolées, appelées *tells,* conservaient les témoignages de mondes ignorés. On comprend dès lors l'étonnement du monde cultivé occidental lorsque le Louvre inaugura le 1ᵉʳ mai 1847 un « musée assyrien » chargé d'exposer les bas-reliefs que P. E. Botta, le premier fouilleur mésopotamien, avait exhumés à partir du printemps 1843 des ruines de Khorsabad, une des capitales assyriennes de la fin du VIIIᵉ s. av. J.-C.
Les découvertes se sont multipliées

depuis ce moment et pourtant l'histoire de l'art des civilisations orientales antiques reste marquée par cette renaissance tardive ; il en découle des traits spécifiques qui lui sont propres.

Tout d'abord notre connaissance de l'Orient est et restera encore longtemps parcellaire ; les découvertes réalisées dans les palais et tombes royales d'Ebla (Syrie des IIIᵉ et IIᵉ millénaires) sont là pour rappeler que des remises en question de ce qui semble acquis sont toujours possibles dans cette région où la recherche archéologique ne fait que débuter. Il serait donc illusoire de penser que toute présentation écrite de l'art oriental est autre chose qu'un essai, une mise au point provisoire, dans un domaine en perpétuelle transformation. Il apparaît donc clairement aussi que l'histoire de l'art oriental antique est dépendante de l'archéologie et reste indirectement très liée à ses méthodes d'analyse, à sa problématique.

En outre, il faut bien prendre conscience que notre connaissance du monde oriental sera toujours soumise aux conditions de conservation des œuvres antiques. Or, sauf exceptions malheureusement trop rares, celles-ci ne sont pas bonnes en Orient, car l'humidité contenue dans les terres — et elle est toujours forte dans les régions où coulent les fleuves qui attirent par nécessité les principales installations humaines — provoque une dégradation irrémédiable des œuvres exécutées sur un support ou à l'aide d'un matériau périssable, une fois qu'elles sont enfouies dans la terre. Ainsi seuls la pierre gravée, l'argile plus ou moins cuite et parfois le métal ont réussi à échapper aux agents corrosifs ; mais bois, cuirs, étoffes ont disparu. Ces lacunes venant s'ajouter à une exploration inachevée, tout jugement sur l'ensemble de la production est hasardeux.

Il faut encore constater que c'est peut-être par un abus de langage que l'on parle d'une histoire de l'art de l'Orient au même titre que d'une histoire de l'art égyptien ou grec. Car l'Orient n'a jamais été le lieu d'une seule civilisation, où les forces de cohésion l'auraient emporté sur les forces de différenciation. Aucun des empires n'a réalisé l'unité de la production artistique, pas même l'Empire perse, absorbé par celui d'Alexandre, alors que les conditions paraissaient très favorables. Finalement, c'est bien la diversité des formes et des modes d'expression qui caractérise l'Orient tout au long de son histoire. Et comment pourrait-il en être autrement si l'on se réfère aux conditions géographiques ?

Un coup d'œil jeté sur une carte met en évidence l'absence d'homogénéité entre les différents domaines qui constituent cette terre de jonction entre l'Europe, l'Asie et l'Afrique. Certes le bassin fluvial de la Mésopotamie joue à travers les millénaires le rôle d'un creuset, mais, des hauts plateaux d'Anatolie aux chaînes complexes de l'Asie Mineure, de l'Iran ou de l'Afghānistān, des rives de la Méditerranée — relativement isolées de l'intérieur du pays par ce bourrelet des monts de Judée, du Liban et de l'Anti-Liban, des monts des Alaouites et de l'Amanus — aux rebords du golfe Persique, des steppes syriennes aux déserts de sable et de basalte de la Jordanie et de l'Arabie, des oasis de Syrie aux rivages de la Caspienne, quelle homogénéité trouver ? Comment, dans ce domaine qui s'étend du sud au nord et d'ouest en est sur des milliers de kilomètres, des chasseurs, des pasteurs, des agriculteurs auraient-ils pu exprimer de la même façon des aspirations qui ne s'enracinaient pas dans les mêmes modes de vie ? Comment l'habitant des espaces méridionaux de la Mésopotamie, où terre et eau se mêlent en un fouillis inextricable

et où le roseau remplace toute végétation, pourrait-il rencontrer dans ses angoisses profondes les nomades des steppes infinies de Syrie ou du Turkménistan, ou encore les montagnards du Liban aux pentes couvertes de forêts de cèdres centenaires ? Comment l'artisan ou le commerçant des grandes cités de l'époque historique pourraient-ils confondre leurs aspirations avec celles des paysans du même moment, plus soucieux des rythmes saisonniers que de la sécurité des routes commerciales ? La pluralité des espaces géographiques naturels, la variété des populations et des formes de vie concourent à une diversité des productions artistiques qui, pour n'avoir peut-être pas toujours été vue avec netteté, n'en est pas moins l'une des caractéristiques de l'art de l'Orient.

Toutefois, il ne faudrait pas voir dans cette diversité le trait dominant et tout ramener à elle. En effet, la montagne, le désert et la mer, dans cet Orient multiforme, ne sont jamais de véritables barrières ; des passages existent et les relations sont facilitées grâce à la domestication de certaines espèces animales ou à l'invention de certaines techniques comme celle de la roue. Ainsi que le montrent les fouilles, les contacts sont aussi anciens que l'arrivée des hommes dans cet univers : parce que les échanges commerciaux étaient une nécessité vitale pour eux, les Mésopotamiens ont fait de cette activité l'une des bases essentielles de leur économie. Et ces échanges ont favorisé le brassage des hommes, des idées, des croyances et des sensibilités. Si les fouilles ont mis particulièrement en valeur les aspects homogènes, plutôt que les différences, de la production artistique, c'est qu'elles ont été pratiquées de préférence dans les grands centres urbains, voire dans les capitales de royaumes puissants ou d'empires, qui se trouvaient être les lieux privilégiés des tendances syncrétiques ou unificatrices.

D'autres facteurs nuanceront certaines de ces affirmations qui tentent d'abord de mettre en évidence la diversité de l'Orient.

La naissance
de l'art oriental
avec le développement
des premiers villages
(10000 À 3500 AV. J.-C.)

On n'a pratiquement pas retrouvé de témoignages d'une activité artistique des hommes qui, durant le paléolithique, ont vécu dans ces régions. Ce n'est que lors de la grande mutation qui s'accomplit entre le XIIᵉ et le VIIIᵉ millénaire, et qui voit l'abandon des modes de vie traditionnels faits de chasse et de cueillette au profit d'une sédentarisation accompagnée d'une acquisition progressive des techniques agricoles et pastorales, que l'on trouve les plus anciennes manifestations de ce que l'on pourrait appeler une activité artistique. Cette période de mutation qui conduit au néolithique est assez bien connue grâce aux fouilles conduites depuis une trentaine d'années, en particulier en Palestine (Jéricho) et en Syrie (Mureybat). Les figurines animales en argile, l'outillage lithique et l'architecture semienfouie de plan circulaire expriment clairement l'aptitude des hommes de ce temps à se rendre maîtres du milieu naturel ; la valeur esthétique apparaît alors, mieux qu'en d'autres périodes, inséparable du critère de l'efficacité technique.

Le développement de l'élevage et de l'agriculture, la mise en œuvre de l'irrigation en Mésopotamie, la découverte de la céramique modifient profondément les premières sociétés et favorisent la constitution de communautés villageoises. Celles-ci s'épanouissent à partir de la fin du VIIIᵉ millénaire et nous offrent des témoignages assez nombreux des principales tendances d'un art oriental naissant.

Il ne faudrait pas toutefois imaginer pour cette période du néolithique qui dure jusqu'au IVᵉ millénaire une situation statique et figée ; c'est une évolution parfois irrégulière qui caractérise la marche de l'Orient à l'urbanisation. Les grandes étapes historiques que l'archéologie a définies pour cette longue période cherchent de temps à autre à mettre l'accent sur une nouveauté technique. Ainsi, l'ap-

parition d'objets créés à partir de la cuisson de la terre définit une période « néolithique céramique » qui succède à une phase « acéramique » ; on imagine sans peine toute l'importance d'une telle découverte, à la fois pour la vie quotidienne des hommes et, à certains moments privilégiés, comme moyen d'expression artistique. Mais ce sont plutôt les noms des sites, où pour la première fois certaines caractéristiques ont été observées, qui servent à désigner les étapes. L'occupation progressive de la Mésopotamie aux VIIᵉ et VIᵉ millénaires, grâce à l'irrigation, donne bientôt la vedette à cette région qui va pour longtemps apparaître comme le moteur de l'essor de l'Orient. À la culture d'Hassouna, qui se développe en pays assyrien (milieu du VIᵉ millénaire), succède la culture de Samarra, qui domine dans les vallées moyennes du Tigre et de l'Euphrate à la fin du VIᵉ et au début du Vᵉ millénaire. Les villages connaissent alors une organisation plus poussée et une architecture souvent complexe se développe à tell es-Sawwan, à Choga Mami ou à Yarim tépé ; céramique peinte, statuettes d'albâtre, vases de pierre et figurines d'argile témoignent d'une société aux besoins diversifiés. En Mésopotamie septentrionale et en Syrie, tout le long du piémont des chaînes d'Asie Mineure, domine au Vᵉ millénaire la culture de tell Halaf, célèbre à juste titre pour sa céramique décorée où le motif du bucrane joue un rôle important sous une forme parfois très schématique. Le dernier grand moment de ce néolithique voit la culture d'Obeïd, née dans le sud de la Mésopotamie, conquérir par étapes l'ensemble du Proche-Orient et devenir significative d'une phase préurbaine caractérisée en particulier par une nette diversification des types d'agglomérations : tandis que certaines restent des villages, dans d'autres (tépé Gawra, Éridou, Suse) de grands bâtiments voisinent avec des maisons de petites dimensions assez traditionnelles : il y a là un important indice de différenciation et sans doute de hiérarchisation de la société. Ce sont toutefois les sépultures de cette époque qui, grâce à leur mobilier composé de céramiques décorées, donnent une idée précise des tendances artistiques de la fin du néolithique.

Si l'évolution de l'art de cette période est encore bien souvent malaisée à définir, on peut cependant dégager certaines tendances profondes de l'architecture, de la sculpture et de la peinture.

De la maison de Mureybat aux grands édifices de tépé Gawra ou Éridou un énorme chemin a été parcouru. La sédentarisation s'est en effet accompagnée d'un apprentissage des techniques de construction qui a permis de passer d'abord de la cabane à demi enterrée à une architecture de forme quadrangulaire plus capable d'extension et d'adaptation à de nouvelles formes de la société ; ensuite, grâce à une maîtrise progressive de la construction en maçonnerie (pierre ou argile) et des techniques de charpente et de couverture, il a été possible d'accroître les volumes ; les lacunes de certaines régions en matériaux essentiels expliquent parfois une plus grande lenteur de l'évolution. À Çatal Höyük, on peut penser que la plupart des procédés de construction d'une architecture de forme parallélépipédique sont acquis et l'on constate que ces techniques sont utilisées à peu près en même temps dans l'ensemble de l'Orient, comme le montrent les maisons de Yarim tépé ou d'Hassouna. C'est ensuite de Mésopotamie, semble-t-il, que viennent les plus importantes innovations : tell es-Sawwan, avec son village où toutes les maisons reprennent un même modèle de plan, pour la première fois très complexe, précède les grandes réalisations architecturales de l'époque d'Obeïd de tépé Gawra, Éridou ou du Hamrin. Alors s'affirme pour les grandes demeures une division tripartite du plan formé d'une grande pièce centrale allongée, parfois cruciforme, bordée de dépendances latérales : un principe de symétrie impose ainsi ses contraintes et ses valeurs à la monumentalité naissante. Une autre caractéristique de cette architecture est donnée par un décor à redans, parfois à plusieurs degrés, qui fait partie intégrante de la structure du mur ; quand ce décor orne l'extérieur du mur, on peut y voir une volonté de faire jouer les ombres provoquées par le soleil sur les décrochements

tout au long de la journée ; mais cette explication ne convient pas lorsque ce même décor se trouve à l'intérieur. Dans le même temps, l'accroissement des dimensions de la grande salle centrale est la conséquence vraisemblable d'un meilleur approvisionnement en bois de charpente, sans doute par voie de commerce, puisque ce matériau fait cruellement défaut en Mésopotamie. La destination de ces grands édifices n'est nullement assurée : on y a vu généralement les premiers temples de la Mésopotamie, mais il paraît plus raisonnable, à la lumière des découvertes récentes, d'y reconnaître soit l'habitat d'une classe dominante de la population, soit, mais cela n'exclut pas la première hypothèse, la maison commune d'un clan. Il n'est en tout cas pas impossible, le raffinement de certaines constructions aidant, qu'il s'agisse des ancêtres de la Maison du pouvoir de la Mésopotamie, c'est-à-dire du palais.

La représentation des animaux et celle des hommes existe sous la forme de figurines modelées dans l'argile ou taillées dans la pierre. En dehors d'une production plus ou moins courante, mais non dépourvue de valeur comme les figurines ophidiennes (avec une tête de serpent) de l'époque d'Obeïd, on doit relever les étonnantes réussites des coroplastes de Çatal Höyük (Tchatal Hüyük), avec surtout ce personnage féminin aux formes plantureuses, en position assise, foulant aux pieds, semble-t-il, des crânes, les avant-bras appuyés sur des félins qui l'encadrent et forment vraisemblablement les accoudoirs du trône : il pourrait s'agir d'une des premières figurations de la déesse mère, maîtresse des animaux et de la mort, divinité au très riche avenir en Orient et que l'iconographie permettra de retrouver au cours des millénaires suivants. Mais, ce qui frappe, c'est le réalisme d'une représentation qui ne sacrifie en aucune façon à un souci esthétique apparent ; même caractère dans le couple formé par, une fois encore, une femme aux formes plantureuses sur laquelle est étendu un jeune homme ou un enfant qu'elle enlace (Haçilar, également fin du VIe millénaire). L'autre réussite en ce domaine se trouve à tell es-Sawwan où a été trouvée une série de statuettes en albâtre : à la qualité du matériau s'ajoute une recherche formelle se traduisant par une schématisation du corps et du visage qui s'accorde avec les tendances générales de cette époque et qui culminera avec les « idoles aux yeux » trouvées dans le temple de tell Brak et datées de la fin du IVe millénaire.

La peinture est le troisième domaine où les réalisations artistiques des hommes du néolithique sont parvenues jusqu'à nous. L'exceptionnelle conservation des ruines de Çatal Höyük a permis de retrouver le décor pariétal des demeures de ce site. On reste étonné devant la diversité des thèmes qui ornaient les murs de ces maisons domestiques : homme sans tête au milieu de vautours volants, scènes de chasse où tournent des rondes frénétiques de chasseurs en costumes différenciés, parfois accompagnés de femme et d'enfant, autour de taureaux, d'antilopes, de bêtes à cornes de taille démesurée ; ailleurs une gazelle dirige son regard vers le chasseur qui la poursuit, ou des échassiers se promènent, presque avec grâce et dignité ; de nombreux motifs géométriques, dont l'inspiration paraît venir de tapis, ornaient certains murs ; parfois des motifs en relief (cornes ou crânes de bovidés, léopards passant ou alignements de seins de femmes, voire même femme en position d'enfantement) viennent compléter une panoplie dont la richesse lève un voile sur la vision du monde d'une société du VIe millénaire, soucieuse de vivre dans un univers où voisinent schématisme, naturalisme et symbolisme. Il convient de remarquer encore que ce cadre pictural n'était pas réservé à des sanctuaires, dont l'existence n'a pas encore été démontrée, mais qu'il semble avoir constitué l'environnement quotidien des habitants de cette agglomération. Enfin, la fouille récente de Bouqras sur l'Euphrate prouve que cet art n'est en rien exceptionnel puisqu'on a retrouvé là des représentations d'autruches. Par la suite, c'est la peinture sur vases qui se généralise et semble remplacer les peintures pariétales ; elle devient si caractéristique de certaines cultures qu'elle sert à les définir (cultures de Halaf, de Samarra, de l'Iran septentrional ou d'Obeïd). Motifs symboliques comme le *Bucrane de tell Halaf,* peut-être mythologiques comme les *Rondes de Samarra,* scènes animalières où panthères et surtout bouquetins se taillent la meilleure part (Suse) dans des réalisations étonnantes où l'art de la composition ne le cède en rien à la technique du dessin.

La période de l'urbanisation et de l'explosion créatrice
(3500 À 2800 AV. J.-C.)

La transformation des conditions de vie de l'humanité orientale grâce à la mise en œuvre des pratiques agricoles et pastorales et aux progrès des technologies liées à la conduite du feu — céramique et bientôt métallurgie — s'était accompagnée d'une fixation des hommes au sol. Ils s'étaient rassemblés, au départ, en communautés sans doute de type familial. Mais on constate une augmentation assez rapide de l'importance des villages ; certains se transforment en grosses agglomérations comme Çatal Höyük, qui restent néanmoins de statut villageois, car rien n'y indique une différenciation de structure interne ou une hiérarchie nouvelle de la société.

En revanche, à l'époque d'Obeïd, comme on l'a vu, des modifications essentielles apparaissent dans la structure de l'agglomération (l'habitat est désormais bien différencié) qui reflète une organisation sociale plus complexe ; en effet, la sécurité du lendemain, assurée par une production agricole régulière et par le développement des troupeaux, devait entraîner la libération de l'esprit des impératifs de survie immédiate et son application vers des domaines mal ou non encore explorés : nul doute que l'esprit d'invention n'ait trouvé à s'exercer aussi bien dans le domaine technique que pour élaborer des solutions économiques et sociales à la suite des déséquilibres nés des mutations récentes ou en cours. La plus importante des conséquences nouvelles nées de ce déplacement de l'activité première des hommes est la naissance des villes.

À la fin du IVe millénaire, à Ourouk dans le sud de la Mésopotamie et à Suse en Élam, on constate l'apparition de cités au peuplement différencié et hiérarchisé qui dominent un territoire agricole pourvu de villages et sans doute de domaines appartenant aux temples ; domaines et villages fournissent à la cité sa nourriture quotidienne, alors que celle-ci tisse un réseau de relations lointaines afin d'assurer l'approvisionnement en matériaux absents de Mésopotamie et pourtant nécessaires en raison des nouvelles conditions économiques : plus encore que de la pierre, il s'agit du bois et des métaux, le cuivre et bientôt l'étain pour la fabrication du bronze. L'existence de surplus entraînant une richesse nouvellement acquise fut la conséquence de cette nouvelle étape.

C'est ainsi qu'est née la civilisation sumérienne dont les innovations, dès la phase archaïque, étonnent. On regrette de n'avoir pas encore de textes pour connaître son histoire et évaluer son expansion réelle ; pourtant elle est en train de découvrir l'écriture et ses possibilités multiples pour répondre aux besoins de la gestion des domaines, et peut-être aussi de ces échanges commerciaux qui prenaient tant d'ampleur.

Comme on peut bien l'imaginer, cette étape essentielle du développement s'est accompagnée d'un brutal essor de la production artistique. Qualitativement et quantitativement, on se trouve en présence d'une situation toute nouvelle qui se traduit par un élargissement du champ de la production, par l'apparition de nouveaux modes d'expression et par un affinement de la qualité.

ART MONUMENTAL

C'est peut-être le domaine de l'art monumental qui exprime le mieux l'apparition de temps nouveaux. La puissance créatrice s'y affirme de façon inégalée. Trois idées permettront de'en juger : Suse, Ourouk et Habuba. À Suse, une grande terrasse destinée à supporter un temple a été construite en briques crues. Les dimensions de cette terrasse — près de 90 m de côté — permettent d'imaginer les

moyens énormes que l'on était déjà capable de mettre en œuvre et toute l'organisation sociale que cela impliquait. Des temples sur terrasse ont été dégagés dans d'autres sites, à tell Uqair, à Eridou et, à Ourouk, le célèbre *Temple blanc* ; c'est pourtant le monument de Suse qui l'emportait en majesté.

Mais ce sont les grandes installations de l'Eanna d'Ourouk qui fournissent la meilleure illustration de l'ampleur des réalisations de cette période. Ce secteur était voué à l'époque historique (IIIe- Ier millénaire) à la déesse Inanna, il se pourrait donc qu'il ait déjà possédé en cette fin du IVe millénaire un caractère sacré. De fait, on y rencontre des édifices qui sont très proches de ceux qui viennent d'être énumérés : il s'agit toujours d'un plan organisé à partir d'une division tripartite dans le sens de la longueur (une grande salle est bordée par des bas-côtés divisés en petites pièces). Mais à l'Eanna apparaissent d'autres traits qui confèrent des caractéristiques nouvelles ; ainsi les dimensions beaucoup plus grandes des édifices, le décor infiniment plus complexe, plus fouillé, avec ses niches et ses redans qui atteignent au temple D un degré de sophistication extraordinaire, la multiplication des ouvertures sur les longs côtés et, enfin, l'installation fréquente d'une salle transversale à l'une des extrémités, qui donne naissance à un plan général en forme de T. S'agit-il de temples ? L'absence d'installations cultuelles assurées ne permet pas de l'affirmer.

Ce qui achève de placer l'Eanna d'Ourouk dans une situation très particulière, du moins dans l'état présent de la documentation, c'est que les bâtiments, souvent par paires et orientés à 90°, ne sont pas placés dans une position prééminente et majestueuse au-dessus de la cité grâce à une terrasse, mais intégrés dans un ensemble de bâtiments ou espaces ouverts, selon une organisation qui évolue très vite au cours des différentes phases des niveaux V et IV : grands halls à piliers ronds ou rectangulaires, édifices énigmatiques à enceintes concentriques, cours aux parois ornées de motifs géométriques réalisés avec de petits cônes en terre cuite enfoncés dans les murs et dont les têtes colorées de bleu, noir et rouge permettaient de véritables mosaïques murales, cours, encore, équipées de banquettes sur tout le pourtour, installations hydrauliques. Au-delà d'une fonction qu'il est bien difficile de préciser en toute certitude, tant pour chacune des composantes que pour l'ensemble, il reste qu'Ourouk offre pour la première fois l'exemple d'une unité complexe organisée habilement entre des espaces ouverts, dont certains monuments occupent manifestement une position dominante. Ourouk, avec son *Temple blanc* juché sur sa terrasse, son quartier de l'Eanna et le tissu urbain qui sans doute les réunissait, est bien la première cité connue de l'histoire. Si, en outre, on met l'accent sur l'ingéniosité dont ont fait preuve les constructeurs pour l'organisation de l'espace, le sens de l'agencement des composantes, le souci du décor, l'esprit d'invention et la diversité des solutions adoptées au cours des transformations qui marquent chacune des grandes phases, force est de reconnaître que la civilisation sumérienne possède une belle avance dans ce Proche-Orient, qui est lui-même à la pointe de l'évolution.

Pour comprendre les extraordinaires réalisations d'Ourouk dans le domaine de l'architecture et de l'urbanisme, il faut admettre une cité d'une très grande vigueur et dont le rayonnement dépassait le stade local. La preuve en a été donnée il y a peu de temps avec la découverte de la cité d'Habuba en Syrie du Nord, sur les bords de l'Euphrate, là où celui-ci oriente définitivement son cours en direction du golfe Persique. On vient d'y mettre au jour une cité neuve, située au bord du fleuve et enfermée dans une belle enceinte : les maisons et les temples y sont si proches de ceux d'Ourouk que l'on peut parfois les confondre ; il en va de même du matériel retrouvé dans les maisons et en particulier des empreintes de sceaux-cylindres sur des bulles d'argile. Ainsi à plus de 1 000 km de Sumer resurgit une ville qui participe pleinement de la même civilisation et qui ne peut être qu'une émanation de type colonial de la puissante Ourouk. L'Euphrate, dans ce contexte, représente manifestement l'axe privilégié d'une expansion rendue nécessaire par le besoin de s'approvisionner en matériaux de première nécessité qui faisaient cruellement défaut en pays sumérien, tels que le bois ou la pierre.

Les impératifs économiques expliquent l'émergence de la civilisation sumérienne et son expansion ; et, pour satisfaire leurs besoins matériels, les hommes emportent avec eux dans leurs pérégrinations non seulement les éléments du cadre de leur existence habituelle (modèles de maisons, de temples ou de cité), mais aussi, avec les instruments de la vie quotidienne, leur pensée et leurs rêves. On citera en particulier les sceaux qui se présentent sous la forme, créée par les Sumériens, de cylindres et qui véhiculent non seulement des formes artistiques, mais aussi les idées qui leur sont liées ; des motifs iconographiques caractéristiques apparaissent, comme les défilés d'animaux ou les animaux affrontés, dans lesquels il est très difficile de démêler la part de la simple imagination créatrice de formes nouvelles de celle du mythe, tels ces animaux aux cous démesurément allongés et entrelacés (Louvre), qui, pour certains, représenteraient symboliquement le pays où coulent parallèlement le Tigre et l'Euphrate.

BAS-RELIEF

Deux autres domaines manifestent encore de façon éloquente la perfection atteinte par les habitants de Sumer à la fin du IVe et au début du IIIe millénaire : tout d'abord le bas-relief. Deux exemples l'illustrent clairement. C'est en premier lieu une *Stèle de chasse* (musée de Bagdad) où l'on voit au registre supérieur un personnage que l'on se plaît généralement à identifier avec un roi-prêtre, mais sans la moindre certitude, affrontant avec une javeline un lion dressé sur ses pattes arrière ; au registre inférieur, le même personnage décoche des flèches contre deux lions dressés eux aussi, mais déjà touchés par de nombreux traits. Ce thème annonce les grandes scènes de chasse de l'art assyrien, mais la stèle n'atteint cependant pas la perfection d'un *Vase* (musée de Bagdad), sans doute destiné à des pratiques cultuelles, retrouvé à Ourouk, où des registres superposés font intervenir successivement depuis la base, d'abord des motifs végétaux où l'on peut reconnaître des céréales symboles de la richesse agricole, puis un défilé d'animaux domestiques où les brebis alternent avec les béliers ; au troisième registre, on voit un cortège de porteurs d'offrandes et, au-dessus, une scène cultuelle complexe où, selon toute vraisemblance, le roi ou le grand prêtre se présente devant une divinité, qui pourrait être Inanna, suivie de ses symboles. Ici la finesse et la netteté de la gravure n'ont d'égale que la sûreté d'une représentation que l'on aimerait comprendre dans le moindre de ses détails.

STATUAIRE

Le deuxième domaine où la civilisation sumérienne archaïque a atteint des sommets à peine concevables est celui de la statuaire. Les figures en terre cuite du néolithique, les captivantes statuettes de tell es-Sawwan, voire les idoles de tell Brak, laissent présager assez logiquement l'apparition d'œuvres du type du *Roi-prêtre* conservé au Louvre. Mais il n'en va pas de même de la petite *Tête féminine* retrouvée à Ourouk (musée de Bagdad) et qui appartenait à une petite statuette composite. Si l'on fait abstraction de ses mutilations et d'une taille du sommet de la tête qui n'a rien à voir avec une coiffure antique mais qui n'est que la préparation de la surface pour recevoir une coiffure rapportée, et à condition que l'imagination soit capable de remettre des yeux incrustés à la place des orbites vides et de les surmonter de sourcils, alors cette tête apparaît comme un réel chef-d'œuvre de finesse et de sensibilité artistique ; le modelé des joues, du menton, le dessin de la bouche en font une exceptionnelle réussite de la statuaire de tous les temps, une œuvre qui n'a rien à envier aux grandes réalisations de l'époque classique grecque.

À voir cette tête féminine et la gravure du vase d'Ourouk, ainsi que certains cylindres, on en vient à s'interroger sur l'étonnante brutalité de l'apparition d'un art qui atteint d'emblée une perfection qu'à vrai dire rien ne laissait présager. Le hasard des fouilles est peut-être responsable pour partie d'une information par trop fragmentaire. Mais on peut aussi se demander si derrière cette situation on ne doit pas imaginer l'existence d'une période antérieure, où l'habileté des graveurs se serait exercée non sur la pierre mais sur des supports périssables comme le bois ou l'os, matériaux qui n'auraient pas réussi à subsister jusqu'à nous. Il semble en tout cas difficile d'admettre que des œuvres d'une telle perfection aient pu apparaître ainsi subitement sans qu'un stade d'élaboration, de lente maturation ait permis leur éclosion. Durant les trois millénaires qui vont suivre l'époque sumérienne archaïque, des sommets comparables à ceux d'Ourouk ne seront atteints qu'à certains moments privilégiés. Le plus souvent, une production moyenne, mais non dépourvue d'intérêt dans certains cas, a conduit à un jugement de valeur plutôt pessimiste qui ne paraît pas totalement justifié.

La naissance des grands royaumes
(2800-2200 AV. J.-C.)

Avec l'avènement de la période des grands royaumes, la Mésopotamie entre dans une nouvelle étape de son développement. Si l'on ne connaît pas de façon assurée la nature du pouvoir politique qui domine à l'époque sumérienne archaïque (l'organisation théocratique souvent proposée reste en tout état de cause une hypothèse), la période suivante ou époque sumérienne classique, encore appelée époque des dynasties archaïques, apparaît comme très différente.

En effet, si l'on se fie aux listes généalogiques parvenues jusqu'à nous, mais aussi aux résultats obtenus dans certaines fouilles, la Mésopotamie connaît l'installation d'un nouveau système politique.

APPARITION DE L'ÉCRITURE

Parmi les plus importantes modifications qui marquèrent cette période longue de plus de cinq siècles, il faut d'abord signaler l'irruption de l'écriture dans la vie officielle des cités. L'instrument économique de l'ère précédente élargit donc son champ d'action et progressivement sert à enregistrer des faits qui ne sont plus seulement du ressort de la gestion d'un domaine ; aux bons de sortie de marchandises, aux distributions de vêtements ou d'huile s'ajoute bientôt l'inscription de titulatures, d'actes royaux, de comptes rendus de campagnes militaires, enfin de faits relevant du domaine religieux. Cette invasion progressive de l'écrit dans tous les actes de la vie est la marque de la réussite définitive de la nouvelle technique, mais aussi du système social et économique qui s'est développé en Mésopotamie. L'histoire naît alors, puisque les événements et la pensée commencent à être consignés par écrit et sont désormais accessibles à des gens qui ne les ont pas vécus directement. C'est bien là le moment où l'on saisit la puissance extraordinaire que confère cette technique à ceux qui savent en user.

Très progressivement seulement les fouilles ont donné des informations précises sur cette période. À la simplicité qui paraît ressortir des premières synthèses, il faut maintenant opposer l'apparente complexité de la situation dans ce Proche-Orient au cours des siècles qui forment le cœur du IIIe millénaire. Il est fort difficile pour le moment de bien saisir le jeu mouvant des dominations politiques et militaires et il semble préférable de s'en tenir à l'idée que Mésopotamie et Syrie sont le siège de royaumes aux frontières plus ou moins fluctuantes, qui vivent en étroite symbiose. Si en Palestine les unités territoriales sont de moindre taille, en Anatolie des ensembles plus grands et souvent fort riches ont été mis au jour par la fouille ; malheureusement, ils n'utilisent pas davantage l'écriture que les principautés d'Iran, à l'exception toutefois de l'Élam, fortement associé à l'univers mésopotamien.

Ces différences ne doivent pas masquer que tout le Proche-Orient vit en étroite association, et cela depuis que le bronze est de plus en plus couramment utilisé pour les armes et les outils. La Mésopotamie apparaît souvent comme une initiatrice : parce qu'elle est un élément dynamique tant dans les relations commerciales que dans le domaine de la création, elle entraîne l'ensemble du Proche-Orient dans son orbite et dans sa progression. N'oublions pas que, totalement dépourvue de métal, elle est parvenue à une maîtrise remarquable du commerce et de la fabrication des armes et des outils. Toutefois, si ce fait est certain et s'il explique une partie de l'histoire du IIIe millénaire, il ne faudrait cependant pas imaginer que les Mésopotamiens ont étouffé toute autre voix que la leur : l'art des bronziers du Luristān ou les étendards d'Alaça Höyük sont là pour prouver que chacun a pu exprimer sa personnalité, même si le souffle mésopotamien a bien souvent eu un effet vivifiant.

Dans cette Mésopotamie, alors divisée en royaumes où des tentatives impériales voient à l'occasion le jour, même si leur réussite est rarement de longue durée, doit-on s'attendre à un art unitaire ou au contraire à une diversité de centres créateurs ? C'est un fait que l'on a souvent pris l'habitude de parler d'un art mésopotamien ; pourtant il ne semble pas que cela soit un reflet de la réalité antique, et les grands centres paraissent avoir bien souvent joué le rôle d'écoles régionales. Plusieurs foyers ont pu à certains moments coexister ; il est difficile d'évaluer leur sphère d'influence, mais on peut penser que celle-ci est souvent en rapport avec l'importance du réseau commercial. C'est le palais qui paraît avoir été normalement le moteur de la production ; il s'agit donc d'un art aulique qui se développe en fonction de la richesse du royaume. Cet art, en réalité officiel, recouvre un art plus populaire se servant peut-être de matériaux moins nobles que les métaux ou les pierres précieuses, l'albâtre ou la diorite ; à cette tradition on peut rattacher l'intense production des figurines animales ou humaines et des plaquettes moulées à l'inspiration variée, mais parallèlement on peut imaginer qu'il existait des sculptures sur bois qui ont disparu. Notons encore que les lieux privilégiés où l'archéologue récolte des œuvres d'art sont les sépultures et les temples ; à l'occasion, les palais donnent du matériel, mais dans une moindre mesure cependant en ce troisième millénaire. Est-ce parce que l'œuvre d'art est moins destinée à embellir le cadre quotidien qu'à honorer les divinités sous la forme en particulier des ex-voto, des statues chargées de perpétuer les prières et du mobilier le plus précieux pour équiper la maison divine, ou encore à accompagner le mort dans sa dernière demeure ?

La production artistique a suivi tout au long de ces siècles une évolution qui n'est pas toujours facile à analyser avec précision, du fait d'abord de l'existence de ces écoles régionales et ensuite de la pratique d'un art officiel qui peut cacher d'autres tendances ; c'est ainsi que l'art de l'époque de l'empire d'Akkad, que l'on a souvent voulu considérer comme l'expression d'une nouvelle période, apparaît plutôt comme l'art de la cour d'Akkad, qui a connu pendant le temps de l'empire — en fait un grand royaume — une certaine diffusion du fait des conditions politiques favorables. On s'efforcera donc de définir les grands domaines de la production artistique, plutôt que d'essayer à l'intérieur de cette période de préciser une évolution qui n'est pas toujours claire.

ARCHITECTURE

L'avènement des royautés s'est normalement accompagné de l'apparition des grands palais. La fouille a permis d'en dégager d'importants à Kish, Eridou, tell Brak, Mari et Ebla. Il n'est guère possible de définir des caractéristiques communes à cette architecture royale, sauf quand il s'agit des principes constitutifs de l'architecture mésopotamienne. Il reste que ce sont des bâtiments puissants, où un étage sans doute réservé à l'habitation surmonte un rez-de-chaussée (le seul niveau à avoir été dégagé par la fouille) qui pour l'essentiel devait servir aux réserves ; des salles à piliers, des façades ornées de redans, des escaliers majestueux sont quelques-unes des particularités de cette architecture monumentale qui est encore à découvrir en grande partie.

L'architecture religieuse est connue par de nombreux petits sanctuaires ; mais, dans la vallée de la Diyālā, un affluent du Tigre en Babylonie, c'est le grand temple ovale de Khafadjé qui illustre peut-être le mieux l'architecture sacrée de cette époque (deux autres exemplaires sont connus à el-Obeïd et al-Hiba). Avec sa double enceinte concentrique dessinant un ovale irrégulier, son bâtiment, installé entre les deux enceintes, peut-être réservé au grand prêtre, les dépendances tout autour de la cour intérieure et la Maison du dieu (non retrouvée) juchée sur une terrasse accessible par un bel escalier en volée droite, dispositif hérité de la tradition de la période archaïque, il devait avoir grande allure ; un double mouvement de progression vers l'intérieur puis, dans les dernières phases, d'élévation conduisait le fidèle au plus secret de la résidence de la divinité : nul doute que le sentiment religieux sortait renforcé de cette approche.

BAS-RELIEF

Appartenant à la fois aux traditions régaliennes et sacrées, quelques exemples de bas-reliefs doivent retenir notre attention. Ce furent tout d'abord les plaques dites « de nouvel an » provenant pour la plupart des temples fouillés dans la vallée de la Diyālā et en Babylonie. Avec des dimensions restreintes, de forme carrée ou rectangulaire (de 25 à 40 cm de côté), pourvues d'une perforation centrale et ornées de scènes dont les thèmes se retrouvent dans d'autres types de documents (fondation d'un édifice, banquet et libations, offrandes, chars de guerre), elles semblaient destinées à servir d'ex-voto, fichées dans le mur du temple à l'aide d'un clou passé dans la perforation centrale.

Dans cette série des bas-reliefs, la *Stèle des vautours* (Louvre) est un monument beaucoup plus représentatif de l'art du milieu de cette période, découvert à Lagash, la cité sumérienne. On y rapporte, à la fois par le texte et par l'image, la victoire du prince Eannatoum, contre la cité d'Oumma. Ce récit d'un événement historique, le plus ancien connu actuellement, est malheureusement parvenu jusqu'à nous dans un état très fragmentaire : lacunes du texte et lacunes de l'image empêchent de connaître totalement la nature et la signification de l'œuvre. Sur une face, on semble assister à différents épisodes d'une bataille, ou à différentes batailles, où l'on voit un chef de guerre à la tête de ses troupes, une fois à pied, une autre fois sur son char, dominant ses ennemis qui sont même représentés au registre inférieur empilés les uns sur les autres. L'autre face met en scène un personnage de très grande taille, peut-être le dieu Ningirsou, mais peut-être aussi le roi lui-même, tenant dans un filet les ennemis capturés. Il convient sans doute de ne pas surestimer la valeur narrative de ce document ; comme dans la plupart des tableaux mis en scène par les Mésopotamiens, la signification symbolique l'emporte certainement sur l'exact reportage de l'opération militaire que certains ont voulu y voir. L'organisation paratactique de l'art mésopotamien (qui juxtapose des éléments de la représentation) y apparaît déjà bien, avec des caractéristiques voisines de celles que l'on observe dans les sceaux-cylindres, ce qui laisse à penser que l'art des sceaux-cylindres a conditionné le bas-relief, apparu plus tardivement comme mode d'expression de l'art mésopotamien.

Il s'agit là d'une voie si naturellement empruntée par les artistes de la région des Deux Fleuves et à laquelle ils resteront fidèles des millénaires durant, que l'on s'étonne devant la recherche bien différente que transmet la *Stèle de Narâm-Sin* de l'époque akkadienne (Louvre). Cette fois, en effet, la composition s'appuie non sur une division en registres plaquée sur la paroi, mais sur la forme de la stèle au départ ; celle-ci se développe en hauteur de façon régulière et équilibrée sur 2 m environ. Le thème, une fois de plus d'inspiration guerrière, mais sans doute pas plus narratif qu'à l'accoutumée, met en scène le roi Narâm-Sin montant à l'assaut de la montagne, refuge naturel des Loulloubi, ses ennemis en l'occurrence ; derrière lui et à un niveau inférieur, ses guerriers suivent sa marche en grimpant en deux files parallèles au flanc de la montagne qu'un arbre suggère peut-être comme boisée, tandis qu'à droite des ennemis dégringolent des sommets dans le plus grand désordre, selon le mode de représentation habituel des ennemis vaincus ; au-dessus de la montagne sont placés des symboles astraux qui accompagnent fréquemment les scènes de l'iconographie mésopotamienne. La valeur de ce document réside surtout dans son organisation tout à fait nouvelle et qui ne sera pas réutilisée par la suite, car les thèmes, eux, sont strictement conformes à ce qui était en usage dans les pays sumériens et que l'on retrouvera encore dans les siècles à venir.

STATUAIRE

Cette longue période des premières royautés s'est particulièrement distinguée dans la création artistique par sa statuaire. Il est assez remarquable qu'après les productions parfois exceptionnelles de la période sumérienne archaïque (*Tête de femme d'Ourouk*, musée de Bagdad) on assiste à un tel développement de cette forme d'art. Remarquons toutefois qu'il n'y a rien de gratuit dans cet essor, puisque dans la plupart des cas les statues, ou plutôt les statuettes, ont été retrouvées dans les temples, où elles étaient placées dans la *cella*, face à l'image divine, pour perpétuer les prières du dédicant. Parmi les centres qui ont jusqu'à ce jour donné le plus grand nombre d'exemplaires, on compte tell Asmar, dans la vallée de la Diyālā, où un atelier remarquable fonctionnait, si l'on se fie à la trouvaille réalisée dans le temple du dieu Abu. Le caractère extraordinaire du couple avec ses yeux démesurés qui paraissent plonger leur regard dans l'éternité, qu'il s'agisse d'un couple divin ou royal, ou d'un prêtre et d'une prêtresse (musée de Bagdad), ne doit pas faire oublier l'intérêt du restant de la collection. Est-ce un hasard si des statuettes présentant les mêmes traits stylistiques ont été retrouvées à tell Chuera dans la vallée de Khābūr ? Il est difficile d'en décider pour le moment, mais c'est cette concordance étrange qui rend sans doute la statuaire de Mari si merveilleuse par ses caractères propres. L'importance de cette collection frappe tout de suite : plusieurs temples, Ishtar, Ninni-zaza, Ishtarat en particulier, en ont rendu des exemplaires. Si la production moyenne n'est pas toujours plus soignée que celle de la vallée de la Diyālā, les têtes de file manifestent en revanche une supériorité certaine. La statue de l'*Intendant Ebih-il* (Louvre) est à cet égard significative : les rondeurs du visage, des épaules et des bras au lieu de la taille anguleuse que l'on trouve habituellement dans la Diyālā, la profondeur du regard à la place de l'éblouissement, la sérénité du visage et non cette fixité, la souplesse du traitement des jupes *kaunakês* au lieu de la rigidité, tout plaide en faveur d'une maîtrise incomparable des sculpteurs de Mari ; la qualité de la statuette du *Grand Chanteur Our-Nanshé* (musée de Damas) prouve que la statuette d'Ebih-il n'est pas une exception.

ART FUNÉRAIRE

Our offre sans doute l'exemple le plus extraordinaire des richesses qui pouvaient accompagner la mort dans l'au-delà. Cette pratique courante y atteint une intensité remarquable dans les tombes royales ; découverte exceptionnelle, car généralement ces monuments ont été pillés dans l'Antiquité. Le luxe du mobilier funéraire témoigne autant de la richesse de la civilisation sumérienne de l'époque classique que de la perfection de son art. De grandes quantités de bijoux, des coiffures retrouvées sur le corps de la reine, mais aussi sur ceux des suivantes, des armes qui accompagnaient le roi ou ses guerriers, de la vaisselle d'apparat, un *Casque d'or* (British Museum) montrent la maîtrise incomparable des orfèvres. De l'atelier royal sont certainement sorties les admirables lyres, dont les caisses de résonance sont ornées de marqueterie, et le montant avant d'une tête de taureau en or. Mais on retiendra surtout le célèbre *Étendard d'Our* (British Museum), véritable mosaïque, où des scènes d'offrandes, de festin, sur l'une des faces, de guerre, sur l'autre, sont réalisées avec des personnages découpés dans des coquillages, puis assemblés avec des fragments de pierres pour remplir les vides. À Mari et à Kish, des silhouettes de même nature ont été retrouvées en assez grande quantité par-

fois ; si la composition d'Our est la seule qui nous soit parvenue intacte, il apparaît à partir de ces autres vestiges que l'art des mosaïstes de Mari valait largement celui de leurs collègues de la capitale méridionale.

Ces quelques exemples ne peuvent rendre compte totalement de l'une des périodes les plus fécondes de la production artistique de l'Orient. L'accent a été mis essentiellement sur la Mésopotamie en raison d'un leadership qu'il est difficile de lui contester, même après les découvertes d'Ebla. Mais d'autres régions ont produit des œuvres que l'on regrette de ne pouvoir présenter. Les bas-reliefs susiens, plus encore que la statuaire de la cité élamite, les bronzes du Luristān, d'une rare perfection, le mobilier des tombes royales d'Alaça Höyük, au demeurant assez peu orientales et certainement pas influencées par la Mésopotamie, et les céramiques décorées d'Iran et d'Anatolie sont là pour montrer l'étonnante diversité des sources d'inspiration et des réalisations, elle-même expression d'un monde multiforme.

Bibliographie v. p. 51.

LA NAISSANCE
DES EMPIRES

(2200-1100 AV. J.-C.)

Les conditions

AU COURS DU IIIe MILLÉNAIRE, DES TENTATIVES IMPÉRIALES AVAIENT VU LE JOUR ; on connaît des expériences avortées comme celle de Lougalzaggizi d'Ourouk ; d'autres semblent avoir réussi comme celles de la dynastie d'Akkad (Sargon et Narâm-Sin), mais on a peut-être trop accordé à cet empire, sur la foi des titulatures que se donnaient les souverains eux-mêmes et de ce que rapporte une tradition qui, pour une raison ignorée, leur était particulièrement favorable ; que leur ambition les ait entraînés jusqu'en Anatolie ou sur les rives de la Méditerranée ne doit pas faire trop illusion : une analyse des données géopolitiques du IIIe millénaire conduit à la quasi-certitude qu'aucune cité n'a bâti autre chose que de grands royaumes aux destinées d'ailleurs incertaines. On a récemment crédité Ebla de la même prétention à la domination sur une grande partie du Proche-Orient, mais cela ne paraît guère plus raisonnable. Cependant, il est clair que vers la fin du IIIe millénaire des organismes politiques de grandes dimensions apparaissent.

C'est après la disparition d'Akkad, et sur les ruines laissées par les invasions Guti, la création de l'Empire néosumérien bâti par Our-Nammou, le premier souverain de la IIIe dynastie d'Our ; si les limites de l'empire ne dépassent pas encore le cadre mésopotamien naturel, si la durée de cette expérience ne paraît guère plus concluante que celle de la tentative akkadienne, il n'en reste pas moins que les fondements d'une administration unificatrice et centralisatrice sont mis en place. L'effondrement de cet empire entraîne la reconstitution de royaumes de force plus ou moins semblable qui luttent continuellement pour dominer le voisin et si possible l'ensemble du pays : Isin, Larsa, Ourouk, Assour conquièrent ainsi pour un temps très limité un certain leadership qui ne s'étendit toutefois jamais à la totalité des royaumes, sauf avec le célèbre Hammourabi qui a l'habileté, au XVIIIe s., d'englober dans son orbite le monde mésopotamien et d'établir son contrôle sur le cours moyen de l'Euphrate jusqu'en Syrie du Nord. Cet empire déclina progressivement sous ses successeurs. Dès lors, on assiste à un déplacement des points d'équilibre de la Mésopotamie : au nord, dès la fin du IIIe millénaire, le pays assyrien s'affirme comme une puissance commerciale, à l'occasion guerrière, tandis qu'au sud le vrai pays de Sumer s'enfonce dans une lente mais irrémédiable décadence, et que Babylone se pose comme le deuxième centre du pays des Deux Fleuves. Désormais Assour et Babylone seront les pôles à partir desquels les Mésopotamiens construiront leurs empires et ce jusqu'à la fin de l'indépendance du pays, mais cette bicéphalie fera perdre à la Mésopotamie la suprématie qu'elle exerçait sur le Proche-Orient. Avec la domination des Kassites durant la seconde moitié du IIe millénaire, la Babylonie ne joue pas un rôle de premier plan et la caractéristique essentielle de cette période est donnée par l'essor de l'Empire hittite en Anatolie, qui cherche au XIVe s. à étendre son emprise sur la Syrie, domaine alors divisé en une multitude de cités-États commercialement très actives. Dans le même temps, l'Égypte du Moyen Empire est aussi très intéressée par les terres levantines, palestinienne et aussi syrienne. Toute cette région devient alors l'enjeu des rivalités entre les puissances égyptienne et hittite, voire à l'occasion mésopotamienne ; les cités eurent certainement à en souffrir, mais on observe pour l'ensemble de la Syrie une richesse remarquable qui dépasse les splendeurs déjà étonnantes de la Byblos du IIIe millénaire. Les grands ports de la côte comme Ougarit sont en relation avec toutes les parties de la Méditerranée orientale, Chypre, Crète, mondes égéen et mycénien, et les royaumes de l'intérieur, comme Yamhad ou Qatna, sont autant de centres régionaux dont l'importance commerciale compte souvent plus que les forces militaires : ils entrent alors dans des jeux d'alliances dont la trame nous échappe dans la plupart des cas. Il nous arrive toutefois d'avoir grâce à des fouilles nouvelles des documents qui apportent des lumières inédites sur l'histoire et qui permettent une meilleure connaissance du rapport des forces. Ainsi la fouille de Meskeneh, en redonnant vie à l'antique Emar des XIVe et XIIe s., a permis de comprendre l'action conduite en Syrie du Nord par les souverains hittites. Suppilouliouma et Moursili II n'hésitèrent pas à reconstruire dans sa totalité la cité d'Emar qui périclitait sans doute et dont ils avaient besoin pour dominer le grand commerce qui utilisait cette base pour passer de la voie terrestre à la voie fluviale entre la Syrie du Nord (et par-delà l'Anatolie, la côte méditerranéenne et la Syrie méridionale) et la Mésopotamie (et par-delà le golfe Persique et l'Iran).

En cette fin du IIe millénaire va disparaître la civilisation qui s'est fondée sur l'utilisation du bronze. L'avènement de l'âge du fer ne se fera pas sans difficulté, avec en particulier l'arrivée de nouvelles populations en différents points de l'Orient, qui vont provoquer la destruction des structures antérieures et l'apparition assez lente d'un autre monde.

Au cours de ce IIe millénaire qui a vu tant de changements et le déplacement des centres d'équilibre de la Mésopotamie vers le nord et l'ouest, on ne peut envisager une réelle unité culturelle ou artistique. Certes, l'Orient dans son ensemble est toujours l'héritier de la civilisation du IIIe millénaire ; le bronze reste le métal indispensable, la structure politico-économique de base est toujours le palais, d'où le roi gouverne, avec l'aide de ses serviteurs, le pays, même si le temple reste une entité forte qui joue aussi un rôle politique et économique. Toutes les civilisations connues de ce millénaire participent du système palatial selon une intensité variable avec les dimensions de chaque domaine.

On ne s'étonnera donc pas si les productions artistiques de ce IIe millénaire sont si différentes d'une capitale à l'autre ou selon les moments. Si une continuité se dessine en Mésopotamie, au moins durant les siècles qui forment le IIIe millénaire et ceux qui ouvrent le IIe, si une relative indigence y est la marque distinctive de la fin de la période, avec toutefois quelques belles exceptions, c'est dans un autre monde que nous fait pénétrer la Syrie, qui est soumise à de multiples actions qu'elle utilise d'une façon parfois originale ; il est bien difficile de démêler dans cet écheveau la part de chacune des influences exercées par la Mésopotamie, l'Anatolie, l'Égypte et les pays méditerranéens, parfois simultanément, parfois successivement, grâce à l'action des marchands qui emportaient avec eux denrées, objets divers et idées. Les ports comme Ougarit sont encore plus réceptifs que les villes de l'intérieur. De l'autre côté de la Mésopotamie, l'Iran poursuit ses tendances antérieures, tandis que l'Élam continue son jeu de cache-cache avec la Mésopotamie en participant de temps en temps à sa civilisation et en laissant à d'autres moments libre cours à son originalité propre. Une discrétion générale est la marque du reste du pays iranien, qui semble être tombé en léthargie après la disparition de la civilisation d'Harappa sur l'Indus, comme s'il ne s'était pas remis de n'avoir plus à établir le contact entre le monde de l'Euphrate et du Tigre et celui de l'Indus. C'est peut-être ce phénomène qui explique en partie le déplacement vers l'ouest des forces principales en ce IIe millénaire. De fait, l'Empire hittite, né sans doute de l'arrivée sur le plateau anatolien de populations nouvelles, pour partie indo-européennes, au début du millénaire, voire un peu plus tôt, représente un autre point d'ancrage des énergies qui jouent en faveur de cette occidentalisation. Ainsi, par un étrange concours de circonstances, alors que les forces politiques essayent, il est vrai avec un succès mitigé, de réunir les royaumes du Proche-Orient dans de grandes unités, des événements démographiques et économiques poussent au contraire à une dispersion et à une personnalisation plus grande des centres producteurs.

L'aventure néosumérienne
(2150-2000 AV. J.-C.)

La renaissance de la grande pensée politique à l'époque de la IIIe dynastie d'Our n'est sans doute pas seulement la conséquence d'un brutal retour aux sources d'inspiration sumériennes même si elles ont permis de qualifier cet empire de *néosumérien*. D'abord la cité de Lagash, sous la conduite de l'*ensi* (gouverneur) Goudéa vers 2150 av. J.-C., semble avoir jeté les bases d'un renouveau que l'on met volontiers à l'actif d'une volonté politique. Cependant, hormis des inscriptions et les très célèbres statues de ce personnage, la première capitale sumérienne à avoir été fouillée n'autorise pas une approche réelle des conditions de la création artistique dans la période qui a précédé l'avènement de la IIIe dynastie d'Our, peut-être en raison des circonstances de son exploration. On peut simplement remarquer qu'un pays capable de produire des œuvres telles que la *série de Goudéa* (Louvre) n'en est pas à son coup d'essai et qu'il a hérité d'une école de sculpture de toute première force. Cette constatation est importante, car elle permet de penser qu'il n'y a pas d'hiatus réel avec la période d'Akkad, contrairement à ce qui a été souvent allégué ; il semble finalement que l'idée d'une continuité dans l'art de la statuaire mésopotamienne entre la période d'Akkad et celle de Goudéa doive prévaloir.

Our-Nammou semble avoir réussi à étendre sa domination à une grande partie du bassin mésopotamien. Peut-être l'esprit unificateur qui préside à l'entreprise n'est-il pas le sien et a-t-il cherché la source de son inspiration dans l'idéal akkadien de Sargon et de Narâm-Sin ; peut-être n'a-t-il fait que surimposer à ce programme la glorification des racines sumériennes de son propre pays. Sur le plan pratique, il a mis en place une administration très puissante, pointilleuse et tatillonne, très révélatrice de la volonté centralisatrice du nouvel et dernier empire sumérien ; il est tout à fait symptomatique que l'art et l'architecture mettent en évidence les mêmes tendances unificatrices.

ARCHITECTURE

En effet, dans le domaine architectural tout d'abord, un fait paraît bien significatif : c'est Our-Nammou qui a décidé la construction de la ziggourat d'Our. Mais c'est lui aussi qui s'est engagé dans la construction de celles d'Ourouk, d'Éridou, de Larsa, de Nippour. Ainsi dans la même période et dans quatre ou cinq villes différentes de Sumer et de Babylonie méridionale, il a cherché à renouveler l'antique temple sur terrasse — qui semble avoir représenté la forme normale du grand sanctuaire urbain — en lui conférant une apparence nouvelle par un imposant développement en hauteur : la ziggourat d'Our se développait en effet sur trois niveaux, c'est-à-dire qu'elle était constituée de trois terrasses superposées. À la base, l'emprise au sol était de 62 m sur 43 m et la première terrasse atteignait sans doute 11 m de haut ; au sommet du troisième étage se dressait un temple dont rien n'a été retrouvé, mais dont l'existence est assurée par les textes. Peut-être ce temple, accessible par un des escaliers en volée droite, ne servait-il qu'en certaines occasions très précises, pour des hiérogamies (mariages sacrés) ou les fêtes du nouvel an. Au pied de la ziggourat s'étendait un temple qui lui était étroitement associé et où un culte était pratiqué quotidiennement. Que des différences aient existé d'une ziggourat à l'autre, que toute la Mésopotamie n'en ait pas été recouverte dès le règne d'Our-Nammou, ne saurait conduire à sous-estimer la pensée unificatrice du grand souverain de la IIIe dynastie d'Our en ce domaine, pensée qui va tout à fait dans le sens de l'établissement d'un empire à vocation universelle.

Il n'est pas impossible qu'il faille rattacher à la même tendance générale unificatrice la naissance d'une formule spécifique pour la salle du trône du palais royal. Le palais d'Our, en effet, pour la première fois à notre connaissance, offre l'exemple d'un bloc voué aux cérémonies royales, constitué d'une cour plus ou moins carrée qui donne accès, par une grande porte médiane, à une première salle, laquelle conduit par des portes décentrées à une deuxième salle allongée, parallèle à la précédente, bordée de pièces secondaires, et qui servait de salle du trône. Cette formule, promise à un grand développement à l'époque suivante, se retrouve dans le palais de tell Asmar, l'antique Eshnounna, située dans la vallée de la Diyālā (affluent du Tigre en Babylonie), où l'un des successeurs d'Our-Nammou semble avoir tenté d'ériger un culte impérial en faveur de la dynastie, avec un sanctuaire accolé au palais. Que l'avenir n'ait pas retenu cette tentative n'ôte rien au fait qu'elle ait eu lieu et que là aussi on puisse relever une volonté politique d'assimiler les populations dominées au profit d'Our, la capitale.

STATUAIRE

L'art de la statuaire forme un ensemble tout à fait remarquable. Les sculpteurs sumériens ont atteint en cette fin du IIIe millénaire une maîtrise exceptionnelle comme le montre la *série de Goudéa* (Louvre) ; ils travaillent surtout des pierres dures, très dures même, comme les diorites importées de l'Arabie. La majesté de la plupart de ces statues, la force de concentration qui émane de certaines d'entre elles et que l'on met volontiers au compte d'une très grande ferveur religieuse, le beau modelé de la musculature du bras gauche que laisse généralement dégagé le vêtement, l'harmonie des formes, tout cela donne une impression de perfection qui accentue le sentiment d'une étonnante progression depuis les réalisations de l'époque sumérienne classique. Mais il ne faut sans doute pas se laisser dominer par cette apparence : car certaines des tendances les plus prometteuses de l'art de la statuaire des dynasties archaïques semblent avoir fait long feu. Ainsi l'individu représenté, qu'il s'agisse de *Goudéa*, d'*Our-Ningirsou* (Louvre) ou de la *Femme à l'écharpe* (Louvre), est-il toujours ramené sur lui-même ; aucun membre ne se dégage de la masse formée par le corps, ni jambe ni bras, alors que les sculpteurs de Mari et de tell Asmar avaient cherché, en détachant les membres du tronc, à libérer le corps. Au fond, cet effort de l'époque sumérienne classique pour mieux situer le corps humain dans l'espace semble abandonné, comme si cela était de peu d'intérêt. Ce faisant, les artistes néosumériens ont condamné la statuaire mésopotamienne à une rapide dégénérescence. C'en est fait désormais des études du corps, des tentatives pour l'affranchir de la matière et pour le mettre en mouvement dans l'espace. La rigidité sera désormais la caractéristique principale des statues, et si certaines y gagneront par un hiératisme assez conforme au but recherché, si, à l'occasion, un artiste particulièrement doué saura insuffler une vie inattendue à une œuvre, dans l'ensemble, on peut dire que l'ère des grandes réalisations en ce domaine se termine avec le début du IIe millénaire.

Peut-on comprendre une telle évolution ? Faut-il faire intervenir l'idée d'une sclérose des conditions de la créativité en Orient ? Cette notion assez facile à accepter de prime abord n'est pourtant pas conforme au fait que, pendant un millénaire et demi encore, des artistes sauront en Mésopotamie produire des œuvres de valeur universelle dans d'autres spécialités que celle de la statuaire ! C'est donc que la sensibilité ne pouvait plus s'exercer par ce canal. De fait, il semble qu'au cours du déroulement de l'histoire mésopotamienne on assiste à un pouvoir grandissant des prêtres en matière de création de la forme humaine : progressivement, la liberté est ôtée à l'artiste d'exprimer ce qu'il veut, et il doit, au contraire, se conformer à des règles de plus en plus strictes, dictées par un clergé qui impose sa volonté par l'établissement d'un canon en très grande partie fondé, semble-t-il, sur la tradition.

On ne sait pas très bien à quel moment précis de l'histoire de la Mésopotamie eut lieu ce renversement de tendance, c'est-à-dire quand la règle religieuse l'a emporté sur une créativité plus ou moins spontanée ; on peut remarquer, en outre, que cette période de la IIIe dynastie d'Our voit dans une autre branche que la statuaire un retour à l'organisation classique. On possède, en effet, des fragments d'une *Stèle d'Our-Nammou* (Philadelphie, musée) qui montre que l'on revient à l'ancienne division en registres superposés et que la belle tentative d'affranchissement de ce cadre rigide visible dans la *Stèle de Narâm-Sin* (Louvre) a fait elle aussi long feu. Cette constatation est-elle un argument pour situer pendant l'Empire néosumérien le virage pris par la statuaire ? Il est difficile de le dire avec certitude, mais les œuvres de cette période, malgré une perfection formelle remarquable, paraissent assez conventionnelles.

L'époque des royaumes amorrites et de l'empire de Hammourabi

(2000-1700 AV. J.-C.)

Après l'effondrement de la IIIe dynastie d'Our et jusqu'au processus d'unification réussi par le roi de Babylone, Hammourabi, la Mésopotamie a vécu une vie assez tumultueuse du fait des rivalités qui ont opposé les royaumes et principautés qui se sont constitués autour des grandes métropoles. Mais cette période a été de toute évidence d'une intense activité commerciale : la richesse qui en est découlée a facilité une vie de cour brillante tout à fait favorable à une féconde activité artistique connue par les fouilles pratiquées dans le sud de la Mésopotamie, à Ourouk et Larsa, les récentes découvertes en pays assyrien, à tell al-Rimah, et surtout la mise au jour des trésors de Mari. En revanche, on est assez surpris d'une relative pauvreté dont fait preuve notre documentation pour la période du premier empire de Babylone. La renommée de la construction politique de Hammourabi s'harmonise apparemment assez mal avec cette constatation, mais cela s'explique lorsque l'on sait que les fouilleurs allemands qui ont dégagé Babylone n'ont pratiquement rien retrouvé de la capitale du IIᵉ millénaire. Le célèbre *Code de Hammourabi* a été découvert, non pas à Babylone, mais à Suse, où il avait été emporté comme butin de guerre par un souverain élamite qui, au XIIᵉ s., ravagea la capitale de la Babylonie. C'est donc plutôt par un site comme Mari, riche en merveilles artistiques, que l'on pourra se faire une idée de l'art du début du IIᵉ millénaire, en gardant toutefois présent à l'esprit que par sa situation sur l'Euphrate, à mi-parcours entre Mésopotamie et Syrie, cette cité n'est peut-être pas exempte d'influences occidentales.

ARCHITECTURE

L'architecture de cette époque est assez bien connue parce que les fouilles ont révélé plusieurs palais ; les principes architecturaux qui ont présidé à leur construction ont pu être définis, car il apparaît qu'il y a eu alors, d'Assour à Larsa, d'Ourouk à Mari, une conception de l'architecture royale commune à toute la Mésopotamie. L'existence d'une formule, appliquée d'ailleurs avec une grande souplesse qui prouve la maîtrise réelle des architectes mésopotamiens, montre comment, malgré le déplacement des centres d'équilibre et l'éclatement de l'Empire néosumérien en de nombreuses petites unités, s'était formée une communauté mésopotamienne ; celle-ci s'exprimait en particulier dans le choix des souverains pour un même modèle de palais, avec des unités identiques et un fonctionnement général fondé sur les mêmes principes et ce pendant plus de trois siècles.

C'est donc le dégagement du palais de Mari qui a fourni une connaissance tout à fait exceptionnelle de l'architecture royale de l'époque amorrite. Bien sûr, à certains égards, l'exemple n'est pas parfait, puisque le bâtiment lui-même est le résultat d'une longue histoire et non le pur produit de la pensée d'un architecte. On sent pourtant çà et là, et plus particulièrement dans les secteurs officiels, une volonté d'adapter l'ancienne construction de la fin du IIIᵉ millénaire à des conceptions plus au goût du jour. Mais ce qui rend ce monument si différent des autres vient de ce qu'il a été retrouvé dans un état de conservation remarquable : en effet, Hammourabi avait décidé de le détruire après avoir vaincu Zimrilim et établi son pouvoir sur le royaume de Mari. Il enleva les objets précieux, puis incendia le palais et fit abattre certaines de ses superstructures ; les installations au sol furent donc recouvertes par les décombres sans avoir eu le temps de s'user sous l'effet des intempéries et, comme l'édifice ne fut jamais reconstruit, tout l'aménagement du niveau inférieur et le matériel abandonné par le vainqueur furent retrouvés lors du dégagement : le système d'évacuation des eaux usées, les salles de bains, les fours destinés à la cuisson des gâteaux et du pain, les cuisines, le service des moules à gâteaux, les magasins où étaient entassées les jarres qui avaient contenu le grain, l'huile, la bière ou le vin, sans parler des archives administratives, quelque 15 000 tablettes qui sont une mine de renseignements exceptionnelle sur la vie quotidienne d'un palais mésopotamien au bronze moyen. L'intérêt de cet édifice ne réside pas seulement dans la richesse du matériel qu'il recelait, mais aussi dans ses caractéristiques architecturales. Les aspects esthétiques paraissent plus riches lorsque l'on sait qu'un étage destiné à l'habitation des hommes surmontait un rez-de-chaussée voué aux réserves ou aux tâches domestiques, sauf dans le secteur officiel : autant le niveau inférieur devait être clos pour permettre la conservation des denrées alimentaires, autant l'étage devait être relativement ouvert, de façon à assurer dans les appartements et les bureaux administratifs la lumière et l'aération ; on peut penser qu'il existait à l'étage des galeries pour autoriser la circulation ; quant au bois, il jouait certainement un rôle très grand dans les superstructures. Le bloc officiel, dont le plan est hérité de l'époque néosumérienne, se présentait avec une solennité particulière : il était composé de la cour d'honneur revêtue de plâtre et aux murs ornés de riches peintures, d'un vestibule avec son podium magnifiquement décoré et sans doute surmonté de la statue de la *Déesse au vase jaillissant* (musée d'Alep), qui apparaissait dans la pénombre de la porte, de la salle du trône enfin, longue de 25 m, large de 11 m et haute sans doute de 12 à 15 m, pourvue de claires-voies qui dispensaient, au travers des poutres et des aisseliers chargés de soutenir la couverture, une lumière tamisée. La solennité qui se dégageait de ce lieu est évidente ; un véritable rituel réglait la vie du roi et ce bloc officiel était en quelque sorte le temple où se déroulaient le cérémonial royal, les réceptions d'ambassadeurs, les banquets et les fêtes. Solennité, majesté, et un art certain pour ménager les effets et les transitions donc, mais aussi un luxe qui apparaît dans les matériaux employés, le plâtre dans la cour 106, les lambris de bois ou les tapisseries dans la salle du trône, et un raffinement que met bien en valeur la richesse et la variété du décor pictural qui a été retrouvé : c'est peut-être l'une des plus importantes révélations données par ce palais de Mari que d'avoir montré que cette architecture orientale n'avait pas l'apparence grise et terne qu'elle possède lorsque la fouille la sort de terre ; derrière les murs de brique, il y avait une architecture éclatante de couleurs et fort majestueuse.

Ce n'est sans doute pas de façon fort différente qu'il faut imaginer l'architecture religieuse de la même époque : luxe de matériaux, couleurs vives, richesse des ex-voto et du matériel cultuel, tout devait contribuer à faire de la maison du dieu un lieu prestigieux, y compris l'édifice lui-même, avec son volume imposant, ses encadrements de portes, les grands espaces intérieurs et son organisation fondée sur le principe d'une rigoureuse axialité telle qu'on la voit dans le temple d'Inanna-Kititoum de Neribtou (l'actuel Ischali) ou dans celui de Nisaba et Haia à Shadouppoum (l'actuel tell Harmal). En outre, la tendance au monumental, évidemment en germe dans la construction des grandes ziggourats entreprise par Our-nammou, se développe ; on assiste alors à la mise en œuvre de monuments qui, même lorsqu'ils sont de moindre importance, restent fondés sur des principes très voisins ; ainsi à tell al-Rimah, on a dégagé une petite ziggourat précédée d'un temple de plan carré avec une cour intérieure. Cette organisation a connu un certain succès, puisqu'on la retrouve, agrandie, à Kar Toukoulti Ninourta près d'Assour. Mais ce qui fait l'intérêt particulier du temple de tell al-Rimaj, c'est qu'outre l'utilisation systématique de la voûte, connue certainement depuis longtemps mais dont l'usage généralisé n'a commencé que dans le courant du IIe millénaire, semble-t-il, les murs de la cour intérieure étaient pourvus d'un décor étonnant fait de colonnes engagées et torsadées en briques crues ; il ne s'agit pas là d'une tentative isolée : l'effet extraordinaire obtenu par ce type de décor a été répété dans le grand temple de Shamash à Larsa, dans le sud de la Mésopotamie.

STATUAIRE

Si l'architecture a pu se développer en liberté et donner naissance à des œuvres de grand intérêt au cours de cette période, la statuaire, en revanche, amplifie les tendances déjà perceptibles à l'époque néosumérienne et dont rendent compte les statues d'*Ishtoup-iloum* et de *Pouzour-Ishtar* de Mari, avec souvent une recherche assez poussée des détails gravés qui peut confiner à un certain maniérisme.

Quant à la *Déesse au vase jaillissant,* si elle ne s'écarte guère des règles en vigueur, si aucune recherche particulière ne s'affirme dans la position du corps, si la gravure des filets d'eau peuplés de poissons et ruisselant le long de son vêtement comme symbole de fertilité s'apparente à la technique qui décore la robe de Pouzour-Ishtar, elle manifeste par un certain modelé du visage une grâce à laquelle les autres œuvres ne nous préparent pas.

Une certaine prudence est cependant nécessaire : on est en effet surpris de l'aisance qui se dégage d'un petit bronze plaqué d'or appelé ordinairement l'*Adorant de Larsa* (Louvre). Le personnage, un genou à terre, une main ramenée au niveau de l'estomac, l'autre tendant un index vers le bas du visage, apparaît comme exceptionnel dans l'ensemble de la production mésopotamienne : est-ce la matière dont est faite cette statuette qui a permis cette originalité ? Faut-il conclure que les prêtres exerçaient un contrôle moins vigilant sur les fondeurs que sur les sculpteurs ? Il est difficile de le savoir, toujours est-il que l'artiste mésopotamien semble avoir eu dans certaines occasions la possibilité de s'exprimer avec une relative liberté.

L'art du bas-relief continue à être prisé, mais nous ne possédons guère de grandes compositions pour cette période. Des scènes comme celle qui se trouve placée en haut du célèbre *code de Hammourabi* sont là pour montrer la maîtrise habituelle dans ce mode d'expression, ce qui n'étonne pas quand on connaît son développement à l'époque assyrienne ; néanmoins, peut-être en raison de la solennité exigée par le motif (scène de présentation d'un souverain, c'est-à-dire Hammourabi, en attitude de prière, à son dieu Shamash), il émane une grande sévérité qui n'entraîne pas une complète adhésion. La technique de gravure des sceaux-cylindres est alors parfaite, mais c'est plutôt la pauvreté dans le choix des motifs qui marque la période.

PEINTURES MURALES

Une nouvelle facette des étonnantes possibilités des artistes mésopotamiens nous est révélée en ce début du IIe millénaire par les peintures murales que le palais de Mari a révélées. Cette découverte exceptionnelle prouve que les artistes orientaux étaient maîtres en cet art. La grande composition de la salle 132 du palais de Zimrilim, la *Scène de l'investiture* (cour 106) et la peinture malheureusement incomplète de l'*Ordonnateur du sacrifice*, sans compter les multiples fragments retrouvés dans les décombres du palais et les motifs décoratifs de certains murs, constituent une documentation unique. Si le mode de composition en registres superposés et sous forme de défilés semble être aussi naturel à l'esprit des artistes que dans le bas-relief, le tableau de l'*Investiture* montre cependant qu'en ce domaine d'autres conceptions pouvaient se manifester. L'intérêt de la valeur symbolique des thèmes représentés — transmission du pouvoir ou rencontre du roi et de sa divinité, thème de la fertilité exprimé par ces deux divinités tenant des vases d'où jaillissent des flots d'eau, des poissons et des plantes, mais aussi par ces palmiers avec les riches régimes de dattes que des hommes s'apprêtent à cueillir, signification mythique des êtres hybrides et de l'oiseau volant dans le ciel — ne doit pas masquer l'art d'une composition dont la nouveauté frappe avec ce tableau central à deux registres entouré sur trois côtés par une scène où symbolisme et naturalisme se conjuguent de façon fort heureuse. Maîtrise de la technique picturale, conception différente du système paratactique habituel : les peintres du palais de Mari nous permettent d'entrevoir un monde qui malheureusement nous échappe pour l'essentiel.

La seconde moitié du IIe millénaire en Mésopotamie

À la période de splendeur de Hammourabi et de ses prédécesseurs paraît succéder une phase assez terne dans la vallée des Deux Fleuves. La domination de dynasties kassites sur la Babylonie et le Sud pendant cinq siècles environ ne semble pas s'être accompagnée d'une intense production artistique. Mais, là encore, on peut se demander si la pauvreté quantitative de la documentation recueillie n'est pas responsable de cette impression. Car il faut souligner les caractéristiques très nouvelles de l'architecture monumentale dégagée à Dour-kourigalzou, fondation nouvelle en Babylonie centrale, réalisée par le souverain Kourigalzou II (1342-1324). Si la ziggourat conservée de façon étonnante et les temples s'enracinent dans la tradition mésopotamienne, le palais avec ses grandes unités fermées sur une cour démesurée, ses étages, ses longues salles sans doute voûtées et ses fresques où défilent des personnages de façon traditionnelle, paraît tout à fait exceptionnel. Peut-on y reconnaître une expérience architecturale qui ne sera pas reprise sans aménagement par les architectes assyriens ou babyloniens de l'époque suivante ?

Les principaux témoignages de l'art figuratif sont alors donnés par les *koudourrous :* il s'agit de bornes de propriété conservées dans les temples et réalisées à la suite de donations royales placées sous la protection de divinités, dont les symboles sont sculptés sur la face de la stèle avec parfois le texte de la donation. Reconnaissons que cette production, pour représentative qu'elle soit de la période, est bien souvent de médiocre qualité. Toutefois l'exemplaire trouvé dans le temple de l'E-babbar de Larsa montre que de belles réussites étaient possibles, même dans ce genre de second rang. Mais il faut peut-être le mettre à l'actif d'une école particulièrement vigoureuse, même si elle semble provinciale par rapport à la capitale, encore qu'aucun indice ne permette d'affirmer que cette œuvre ait été produite dans la ville où elle a été découverte. En tout état de cause, ce relief marque un jalon important dans la voie qui mène aux créations assyriennes.

Le Mitanni avait, au milieu du millénaire et pendant que s'affermissait la domination kassite en Babylonie, englobé une bonne partie des royaumes de la Mésopotamie septentrionale. C'est de sa disparition que naît l'Assyrie au XIVe s. Il ne reste que fort peu des grandes constructions qui marquèrent un moment très brillant mais assez bref de la Mésopotamie septentrionale. Pourtant, le temple double dédié à An, dieu du Ciel, et à Adad, dieu de l'Orage, pourvu de deux ziggourats dressées dans le ciel d'Assour, ou encore l'autel de Toukoulti Ninourta Ier montrent que les racines de l'art mésopotamien renaissent en Assyrie et qu'elles sont parfois à la base d'une pesanteur réelle qui n'empêche cependant pas toujours d'explorer des voies nouvelles.

L'Élam

Au sud-est de la Mésopotamie, l'Élam, qui se trouve à cheval sur la plaine du Khougistan et le Fars actuel, a depuis ses origines oscillé entre des rapports étroits avec la Mésopotamie méridionale ou, au contraire, une insertion dans l'univers iranien ; ce pays a été en quelque sorte attiré par le riche delta du Tigre et de l'Euphrate, auquel il était relié par le Kerkha et le Karûn, ou tenté par un repli dans les montagnes de l'intérieur. Alors que le IIIe millénaire avait plutôt représenté une période de relations assez continues avec la Mésopotamie, le IIe millénaire, peut-être à cause de la disparition de la civilisation de l'Indus, marque en revanche un isolement certain, qui favorisa l'éclosion d'un art original de l'Élam, apparu au XIIIe s., moment où une dynastie locale manifesta avec vigueur la revendication d'une identité. Ainsi à Tchoga Zanbil, l'ancienne Dour-Ountash, on éleva une ziggourat tout à fait originale, haute de plus de 50 m, à partir de la cour intérieure d'un grand temple carré : à la nouveauté de la construction, qui a été réalisée par pans verticaux et non par tranches horizontales comme d'habitude, s'ajoute l'aménagement d'escaliers à l'intérieur de la tour et non à l'extérieur selon le modèle mésopotamien. D'ailleurs ni les temples installés au pied de la ziggourat à l'intérieur de l'enceinte sacrée, ni les palais construits à quelque distance ne présentent d'affinités réelles avec la Mésopotamie voisine. Une pensée créatrice proprement élamite s'est donc développée, que l'on retrouve aussi dans la *Stèle d'Ountash Napirisha* du milieu du XIIIᵉ s., dans le genre très particulier du portrait funéraire, et dans les taureaux, lions et griffons gardiens de porte de Dour-Ountash. Enfin, la maîtrise des bronziers du Luristān du IIIᵉ millénaire s'est maintenue en Élam, comme l'indique l'imposante statue de la *Reine Napir-asou* (Louvre), datée du milieu du XIIIᵉ s., où les artistes ont manifestement su jouer du vêtement pour donner plus de majesté à l'œuvre.

L'originalité hittite

L'arrivée en Anatolie, dans le courant du IIIᵉ millénaire et au début du IIᵉ, de nouvelles populations comprenant des groupes indo-européens entraîna une profonde transformation des civilisations qui s'étaient jusqu'alors développées dans la région. Les royaumes plus ou moins puissants du IIIᵉ millénaire qui avaient été en contact étroit avec la Mésopotamie — pensons par exemple aux marchands d'Assour établis à Kanish — n'étaient pas fondamentalement différents de ceux des autres régions de l'Orient en ce début de l'âge du bronze ; ils évoluaient toutefois à un autre rythme, en dépit de leur appartenance au système des échanges qui avait été à la source de l'essor de la Mésopotamie.

Cette modification de la composition ethnique eut pour conséquence de conduire l'Anatolie dans une autre voie que de suivre la Mésopotamie. Là encore, c'est la constitution d'un empire qui permit l'éclosion de formes artistiques originales. Ce n'est qu'assez tardivement, pourtant, que l'Empire hittite, fondé dès le XVIIᵉ s., fut à même de produire des œuvres qui portent sa marque.

C'est la ville de Boğazköy, la capitale de l'empire, l'ancienne Hattousa, qui nous permettra le mieux de saisir les caractères premiers de l'architecture hittite, mais d'autres cités, tout aussi célèbres, comme Alaça Höyük, pourraient servir pour illustrer tel ou tel aspect des réalisations et montrer en quoi elles différaient de celles de la Mésopotamie. Déjà le choix des sites est révélateur : les coteaux plus ou moins escarpés et souvent aménagés pour recevoir un système de terrasses sont préférés aux plaines. L'organisation de la cité l'est peut-être encore plus : une citadelle dominant une ville basse, des temples dispersés dans celle-ci plutôt que rassemblés dans la cité sainte, un palais royal qui, installé dans la citadelle, manifeste par sa position même la supériorité absolue du pouvoir impérial sur le pays, alors qu'en Mésopotamie le palais jouxtait souvent la zone des temples. Ce palais, d'ailleurs, au lieu d'être composé d'unités aux fonctions définies qui s'articulent dans un ensemble bien agencé et selon des modalités repensées à chaque reconstruction, est au contraire formé d'une série de bâtiments indépendants qui trouvent leur place dans un espace préalablement clos et selon un dispositif qui, semble-t-il, doit plus à l'accumulation progressive de blocs édifiés à l'occasion de besoins nouveaux ou d'un surcroît de puissance, qu'à la pensée d'un architecte satisfaisant à une demande précise. Quant aux temples de Boğazköy, ils paraissent répondre à une formule plus ou moins stéréotypée : une cour centrale entourée de portiques donnant accès à des salles de taille moyenne, une seule se détachant nettement de l'ensemble et dans laquelle on voit le plus souvent l'emplacement de la *cella,* c'est-à-dire l'endroit où l'on installait la statue de la divinité. Mais, une fois encore, la différence éclate violemment avec le reste de l'Orient où la statue est généralement au plus profond du temple, à l'endroit le moins accessible, le plus sombre, celui où seuls quelques initiés ont le droit de pénétrer au terme d'un cheminement qui conduit d'un espace profane au lieu le plus sacré qui soit, celui où réside la divinité ; chez les Hittites, si la progression semble répondre au même schéma de base, la cella est au contraire inondée de lumière grâce à des fenêtres réparties sur toutes les parois extérieures et cette différence pourrait répondre à une pratique du culte autre, voire à une pensée religieuse relevant d'une autre éthique.

On est frappé aussi de ce que les Hittites aient adopté des formules architecturales

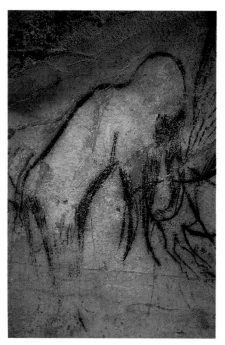

Femme (divinité féminine ?) à la corne de bison. *Bas-relief en calcaire trouvé à Laussel (Dordogne). H. 44 cm. Bordeaux, musée d'Aquitaine.*

Mammouth. *Pech-Merle (Lot). Style III.*

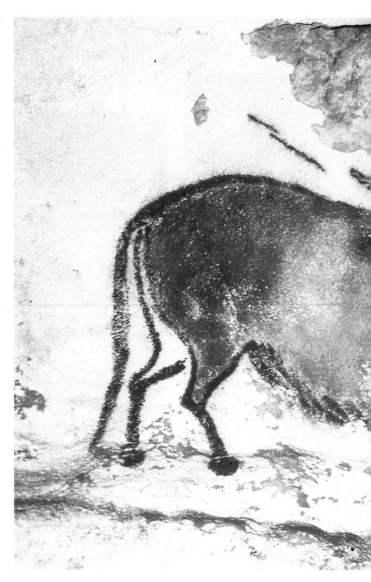

Cheval. *Lascaux, diverticule axial. Style III.*

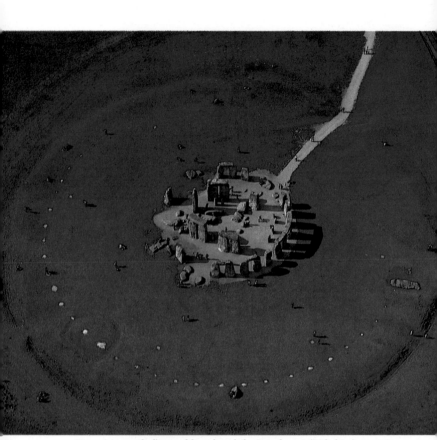

Vue aérienne de l'ensemble culturel de Stonehenge (Wiltshire), *peut-être un temple du Soleil, édifié au début de l'âge du bronze.*

Statuette féminine *trouvée à tell es-Sawwan représentant peut-être une déesse. Vers 5800 av. J.-C. Albâtre. H. 13 cm. Bagdad, Musée irakien.*

Çatal Höyük-Est. *Décor pariétal dans une maison d'habitation représentant un taureau et une scène de chasse. VIᵉ millénaire. H. 1,19 m., larg. 3,35 m.*

Vue d'une tour de la fortification de la cité néolithique de Jéricho, *auj. tell as-Sulṭān, en Jordanie. VIIIᵉ millénaire.*

Statue de la déesse mère, *provenant de Çatal Höyük.*
Fin du VIIe millénaire. Terre cuite.
Ankara, Musée hittite.

Tête féminine, *trouvée à Ourouk*.
Début du IIIᵉ millénaire. Marbre.
H. 20 cm. Bagdad, Musée irakien.

Statuette de l'intendant Ebih-il,
dédiée à Ishtar, trouvée à Mari.
Milieu du IIIᵉ millénaire. Albâtre.
H. 52 cm. Paris, musée du Louvre.

Le grand chanteur Our-Nanshé, *vu de profil. Provient du temple de Ninni-Zaza (Mari). Milieu du IIIᵉ millénaire av. J.-C. Gypse. H. 20 cm. Damas, Musée national.*

Taureau à tête humaine. *V. 2400-2250 av. J.-C. Or, bois et stéatite. Musée d'Alep.*

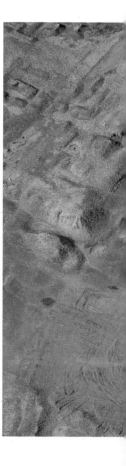

Statue de Goudéa, *prince de Lagash.*
V. 2150 av. J.-C. Diorite. H. 45 cm. Paris,
musée du Louvre.

Vue aérienne de la ziggourat d'Our.
Début du XXIᵉ s. av. J.-C. Briques d'argile.

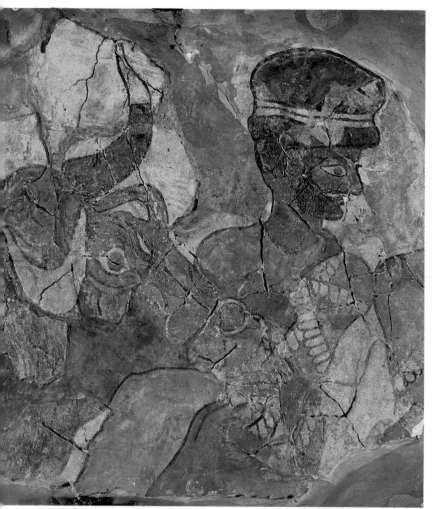

Prêtre menant un taureau au sacrifice. *Peinture murale provenant de Mari. XVIIIe s. av. J.-C. Alep, Musée archéologique.*

Statuette vouée pour la vie
de Hammourabi
*par un dignitaire de Larsa,
dite « Adorant de Larsa ».
V. 1770 av. J.-C.
Bronze (mains et visage
plaqués d'or).
H. 19,6 cm, long. 14,8 cm,
larg. 7 cm.
Paris, musée du Louvre.*

Cortège de dieux armés.
*Détail du décor pariétal
du sanctuaire hittite
de Yazilikaya,
près d'Hattousha.
V. 1250 av. J.-C.*

Transport de bois *le long de la côte phénicienne.*
VIIIe s. av. J.-C. Détail d'un bas-relief
provenant du palais de Khorsabad.
Paris, musée du Louvre.

La lionne blessée. *Détail d'un bas-relief provenant du palais de Ninive. VIIe s. av. J.-C. Albâtre gypseux. H. 60 cm. Londres, British Museum.*

15

Porte d'Ishtar à Babylone, *remontée au Pergamon.*
Museum de Berlin-Est. VIIe-VIe s.
av. J.-C. Briques émaillées. H. 14,30 m.

fort peu à l'honneur chez les Mésopotamiens : ainsi, les salles hypostyles paraissent jouer un rôle important dans les constructions monumentales, alors que les Mésopotamiens, s'ils ne les ont pas autant ignorées qu'on l'a dit parfois, ne les ont utilisées que dans de rares occasions. On peut se demander en ce domaine si l'Empire hittite n'est pas à l'origine de certains principes de l'architecture perse.

Si les Hittites se sont peu intéressés à la ronde-bosse, la sculpture en relief semble en revanche avoir retenu leur attention. L'une de leurs plus belles réussites est le relief monumental figurant une divinité gardienne de la *Porte du roi* à Boğazköy : cette œuvre qui date du XIIIe s., haute de 2 m, met en scène un personnage marchant à droite, dans lequel on a longtemps hésité à reconnaître un roi ou un dieu ; le casque à cornes, signe divin par excellence, conduit plutôt à accepter la seconde proposition. La tendance à une extrême minutie dans le rendu des détails, par exemple les poils de la poitrine, apparaît comme une caractéristique de cet art.

L'attention est peut-être encore plus attirée par une œuvre qui se révèle à maints égards comme tout à fait exceptionnelle en Orient : à Yazilikaya, à quelques kilomètres de Boğazköy, les Hittites ont aménagé en lieu sacré deux défilés reliés l'un à l'autre par un étroit passage ; ils lui ont adjoint, par la suite, un temple construit à l'entrée du sanctuaire naturel. La particularité de cet ensemble de plein air, tout à fait unique, est que sur les parois des défilés deux cortèges de quelque 70 personnages, l'un conduit par Teshoup, le dieu de l'Orage, l'autre par Hepat, son épouse, chacun suivi des divinités du panthéon, se rencontrent peut-être pour évoquer une hiérogamie divine ou plus simplement pour symboliser le nécessaire association des principes masculin et féminin pour que naisse la vie. Cet ensemble grandiose manifeste clairement que la religion hittite, autant dans ses fondements que dans ses expressions artistiques, n'est en rien assimilable à celles de la Mésopotamie ou de la Syrie.

Le Levant

Dans le contexte du IIe millénaire qui voit la montée des empires au cœur des foyers mésopotamien, anatolien et égyptien, la côte levantine poursuit une existence originale et parfois dangereuse, tributaire qu'elle est d'un milieu géographique qui en fait un carrefour. Cette position déjà essentielle aux IVe et IIIe millénaires ne fait que se renforcer au IIe millénaire avec l'essor du monde égéen. La région est naturellement découpée en petites unités géographiques (tant sur la côte qu'à l'intérieur) qui forment autant de centres commerciaux plus ou moins importants selon les moments ; on comprend dès lors qu'aucun empire n'ait pu y trouver son origine et qu'en revanche les empires voisins en aient fait le point de rencontre de leurs rivalités. Ce rôle de champ de bataille devient particulièrement net durant la seconde partie de l'âge du bronze. Le Levant est alors par excellence le pays ouvert à toutes les influences, aux passages d'armées ou aux caravanes de marchands, ce qui explique que la sensibilité profonde de ses habitants n'ait que difficilement trouvé à s'exprimer, sauf par l'intermédiaire de formes imposées de l'extérieur. Il en résulte un art composite, où la tendance première cherche à assimiler les influences étrangères plutôt qu'à manifester son originalité profonde. Pourtant, derrière l'enchevêtrement des réminiscences, il y a une spécificité syrienne, qu'une analyse fine permet de mettre en évidence.

Le royaume d'Ebla, après une éclipse, a retrouvé une certaine importance. La récente découverte des tombes royales du palais 0, datées du XVIIIe s., vient très heureusement compléter une documentation jusqu'à ce jour assez pauvre pour le bronze moyen, représentée auparavant principalement par Byblos et Alalah. Mais les œuvres retrouvées dans les *Tombes du Seigneur au Capridé* et de *la Princesse*, en particulier — ivoire finement sculpté en forme de capridé, bijou en or, masse en ivoire, argent et or, vases en albâtre — (musée d'Alep), sont peut-être finalement moins représentatives d'un art spécifiquement syrien que la preuve de l'existence d'une « koinè aulique » ou d'une classe privilégiée de la société qui s'approvisionne au-delà des frontières. C'est surtout au bronze récent, c'est-à-dire entre 1600 et 1200 av. J.-C., que la richesse de la Syrie, tellement convoitée d'ailleurs, s'exprime avec un éclat particulier dans les œuvres trouvées par exemple à Megiddo en Palestine, ou à Ras Shamra (Ougarit) en Syrie côtière. À côté de ces grands centres, une ville comme Emar est un exemple étonnant des mélanges d'influences qui se sont conjugués pour offrir finalement une création nouvelle.

Il n'est pas possible de définir en quelques mots l'architecture levantine, tant les formules adoptées sont variées ; des influences extérieures sont bien souvent décelables dans les réalisations mises au jour par les fouilles, mais on doit insister aussi sur l'existence de schémas qui caractérisent cette région. Ainsi on note une prédilection des habitants pour deux formes de temples : l'un, ramassé et assez massif, a été adopté en Syrie du Nord et en Palestine, l'autre, de forme allongée *in antis* et très proche du mégaron, s'affirme dès le milieu du IIIe millénaire dans le Khābūr (tell Chuera), se poursuit au IIe millénaire à Ebla, puis à tell Fray et à Emar. C'est sans doute là une des marques les plus évidentes de l'originalité syrienne puisque la formule persiste plus de 2 000 ans et se retrouvera dans le temple de Jérusalem au début du Ier millénaire. Les palais qui ont été fouillés jusqu'à maintenant ne portent pas la marque d'une originalité aussi nette. Pourtant le palais d'Ougarit, le plus grand et le mieux conservé, l'un de ceux où un très riche matériel a été retrouvé, n'offre aucune analogie avec ceux de Palestine ou de la Syrie intérieure ; il reste d'ailleurs encore à découvrir l'origine de la formule, composée d'une cour équipée d'un porche à double colonne, que les architectes du palais ont répétée dans pratiquement chaque unité de l'édifice. L'usage des moellons, la fréquence des colonnes, l'existence certaine d'un étage, une structure en pans de bois apparents donnent à cette architecture une marque tout à fait particulière qui n'est pas sans rappeler celle de la Crète, au moins dans certaines

de ses solutions techniques et dans son apparence.

Les Levantins n'ont pas montré un grand attachement à la sculpture monumentale. Les œuvres retrouvées, par exemple la *Tête* de Djerablous (Karkémish), celle de Yarimlim ou encore la *Statue d'Idrimi d'Alalah,* ne sont certes pas sans intérêt, mais elles ne permettent pas une véritable connaissance des capacités syriennes en ce domaine. Comme chez les Hittites, les stèles et bas-reliefs semblent avoir présenté plus d'attrait pour les sculpteurs : telle est du moins l'impression qui ressort des trouvailles réalisées à Ougarit, dont on retiendra en particulier la *Stèle de Baal au foudre* (Louvre). Les artisans d'Ebla ont montré leurs capacités dans l'ornementation de grands bassins cultuels. Mais c'est la production de petites statuettes en métal qui a manifestement eu la préférence des peuples levantins : de la Palestine à la Syrie du Nord, et pendant tout l'âge du bronze on en retrouve dans presque toutes les cités, principalement dans les sanctuaires. Ces figurines, généralement coulées en bronze, parfois en argent et à l'occasion recouvertes partiellement ou en totalité d'une feuille d'or, frappent par la diversité des styles : le schématisme et la simplification des formes s'opposent à une recherche d'un modelé, peu fréquent mais réel ; la diversité des attitudes et des attributs ne permet pas toujours de décider si la représentation concerne une divinité ou un être humain.

Le génie artistique des peuples levantins a trouvé peut-être sa meilleure expression dans le travail de l'ivoire ; cette matière de grand prix, mais qui était encore fournie en partie par les derniers troupeaux d'éléphants de la vallée de l'Oronte et non pas seulement par la lointaine Afrique, se prêtait admirablement à des travaux de finesse en gravure ou en léger relief. Ainsi de nombreux objets de luxe ont-ils été sculptés dans des ateliers qui étaient peut-être rattachés à un palais, comme le montre le lot d'objets découvert à Megiddo : boîtes à fard, coffrets, peignes, pieds ou bras de chaises, de fauteuils ou de trône, montant ou plateau de table, panneaux décorés de têtes de lits, olifants... Quelle diversité d'utilisation ! Signe sans doute d'une opulence exceptionnelle qui ne se limitait pas au seul palais royal mais s'étendait à la couche de la population qui participait activement à l'accumulation de la richesse économique. Ce travail de l'ivoire est un domaine privilégié, où l'on peut avec une relative aisance définir les influences diverses qui se sont exercées sur cette terre de rencontre, car nombre des œuvres retrouvées ont leur origine, au moins en ce qui concerne l'inspiration, en Égypte ou dans le bassin méditerranéen. Ainsi, les panneaux de lits découverts dans le palais d'Ougarit témoignent-ils d'une très forte empreinte égyptienne, bien visible dans la coiffure de la divinité ou dans la posture des personnages, mais aussi peut-être d'une sensibilité hittite, si l'on songe au disque ailé, et d'un réalisme plutôt méditerranéen exprimé dans ce couple enlacé dont on conçoit mal qu'il appartienne à l'univers sémitique. Les influences mycéniennes sont d'ailleurs nettement apparentes dans certaines œuvres, comme dans ce couvercle de pyxide représentant une divinité féminine : il n'est pas de plus bel exemple de l'existence de ce carrefour syrien qui, non content de rassembler les routes mésopotamienne, anatolienne, égyptienne et palestinienne, y ajoute encore, grâce à la Méditerranée, tout l'Occident.

Il faut encore évoquer l'extraordinaire travail d'orfèvrerie, dans lequel les Syriens avaient acquis une maîtrise remarquable, comme en témoignent la *Patère* (Louvre) et la *Coupe en or d'Ougarit* (musée d'Alep), toutes deux traitées au repoussé, et qui montrent à quel point le Levant était ouvert à toutes les influences et à toutes les perfections du monde extérieur.

La phase finale de l'âge du bronze (plus particulièrement les xive et xiiie s.) marque l'apogée de cette civilisation. La fin de cette époque est proche, mais en Élam comme sur la côte levantine ou en Anatolie, et à un moindre degré en Mésopotamie, on assiste à un rayonnement exceptionnel qui ne laisse présager ni l'effondrement prochain (début du xiie s.) ni la longue période sombre des débuts de l'âge du fer.

Bibliographie v. p. 51.

LA MARCHE AUX EMPIRES UNIVERSELS

Les nouvelles conditions du Ier millénaire

LE PASSAGE DU BRONZE AU FER, À LA FIN DU IIe MILLÉNAIRE, a été pour l'ensemble du Proche-Orient une période difficile. Des catastrophes naturelles (tremblements de terre) ont pu jouer un rôle dans l'effondrement de la brillante civilisation de l'âge du bronze ; des invasions, voire de simples infiltrations s'échelonnant sur de longues périodes, Doriens en Grèce et, dans le Levant, Peuples de la Mer et Araméens, ont certainement contribué au désastre, en détruisant une civilisation citadine qui n'avait que peu de points communs avec leur mode de vie de nomades ou d'aventuriers. La Mésopotamie apparaît à l'aube des temps nouveaux comme profondément déprimée. Au fond, cette période difficile pour le Proche-Orient n'est peut-être pas provoquée uniquement par des mouvements de population ou des cataclysmes naturels ; c'est plutôt la rupture d'un équilibre qui s'était cherché pendant deux millénaires, rupture amenée par une modification des besoins et, partant, des sources d'approvisionnement ; l'extension progressive de l'usage du fer aux dépens du bronze n'est sans doute pas étrangère à ce déséquilibre. Le redressement de la situation générale a demandé de longues années ; un déplacement des grands axes de circulation semble l'avoir accompagné. En Mésopotamie, le Sud a définitivement perdu la partie, alors même que le golfe Persique voit renaître une activité qui avait été fort perturbée au IIe millénaire,

phénomène que l'on peut mettre en rapport sans doute avec le rôle grandissant que joue l'Iran au long de l'âge du fer ; des villes comme Our, Ourouk et Larsa sont encore à l'occasion l'objet de soins attentifs de la part des souverains de Babylone, qui engagent la reconstruction des grands temples traditionnels, voire l'édification de constructions nouvelles. En réalité, la véritable puissance économique, et bien souvent politique, se trouve maintenant au nord, en Assyrie et le long du piémont du Taurus, comme il était déjà clairement visible au IIe millénaire. Babylone pourra encore espérer recueillir l'héritage impérialiste assyrien après la destruction de Ninive : cette prétention ne fut qu'éphémère et l'empire néobabylonien de courte durée démontre bien le caractère irréversible d'une évolution qui consacrait le déclin définitif de la civilisation mésopotamienne traditionnelle. Il apparaît alors clairement que l'axe nord-ouest-sud-est, matérialisé par l'Euphrate, trait d'union essentiel entre différentes parties du Proche-Orient, le cède en faveur d'un ensemble est-ouest qui unit le monde grec et l'Iran en passant par l'Asie Mineure plutôt que par le pays des Deux Fleuves. Ce phénomène s'explique en partie parce qu'on assiste à une véritable renaissance de l'Iran, peut-être provoquée par d'importants mouvements de population. C'est ce monde revigoré qui saura hériter des anciennes prétentions à la domination des empires mésopotamiens depuis les premières tentatives de Sargon d'Akkad jusqu'aux constructions récentes des Assyriens et des néo-Babyloniens, pour édifier un ensemble territorial gigantesque sous l'autorité des Achéménides. Il paraît important de souligner que l'échec final des Achéménides marque un renversement complet des tendances anciennes ; jusqu'alors l'Orient était maître de sa destinée et exerçait un rôle particulièrement fécondant jusqu'au cœur de la Méditerranée ; avec la victoire macédonienne, c'est l'Occident qui va dominer pour près de sept siècles ce monde oriental auquel on devait tout.

L'Iran préachéménide

On ne cerne pas encore avec toute la précision souhaitable la situation en Iran en ces débuts de l'âge du fer. On croit percevoir l'existence de quelques principautés dans les régions montagneuses, comme les Mannaï dans le Luristān, alors même que des populations indo-européennes semblent prendre progressivement possession du plateau à partir de la région de la mer Caspienne. De ces populations nomades il ne reste que fort peu de traces : des cimetières, parfois prestigieux comme celui de Marlik (XIIIᵉ-XIIᵉ s.) au sud-est de la mer Caspienne, mais nul centre fixe. Il est donc fort difficile de chercher à définir les pérégrinations ainsi que les sphères d'influence de ces premières populations iraniennes. En revanche, un point d'ancrage des populations autochtones est donné avec la civilisation trouvée à Hasanlu, site établi au sud du lac d'Ourmia, dans une région qui, avec l'Ourartou voisin, permet la jonction entre les mondes iranien et anatolien, tout en étant en contact avec l'Assyrie, grâce au réseau fluvial drainé par le Tigre. Plus au sud, la région des montagnes du Luristān, dont l'activité métallurgique avait subi une éclipse au IIᵉ millénaire, retrouve une position de premier plan dans cet art très particulier, sans doute à la suite d'une demande plus pressante venue de la Mésopotamie voisine. Mais, par un étrange phénomène, un retour au nomadisme caractérise cette période ; des points fortifiés comme Bābā Djān au VIIIᵉ s. témoignent à la fois de

l'insécurité et d'une résistance à l'encontre de ce processus. Mais ce sont surtout les tombes de nomades, souvent cavaliers, qui montrent la puissance métallurgique du Luristān : bronze et fer y sont travaillés également, matériel de harnachement des chevaux et armes diverses. Plus à l'est, en Médie, on retrouve une situation assez voisine avec des centres comme Godin tépé ou tépé Nush-i-Jan, et des groupes nomades mèdes, sans doute en cours de fixation. Plus au sud, l'Élam, après sa glorieuse renaissance de la fin du IIᵉ millénaire, connaît à nouveau, après une assez longue éclipse, une période d'éclat à la fin du VIIIᵉ s., connue sous le nom de « période néoélamite ». L'Élam de Shoutrouk-Nahhounte et de ses successeurs, appuyé sur le pays d'Anshan, eut à lutter contre les Assyriens puis succomba sous leurs coups. Au total, c'est la Perse achéménide qui héritera du dernier effort de l'époque néoélamite pour s'affranchir de la tutelle mésopotamienne.

Au fond, ce qui unit durant les premiers siècles du Iᵉʳ millénaire ces régions de l'Iran occidental avant l'unification politique réalisée par les Achéménides, c'est la lutte contre les tendances désagrégatives des nomades, qui s'opposent aux forces structurantes des cités. Au milieu du Iᵉʳ millénaire, l'unité sera réalisée, mais sans que disparaissent les diversités régionales, ethniques et culturelles qui caractérisaient le pays iranien. L'empire achéménide, qui prépare la voie à l'hellénisation de l'Orient, doit sa naissance à la destruction de l'empire néobabylonien qu'un Nabonide n'avait pas su empêcher, malgré son intelligence et sa volonté. Ce début du Iᵉʳ millénaire est donc consacré en Iran à la recherche de formules nouvelles, tant en politique que dans l'expression artistique.

ARCHITECTURE

Cette recherche est déjà parfaitement visible dans le domaine de l'architecture. Hormis l'Élam (Suse et Tchoga Zanbil), le IIᵉ millénaire iranien ne paraît pas avoir été tenté par la grande architecture ; du moins les fouilles archéologiques n'ont-elles jusqu'à ce jour rien montré de tel. Au Ier millénaire, au contraire, et ce malgré un nomadisme renaissant en certaines régions, un goût se manifeste pour les ensembles construits sur des schémas nouveaux, qui préparent les grandes réalisations de l'époque achéménide. C'est tout d'abord Hasanlu qui offre les premiers exemples significatifs d'une architecture dont le principe repose sur l'existence de grandes salles rectangulaires dotées de files de colonnes destinées à soutenir la couverture. Ce n'est pas là une innovation, puisque la formule a déjà été utilisée de façon courante chez les Hittites, en particulier dans les grands bâtiments du Büyükkale, la citadelle de Boğazköy, et que les Mésopotamiens, sans l'avoir employée systématiquement dans leurs constructions, ont su, à l'occasion, en faire usage. Cet espace hypostyle, plus ou moins vaste selon les cas, est susceptible de servir de grande salle de réception ; il peut se transformer en salle du trône et être facilement complété par des chambres annexes situées sur tout le pourtour : réserves, habitations privées, dépendances de tous ordres et de toutes formes, qui permettent d'organiser autour du foyer central une résidence complète. La systématisation du principe, seule novation réelle, est établie de façon convaincante par les quelques repères que nous possédons pour le Ier millénaire. À Hasanlu, quatre constructions très voisines furent à des moments différents édifiées autour d'un espace largement à ciel ouvert. Peu après, c'est le palais de Godin tépé (VIIIe-VIIe s.), sur son éperon, qui use de la même formule dans trois au moins des salles reconnues par la fouille ; même principe encore dans l'édifice de tépé Nush-i-Jan, où une grande salle, divisée en quatre travées par trois rangées de quatre colonnes joue le rôle de palais. Les grandes réalisations de l'Empire achéménide formeront la suite logique de ces premières constructions.

Il ne faudrait toutefois pas limiter l'architecture iranienne de l'âge du fer à ce seul modèle. Tout d'abord, on a pu organiser les dépendances autour de la salle centrale de façon un peu différente de celle d'Hasanlu, en ne faisant intervenir que de longues salles très étroites,

plaquées contre les côtés de la salle hypostyle, et non des salles de formes très variées : cette méthode, que l'on retrouve à Godin tépé, sera aussi systématiquement utilisée à Persépolis. Mais d'autres formules ont aussi été retenues : par exemple, celle qui met en place des séries de salles parallèles longues et étroites, selon des schémas utilisés depuis longtemps déjà, aussi bien en Mésopotamie qu'en Crète. Ce dispositif présent à Godin tépé et à Nush-i-Jan, sans doute utilisé comme entrepôt, devait servir d'appui à un étage réservé à l'habitat. On retiendra encore le système alvéolaire qui entoure le cœur du « manoir » de Bābā Djān, selon une formule tout à fait neuve. Quant au temple du feu de Nush-i-Jan avec son plan très ramassé et son escalier, il met en place un mode d'utilisation de l'espace qui s'appuie sur le développement vertical de l'édifice et implique une pratique nouvelle du culte. Enfin, on peut encore être frappé par l'usage très fréquent de tours extérieures et par l'installation de façades à redans et décrochements multiples, comme si la rupture du nu des murs extérieurs était érigée en règle absolue depuis les premiers décrochements irréguliers rencontrés à Hasanlu. En Élam, on avait choisi pour décorer certaines façades intérieures des carreaux d'appliques émaillés, fichés dans le mur à l'aide d'un grand clou, à l'occasion orné d'un protome de monstre ; ces carreaux étaient décorés de motifs animaliers, qui faisaient intervenir les mythes ou des scènes de l'iconographie traditionnelle. On a retrouvé à Bābā Djān des carreaux d'applique de même fonction inspirés sans doute de l'Élam, mais ornés de motifs géométriques simples (damiers par exemple) et non d'animaux.

Au total, il s'agit d'une architecture qui ne présente que peu de rapports avec ce qui se faisait en Mésopotamie au même moment, et les racines des caractéristiques nouvelles plongent plutôt dans le monde anatolien du IIe millénaire.

En est-il de même dans les domaines de l'iconographie, du bas-relief et de la sculpture ? Le *Trésor de Ziwiyé,* les très riches tombes de Marlik, les nécropoles du Luristān, le matériel retrouvé dans les palais d'Hasanlu, tout parle naturellement en faveur d'une multiplicité des influences reçues. Il n'est pas possible d'en faire en quelques lignes l'inventaire ; mais dans la vaisselle précieuse de Marlik datée de la fin du XIIe s. on reconnaît une forte influence de la Mésopotamie et de l'Élam ; le *Vase en or d'Hasanlu*, souvent daté de la fin du IIe millénaire, avec son décor peu organisé, reflète des thèmes peut-être d'origine sumérienne, en tout cas très syrianisés, la déesse qui se dévoile à proximité de l'orage est à ce point de vue tout à fait probante ; les bronzes du Luristān, très artistiquement ouvragés, qu'il s'agisse de haches décoratives, de disques placés au sommet d'épingles, de plaques latérales de mors de cheval, tous décorés de tireurs à l'arc, d'animaux fabuleux, de chimères, de défilés de personnages, rappellent autant les thèmes en usage dans l'art hittite que dans l'art assyrien.

Au cours de ces siècles, l'Iran a assimilé un héritage très diversifié qui contribuera grandement à l'originalité de l'art perse.

Le rêve assyrien

Le XIIIe s. avait été marqué par l'essor de l'Assyrie, mais les troubles de la fin du millénaire et la très forte poussée des Araméens n'avaient pas permis le plein épanouissement de cette percée, qui restera connue cependant sous le nom d'Empire médio-assyrien ; le terme d' « empire » apparaît alors bien excessif, puisqu'il s'est agi principalement de relier l'Assyrie à la Méditerranée pour un temps fort bref, et que c'est un tout autre contenu qui lui sera donné pour désigner les réalisations territoriales des rois à partir du VIIIe s.

Quelle curieuse destinée que celle de ce pays assyrien ! Faut-il d'ailleurs parler du pays ou des hommes ? Les origines de ces derniers ne sont pas faciles à établir si l'on veut se référer à un critère ethnique, et c'est bien plutôt le mélange si caractéristique de la civilisation mésopotamienne de groupes d'origines diverses qui frappe dans cette région. Donc, pas de race

assyrienne plus cruelle qu'une autre, en dépit des allégations classiques. D'ailleurs, les débuts de l'Assyrie nous entraînent dans une autre direction ; lorsque les hommes de ce pays apparaissent pour la première fois dans l'histoire, c'est en tant que marchands capables d'établir une colonie dans la ville de Kanish en Cappadoce, soit à plus de 1 000 km d'Assour, afin de nouer les plus fructueux échanges entre l'Anatolie et l'Assyrie. Au début du XVIIIe s., sous la conduite d'un roi amorrite, Shamshi-Adad, se forge la première ébauche d'une puissance assyrienne. Une fois ce souverain, de stature exceptionnelle, il est vrai, disparu, sa construction s'effondra et il fallut attendre le XIIIe s. pour assister à une nouvelle percée du pays d'Assour. Cette fois le phénomène semble plus profond, car il s'accompagne non seulement d'une quête territoriale plus ambitieuse, mais aussi d'une sensibilité artistique plus vive, qui cherche à mettre en avant, en particulier dans le domaine de la glyptique et de l'architecture, comme nous l'avons vu, une originalité réelle du pays du haut Tigre en cette époque médioassyrienne. Avec l'aurore du VIIIe s., l'Assyrie se lance dans une gigantesque politique de conquête : une dynamique dont les rouages ne sont pas encore complètement compris force ce pays à repousser continuellement ses frontières et à tendre son énergie dans une domination sans cesse plus dure, accompagnée de déportation de populations entières et d'exécutions massives. Qu'est-ce qui a ainsi pu transformer ce peuple de marchands en conquérants ? Il est difficile de le savoir en toute certitude ; toujours est-il que, au sommet de sa puissance, c'est-à-dire à la mort d'Assurbanipal en 626, l'Empire assyrien s'étendait du golfe Persique et de l'Élam à la Méditerranée orientale, jusques et y compris l'île de Chypre, et des montagnes d'Arménie jusqu'à Thèbes en Égypte. Il s'agissait bien alors du plus grand empire jamais réalisé qui, par ses dimensions, annonce la construction des Achéménides. Toujours à cette même date, rien, semble-t-il, ne pouvait laisser prévoir l'imminence de l'effondrement dont les raisons ne sont pas clairement connues :

en 614, c'est Assour qui tombe, et en 612 la chute de Ninive marque la fin de l'Empire assyrien. Les vainqueurs firent si peu quartier aux vaincus qu'ils ne se relevèrent jamais de ce désastre et qu'ils disparurent définitivement de la scène. Dans ces conditions, ne peut-on penser que la vigueur n'était qu'apparente et que l'Assyrie s'était épuisée à maintenir et à pousser toujours plus avant d'énormes effectifs militaires ? Peut-être avait-elle aussi engagé de manière inconsidérée dans des dépenses de prestige une part excessive de ses ressources, en particulier dans les constructions palatiales ? En effet, la politique expansionniste s'est naturellement accompagnée d'une exploitation économique des régions conquises et une partie des richesses ainsi acquises a été consacrée par les souverains assyriens à édifier des résidences royales, souvent abandonnées peu après leur achèvement, et à les décorer de la façon la plus dispendieuse. Mais, même lorsque les résultats ont été impressionnants, tous les souverains n'ont pas fait comme Assurbanipal, le fin lettré, qui entassa dans son palais de Ninive la plus prodigieuse bibliothèque du monde oriental, en faisant recopier par ses équipes de scribes les documents cunéiformes d'intérêt religieux, littéraire et historique qui existaient en Assyrie et en Babylonie.

ARCHITECTURE

Les Assyriens furent donc d'infatigables bâtisseurs. On se plaît d'habitude à évoquer leur amour des palais ; à juste titre d'ailleurs, puisque dans les limites de leur pays d'origine, c'est-à-dire à Ninive, à Kalakh (auj. Nimroud), à Dour-Sharroukên (auj. Khorsabad), à Imgur-bel (auj. Balawat), ce qu'il est convenu d'appeler le « triangle assyrien », et plus au sud, à Assour, une vingtaine de palais ont été dénombrés : soit, pour trois siècles et dans un domaine géographique restreint, un chiffre équivalent à ce qui a été édifié, d'après nos connaissances actuelles — bien entendu lacunaires — dans toute la Mésopotamie en quelque deux mille années de l'époque du bronze ! Cette architecture palatiale est d'un très grand inté-

rêt, on ne saurait limiter à ce seul domaine l'art des bâtisseurs du pays assyrien.

Ils ont été, peut-être plus que d'autres, des urbanistes. Les multiples aménagements qu'ils ont réalisés dans leurs cités, à Nimroud par exemple, le montrent déjà, mais c'est la construction de Dour-Sharroukên par Sargon II qui met cette activité particulièrement en évidence. Édifiée de 713 à 707, cette ville nouvelle fut abandonnée, inachevée, dès la mort du roi en 705 ; elle témoigne donc, sans le moindre repentir, de la pensée urbanistique des Assyriens. Une grande enceinte de forme trapézoïdale, percée de sept portes, large de 24 m sans compter les redans, et haute d'environ 23 m, enfermait la ville proprement dite, qui n'a été que peu fouillée ; la recherche archéologique au XIXe et au XXe s. s'est portée surtout sur l'une des deux énormes constructions associées à l'enceinte (la plus petite, sur la face sud-ouest, semble avoir été occupée par un palais juché sur une terrasse). Sur la face nord-ouest de la cité, sur une autre terrasse, liée à l'enceinte, haute de 14 à 18 m et qui représente à elle seule 1 350 000 m^3 de maçonnerie, le palais de Sargon, une ziggourat haute sans doute de plus de 40 m à l'origine et un groupe de 6 temples. Du côté intérieur de l'enceinte, et en contrebas de cet ensemble monumental, s'étendait un quartier appelé la citadelle, enfermé dans une enceinte propre, et qui contenait le temple de Nabou, lui aussi installé sur une terrasse reliée par un pont au palais royal, et quatre belles résidences, dont la plus grande a été identifiée comme celle de Sin-houtsou, frère et grand vizir de Sargon. L'ensemble de la cité de Dour-Sharroukên semble donc reproduire, de façon un peu schématique, la structure de la société assyrienne : au sommet, le roi, vicaire du dieu Assour, en contact étroit avec les grandes divinités du quartier des sanctuaires et le culte rendu sur la ziggourat, ce qui nous confirme le caractère profondément religieux de la royauté assyrienne ; en second lieu, au pied de la terrasse royale et séparé du reste du monde par une enceinte, l'univers du vizir et des grands, tandis que le palais du prince héritier, quoique de plus modestes dimensions, occupe une position voisine de celle du palais royal, sans être associée, toutefois, à un groupe de grandes résidences, comme s'il s'agissait d'une position d'attente. Enfin le troisième niveau correspondait à la ville elle-même, demeurée inachevée. Les portes installées dans l'enceinte s'apparentent à de petits forts parfois richement décorés (en particulier la cour intérieure qui avait été ornée de génies protecteurs) car, outre leur fonction première de passage et la charge qu'elles avaient d'assurer la sécurité, elles servaient, comme dans tout l'Orient, de lieu de rencontre, de marché et même de cour de justice.

Il faut aussi signaler la construction de l'aqueduc de Jerwan, vers 700, par Sennachérib ; cet ouvrage d'art, remarquable en tout point, était destiné à alimenter en eau la ville de Ninive : une source avait été captée dans la région de Bavian, à quelque 50 km à vol d'oiseau de la capitale ; le canal avait d'abord un parcours souterrain, grâce à un tunnel de 2 m de haut, puis un aqueduc de 280 m de long, 22 m de large, 9 m de haut, soutenu par des piles délimitant 5 arches en ogive, lui permettait de franchir la partie la plus profonde d'un oued.

Profondément religieux, les souverains assyriens ont entretenu soigneusement les anciens sanctuaires ; ils en ont construit aussi de nouveaux, comme le temple double de Nabou et d'Ishtar à Assour au IXᵉ s. Malgré le poids de la tradition, ils ont su innover dans ce domaine aussi, en créant un type de temple composé d'une salle allongée, au fond de laquelle se trouvait sur un podium très surélevé l'image de la divinité ; des dépendances elles-mêmes de forme allongée enveloppaient la cella et facilitaient sans doute le service du culte ; on accédait à cet ensemble par une antichambre transversale qui précédait la cella. C'est bien là le type de plan que l'on trouve aussi dans les six temples de Dour-Sharroukên, ce qui permet d'y reconnaître le produit de la pensée assyrienne en matière. Chacun des trois grands temples, ceux de Sin, Shamash et Ningal, formait une unité autonome de forme allongée et donnant par un portail

monumental sur une cour à raison de deux unités liées à la cour XXVII et d'une seule à la cour XXXI ; la troisième cour mettait en relation les deux autres et assurait les communications avec le palais. Le décor des temples avait été particulièrement soigné : un jeu très réussi de niches et de redans alternant avec des groupes de demi-colonnes engagées dans la façade et à la base de certains murs, des revêtements de briques émaillées, où l'on voyait une procession ouverte par le roi et qui se poursuivait avec un lion, un aigle, un taureau, un figuier et une charrue. Outre ce décor intégré à l'architecture, il en existait un autre qui en était indépendant : ainsi, devant l'entrée du temple de Shamash, des faux palmiers au tronc couvert de plaques de bronze et des statues comme celle de la *Déesse au vase jaillissant*.

On ne saurait décrire tous les palais : restons donc à Khorsabad, qui est aussi exemplaire dans ce domaine. Les principes qui régissent en Assyrie l'architecture régalienne se retrouvent dans le palais de Sargon, mais aussi dans les grandes résidences de la citadelle. Le palais du roi est donc installé sur sa haute terrasse, dominant à la fois la ville et la campagne et pouvant être vu de loin. Une rampe conduisait de la citadelle à la terrasse et aboutissait à la majestueuse entrée du palais, porte monumentale pourvue en façade et dans les montants d'énormes taureaux ailés à tête humaine, génies chargés de garder l'édifice. Une première unité s'étendait immédiatement derrière : une cour d'un hectare environ rassemblait les grands services, les communs et les réserves générales, c'est-à-dire la partie publique qui n'était pas seulement consacrée au bon fonctionnement du palais mais aussi à l'administration de l'État. De là on pouvait pénétrer ensuite dans une seconde cour, celle des cérémonies officielles, sur laquelle donnait la salle du trône. Le plus souvent, ces deux cours étaient confondues en une seule et la salle du trône ouvrait donc directement sur la partie publique : le traitement particulier de Dour-Sharroukên n'est que le reflet de la magnificence voulue par Sargon pour sa ville. On pénétrait dans cette salle, de forme oblongue, par des portes monumentales depuis la cour ; une base en pierre, placée contre le mur de l'un des petits côtés, marquait l'emplacement du trône du souverain ; à proximité immédiate, un escalier permettait d'accéder à l'étage supérieur. La résidence privée du souverain et de sa famille se trouvait derrière ce lieu qui joue donc un rôle considérable dans le palais comme point de jonction des secteurs privé et public : là se réalise la rencontre du roi, vicaire du dieu Assour, avec son peuple. Finalement l'architecture rend parfaitement compte de cette place très particulière du souverain dans la société assyrienne. On connaît de la salle et de ses abords une partie de la décoration ancienne grâce à tous les bas-reliefs retrouvés en fouille. Ce décor prestigieux n'apparaît que dans la seule demeure royale, les grandes résidences possédant un décor peint, comme d'ailleurs le palais provincial de til Barsip en Syrie. Dans tous les cas, on n'avait guère lésiné sur les moyens, et le résultat obtenu était certainement grandiose.

Cette architecture, à l'image de la grandeur de l'empire qui l'a conçue, marque aussi une rupture très nette avec tout ce qui l'a précédée. En Assyrie comme en Iran, le Ier millénaire est bien celui d'un profond renouvellement.

SCULPTURE ET BAS-RELIEF

La sculpture est sans conteste avec l'architecture un art où les Assyriens ont particulièrement brillé. Mais ce n'est pas la ronde-bosse qui cette fois tient la place principale ; celle-ci, en effet, ne se remet pas des contraintes imposées par le clergé et clairement exprimées par ce relief (porte de bronze de Balawat) où l'on voit un prêtre diriger le sculpteur. Si l'on peut reconnaître une certaine diversité dans les quelques statues connues de cette époque, le plus souvent, ce sont les mêmes schémas qui sont répétés : ainsi la statue cariatide de la *Déesse au vase jaillissant* est-elle fort proche de celle du *Dieu Nabou* et celle de *Salmanasar III* (859-825) ne diffère de la *Statue d'Assurnazirpal II* que par des détails vestimentaires.

En réalité le génie assyrien s'est bien plutôt exprimé dans le bas-relief. Une première originalité vient de l'usage qui en a été fait, car il ne s'agit plus de faire seulement des petites plaques décoratives, des stèles ou des *koudourrous*, mais de sculpter d'énormes dalles, hautes parfois de 3 ou 4 m, qui servaient d'orthostates dans les salles officielles et certaines cours des palais. Cette technique n'a aucune origine mésopotamienne ; on y voit généralement un emprunt à l'Empire hittite ou aux royaumes néohittites où les orthostates faisaient partie intégrante de l'architecture et assuraient la solidité de l'ensemble de la construction, alors qu'en Assyrie ils ne forment qu'un placage, dont l'intérêt technique se limite à empêcher l'érosion de s'exercer à la base des murs d'argile. Le but est donc principalement décoratif et en cela cet usage a été d'une grande originalité.

Du IXe à la fin du VIIe s., on assiste à une évolution de la production, que trois phases marquent nettement. La première période se situe au IXe s. et est bien caractérisée par certains des bas-reliefs d'Assurnazirpal (885-860) retrouvés à Nimroud (British Museum). La sobriété en est le trait principal, tant dans les thèmes que dans l'organisation des panneaux. Les personnages occupent toute la hauteur du registre et les principes de la composition sont l'équilibre des masses et la symétrie. On notera les très belles plaques où, de part et d'autre d'un arbre de vie, stylisé au point de n'être plus qu'un symbole, on voit le roi ou des génies à tête de rapace accomplir des aspersions rituelles, ou encore celle où le roi assis entouré de serviteurs, d'hommes en armes et de génies ailés, élève une coupe à ses lèvres. Mais à côté de ces scènes où tant le sujet, d'ordre rituel, que la composition, équilibrée et savante, mettent l'accent sur les fondements religieux de la royauté assyrienne, il en est d'autres qui paraissent insister plutôt sur les grandes actions du souverain, comme ce très beau relief de Nimroud, qui représente le roi Assurnazirpal monté sur son char et combattant contre ses ennemis de façon sans doute plus symbolique qu'anecdotique.

La deuxième période est illustrée par les grandes œuvres retrouvées dans le palais de Sargon II à Dour-Sharroukên (fin VIIIe s.). La tendance des sculpteurs est alors de renforcer le modelé au point que certaines sculptures, et en particulier les grands taureaux ailés à tête humaine qui jouaient le rôle de montant de porte, apparaissent comme traités en ronde bosse ; même si la fonction a favorisé ce mode de sculpture, il ne faut pas y voir un simple cas particulier : les personnages mythologiques porteurs de lion, les génies ailés tenant en main des situles et des pommes de pin, Sargon II portant un bouquetin dans les bras participent de la même tendance. Pourtant des scènes plus narratives, comme ce transport de troncs d'arbres sur l'eau, de même provenance, font plutôt songer au style du VIIe s. En dépit de quelques exceptions, le VIIIe s. apparaît comme celui d'une recherche du monumental ; il y a certainement un rapport étroit entre le relief vigoureux prisé à Dour-Sharroukên et l'ampleur de l'architecture. Un art triomphaliste en somme, qui rend compte d'un empire en phase d'expansion.

La troisième période couvre approximativement le VIIe s., au centre duquel le roi Assurbanipal (668-626) est le dernier des grands souverains de la dynastie de Sargon à avoir dominé le monde oriental. On constate alors un refus du monumental dans l'art du relief : ce souverain cultivé et amoureux des lettres semble avoir préféré des scènes plus narratives et moins solennelles. Les grands thèmes restent cependant les mêmes, campagnes militaires et chasses royales, mais la manière de les traiter est autre, comme le montre bien la relation de la campagne militaire contre l'Élam : le champ est divisé en registres où sont figurés une succession de petits tableaux qui s'ajoutent les uns aux autres pour donner une narration très pointilliste de l'action d'ensemble. L'artiste s'est plu à aller d'un point du champ de bataille à un autre, sans que l'ordre de présentation offre une apparence logique ou chronologique. De même les scènes de chasse sont-elles formées d'une multitude de petites actions dont on ne voit pas toujours le lien qui les unit.

Cette dernière série est sans doute l'une des plus réussies de cet art du bas-relief, car si les Mésopotamiens ont été de tout temps d'excellents animaliers, dans ces scènes de chasse ils se sont surpassés, comme s'ils avaient trouvé là l'occasion d'exprimer ce que les canons du clergé ne leur permettaient pas avec les êtres humains. La *Lionne blessée* (British Museum) traînant son arrière-train brisé et toujours menaçante en hurlant sa douleur, le lion, la poitrine transpercée et vomissant son sang, d'autres encore se lançant à l'assaut du char royal et recevant le javelot ou la lance meurtrière, les gazelles fuyant les chasseurs et tournant la tête, apeurées, vers leurs poursuivants, les chevaux culbutant sous l'impact des traits qui les ont atteints, et le calme de ce couple, lionne allongée et lion la dominant au pied d'arbres et de vignes, tous ces tableaux sont autant d'exemples de l'extraordinaire maîtrise des sculpteurs assyriens.

S'agit-il finalement d'un art narratif, documentaire, comme on l'a souvent dit ? On ne peut certes récuser totalement une telle interprétation du bas-relief assyrien, mais il ne faut pas oublier que certaines compositions ont pu jouer un rôle cultuel très important et servir à illustrer des rites royaux et religieux qui prenaient place dans les salles où elles étaient exposées.

L'art assyrien ne s'est pas limité au bas-relief : glyptique, briques émaillées, statuettes en bronze, travail de l'ivoire, portes de bronze historiées à l'instar des bas-reliefs (Balawat) montrent la diversité des formes d'expression d'artistes ayant d'abord pratiqué un art de cour qui, malgré sa force en pays assyrien, semble n'avoir eu qu'une influence limitée hors des frontières.

L'Ourartou

Au nord de l'Assyrie, dans les montagnes de l'Arménie autour du lac de Van, s'est développé à partir de la fin du IIe millénaire un royaume appelé Ourartou, qui prend une grande importance au IXe s., au point que son pouvoir s'étend, un moment, jusqu'aux frontières de la Syrie et qu'il provoquera la ruine de la cité d'Hasanlou d'obédience iranienne. Au VIIIe s., ce royaume représente un danger véritable pour les Assyriens, qui mirent en jeu toutes leurs forces pour le contenir, sans jamais le réduire complètement.

Les rois d'Ourartou furent de grands bâtisseurs de forteresses, qui servirent aussi de centres économiques et d'entrepôts : on voit derrière cette caractéristique se profiler la nature profonde de leur construction politique... À Altin tépé, on a dégagé un temple, formé d'une petite pièce carrée aux murs très épais, installée au centre d'une cour à portique. Cette formule, apparemment neuve, connaîtra d'intéressants développements aux époques suivantes.

Mais c'est surtout la métallurgie qui a fait la renommée de l'Ourartou ; les armes d'apparat, les vases, les chaudrons, aux anses en forme de protomes comportent à l'occasion une iconographie qui révèle d'étroites parentés avec les œuvres syriennes et assyriennes.

L'Empire néobabylonien

Avec l'Empire néobabylonien, on se trouve presque dans un autre monde. Assyrie et Babylonie ne sont pourtant guère éloignées l'une de l'autre et, à y regarder de près, Nabopolassar, le restaurateur de la puissance babylonienne, n'a jamais rien fait d'autre en détruisant l'Empire assyrien avec l'aide des Mèdes que d'en recueillir l'héritage. Dans les faits de la vie quotidienne, les différences n'ont sans doute pas été sensibles entre les deux empires : société, économie, administration, mode de relation entre le souverain et ses administrés ont vraisemblablement été très voisins. Pourtant, l'opposition éclate dès qu'il s'agit des formes de l'art, comme si sur ce point Nabopolassar et Nabuchodonosor, loin d'avoir cherché à poursuivre la tradition assyrienne, avaient bien au contraire voulu promouvoir un art dont les formes tiraient leurs racines plus profondément dans l'héritage babylonien ; dans le domaine religieux,

c'est également aux divinités traditionnelles qu'ils se sont référés, Mardouk de Babylone dominant l'ensemble du panthéon. La brièveté de l'Empire néobabylonien est aussi un élément à prendre en considération, car ni sa durée ni ses réalisations ne correspondent tout à fait à une renommée due pour beaucoup à la Bible, qui nous a rapporté ses démêlés avec Israël. Quelque trois quarts de siècle, c'est fort peu à l'échelle du monde antique et finalement cet empire apparaît plutôt comme un simple trait d'union entre la construction assyrienne et celle des Achéménides.

Pourtant cette brièveté n'a guère nui au prestige de la ville elle-même, qui a concentré l'effort de création des souverains. Les fouilles qui y ont été conduites ont mis en évidence son importance au milieu du Ier millénaire, alors que l'on n'a presque rien retrouvé de la ville d'Hammourabi. Les grands travaux de Nabuchodonosor ne forment pas à eux seuls les fondements de la cité restituée par les recherches archéologiques : des parties d'édifices remontent à l'époque kassite, mais ce qui est beaucoup plus important, c'est qu'à la différence des villes assyriennes Babylone n'a pas été détruite lorsque Nabonide a été vaincu en 539 par Cyrus, le clergé ayant abandonné le souverain légitime pour offrir la cité à l'Achéménide. Elle est restée longtemps encore, non pas la plus grande cité de l'univers, mais une des plus grandes ; elle fera l'admiration d'Hérodote au siècle suivant et on y a retrouvé des vestiges sassanides, ce qui prouve sa longévité.

Babylone était installée à cheval sur l'Euphrate, car, au temps de sa splendeur, une extension des quartiers d'habitation avait débordé sur la rive droite, mais les monuments principaux se trouvaient dans la partie la plus ancienne, sur la rive gauche ; un pont à plusieurs piles reliait les deux rives. Une double enceinte longée de canaux, œuvre de plusieurs rois, protégeait certainement avec efficacité la vieille ville, dont les relations avec l'extérieur étaient assurées par 8 portes monumentales. La plus célèbre, la porte d'Ishtar, était installée au nord. La qualité de son décor montre bien l'importance de cette catégorie d'édifices dans la vie quotidienne d'une cité orientale et le soin que les souverains estimaient indispensable de leur accorder. Organisées selon un modèle assyrien, ses parois étaient pourvues d'un décor en relief fait d'animaux attributs des grandes divinités, réalisés soit en briques cuites ordinaires, soit en briques émaillées. Les couleurs éclatantes de cette entrée monumentale ajoutaient encore à la majesté de l'architecture pour impressionner celui qui pénétrait dans la grande ville mésopotamienne.

Cette porte s'ouvrait sur la route septentrionale et permettait donc aux souverains de se rendre dans la résidence d'été située à quelques kilomètres de la capitale, sur le tell Babil, mais sa fonction essentielle était de marquer le point de départ de la grande voie des Processions, qui traversait la ville et desservait, vers l'ouest, le palais de Nabuchodonosor puis l'Esagil, domaine religieux central de la ville, avec d'abord la grande ziggourat et ensuite le temple de Mardouk ; vers l'est, la voie longeait le temple de Ninmah, puis celui d'Ishtar et, au-delà de l'Esagil, les temples de Gula et de Ninourta. Revêtue de dalles cuites jointes à l'aide de bitume, cette voie formait avec la porte d'Ishtar une véritable unité architecturale digne de la capitale du monde.

Le palais de Nabuchodonosor (300 m sur 200 dans ses plus grandes dimensions) avait été installé entre la voie des Processions à l'est, le rempart au nord, et une forteresse très massive à l'ouest, du côté de l'Euphrate : cette énorme construction n'est que la juxtaposition, cinq fois répétée de façon parallèle, d'une unité composée d'une grande cour carrée ou rectangulaire pouvant dépasser 50 m de côté, prolongée vers le sud par des appartements résidentiels ou des salles d'apparat et vers le nord par des communs, les dépendances et les réserves. En position centrale, on trouve l'unité la plus importante, celle qui comportait la salle du trône, aux dimensions jamais atteintes dans une architecture mésopotamienne, puisqu'elle mesurait presque 20 m sur 50 ; à la différence des formules utilisées jusqu'alors, l'emplacement du trône semble avoir été prévu dans une niche, au milieu du long côté

opposé à l'entrée principale, elle-même située dans l'axe du mur de façade donnant sur la cour : cette organisation paraît tout à fait inhabituelle et implique certainement des changements dans le mode de vie des royautés orientales. Il n'est guère facile de définir les fonctions des diverses parties de ce palais, d'autant moins que, dans son dernier état, il semble bien avoir été le résultat de deux phases de construction, Nabopolassar étant responsable des deux unités proches du fleuve et Nabuchodonosor des trois autres, qui joignaient cette partie plus ancienne à la voie des Processions. On n'est pas tout à fait sûr non plus de l'endroit où il faut situer les fameux jardins suspendus, considérés comme l'une des Sept Merveilles du monde ; Nabuchodonosor les aurait fait aménager pour donner à son épouse, d'origine mède, la verdure de ses montagnes natales. Il reste qu'ils ont certainement contribué à répandre la renommée de cet édifice.

L'architecture religieuse de Babylone, c'est d'abord la ziggourat, célèbre pour avoir inspiré le mythe biblique de la tour de Babel. De son vrai nom Etéménanki, vouée à Mardouk, le dieu suprême de Babylone, elle s'élevait au milieu d'une vaste cour bordée de dépendances, sur un plan carré de 90 m environ de côté ; six ou sept étages, d'importance décroissante, étaient surmontés par un temple que l'on pouvait atteindre par une succession de rampes et d'escaliers et où des rites, peut-être hiérogamiques, se déroulaient lors de certaines festivités. Le temple de Mardouk, qui était installé au sud de la ziggourat, présente un plan qui diffère grandement de la formule assyrienne : au lieu de la cella toute en longueur, on trouve une construction très proche du plan normalement utilisé pour les maisons d'habitation, avec une cour centrale proche du carré, entourée sur trois côtés des dépendances nécessaires au bon déroulement du culte ; sur le côté opposé à l'entrée, on accédait à deux salles parallèles de faible ampleur qui formaient successivement l'antecella et la cella équipée d'un podium où se dressait la statue de la divinité. Les autres temples de la ville présentent les mêmes caractéristiques, et celui de Ninmah a été récemment reconstruit, ce qui permet de visiter un édifice correspondant à sa forme antique et de se faire une image précise de cette architecture babylonienne.

L'Empire néobabylonien n'a été qu'un bref moment de l'histoire de l'Orient, mais Babylone a laissé des vestiges architecturaux suffisamment nombreux et grandioses qui témoignent de la splendeur de la civilisation mésopotamienne à la veille de sa disparition.

Les pays levantins

Sous les coups des invasions des Peuples de la Mer, des nomades araméens, et peut-être aussi de catastrophes naturelles, la très brillante civilisation des XIVe et XIIIe s. s'est effondrée. Une période sombre s'ensuit, qui s'accompagne manifestement d'une profonde dépression économique. Ce n'est que de façon progressive que l'activité reprend avec la constitution de petits royaumes où l'activité commerciale reste toujours très importante, mais qui, souvent rivaux et incapables de s'unir réellement malgré des alliances passagères, doivent subir la sévère loi des Empires assyrien, babylonien, achéménide et macédonien. En dépit d'une vie assez tumultueuse, la richesse est là qui explique et la vie politique et les créations artistiques. Au fond, cette renaissance des villes du Levant ne fait que mettre en valeur la permanence des caractéristiques fondamentales de cette région. Le développement se fait alors selon trois pôles différents. Sur la côte d'abord, où des royaumes de petite taille mais vigoureux s'appuient plus sur la mer que sur la terre ; ils donnent naissance à cette entité que l'on appellera la Phénicie, héritière des Cananéens et qui partira à la conquête des rivages de la Méditerranée. Les Araméens ont constitué en Syrie du Nord les royaumes, dits néohittites, sur les décombres de l'Empire hittite, à Sam'al (auj. Zendjirli), Gouzana (auj. tell Halaf), Karkemish et Alep. Plus vers le sud, c'est Damas, puis en Palestine, Israël, dont se séparera Juda, ensemble aux destinées politiques incertaines, mais qui jouera

bientôt, par sa religion monothéiste, un rôle de premier plan. Dans toutes ces régions, les cités ne peuvent rivaliser avec les grandes capitales mésopotamiennes, mais les monuments et les œuvres d'art qui ont survécu témoignent à la fois de leur richesse, des influences subies et de leur éclectisme.

ARCHITECTURE

Deux types de monuments se distinguent. Ceux de l'architecture religieuse évoluent selon les directions antérieures, mais le fait marquant est sans doute que la formule du temple *in antis*, dérivée du mégaron, a été adoptée par Salomon au Xe s. pour le temple de Jérusalem. La remarquable continuité de cette formule en Syrie répond vraisemblablement à une certaine conception des rapports que l'homme peut entretenir avec la divinité, considérée, en réalité, comme difficilement accessible, puisqu'elle loge au fond du temple, dans l'endroit le plus secret et le plus sombre.

L'architecture royale ne peut guère rivaliser avec les réalisations mésopotamiennes et une comparaison des palais exhumés à Hama ou à Samarie avec ceux des capitales du Tigre et de l'Euphrate permet de comprendre où se trouvait la véritable puissance. Toutefois un type de palais, le *hilani*, a connu en Syrie du Nord une réelle diffusion durant les premiers siècles du Ier millénaire ; d'origine hittite, il fait une véritable entrée en force dans les capitales des royaumes néohittites du IXe s. (Sam'al, Gouzana et Taynat). Avec sa façade comportant un porche à colonnes donnant accès à la grande salle officielle, avec son étage où se trouvaient sans doute les appartements privés, avec la présence éventuelle de jambages de portes et de bases de colonnes sculptées, cet édifice a produit une forte impression sur les Assyriens, au point que ces derniers se glorifient dans des inscriptions d'en avoir construit chez eux.

SCULPTURE DE L'IVOIRE

Tout comme à la fin de l'âge du bronze, les Levantins se sont particulièrement distingués dans le travail de l'ivoire. Du

XIe au VIIe s., on peut dire que l'art des ivoiriers est parfaitement représentatif du cosmopolitisme du Levant, dont les œuvres atteignent le cœur du pays assyrien. Ces ivoires finement sculptés constituèrent des objets de luxe comme des peignes, des boîtes à fard, des coffrets, de petits panneaux servant de placage de lit, de fauteuils et de trônes, ou de tables, des parties de harnachement de chevaux ; c'est donc principalement dans les palais qu'on les retrouve, soit à Hadatou (Arslan Tash), soit à Kalakh (Nimroud). La variété des thèmes est frappante : femme à la fenêtre, souverain assyrien buvant, lionne terrassant un Nubien, génies divers, taureau, scènes de repas, vache allaitant son veau, héros dominant des fauves, femme assise tenant un végétal... Derrière cette richesse, il y a une maîtrise parfaite, non seulement de la taille, mais aussi du répertoire iconographique de l'Orient démontrant, là comme dans l'art assyrien, que l'ivoirier se sent particulièrement à son aise dans le traitement des animaux.

La chute de Babylone (539) ne marque pas un arrêt brutal de la production d'œuvres d'art ; pourtant les sources proprement mésopotamiennes ou levantines se tarissent progressivement, tant cet art était lié aux maîtres des royaumes et des empires qui prenaient racine dans la tradition sumérienne. Désormais, au contact des Perses et des Grecs, des formes nouvelles vont naître, mais longtemps encore les thèmes anciens seront présents dans toutes les créations des Perses, des Grecs, des Parthes et des Sassanides.

Bibliographie sommaire

AMIET (P.), *l'Art antique du Proche-Orient*, Mazenod, Paris, 1977. AMIET (P.), *Élam*, Archée éditeur, Auvers-sur-Oise, 1966. AMIET (P.), *la Grammaire des formes et des styles, Antiquité*, Bibliothèque des Arts, Paris, 1981. BITTEL (K.), *les Hittites*, L'Univers des Formes, Gallimard, Paris, 1976. CAUVIN (J.), *les Premiers Villages de Syrie-Palestine*, Maison de l'Orient, Lyon, 1977. DESHAYES (J.), *les Civilisations de l'Orient ancien*, Arthaud, Paris, 1969. FRANKFORT (H.), *The Art and Architecture of the Ancient Orient*, The Pelican History of Art, Penguin Books Harmondsworth, 1954. MATTHIAE (P.), *Ebla, un impero ritrovato*, Einaudi, Turin, 1977. MELLAART (J.), *Catal Hüyük, une des premières cités du monde*, Taillandier, Paris, 1971. ORTHMANN (W.), *Der alte Orient*, Propyläen Kunstgeschichte 14, Berlin, 1975. PARROT (A.), *Sumer*, L'Univers des Formes, Gallimard, Paris, 1960. PARROT (A.), *Assur*, L'Univers des Formes, Gallimard, Paris, 1961. PORADA (E.), *Iran ancien*, Albin Michel, Paris, 1962. SPYCKET (A.), *la Statuaire du Proche-Orient ancien*, Brill, Leyde 1981. STROMMENGER (E.), HIRMER (M.), *Cinq Millénaires d'art mésopotamien*, Flammarion, Paris, 1962.

L'ÉGYPTE

Christiane Ziegler

Il y a plus de 5 000 ans naissait dans la vallée du Nil une des plus grandes civilisations du monde. Civilisation essentiellement agricole, soumise au caprice de la crue qui chaque année apportait un limon noir et fertile dont dépendait la prospérité du pays. La population, concentrée dans cette longue oasis, n'eut que des contacts limités avec les peuples voisins. De vastes déserts l'en séparaient qui recelaient en abondance les matériaux nécessaires à une architecture et à une statuaire durables : calcaire fin de Toura, grès du Silsileh, albâtre veiné d'Hatnoub ou granit rose d'Assouan. Dans cette terre de contraste où les villages populeux côtoient les nécropoles, où la végétation luxuriante fait brusquement place au sable et au rocher, se développa un art original et fascinant, dont les chefs-d'œuvre continuent à défier les siècles. Les étendues minérales, écrasées sous une lumière impitoyable, inspirèrent sans doute aux premiers architectes certains traits propres au style égyptien : prédilection pour les lignes horizontales et les formes dépouillées, goût du colossal. Ils trouvèrent aussi dans la flore du Nil, palmiers, papyrus ou lotus, une source d'inspiration sans cesse renouvelée.

Très tôt, v. 3000 av. J.-C., le pays fut unifié sous l'autorité d'un souverain que nous appelons pharaon, reprenant la forme hellénisée du mot égyptien *per aâ*, le « palais ». Monarque incontesté, fils des dieux et leur intermédiaire auprès des hommes, le pharaon donne à l'art égyptien ses dimensions monumentales. Lui seul peut réunir des milliers d'ouvriers sur un chantier, envoyer des expéditions vers les carrières lointaines ou affréter des chalands qui convoieront sur des centaines de kilomètres les blocs de granit nécessaires à l'édification des temples et des tombeaux.

Destiné avant tout aux dieux et aux morts, l'art égyptien est un art efficace et magique. Ce n'est pas une création désintéressée visant à satisfaire le goût du beau. Les habitations des humains, simples maisons ou palais royaux, étaient généralement bâties en roseau, en bois ou en brique crue. Mais, pour construire et orner les temples divins et les « demeures d'éternité », tombeaux ou pyramides, on employait la pierre et les métaux précieux, matières impérissables. Les reliefs et les peintures qui les complètent ne sont pas de simples décors ; ils perpétuent les scènes de culte destinées à se concilier les divinités dont dépend l'équilibre du monde, ou bien mettent à la disposition des défunts tout ce qui leur sera nécessaire dans l'au-delà. Les statues sont des corps de substitution qui accueillent la force vitale du dieu ou du mort et subissent des rites de réanimation. Aussi faut-il toujours rappeler que l'art égyptien est régi par des lois d'essence religieuse. Le plan des sanctuaires, les matériaux qui les composent, la disposition et le choix des décors ne sont pas livrés à l'inspiration des artistes. De même, la représentation du corps humain obéit-elle à des canons ; les attitudes, les gestes et le choix des couleurs sont le fruit de conventions adoptées dès les premières dynasties. Ainsi s'explique la permanence d'un style égyptien aisément reconnaissable par le profane.

Cette apparente uniformité découle aussi du processus de création de l'œuvre d'art. Si la tradition égyptienne nous a transmis la liste des grands écrivains, il subsiste bien peu de noms d'architectes et encore moins de peintres et de sculpteurs ; parmi les plus célèbres, Imhotep et Amenhotep, fils d'Hapou, eurent le privilège d'être divinisés, Senmout attacha son souvenir au temple de Deir el-Bahari, et le sculpteur du tombeau de Ptahhotep, plus modeste, se fit représenter en barque dans l'escorte du seigneur qui avait eu recours à ses talents. En effet, l'œuvre d'art égyptienne révèle souvent des mains successives ; les scènes d'atelier nous montrent fréquemment plusieurs sculpteurs travaillant à la même statue, et sur les reliefs inachevés nous saisissons des étapes où interviennent des personnalités différentes : premier dessin en rouge, corrections du maître en noir, contour de la surface, modelé des surfaces, stucage des trous, peinture. Permanence unique dans l'histoire, puisque des thèmes et des conventions se perpétueront durant près de trois millénaires. Ainsi, les murs des temples répéteront à l'infini le dialogue du pharaon et de divinités étranges, mi-hommes, mi-bêtes. De même, jusque sous la domination romaine, les dessinateurs resteront fidèles à la représentation du corps humain « à l'égyptienne » : visage et membres de profil, torse de trois quarts, épaules et œil de face. Attitude insolite et irréalisable dans la pratique ! Enfin, jusqu'à la fin de la civilisation égyptienne, l'image et l'écriture seront toujours associées. Œuvres d'art en eux-mêmes, les mystérieux hiéroglyphes, dont le secret fut percé en 1822 par Champollion, renforcent par leur pouvoir magique l'efficacité des statues ou des scènes figurées.

Cependant, malgré le poids des conventions et l'anonymat des artistes, l'art égyptien est soumis aux influences de son temps et reflète la personnalité des hommes.

Cette tension permanente entre l'idéal et l'individuel, entre la tradition et l'innovation, nous pouvons la saisir à travers les grandes étapes de l'histoire égyptienne.

L'Égypte des origines au temps des pyramides. Cette époque correspond à la période de Nagada (v. 4000-3000 av. J.-C.), aux deux premières dynasties de pharaons thinites (v. 3000-2700 av. J.-C.) et à l'Ancien Empire (v. 2700-2200 av. J.-C.), qui voit s'élever les premières pyramides.

Le Moyen Empire (v. 2060-1786 av. J.-C.). Âge du classicisme, dominé par la personnalité des pharaons de la XIIe dynastie (les Amenhemat, les Sésostris), qui réorganisent le pays et restaurent l'autorité royale après les troubles de la première période intermédiaire.

Le Nouvel Empire (v. 1556-1080 av. J.-C.). Ère des succès militaires, qui font affluer en Égypte les richesses des pays conquis.

La Basse Époque, ou période tardive (v. 1000 av. J.-C. -200 apr. J.-C.). Durant ce dernier millénaire, la civilisation pharaonique garde son originalité malgré ses contacts de plus en plus étroits avec le monde méditerranéen et les invasions successives qui affaiblissent l'Égypte.

DES ORIGINES

AU TEMPS

DES PYRAMIDES

*Naissance
de la civilisation
égyptienne,
ou l'Égypte
avant les pyramides*
(V. 4000-2700 AV. J.-C.)

PÉRIODE DE NAGADA

Les racines de l'art égyptien plongent dans l'âge de pierre, à l'époque où l'homme devient expert dans la taille du silex

Chronologie sommaire des trente premières dynasties

Époque thinite	v. 3100-2700	
Ire et IIe dynastie		Ménès, roi Serpent...
Ancien Empire	v. 2700-2200	
IIIe dynastie		Djoser
IVe dynastie		Chéops, Chephren, Mykerinos
V^e dynastie		Ouserkaf, Sahouré, Ounas
VIe dynastie		Pépi Ier, Pépi II
Première période intermédiaire	v. 2200-2060	
VIIe à XIe dynastie		
Moyen Empire	v. 2060-1786	
fin de la XIe dynastie		Montouhotep
XIIe dynastie		Sésostris III, Amenemhat III
Deuxième période intermédiaire	v. 1786-1555	
XIIIe à XVIIe dynastie		invasion Hyksos
Nouvel Empire	v. 1556-1080	
XVIIIe dynastie		Hatchepsout, Thoutmosis III, Aménophis III, Aménophis IV-Akhenaton, Toutankhamon
XIXe dynastie		Sethi Ier, Ramsès II
XXe dynastie		Ramsès III à Ramsès XI
Troisième période intermédiaire	v. 1080-713	
XXIe dynastie		Psousennès
XXIIe et XXIIIe dynastie		Chechonq Ier, Osorkon II, Takelot
XXIVe dynastie		
XXVe dynastie		Piankhq, Taharya, Chabaka
Époque saïte	664-525	
XXVIe dynastie		Psammétique, Amasis, Apriès, Nekao
Première domination perse	525-404	Cambyse en Égypte
XXVIIe à XXIXe dynastie	404-380	
XXXe dynastie	380-342	Nectanebo I et II

puis s'essaie à tracer sur le rocher la silhouette des grands hervibores. Mais ce n'est que v. 4000 av. J.-C. qu'apparaît dans la vallée du Nil une véritable civilisation, dite de Nagada, du nom d'un site de Haute-Égypte où les archéologues ont découvert plus de 2 000 tombes. Leur contenu luxueux se retrouve dans d'autres nécropoles échelonnées le long du fleuve. On ne pratique pas encore la momification et les morts sont déposés dans de simples fosses, en compagnie d'objets usuels dont la perfection technique et les formes pures traduisent une volonté esthétique. L'artiste nagadien pratique la métallurgie du cuivre, connaît les secrets de fabrication de la faïence et produit une très belle poterie rouge bordée d'un noir aux reflets métalliques, ou bien ornée d'un décor peint. Il sait également sculpter les vases de pierre, les palettes de schiste, les statuettes, les peignes et les manches de poignard en ivoire. Chose frappante, son style est bien différent de ce que sera l'art pharaonique et ne l'annonce que très peu.

On a coutume de distinguer deux époques, correspondant à deux types de poteries décorées sur lesquelles on retrouve un répertoire de motifs et de couleurs qui se répètent d'un site à l'autre. Durant la période de *Nagada I (4000-3500 av. J.-C.),* on note une préférence pour les dessins anguleux où alternent lignes droites, quadrillages et zigzags, tracés en crème sur un fond brique ; les thèmes sont géométriques et, quand l'homme se hasarde à représenter un crocodile ou un hippopotame, l'animal est très stylisé. Puis, à l'époque de *Nagada II (3500-3100 av. J.-C.),* la forme des vases s'arrondit et sur leur panse claire l'artiste dessine en brun violacé des scènes figurées. On croit y reconnaître des bateaux à rames portant des cabines légères et évoluant dans un paysage indécis, animé de vagues, parsemé de triangles, de gazelles, d'autruches et de plantes au milieu desquels de petits personnages schématiques esquissent un pas de danse ou se tiennent par la main. On retrouve la même inspiration sur les peintures de la tombe de Hiéraconpolis, qui date de la même époque : bateaux, personnages et animaux flottent dans un espace d'où toute notion de perspective est absente.

Les premières statues ont moins de 50 cm et sont exécutées dans des matériaux faciles à travailler : terre cuite, ivoire, os. Leurs formes stylisées rappellent celles des personnages peints, telle cette femme, conservée au musée de Brooklyn, qui danse les bras arrondis au-dessus de la tête ou ces hommes barbus dont le visage s'inscrit dans un triangle. Les exemplaires de pierre, peu nombreux, conservent la silhouette des dents et des défenses d'hippopotame dans lesquelles furent sculptés leurs prototypes. Pourtant, l'artisan égyptien était familiarisé depuis longtemps avec le travail de la pierre et du schiste : les palettes à fard, objets de toilette déposés dans le tombeau, servaient quotidiennement à broyer le fard vert dont on ourlait les paupières ; leur forme la plus ancienne est celle d'un losange étiré, puis elles reproduisent les contours simplifiés d'un animal : poisson, tortue ou canard qu'anime souvent un œil incrusté de coquillage. Ce n'est qu'à la fin de la période de Nagada II, v. 3300 av. J.-C., que les Égyptiens découvrent l'art du relief qui pourtant tiendra une si grande place aux époques suivantes. Peut-être ont-ils emprunté au Proche-Orient voisin qui la maîtrisait dès 6000 av. J.-C. cette technique qu'ils pratiquent d'abord sur des surfaces restreintes, manches de couteau ou palettes de schiste. Les premiers exemples, d'une perfection admirable, révèlent une recherche dans la composition du décor sculpté. Celui-ci épouse le contour de l'objet (palette de la chasse), s'ordonne autour d'un axe de symétrie (palette aux canidés) ou bien se déploie sur des registres superposés (défilés d'animaux des plus anciens manches de poignard). L'artiste s'applique aussi à résoudre un problème difficile : rendre en deux dimensions l'image de la réalité. S'inspirant sans doute de l'exemple mésopotamien, il élabore une série de conventions visant à faire figurer chaque élément sous son aspect le plus caractéristique. Dans la scène de bataille représentée sur le *Couteau de Djebel el-Arak* (Louvre), aucun des guerriers n'excède 2 cm de hauteur. Le corps humain est traité à l'égyptienne : visage de profil, bassin de trois quarts, épaules et œil de face. Ce chef-d'œuvre est une anticipation de l'art pharaonique. La disposition des personnages en registres superposés, les effets de symétrie, le léger décalage entre les objets alignés et les conventions particulières du dessin se perpétueront durant des millénaires. Nous retrouvons certaines de ces caractéristiques sur les grandes palettes sculptées datant de la fin de la période. On a coutume de considérer celles-ci comme des ex-voto, déposés dans les sanctuaires pour commémorer des événements importants. Sur les unes figurent des murs crénelés évoquant sans doute des agglomérations conquises ; d'autres représentent des scènes de chasse où des animaux fantastiques côtoient parfois les bêtes du désert. La palette la plus connue, celle du roi *Narmer* (Louvre), utilise, pour symboliser la victoire du souverain, des thèmes qui deviendront classiques. Le roi, figuré sous l'aspect d'un taureau, piétine un homme à terre, ou bien empoigne par les cheveux un ennemi vaincu ; il porte tour à tour la couronne blanche du Sud, sa patrie, et celle du Nord, récemment conquis. Des hiéroglyphes, encore malhabiles, inscrivent le nom royal et dénombrent les vaincus. Ainsi s'annonce une civilisation nouvelle, caractérisée par la naissance de l'écriture et du pouvoir royal.

L'ÉPOQUE THINITE

Vers 3000 av. J.-C., l'Égypte entre dans l'histoire. Les deux premières dynasties de pharaons constituent ce que l'on nomme l'époque *thinite*, la tradition fixant la patrie des souverains à This, près d'Abydos. Sous leur autorité, les pays du Sud et ceux du Nord ne forment plus qu'un seul État, mais durant des millénaires se conservera le souvenir de cette ancienne dualité.

L'une des plus importantes innovations de la période, dans le domaine de l'art, est la naissance d'une architecture monumentale. Des œuvres comme la *Stèle du roi Serpent* (Louvre) nous ont conservé l'image de palais aujourd'hui disparus. Leur façade de brique crue rappelle une enceinte fortifiée pourvue de tours de défense ; les murs, percés de hautes portes, présentent une succession d'avan-

cées et de retraits couronnés d'une corniche. À la même époque, les Mésopotamiens possèdent de tels murs « à redans », mais si des contacts sont attestés entre les deux civilisations, il n'est sans doute pas nécessaire d'y voir un emprunt. Il semble qu'il s'agisse d'une transposition en brique de constructions primitives faites de nattes assemblées sur des poteaux verticaux ; ces constructions sont à l'origine du décor « en façade de palais » qui, à l'époque pharaonique, symbolisera le roi vivant et évoquera le monde des morts.

En ce début du IIIe millénaire, comme bien souvent en Égypte, nous connaissons mieux la demeure des morts que celle des vivants. À la fin du XIXe s., l'archéologue français Amélineau découvrit sur le site d'Abydos une série de tombeaux avec des stèles au nom des souverains de la Ire dynastie. Puis d'autres fouilles révélèrent l'existence d'une trentaine d'autres nécropoles, dont les plus importantes sont situées sur le plateau de Saqqara. C'est là que les archéologues britanniques dégagèrent des monuments si imposants qu'ils pensèrent avoir découvert les véritables tombes des rois de la Ire dynastie, celles d'Abydos n'étant que des sépultures factices (cénotaphes). Mais la querelle reste ouverte ; il n'est pas interdit de penser que Saqqara abritait la dernière demeure des princes de Memphis. D'autre part, les tombes d'Abydos, bien qu'elles soient d'apparence plus modeste, peuvent difficilement être considérées comme des cénotaphes.

Elles seules contiennent un matériel funéraire royal (grandes stèles, bijoux sur des corps momifiés) et donnent une liste continue de pharaons de la Ire dynastie. Sur les deux sites, le défunt s'était fait bâtir une véritable demeure, avec autour du caveau des pièces contenant le matériel mis à sa disposition. Le plafond était en rondins, les murs en bois ou en briques crues, comme la superstructure. Les tombeaux de Saqqara ont conservé le massif de briques quadrangulaire qui les surmontait et les vestiges d'une enceinte les entourant. Leurs dimensions sont imposantes (de 35 à plus de 50 m de long sur une vingtaine de mètres de large) et leur forme de banquette est à l'origine du terme *mastaba,* dont les désignent les égyptologues (de l'arabe *mastaba,* « banc »). Ils sont ornés de façades à redans qui portent encore un enduit peint reproduisant une vannerie colorée. Dans le tombeau attribué au roi Qa, on a identifié une chapelle funéraire annonçant les temples adjacents des pyramides. À Saqqara comme à Abydos, de petites tombes se pressaient contre l'enceinte les séparant du monument principal. Sans doute appartenaient-elles aux serviteurs et aux courtisans. Ce sont de simples caveaux rectangulaires surmontés d'un massif de briques crues au sommet bombé. On retrouve ce même type tout au long du Nil, mais à Nagada, Tarkhan, Hélouân ou Abou Roash, les notables s'étaient fait bâtir des tombeaux plus confortables, parfois ornés de façades à redans. Comme dans les tombes royales, la pierre n'y joue qu'un rôle accessoire : grandes dalles dressées à Hélouân, dallages ou montants de portes à Abydos et Saqqara. Il faut attendre la fin de la période thinite pour trouver dans le caveau du roi Khasékhem le premier exemple de pierres appareillées et disposées en assises régulières. C'est probablement le souci d'économiser des matériaux coûteux qui est à l'origine d'innovations techniques ; les voûtes arquées de briques crues et celles en encorbellement apparaissent dans les tombes les plus modestes d'El Amra et de Toura.

Si elles sont surtout célèbres par leurs vestiges architecturaux, les nécropoles thinites ont aussi révélé des formes nouvelles dans la statuaire, le relief et les arts mineurs. Les fouilleurs y ont exhumé des statues, pour la plupart de petite taille et dont la fréquente maladresse traduit la difficulté qu'éprouve l'artiste à dominer la matière. Peut-être est-ce pour cette raison que l'un des matériaux préférés est l'ivoire. Nous lui devons l'émouvant *Roi penché* (British Museum) ainsi que des statuettes féminines. Le contraste est saisissant entre les images de femmes strictement drapées dans un manteau aux lignes géométriques et les formes opulentes des figurines dévêtues qui parfois portent un bébé. Des enfants accroupis, des animaux (babouins, ânes, hippopotames) sont sculptés dans l'ivoire, le granit, la chryso-

colle ou l'albâtre. Parmi les œuvres de pierre se distinguent les deux statues du roi *Khasekhem* (l'une en calcaire, l'autre en schiste au musée du Caire). Assis sur un trône cubique, enveloppé dans un vêtement de cérémonie et coiffé de la couronne de Haute-Égypte, le souverain présente déjà la rigoureuse frontalité qui caractérise la statuaire égyptienne. Le visage expressif, au modelé nuancé, classe sa statue de schiste au rang des chefs-d'œuvre. Si notre connaissance de l'art de cette période est malheureusement incomplète, les documents archéologiques nous révèlent l'existence d'œuvres disparues. Deux socles et des fragments de pieds attestent la présence d'effigies de bois grandeur nature dès le temps du roi Qa, et les premières annales royales mentionnent des statues de cuivre.

En dehors des tablettes incisées, commémorant les victoires du souverain, les reliefs ornent les stèles qui dans les tombeaux perpétuent la mémoire du mort. Les stèles royales d'Abydos, hautes dalles au sommet cintré, portent le nom du souverain inscrit dans l'enceinte d'un palais. On ne sait trop si elles étaient ou non fichées par paire à l'entrée du monument funéraire : la plus belle, celle du *Roi Serpent,* semble avoir été trouvée à l'intérieur de la tombe. Le nom royal écrit à l'aide d'un cobra dressé est surmonté par le faucon Horus, protecteur de la royauté. La simplicité et la pureté du dessin, la disposition harmonieuse des éléments et le raffinement des détails en font un monument unique où s'allient la sobriété du style et la maîtrise du ciseau. Les autres stèles royales sont d'un travail très inégal. Celles des particuliers, plus petites, ont des aspects divers : bornes cintrées ou dalles rectangulaires, précisant le nom et le titre du défunt, puis panneaux quadrangulaires avec l'image du repas funéraire et mention de son menu. Les reliefs qui les décorent présentent à la même époque des différences considérables : ils vont de la simple silhouette ébauchée par martelage jusqu'au relief délicatement modelé. On trouve plus de raffinement dans le mobilier provenant de magasins funéraires : vaisselle de terre cuite ou précieux récipients d'albâtre, de cristal ou de diorite parfois rehaussés d'or ; les tombes thinites recelaient des centaines de vases contenant des offrandes. Les artistes rivalisent d'habileté pour reproduire dans la pierre les formes souples des objets quotidiens ; ainsi naissent ces étonnantes coupes de schiste dont les bords ploient comme des vanneries. Parmi les trésors déposés dans la tombe du ministre Hémaka, des disques de stéatite incrustés d'albâtre portent l'image d'animaux se poursuivant. On sculpte dans l'ivoire différentes pièces : des coffrets, des billes et des lions servant de pions de jeux, des objets de toilette ou des supports de meubles en forme de pattes de taureau. Les gazelles de Naga ed Deir, les bracelets de turquoise, d'améthyste et d'or découverts dans la tombe de Djer attestent de l'habileté des joailliers d'alors et préfigurent les précieuses coquilles d'or découvertes dans le tombeau du roi Semerkhet (IIIe dynastie).

L'Ancien Empire,
ou l'époque des pyramides
(V. 2700-2200 AV. J.-C.)

LA NAISSANCE
DE L'ARCHITECTURE DE PIERRE :
LE RÈGNE DE DJOSER

Avec Djoser, premier pharaon de la IIIe dynastie, s'ouvre l'ère des monuments de pierre. Pour la première fois également, le tombeau royal adopte une forme qui le distingue des sépultures privées : la pyramide, complétée par un ensemble de bâtiments destinés à la survie du souverain.

C'est sur le plateau de Saqqara, près de Memphis, la nouvelle capitale, qu'est édifiée la première pyramide. L'histoire a conservé la mémoire de l'architecte génial qui inventa la construction en pierre de taille. Son nom, Imhotep, est gravé sur le socle d'une statue de Djoser, et pendant des millénaires les générations se sont transmis ses « enseignements ». Patron des scribes, il sera à la Basse Époque identifié avec le dieu guérisseur Asclépios. Déjà les architectes thinites avaient repro-

duit en briques crues l'apparence d'édifices de bois, de roseaux ou de vannerie. L'idée de substituer au limon des blocs de pierre, plus beaux et plus durables, ouvre la voie à une architecture nouvelle. Si les modules étaient au début voisins, le passage d'un matériau à l'autre engendra des problèmes techniques dont nous avons l'écho sur le dessin coté de la courbe d'un toit provenant du site même.

En dehors de l'utilisation systématique du calcaire, le tombeau de Djoser se distingue de ceux de ses prédécesseurs par ses proportions grandioses et par sa forme, qui fut semble-t-il conçue par étapes. Fait de lits de blocaille parés de calcaire fin, il se dresse au milieu d'une enceinte délimitant un domaine de 15 ha. À l'origine, il s'agissait d'un mastaba carré de 60 m de côté, qui fut élargi pour englober des sépultures familiales. Sur ce massif originel, Imhotep édifia quatre gradins, puis deux, dont les six marches s'élevant vers le ciel constituent la première pyramide à degrés. Sa base mesure 109 m sur 121. Cet escalier gigantesque de 60 m de haut était visible de très loin. Reflet des conceptions de l'au-delà, il invite l'âme du roi défunt à rejoindre les étoiles impérissables parmi lesquelles elle doit prendre place. La silhouette du monument rappelle aussi la butte primordiale sur laquelle émergea le Soleil : évocation de la genèse telle qu'on l'enseignait à Héliopolis, mais aussi allusion à la course ininterrompue du Soleil, auquel le mort cherche à s'identifier.

Le caveau souterrain comprend des magasins qui ont livré des milliers de vases d'albâtre ainsi qu'un appartement dont les pièces sont tapissées de merveilleuses faïences bleues. Sur les parois de calcaire, de fins reliefs montrent le roi accomplissant des actes rituels. Les hiéroglyphes qui les accompagnent sont d'une extrême délicatesse. Des scènes analogues se retrouvent dans le « tombeau sud », qui appartient à l'ensemble des monuments adjacents à la pyramide. Ceux-ci sont entourés par une enceinte monumentale de 10 m de haut, faite de blocs calcaires soigneusement appareillés et ornés de bastions. Elle est percée d'une porte unique donnant accès à une étonnante galerie à colonnes fasciculées qui aboutit dans une grande cour, limitée à l'ouest par le splendide « mur aux cobras ». Tout autour de la pyramide s'étendent des magasins et une série de bâtiments rituels dont certains sont factices.

On est stupéfait de retrouver, éternisées dans la pierre, des formes héritées d'une époque où l'on bâtissait avec des troncs d'arbre, des poutres, des roseaux, de la vannerie et du limon. Les toits des chapelles sont cintrés, les colonnettes engagées dans les murs évoquent des tiges ou des faisceaux de plantes, des frises végétales, et des barrières traversent les parois, de faux rondins sont sculptés au plafond. Rien de lourd ni de tâtonnant cependant et, si les colonnes qui jaillissent du sol comme des végétaux hésitent encore à se dégager des murs, elles présentent déjà une extrême variété : colonnes fasciculées, protodoriques ou surmontées d'un chapiteau en forme de papyrus. D'autres éléments hérités d'une architecture légère comme la corniche à gorge, les tores d'angle, les crapaudines sont pour la première fois sculptés dans le calcaire fin de Toura.

Patiemment reconstituée sous la direction d'architectes français, la demeure éternelle de Djoser se dresse aujourd'hui telle qu'on pouvait l'admirer il y a 4 500 ans, éblouissante de blancheur dans le désert fauve de Saqqara.

Le pharaon communiquait avec le monde des vivants par l'intermédiaire d'une statue : enfermée dans une petite chapelle bâtie au bas de la pyramide, elle recevait par d'étroits orifices le souffle vivifiant du vent du nord. Cette statue de calcaire peint, dont les yeux incrustés ont disparu, est le premier exemple d'effigie royale grandeur nature, et frappe par l'expression sauvage de ce visage rude, aux pommettes saillantes et à la bouche épaisse. Le souverain, figuré dans la même attitude que son prédécesseur, Khasekhem, porte la coiffure rayée, le *nemès*, et une longue barbe, qui sont les emblèmes royaux. Les rares statues contemporaines qui représentent des particuliers sont visiblement inspirées par le modèle royal. Le *Bedjmès* de granit en est un exemple significatif : le personnage,

assis sur un siège cubique, pose la main droite sur ses genoux tandis que de la gauche il tient une herminette, symbolisant sa profession de constructeur de bateaux ; la tête, d'une grosseur disproportionnée, semble reposer directement sur les épaules, les membres sont massifs, mais les contours du vêtement, les détails du corps et de la coiffure sont soigneusement indiqués. On retrouve ces caractéristiques sur la statue d'*Hotepdjedef,* qui fut peut-être sculptée un siècle auparavant. Seule la posture est originale : le prêtre s'est fait représenter à genoux dans une attitude de supplication. Les statues en calcaire peint de *Sépa* et de sa femme *Nésa* (Louvre) prolongent cette tradition archaïque. Les personnages sont debout, rigoureusement face au spectateur ; l'homme avance le pied gauche tandis que sa compagne demeure immobile, un bras replié sur la poitrine, en des attitudes qui resteront classiques durant la période pharaonique. Le sculpteur, peu sûr de sa technique, n'a pas osé évider l'espace séparant les jambes de Sépa et a rabattu contre son corps le sceptre qu'il brandissait vers l'avant.

Le mastaba d'*Hésyrê,* haut dignitaire de Djoser, révèle les progrès accomplis dans les domaines du relief et de la peinture : les onze niches ménagées à l'intérieur de sa tombe étaient ornées de panneaux de bois sculptés à l'image du défunt ; ces reliefs, d'une extrême délicatesse, le représentent marchant, ou bien assis devant un repas funéraire. Le visage sévère, encadré d'une coiffure bouclée, est interprété d'une façon très réaliste, de même que les détails du costume, des sceptres et du matériel de scribe. On retrouve ce souci de précision dans les peintures qui ornaient le couloir du mastaba. Le mobilier mis à la disposition du défunt y est figuré avec une fidélité scrupuleuse, qui va jusqu'à la notation des fibres et des nœuds du bois.

PYRAMIDES ET TEMPLES DES SOUVERAINS DES IVe, V^e et VIe DYNASTIES

Dans leur quête d'immortalité, les souverains de l'Ancien Empire ont édifié les monuments les plus grandioses de l'histoire : les pyramides, qui forcent l'admiration tant par la prouesse technique qu'elles représentent que par leur perfection esthétique. Mais avant d'atteindre la régularité parfaite des pyramides de Giza, les tombeaux royaux connurent des formes diverses. Ceux de Saqqara et de Zaouyet el Aryan, élevés par des successeurs de Djoser, sont encore des « escaliers de géant ». Le dernier de ce type, construit à Meidoum, a été remanié par la suite. À Dahshour, Snéfrou, père de Chéops, fait construire une pyramide à double pente, dont la silhouette évoque le sommet d'un obélisque. On ne sait pourquoi le même souverain édifie un autre tombeau au nord de celle-ci : c'est la première pyramide véritable. Dès lors, à Giza, Saqqara, Abousir, les pharaons élèveront vers le ciel des monuments semblables.

Faut-il voir dans cette évolution le travail d'architectes recherchant la rigueur des formes et une solidité à l'épreuve du temps ? Ou bien témoigne-t-elle d'une transformation des croyances funéraires ? À l'image de l'escalier permettant au roi défunt d'escalader le ciel pour prendre place parmi les dieux, a-t-on voulu substituer la forme de la butte primordiale où naquit le Soleil, puis celle d'un faisceau de rayons irradiant le corps momifié du pharaon et intégrant le défunt au cosmos ? Il est difficile de répondre, car après Djoser les inscriptions gravées disparaissent des murs du caveau royal. Elles surgissent de nouveau à partir du règne d'Ounas, v. 2350 av. J.-C. Ce sont les « textes des pyramides », ces plus anciens écrits religieux connus, qui associent les formules magiques, les hymnes, les rituels et les légendes sans souci apparent de cohérence. Dans ces inscriptions archaïques, difficiles à traduire, on entrevoit le rôle joué par la pyramide, étape nécessaire à la résurrection du souverain. Ce fantastique entassement de blocs constitue la citadelle protégeant le corps du roi défunt, dont l'âme pourra s'envoler à son gré pour rejoindre la course du Soleil.

L'architecture intérieure de la pyramide est simple. Un couloir partant de la face nord donne dans la chambre funéraire, où la momie repose dans un sarcophage.

Il semble que pour celui de Chéops, on prévit successivement trois lieux dont le premier était souterrain. Dans la masse du monument sont aménagés les corridors et les descentes nécessaires aux manœuvres et à l'aération. Une fois les funérailles terminées, ils sont obstrués par d'infranchissables blocs de granit, destinés à interdire l'accès du caveau. Mais hélas, ils furent contournés dès l'Antiquité par les pilleurs de sépultures. Les chiffres eux-mêmes ne donnent qu'une faible idée des proportions colossales des pyramides. La plus haute, qui portait le nom d'« Horizon de Chéops », fut la dernière demeure de ce roi : elle a 146,5 m de haut, 235 m de côté et une pente de 51°56' ; celle de Chephren lui est comparable avec ses 143,5 m de haut, 215,25 m de côté et 52°20' de pente. Avec la 3e grande pyramide de Giza, celle de Mykerinos, commence le temps des monuments relativement plus modestes : 62 m de haut, 108,4 m de côté et 51° de pente. Les quatre faces sont orientées en direction des points cardinaux avec des erreurs ne dépassant jamais 10'. On est stupéfait de retrouver la même précision dans le calcul des niveaux et des dimensions : moins de 2 cm de différence entre deux points situés à la base de la pyramide de Chéops, moins de 20 cm d'écart entre deux côtés du même monument. Ces résultats témoignent de connaissances approfondies en calcul et en géométrie. Plusieurs solutions furent employées pour assurer la cohésion de millions de blocs de calcaire grossier constituant le corps du monument. Ils sont liés par un mortier d'argile et disposés en lits déversés vers l'intérieur ou en couches horizontales. On saisit mieux la difficulté de la réalisation quand on sait que les blocs des assises inférieures atteignent jusqu'à 1,50 m de haut pour Chéops. Seule la pyramide de Mykerinos a conservé son parement extérieur de granit taillé et soigneusement ajusté. Sous la masse de pierre qui les surmontait, les plafonds des chambres et des corridors risquaient de s'effondrer. Pour parer le danger, les architectes de Snéfrou construisent de hautes voûtes en encorbellement, et Chéops fait de même pour sa majestueuse « grande galerie ». Le plafond horizontal de son caveau supérieur est allégé par des chambres de décharge dominées par des dalles en chevrons. Ce dernier procédé est repris sous les dynasties suivantes.

On ne peut qu'être saisi d'admiration lorsque l'on pense que ces monuments prodigieux furent bâtis à mains nues, en une dizaine d'années, par une foule d'ouvriers qui ne connaissaient que les outils de pierre et de cuivre et ignoraient la roue et la poulie. Mais il faut abandonner les idées romanesques qui ont fleuri dès l'Antiquité. Les pyramides ne furent pas édifiées par des milliers d'esclaves courbés sous le fouet de tyrans. Pour comprendre l'esprit qui présida à leur construction, il faut nous reporter au temps des cathédrales, à l'époque où la ferveur soulevait tout un peuple. Le plateau de Giza drainait les masses de paysans inactifs à l'époque de la crue. Celle-ci permettait précisément de transporter plus facilement les blocs énormes jusqu'au chantier. Le calcaire de Toura, le granit qui allaient parer le caveau funéraire ou revêtir la pyramide, le basalte ou la diorite sombres destinés aux statues arrivaient par bateau. Tirés sur des rondins, halés sur des traîneaux, ils atteignaient les rampes d'argile qui s'appuyaient aux flancs de la pyramide naissante. Constamment humidifiées, elles en facilitaient l'ascension et constituaient des échafaudages où s'installaient les divers corps de métier. On suppose que tous les travaux étaient effectués assise par assise : construction des appartements funéraires, remplissage du massif, pose et lissage du parement extérieur en calcaire fin ou en granit. Reprenant l'exemple instauré par Djoser, le tombeau du pharaon est environné de constructions assurant sa survie et celle de sa famille. Des barques en brique, en pierre ou en bois accompagnent le défunt dans son dernier voyage. On en a retrouvé cinq dans la pyramide de Chéops, construites en cèdre du Liban et déposées dans des fosses creusées à l'est et au sud de sa pyramide. L'une d'elle, longue de 43 m, a pu être remontée en parfait état. À la face est de la pyramide est accolé le temple dit « haut », relié à une chaussée couverte qui descend vers le Nil, pour aboutir au temple « bas », ou « temple de la vallée ». Il semble qu'on y célébrait le culte du souverain avant sa mort. Le temple de Chephren, bien conservé, séduit par la sobriété de ses piliers carrés, taillés dans un seul bloc de granit. On y a retrouvé les vestiges de 23 statues du souverain sculptées dans de la diorite, dont la plus belle, conservée au musée du Caire, exprime de façon saisissante la majesté des rois-dieux de l'Ancien Empire. Assis sur un trône orné de deux lions, le souverain porte le symbole de l'union entre la Haute-et la Basse-Égypte ; derrière son visage impassible, le faucon divin Horus étend ses ailes en signe de protection. La statue s'intègre parfaitement par sa sobriété et ses proportions monumentales à l'architecture sévère du temple.

Les reliefs, désormais proscrits à l'intérieur de la pyramide, couvrent de leurs images magiques les murs des temples et les parois intérieures des chaussées. Les scènes rituelles qu'ils représentent aident le roi défunt dans sa marche vers l'éternité. Parmi les plus remarquables, il faut noter un défilé des « domaines » (propriétés du défunt), personnifiés par de gracieuses jeunes femmes apportant au pharaon Snéfrou les produits de la campagne, et le transport des colonnes palmiformes qui ornèrent le temple haut du roi Ounas. On retrouve ces reliefs dans les temples divins, dont beaucoup sont associés à la pyramide. L'un d'eux s'élevait devant le fameux sphinx de Giza ; les sculpteurs transformèrent un énorme rocher en animal monstrueux, un lion à tête humaine qui évoque la puissance de Chephren et symbolise un aspect du Soleil, astre particulièrement vénéré sous la Ve dynastie, époque à laquelle les souverains lui élevèrent sur le plateau d'Abousir, à proximité de leurs tombeaux, des temples qui comportent, comme les pyramides, deux édifices reliés par une chaussée montante. Les reliefs qui les décorent sont parmi les plus beaux et furent imités dans les tombes privées, par exemple le cortège des saisons et des travaux agricoles avec d'admirables scènes animalières. Le dieu est présent sous la forme d'un obélisque de plus de 30 m de haut, dressé dans un sanctuaire à ciel ouvert. Les papyrus retrouvés à Abousir montrent que ces temples divins fonctionnaient en étroite association avec le tombeau royal et bénéficiaient des mêmes offrandes.

LA STATUAIRE ROYALE

Des pyramides et de leurs dépendances proviennent la majorité des statues royales de l'Ancien Empire, lesquelles reflètent la majestueuse gravité d'un fils des dieux. Par une ironie de l'histoire, la seule statue conservée de Chéops est une effigie d'ivoire haute de 9 cm. Le bâtisseur de Giza est représenté assis, tenant le fouet royal, et son visage lourd, surmonté de la couronne rouge, est empreint d'énergie. Bien différente est la *Tête en quartzite* peint de son fils *Didoufri* (Louvre). Bien que le visage encadré par les pans du *nemès* évoque la rudesse de Djoser par le modelé précis des pommettes et de la bouche charnue, l'œuvre est tout imprégnée de mélancolie. Le sphinx de Giza, les statues du temple de la vallée font revivre les traits sévères de Chephren.

Nul souverain de l'Ancien Empire n'a laissé autant d'effigies que son successeur, Mykerinos. Toutes présentent la même rondeur et une expression bienveillante qui rendent le souverain plus humain. Les triades de schiste qui représentent le pharaon entouré par la déesse Hathor et la personnification des provinces de l'Égypte témoignent d'une précision jusque-là inégalée dans le modelé du corps humain : musculature du pharaon, douceur des formes féminines à peine voilées par une robe moulante. Le grand *Couple* du M. F. A. de Boston, où la reine est debout près de son époux, égale en majesté la statue de Chephren. Les rois de la V⁰ dynastie ont laissé peu de statues, dont les têtes sont remarquables. L'une d'elles, attribuée à Ouserkaf, se rapproche des œuvres de la période précédente par le travail soigné du schiste bleuté ; une autre, sculptée dans du granit rouge, est le premier exemple de statue colossale : elle mesure près de 70 cm. À la fin de l'Ancien Empire, les effigies de Pépi I⁰ʳ et de son fils sont très belles grâce à leur matériau, le cuivre. Si la corrosion a terni

l'éclat du métal, Pépi I⁰ʳ impressionne par ses yeux incrustés. Certaines pièces semblent avoir été coulées, mais la majeure partie de l'œuvre est constituée de plaques rivetées sur une âme de bois.

Pépi II, dernier roi de l'Ancien Empire, nous a laissé un petit groupe le représentant assis sur les genoux de sa mère. Le souverain ne régna en effet pas moins de 90 ans. Les deux personnages sont disposés à angle droit comme si l'on avait superposé deux statuettes indépendantes. L'enfant-roi est traité comme un adulte miniature, figé dans son costume de cérémonie.

LES SÉPULTURES PRIVÉES

Le pharaon ne partait pas seul dans l'au-delà, et autour de chaque pyramide s'étendait une véritable cité des morts. Tout près du tombeau royal, de petites pyramides abritaient, semble-t-il, les reines défuntes ; non loin de là, princes et courtisans avaient obtenu le privilège d'édifier leurs mastabas de pierre ou de brique, alignés le long de rues. Des sépultures semblables s'élevaient également en province pour les notables ; on en a découvert jusque dans les lointaines oasis du Sud. Le sarcophage et le mobilier funéraire sont déposés dans un caveau souterrain, auquel on accède par un puits vertical. L'ensemble est surmonté d'un massif rectangulaire de maçonnerie aux murs légèrement inclinés. La chapelle, accessible à la famille et aux prêtres qui célèbrent le culte funéraire, est, à l'origine, une simple niche creusée face à l'est. Elle simule une porte par laquelle le défunt pourra « sortir au jour » et goûter aux offrandes déposées à son intention. Peu à peu, la chapelle s'agrandira jusqu'à former un appartement complexe. Creusée à l'intérieur du mastaba ou partiellement bâtie à l'extérieur, elle possède un décor évoquant la vie terrestre ; sur les murs, des scènes disposées en registres, sculptées, peintes ou incrustées de pâtes colorées, assurent au mort par la magie de l'image et des textes une existence proche de ce que fut la sienne, entourée de l'affection de sa famille et de la diligence de ses serviteurs. Elles brossent un tableau pittoresque de la vie quotidienne au temps des pyramides. On y figure avec réalisme et humour les épisodes importants de la vie agricole : les semailles et la moisson, les vendanges, le gavage des animaux domestiques. Sur les parois du *Tombeau de Ti*, un bouvier s'évertue à convaincre un troupeau récalcitrant de passer le gué ; à Meidoum, des oies au plumage somptueux s'ébattent sur un fond de verdure. Dans le mastaba du Louvre, on bâtonne l'intendant malhonnête sous l'œil impassible d'une armée de scribes ; plus loin, sur le fleuve, des hommes retirent de leur filet une pêche miraculeuse ; des hiéroglyphes nous restituent, à la manière d'une bande dessinée, les injures échangées par les bateliers qui luttent au bâton ! Debout dans une barque, le seigneur harponne un hippopotame, incarnation des forces du mal. Dans les ateliers, tout un peuple d'artisans s'affaire : orfèvres et forgerons, menuisiers, cordonniers, potiers. Les boulangers et les bouchers préparent un festin tandis qu'une procession de serviteurs s'avance vers le propriétaire du tombeau, les bras chargés de victuailles. Celui-ci est représenté parmi les membres de sa famille, occupé à jouer aux dames ou en train d'écouter un concert. Mais la scène principale est celle du repas du mort, vers laquelle tout converge. Comme aux époques précédentes, on la retrouve sur la stèle qui porte le nom du défunt ; celle-ci est encastrée dans la maçonnerie ou bien surmonte la « fausse porte ». L'une des plus belles appartient à Nefertyabet, sans doute sœur de Chéops. On y voit la princesse assise devant une table chargée de pains dorés. Le léger relief est rehaussé de couleurs qui ont gardé tout leur éclat ; autour de la table sont figurées des viandes savoureuses, du vin, des fruits, des étoffes et des onguents destinés à parer le corps momifié de la princesse. L'inscription lui garantit pour l'éternité « un millier de pièces de bœuf, de volailles, de pains, de cruches de bière ». Un des rôles essentiels de la stèle est en effet de suppléer aux offrandes réelles qui doivent être déposées régulièrement pour alimenter le mort.

LA STATUAIRE PRIVÉE

Les statues de particuliers ont été retrouvées dans les chapelles ou emmurées dans un réduit, le *serdab*, qui communique avec le monde des vivants par une étroite fente. Corps indestructibles mis à la disposition du mort, elles le représentent de façon idéalisée. Le répertoire des types est fixé pour l'essentiel dès le temps des pyramides : personnage debout, immobile ou marchant, scribe accroupi, couple, groupes familiaux ou « pseudogroupes » représentent le même individu sous des aspects différents. Malgré les conventions, ces œuvres sont loin d'être impersonnelles. On les sent comme habitées par une présence et l'on en vient à s'interroger — du moins pour les plus belles d'entre elles — sur les êtres de chair qui les ont inspirées. Voici le *Prince Rahotep*, assis près de son épouse, la belle *Nefret* (musée du Caire). Leur groupe de calcaire peint est l'image idéale d'un couple de seigneurs figés dans une éternelle jeunesse. L'éclat de leurs yeux incrustés est si vif que les ouvriers qui les découvrirent s'enfuirent épouvantés. Pour rendre leur carnation, le peintre a utilisé les couleurs conventionnelles : l'ocre rouge pour l'homme, le jaune pâle pour la femme s'opposent heureusement au blanc des vêtements et aux coloris lumineux des bijoux. L'un des premiers portraits réalistes est celui d'Ankh-haf, gendre de Chéops. On se prend à rêver devant ce buste de calcaire revêtu de stuc : le sculpteur a modelé avec une vérité extraordinaire le visage d'un homme déjà mûr. Les « têtes de réserve », galerie de portraits de la famille de Chéops, s'apparentent par leur matière et leur technique ; elles séduisent par la douceur et la simplicité de leur traitement. Le *Cheikh el Beled*, du musée du Caire, est un des exemples les plus précoces (V[e] dynastie) de la grande statuaire de bois qu'illustrera cent ans plus tard le fameux *Methethy* (musée de Kansas City). Ici, le personnage debout et tenant un bâton de commandement se veut imposant : le visage et le corps trahissent un léger embonpoint qui ne nuit pas à la dignité de ce très haut fonctionnaire. Si l'on trouve chez le célèbre *Scribe* du Louvre, un traitement analogue du corps, celui-ci contraste étonnamment avec son visage aigu, comme tendu vers un interlocuteur invisible, illuminé par des yeux de cristal et de quartz enchâssés dans une bague de cuivre. Nombreuses sont les statues de groupes reflétant la tendresse qui unissait les familles égyptiennes et nous les rend si proches.

Le plus exceptionnel est celui représentant le *Nain Seneb* (musée du Caire), assis près de sa femme, qui l'entoure affectueusement de ses bras. L'espace laissé vide par les jambes atrophiées de l'infirme a été utilisé avec bonheur pour y sculpter l'image de ses deux enfants. Quel qu'ait été leur âge véritable, ils sont de taille réduite et représentés selon les conventions particulières : index porté à la bouche, mèche de l'enfance et teint brique pour le fils, carnation pâle pour la fille. Telles sont les pièces majeures de la sculpture de l'Ancien Empire, qui reflète la fraîcheur et l'optimisme d'une société privilégiée, vivant dans l'allégeance d'un roi-dieu à l'autorité incontestée, sans autre souci que d'assurer sa survie dans l'au-delà.

Bibliographie

ALDRED (C.), *Old Kingdom Art in Ancient Egypt, Middle Kingdom Art in Ancient Egypt, New Kingdom Art in Ancient Egypt*, Tiranti, Londres, 1949, 1950, 1951. ALDRED (C.), *Jewels of the Pharaohs*, Thames and Hudson, Londres, 1971. CENIVAL (J. L. DE), *Égypte*, Architecture universelle, Office du livre, Fribourg, 1964. DAUMAS (F.), *la Civilisation de l'Égypte pharaonique*, Arthaud, Paris, 1965. LALOUETTE (C.), *l'Art égyptien*, « Que sais-je ? », P. U. F., Paris, 1951. LECLANT (J.), *les Pharaons*, L'Univers des Formes, Gallimard, Paris, t. I, 1978 ; t. II, 1979 ; t. III, 1980. MICHALOWSKI (K.), *l'Art de l'ancienne Égypte*, Mazenod, Paris, 1968. POSENER (G.), SAUNERON (S.), YOYOTTE (J.), *Dictionnaire de la civilisation égyptienne*, Hazan, Paris, 1959. VANDIER (J.), *Manuel d'archéologie égyptienne*, Picard, Paris, 5 volumes, 1952-1969. YOYOTTE (J.), *les Trésors des pharaons*, Skira, Genève, 1968.

Bibliographie de ce chapitre

CENIVAL (J. L. DE), *l'Égypte avant les pyramides*, R. M. N., Paris, 1973. EDWARDS (I. E. S.), *les Pyramides d'Égypte*, Livre de poche, Paris, 1967.

EMERY, *Archaic Egypt*, Penguin Book, Londres, 1961. LAUER (J. P.), *Saqqara*, Tallandier, Paris, 1977. SMITH (S.), *A History of Egyptian Sculpture and Painting in the Old Kingdom*, Boston, Massachusetts, 1949.

LE MOYEN EMPIRE, OU L'ÂGE DU CLASSICISME

(V. 2060 - 1786 AV. J.-C. XIᵉ, XIIᵉ ET XIIIᵉ DYNASTIE)

APRÈS LE LONG RÈGNE DE PÉPI II, l'Égypte sombre dans les désordres de la première période intermédiaire, peu favorables à la création artistique. Il semble que l'Ancien Empire s'effondre de lui-même, sous la poussée de mouvements sociaux que certains qualifient de « révolution ». Profitant des circonstances, des tribus de Bédouins envahissent le Delta et y sèment l'épouvante. Depuis la Vᵉ dynastie, les transformations de la société pharaonique étaient perceptibles : à un État gouverné par un roi-dieu incontesté succède une sorte de féodalité ; les gouverneurs de province obtiennent peu à peu de transmettre leur charge à leur fils et des dynasties locales se constituent, que le roi tente de contrôler. Ces efforts n'empêcheront pas la formation de principautés indépendantes, sur lesquelles les derniers pharaons n'auront qu'une souveraineté très théorique. Pendant 200 ans, le pays va être morcelé entre de petits États rivaux. Des tentatives d'unification successivement réalisées par les princes d'Héracléopolis, à l'entrée du Fayoum, et par ceux de Thèbes, dans le sud du pays, aboutissent à un conflit dont les princes thébains sortent victorieux. Vers 2050 av. J.-C., l'Égypte est de nouveau unifiée sous le règne de Montouhotep le Grand ; s'ouvre alors la période du Moyen

Empire, considérée comme l'âge classique de l'Égypte, et durant laquelle s'intensifient les contacts avec les pays voisins. Les pharaons élargissent leurs frontières en annexant la Nubie, tandis que la Syrie et la Palestine entrent dans leur zone d'influence. Les Amenhemat et les Sésostris qui constituent la XIIe dynastie ont laissé l'image de véritables hommes d'État, réorganisant l'économie et l'administration : la mise en valeur des zones marécageuses du Fayoum est l'exemple le plus fameux de leur politique de grands travaux.

Cependant la crise dont est issu le Moyen Empire a laissé des séquelles, les puissants féodaux n'ont pas tous désarmé et l'on trouve dans l'art et la pensée la trace des épreuves surmontées.

La monarchie de droit divin est sortie bien ébranlée. Les conceptions élitistes de l'Ancien Empire, qui réservaient le ciel au roi et à ses proches, se modifient peu à peu sous la pression des nobles qui, en s'emparant des prérogatives royales, ont également conquis le droit à l'immortalité. La religion évolue, elle aussi. Des dieux jusque-là peu connus éclipsent Rê, le soleil. On élève au rang de divinités nationales Montou et Amon de Thèbes, ville natale des fondateurs de la XIe dynastie, puis le crocodile Sobek, patron des marais du Fayoum. Osiris, dont la ville d'Abydos possédait la tombe légendaire, inspire de nouvelles croyances funéraires. Selon la légende, le dieu, assassiné et dépecé par son frère Seth, ressuscita grâce à la magie de sa femme Isis. Les textes et les monuments du Moyen Empire l'établissent clairement comme principal dieu des morts. Nombre de statues et de stèles de cette époque proviennent de son sanctuaire d'Abydos, où elles étaient déposées comme ex-voto. Sa religion propose l'idéal consolant d'un paradis ouvert à tous après un long et périlleux voyage dans le monde souterrain. On y voit apparaître pour la première fois dans l'humanité la notion d'un jugement dernier, au terme duquel le défunt sera déclaré « justifié ». Dieu des ténèbres, Osiris inspira sans doute un idéal esthétiquement différent de celui de l'époque des pyramides. Celui-ci est particulièrement sensible dans certaines statues où la couleur sombre de la pierre et l'expression sévère des visages contribuent à accentuer le caractère austère et dépouillé révélateur d'un des aspects du Moyen Empire. Ces transformations importantes se reflètent bien évidemment dans le domaine de l'art.

Architecture

LA DEMEURE DES VIVANTS

Si les vestiges des demeures de l'Ancien Empire sont fort rares, on peut se faire une idée plus précise de celles de la période suivante. À Kahoun, dans le Fayoum, une ville entière a été exhumée des sables. Elle abritait les fonctionnaires et les ouvriers occupés à construire la pyramide de Sésostris II. Serrées le long de ruelles aboutissant aux rues principales, les maisons ouvrières ont jusqu'à deux étages et une douzaine de pièces éclairées par de petites fenêtres à barreaux. Leur toit en terrasse, bordé d'un muret, permet de goûter la douceur du soir. Le quartier résidentiel, au nord-est de l'agglomération, regroupe le long d'une avenue quelques vastes propriétés (jusqu'à 2 500 m²). On y reconnaît déjà, environné de bâtiments de service, le plan des maisons de la XVIIIe dynastie : accueil, pièces de réception et zone réservée à la vie privée. Ces maisons étaient ornées de gracieuses colonnades à motifs végétaux et agrémentées d'un jardin planté d'arbres, au centre duquel un bassin fleuri de lotus apportait une note de fraîcheur. Telle est la représentation que nous ont laissée les maquettes de maisons déposées dans les tombes.

C'est dans le sud du pays, là où progresse la conquête égyptienne, qu'on trouve les témoignages les plus exceptionnels d'une architecture militaire : fortifications du port d'Éléphantine, constructions massives de brique de Kerma, et fortins s'échelonnant de la Basse-Nubie à la deuxième cataracte du Nil. Aujourd'hui engloutis par les eaux du lac Nasser, ils dominaient le fleuve de leur masse de briques crues armée de poutres de bois. C'étaient de véritables forteresses défendues par d'épais murs crénelés percés de meurtrières, des tours, des bastions et des glacis protecteurs, et à l'intérieur desquelles vivaient des garnisons dont on a retrouvé les habitations et les temples.

LES TOMBES ROYALES

C'est en vain que l'on cherchera les monuments reflétant la grandeur des souverains du Moyen Empire. Les Anciens, pourtant, se sont émerveillés devant les sanctuaires qu'ils avaient élevés de la Nubie au Delta, et nous savons que leurs tombeaux égalaient ceux de Giza. Mais les hasards de l'histoire, la frénésie des carriers démantelant les ouvrages de pierre en ont décidé autrement. Là où se dressaient temples et pyramides ne subsistent bien souvent qu'un obélisque majestueux, quelques reliefs gisant sur le sol, ou d'informes amas de briques. C'est dans le cirque rocheux de Deir el-Bahari, sur la rive ouest de Thèbes, que Montouhotep le Grand fit bâtir sa dernière demeure. Vaste ensemble de caractère nouveau qui associe un caveau rupestre à une série de monuments de culte construits en pierre. On y accédait par une allée triomphale que bordaient d'impressionnantes statues du souverain. Des rampes en pente douce menaient à deux terrasses étagées, ornées sur trois côtés d'une forêt de piliers carrés et de colonnes à pans coupés. L'ensemble était couronné par un massif carré d'environ 20 m de côté,· dont les restes sont le plus souvent interprétés comme ceux d'une petite pyramide. Cependant le résultat de fouilles récentes suggère que l'édifice central était peut-être surmonté d'un toit plat, le monument évoquant la silhouette d'une pyramide à trois degrés. Un petit temple, accolé à la face arrière, était orienté à l'ouest. Les archéologues ont identifié les vestiges d'une cour, ceux d'une salle soutenue par des piliers octogonaux et ceux d'un sanctuaire. C'est par la cour de cet édifice que l'on pénétrait dans le caveau royal, longue galerie creusée dans le rocher. Des blocs taillés en arc de cercle y donnent l'illusion d'un plafond voûté. Les souverains de la période suivante, la XIIe dynastie, transportent leur capitale vers le nord et y font édifier leurs pyramides à la limite du désert. Amenhemat Ier, le fondateur, choisit le site de Lisht, à 60 km au sud de Memphis. En se faisant enterrer à Dahshour, Sésostris III renoue avec la tradition des souverains de l'Ancien Empire, tandis que Amenhemat III construit à Hawara, à la limite orientale du Fayoum, le plus vaste monument de tous les temps : les auteurs grecs n'ont-ils pas cru y reconnaître le fameux Labyrinthe ?

Hautes d'une centaine de mètres, ces pyramides se rapprochent de celles de Giza par leurs proportions. Mais si elles étaient munies de dispositifs plus ingénieux pour déjouer les voleurs, leur architecture ne leur permit pas de défier les siècles. Seul le parement extérieur était entièrement constitué de pierres. Pour la structure interne, des solutions différentes furent tentées : murs de pierre rayonnant à partir du centre et se recoupant avec d'autres murs pour former des alvéoles, qui furent comblées par des pierres ou de la terre, ou simples lits de briques superposées.

LES SÉPULTURES PRIVÉES

Au Moyen Empire, la coutume de se faire enterrer près du souverain se perpétue ; les membres de la famille royale et les hauts fonctionnaires reposent dans des mastabas de pierre ou de brique crue, aujourd'hui en ruine. Reflet de l'évolution sociale, les sépultures les plus remarquables sont situées en province. Gouverneurs et hauts fonctionnaires locaux se font bâtir près de leur cité de splendides tombeaux. À Qau el-Kebir, ceux des princes Walika et Ibou s'inspirent des monuments royaux avec leur portique d'accueil et leur chaussée montante, entrecoupée d'escaliers, qui mène à un caveau ménagé dans le roc. En Haute-et Moyenne-Égypte, les tombes s'alignent le long du Nil, creusées dans les falaises qui surplombent le fleuve. À Giza, dès le règne de Mykerinos, des tombes rupestres avaient été aménagées dans les carrières d'où provenaient les blocs des pyramides. Elles abritent les défunts des plus grandes familles de l'Égypte : les princes Sarenpout d'Assouan, au niveau de la première cataracte du fleuve, les Djéhoutyhotep d'el-Berchẹh et les Oukh-otep de Meir en Moyenne-Égypte. Leur plan reprend les éléments traditionnels de la tombe égyptienne en les adaptant au site. Le rocher est creusé d'une suite de salles décorées et de couloirs par lesquels pénètre la lumière. La chapelle, située tout au fond, renferme une stèle portant l'image du repas funéraire ainsi que les statues du mort qui repose dans un caveau, auquel on accède par un puits vertical. Déjà certaines tombes rupestres de Saqqara et de Giza étaient précédées de portiques à piliers, imitant sans doute les riches villas de l'époque. La façade des hypogées du Moyen Empire reprend ces éléments décoratifs. À Beni-Hassan, la lumière joue sur les arêtes vives de colonnes cannelées préfigurant celles du Parthénon (colonnes protodoriques). Non loin de là, Djéhoutyhotep d'el-Berchech fait sculpter et peindre de la couleur du granit deux colonnes qui rappellent celles des temples de la Vᵉ dynastie, leur chapiteau imitant les lignes souples d'un bouquet de feuilles de palmier (colonnes palmiformes). Plus au sud, les princes d'Assouan qui contrôlent la première cataracte du Nil préfèrent la sévérité des piliers quadrangulaires qui ornent également l'intérieur de leurs sépultures. L'enfilade des salles souterraines est souvent rompue par l'élan de colonnes sculptées à même le roc, dont les plus gracieuses sont celles du tombeau de Khéti, à Beni-Hassan. Adoptant une forme de l'époque archaïque, elles ont la silhouette et les couleurs d'un lotus en bouton (colonnes lotiformes).

LES TEMPLES DIVINS

Tout au long de la vallée du Nil s'échelonnent les vestiges des sanctuaires élevés par les pharaons du Moyen Empire. Au prix d'un patient travail, les archéologues sont parvenus à reconstituer le plan d'édifices démantelés ou incorporés dans des constructions plus récentes. Ainsi à Tôd, à quelques kilomètres de Louxor (Louksor), les fondations d'un petit temple dédié au dieu Montou laissent deviner un bâtiment entouré d'un vestibule comportant neuf pièces ; c'est sous son

dallage que fut découvert le fameux trésor de Tôd, accumulation de lingots d'or et d'argent, de vaisselle précieuse et de lapis-lazuli dont quelques exemplaires sont conservés au Louvre. Non loin de là, le même plan se retrouve à Médamoud dans les ruines du temple érigé pour Montou par Sésostris III. Mais c'est à Karnak que l'on peut admirer le plus bel exemple architectural de la période : une petite chapelle-reposoir dans laquelle la barque de procession faisait halte lorsqu'on transportait la statue du dieu. Les blocs sculptés avaient été réutilisés comme matériaux de construction pour bâtir le troisième pylône du temple d'Amon. Deux millénaires plus tard, les archéologues français les découvrirent en démontant le monument. Aujourd'hui, le reposoir entièrement reconstitué est l'un des trésors du « musée en plein air » de Karnak : il s'agit d'un petit édifice rectangulaire de calcaire fin, couronné d'une corniche à gorge, bâti sur une plate-forme à laquelle on accédait sur deux côtés par une rampe en pente douce. Son toit plat repose sur 16 piliers rectangulaires magnifiquement ornés de scènes religieuses.

Moins bien conservé, le sanctuaire construit à Médinet Madi au Fayoum par les Amenhemat est de proportions encore plus modestes : à peine 10 m de large. Il est consacré aux dieux locaux, le crocodile Sobek et Renenoutet, déesse des moissons. Avec son portique à colonnes fasciculées et sa cour précédant un triple sanctuaire, il se présente comme un temple miniature. À Héliopolis, aujourd'hui banlieue du Caire, le monument élevé au dieu-soleil Rê par Sésostris Iᵉʳ fut sans doute le prototype des grands temples du Nouvel Empire, mais un seul des deux obélisques qui ornaient la façade subsiste encore.

Sculpture

Reprenant les traditions de la période précédente, les monuments du Moyen Empire sont complétés par un décor sculpté ou peint. La plupart des thèmes empruntés aux scènes des mastabas et à des temples de l'Ancien Empire n'apportent que très peu d'innovations, hormis les scènes de guerre. Les conventions du dessin égyptien fixées dès les premières dynasties n'évoluent guère. Il en va de même pour les proportions des figures humaines qui sont scrupuleusement respectées grâce au système de la « mise au carreau », qui consiste à faire tenir le corps humain dans une grille divisée en carrés. On en compte 18 pour représenter un personnage debout : deux du sommet du front à la base du cou, dix du cou au genou, six du genou à la plante des pieds. Cette méthode, qui fut utilisée jusqu'à la Basse Époque, avec une modification du canon à la XXVIᵉ dynastie, permettait de reproduire fidèlement des modèles tracés sur papyrus ou éclats de calcaire, ou bien de décalquer avec exactitude des œuvres plus anciennes.

RELIEFS ET STATUES DE LA 1ʳᵉ PÉRIODE INTERMÉDIAIRE À LA FIN DE LA XIᵉ DYNASTIE

(V. 2200 - 1998 AV. J.-C.)

RELIEF. À LA PREMIÈRE PÉRIODE INTERMÉDIAIRE, on assiste au morcellement de l'Égypte et les relations sont moins étroites entre la province et la région de Memphis où travaillent les sculpteurs royaux. Les artistes provinciaux développent un style original, reflet des goûts locaux et illustré par le décor des premières tombes rupestres comme celle d'Ankhtifi à Moalla, et par les stèles figurées provenant de tombes de Naga ed-Deir, de Dendara ou de Thèbes. Si la technique est bien souvent malhabile, le nouveau style témoigne d'une simplicité et d'une spontanéité que l'on a souvent qualifiées de « populaires », par opposition à l'art aristocratique des grands mastabas

de la région memphite. Y priment le goût du détail et des accessoires, l'association de couleurs crues, une vivacité et une vigueur qui vont parfois jusqu'à la brutalité.

Beaucoup de ces traits sont encore sensibles dans les œuvres émanant des ateliers de Thèbes, capitale de la XIᵉ dynastie. Les reliefs ornant le complexe funéraire de Montouhotep à Deir el-Bahari montrent à quel point les sculpteurs ont progressé dans leur technique. L'un d'eux, conservé au Metropolitan Museum, représente le souverain coiffé de la couronne de Haute-Égypte. Le relief peu profond, sans modelé, évoque plutôt un dessin dont les contours durs et précis délimitent de grandes surfaces revêtues de couleurs franches. La technique du « relief dans le creux » se généralise sur les sarcophages des souveraines de la XIᵉ dynastie. On y voit figurer le classique repas funéraire et les travaux agricoles, sculptés dans un calcaire autrefois peint. Plus étonnante est cette scène où la reine assise boit le contenu d'une coupe présentée par un échanson, tandis qu'une servante arrange les boucles de sa perruque. Si les traits rudes des personnages sont aisément reconnaissables, ces œuvres contrastent vivement avec les « reliefs saillants » de la même époque. C'est un autre style qui s'affirme, caractérisé par l'allongement des silhouettes élégantes, l'assouplissement des lignes et la notation exacte du détail des parures.

À la fin de la XIᵉ dynastie, le décor sculpté des temples d'Abydos, d'Ermant ou de Thèbes conserve cette précision, notamment dans la coiffure des déesses ou les détails du costume royal (*nemès* et colliers d'une scène de jubilé, pagne ouvragé d'une scène de consécration). Si ces pièces ont perdu la vigueur des œuvres précédentes, elles nous touchent par la subtilité délicate du modelé des visages.

STATUES. PLUS ENCORE QUE LES RELIEFS, certaines statues de la XIᵉ dynastie sont empreintes de la brutalité qui caractérise le début de la période. Les *Montouhotep* de grès peint provenant du complexe funéraire de Deir el-Bahari rompent avec la sérénité des souverains de l'Ancien

Stèle du roi Serpent, *ainsi appelé parce que son nom
était représenté par un serpent. Époque thinite ;
v. 3000 av. J.-C. Calcaire. H. 1,45 m.
Paris, musée du Louvre.*

Pyramide à 6 degrés du roi Djoser, à *Saqqara*. Le mur d'enceinte (H. 10 m) est une interprétation en pierre du décor primitif de brique et de bois.

Le roi Chephren *protégé par Horus.*
IVᵉ dynastie. Diorite. H. 1,68 m.
Le Caire, Musée égyptien.

Statue de Nésa. *Ancien Empire ;*
IIIᵉ dynastie. Calcaire peint.
H. 1,52 m. Paris,
musée du Louvre.

Vue de la chambre funéraire *dans la pyramide du roi Ounas, à Saqqara.*
À la partie supérieure sont gravés les « textes des pyramides »,
les plus anciens textes religieux écrits. Ancien Empire ; V^e dynastie.

Vue de l'ensemble funéraire de Giza : *pyramides de Chéops, de Chephren (au centre),*
de Mykerinos, construites en calcaire recouvert d'un parement de granit visible
uniquement sur la pyramide de Mykerinos. Ancien Empire ; IVe dynastie.

Mastaba de Mererouka, à *Saqqara*.
Chapelle abritant la stèle « fausse-porte » avec la statue du défunt.
Ancien Empire ; IVᵉ dynastie.

Le scribe accroupi. *Ancien Empire ; V^e dynastie.*
Calcaire polychrome. H. 53 cm. Paris, musée du Louvre.

Modèles de soldats, *provenant d'Assiout. Moyen Empire;*
X^e-IXe dynastie. Bois peint. H. env. 40 cm.
Le Caire, Musée égyptien.

Hippopotame. *Moyen Empire.*
Faïence en pâte de quartz
colorée en bleu, parfois,
appelée « brillante ».
Paris, musée du Louvre.

Statue d'Amenhemat III, *provenant*
de Hawara. Moyen Empire ;
XIIᵉ dynastie. Calcaire. H. 1,60 m.
Le Caire, Musée égyptien.

Pectoral au nom du roi
Sésostris II, *provenant
de Dahshour. Moyen Empire ;
fin de la XIIᵉ dynastie.
Or, cornaline,
Feldspath, lapis-lazuli.
Le Caire, Musée égyptien.*

Temple de Ramsès II
*à Abou Simbel.
Nouvel Empire ; v. 1227
av. J.-C. Les colosses
ont près de 18,30 m de haut.*

25

Vue générale de Deir el-Bahari *(Thèbes)*.
Nouvel Empire ; v. 1480 av. J.-C. Calcaire.

Tombe de Ramosé ; *Mai et son épouse Ourel, membres de la famille du vizir Ramosé, gouverneur de Thèbes. Tombes des notables thébains, n° 55, Seikh Abd el-Gourna. Nouvel Empire ; XVIIIe dynastie. Relief en calcaire.*

Buste de Nefertiti.
Nouvel Empire ; XVIIIᵉ dynastie.
Calcaire polychrome.
H. 48 cm. Berlin,
Ägyptisches Museum.

Sarcophage à viscères de
Toutankhamon. *Nouvel Empire ;*
XVIIIᵉ dynastie. Or, cornaline,
lapis-lazuli, obsidienne, turquoise,
perles de verre.
Le Caire, Musée égyptien.

Pylône du temple d'Edfou. *Le roi Ptolémée XIII fait des offrandes aux divinités du temple. Époque ptolémaïque.*

Déesse aux serpents, *provenant du palais de Knossos. V. 2000-1700 av. J.-C. Musée d'Héraklion. Faïence. H. 34,2 cm.*

Pendentif aux abeilles, *provenant de la nécropole de Chryssolakkos (Malia). Or. Larg. max. 4,7 cm. Musée d'Héraklion.*

Palais de Phaistos, *vu du nord-ouest*.

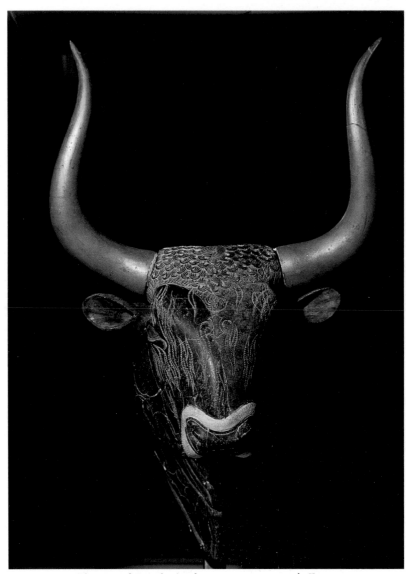

Rhyton en forme de tête de taureau, *provenant de Knossos.
V. 1500. Stéatite noire à incrustations. Musée d'Héraklion.*

Empire. Ces statues, qui figurent le souverain debout, bras croisés sur la poitrine dans l'attitude du dieu Osiris, ornaient pour la plupart l'allée et la cour du sanctuaire. La mieux conservée fut découverte dans un caveau vide, enveloppée de bandelettes comme une momie (Le Caire). Assis sur un trône cubique, coiffé de la couronne rouge de Basse-Égypte et enveloppé dans le manteau blanc du jubilé, le monarque frappe par ses proportions massives, accentuées par des jambes démesurément épaisses ; la fixité des yeux peints, le contraste des couleurs bariolées et de la peau sombre confèrent à l'œuvre un aspect barbare et presque terrifiant.

Nous connaissons peu de sculptures privées de cette période et leur date est parfois discutée. Certaines poursuivent la tradition des portraits funéraires déposés dans les mastabas, telles les deux effigies de l'*Intendant Méry* provenant de la région thébaine. Mais si la position de l'homme assis et son costume s'inspirent d'œuvres de la période précédente, les bras croisés sur la poitrine et le recueillement sont des attitudes nouvelles. Les statues du *Chancelier Nakhti* rappellent par leurs proportions élancées certains reliefs de Deir el-Bahari. La plus belle d'entre elles, exposée au Louvre, appartient à une série de grandes effigies de bois dont le Moyen Empire nous a laissé quelques exemples. Le personnage, représenté grandeur nature, s'avance les bras le long du corps ; une gravité nouvelle émane de cette tête au crâne rasé et aux yeux incrustés. Malheureusement, la date qui est attribuée à cette œuvre, première période intermédiaire ou début de la XIe dynastie, est difficilement conciliable avec la perfection des textes retrouvés dans la tombe.

Infiniment mieux datée, la statuette découverte à Deir el-Bahari dans le sarcophage de la reine Ashayt nous semble bien modeste. L'image de la souveraine, figurée dans la même attitude que Nakhti, est sculptée dans du bois peint et stuqué. Mis à part les yeux incrustés, elle s'apparente par la taille et la matière aux nombreuses figurines retrouvées dans les tombes de la période et que les égyptologues nomment « modèles ».

MODÈLES ET FIGURINES. CERTAINS TOMBEAUX DE L'ANCIEN EMPIRE contenaient des statuettes de pierre représentant en trois dimensions les mêmes serviteurs que nous montrent les reliefs, s'affairant autour du maître : porteurs, boulangers et meuniers, brasseurs de bière, bouchers. On trouve parmi eux quelques véritables petits chefs-d'œuvre, mais la plupart sont grossièrement sculptés. Ces « modèles » se multiplient à la première période intermédiaire et au Moyen Empire, remplaçant les représentations sculptées sur les murs, de plus en plus rares. Ils sont alors en bois et constituent de petites maquettes où plusieurs personnages sont soigneusement ajustés dans un décor reproduisant celui de la vie quotidienne : atelier, villa ou cadre de plein air. Citons un atelier de tisserands dont les ouvriers sont penchés sur leur métier ou dévident des écheveaux de lin, ou des pêcheurs ramenant entre deux barques un filet débordant de poissons. Au Louvre, on peut admirer au fond d'une cour bordée de hauts murs un grenier dans lequel les paysans déversent leur blé sous la surveillance d'un scribe. Les tombes d'Assiout ont livré une véritable petite armée, avec ses soldats qui défilent en brandissant un bouclier et une lance miniatures, et sa troupe d'archers nubiens. On trouve aussi en bonne place les processions de serviteurs chargés de victuailles, marchant en file indienne sur un socle comme ceux découverts dans une sépulture d'el-Bercheh, ou bien ce sont de grandes porteuses d'offrandes, qui s'avancent isolément. La plus belle provient de la tombe thébaine de Mekétré, qui contenait d'autres merveilles, tel ce défilé des troupeaux devant le maître installé sous un baldaquin au milieu de ses sujets. *La Porteuse d'offrandes* du Louvre égale par la pureté de ses lignes et la délicatesse de ses traits les chefs-d'œuvre de la statuaire de pierre. La jeune femme est debout, moulée dans un fourreau qui souligne son corps traduisant l'idéal de l'époque : poitrine épanouie, taille fine et hanches marquées ; elle présente une cruche de bière tout en maintenant sur sa tête un panier surmonté d'un cuisseau de veau. On peut aussi classer parmi les modèles d'autres objets d'albâtre, de terre ou de faïence, qui furent retrouvés dans les tombes. Les plus remarquables sont exécutés dans la très belle « faïence égyptienne », pâte de quartz colorée en bleu vif par un oxyde de cuivre. Les statuettes féminines nommées « concubines du mort » sont elles aussi très souvent en faïence. Sans doute les plaçait-on près du mort pour concevoir un héritier dans l'autre monde qui perpétuerait de cette façon le défunt. Leurs formes généreuses, leur nudité à peine voilée par des colliers et des guirlandes de coquillages empêchent toute ambiguïté sur leur destination. Certaines sont curieusement mutilées : l'artiste a négligé de représenter les pieds, ou bien les pouces ont été intentionnellement coupés, pour éviter que ces images vivantes ne s'attaquent au défunt. Sculptés dans le bois ou la pierre, les premiers *oushebtis* font leur apparition ; ce sont aussi des serviteurs mis à la disposition du mort.

RELIEFS ET STATUES
DES XIIᵉ ET
XIIIᵉ DYNASTIES

(V. 1991-1630 AV. J.-C.)

On a coutume d'opposer la sculpture de la XIIᵉ dynastie, figée, statique et parfois menaçante, à la fraîcheur et à l'optimisme émanant des représentations de l'Ancien Empire. À travers la statuaire royale, que les reliefs reproduisent avec exactitude, on croit pouvoir discerner deux écoles dont les tendances s'opposent, l'école du Nord et l'école du Sud. Mais on pourrait tout aussi bien distinguer les représentations officielles du souverain, images de propagande destinées à affermir son autorité, et celles plus apaisées qui ornent ses monuments funéraires. Œuvres royales et privées témoignent également du succès de la doctrine d'Osiris. Si nous ne pouvons discerner toutes les raisons qui présidèrent à la naissance d'un nouveau style, il est en revanche

possible de définir ce qui lui donne son unité. À la représentation de personnages éternellement jeunes, vêtus de pagnes courts, se substitue celle d'hommes ayant perdu la belle assurance d'antan, drapés dans des manteaux ou de longues tuniques. L'art du portrait se développe mais les visages ont souvent une expression méditative, voire douloureuse ou résignée. Le choix d'attitudes plus statiques ainsi que la recherche de formes plus massives donnent une impression d'immobilité. Les sculpteurs délaissent le calcaire peint pour choisir des roches sombres qu'ils polissent à la perfection. Si l'on a pu parler à cette époque d'un déclin de l'art égyptien, c'est que l'écart s'accentue entre les sculptures royales et celles infiniment nombreuses des particuliers. Au Moyen Empire apparaît pour la première fois une classe moyenne composée d'artisans, de scribes ou de fonctionnaires, qui constitue une nouvelle clientèle pour les artistes. Stèles et statues de petite taille, de qualité souvent médiocre, contrastent vivement avec les chefs-d'œuvre de l'art de cour.

RELIEFS. Les reliefs peints du temple funéraire d'Amenhemat Iᵉʳ assurent la transition entre les œuvres délicates de Tôd ou d'Ermant et le nouveau style de la XIIᵉ dynastie, dont le kiosque érigé à Karnak par Sésostris Iᵉʳ est le plus parfait exemple. On y voit sculpté en assez fort relief l'image du souverain face aux divinités lui accordant leur protection. La composition très sobre s'inscrit dans le cadre des piliers, associant harmonieusement deux ou trois personnages. Le visage royal au modelé subtil est étrangement semblable à celui des divinités ; le roi n'est-il pas fils des dieux ? Les hiéroglyphes qui accompagnent les scènes sont traités avec un soin identique. La même perfection se retrouve dans les blocs provenant d'un sanctuaire construit par Sésostris III à Medamoud. Le plus célèbre d'entre eux porte, gravé dans le creux, une double scène d'offrande du pain ; le pharaon est figuré par deux fois, face au dieu Montou, dans une composition merveilleusement équilibrée autour d'un axe médian. La grande singularité de ce relief est de présenter le souverain sous des aspects différents. À gauche du spectateur, le visage royal offre la rondeur de la jeunesse, alors qu'à droite, on peut distinguer des traits creusés par l'âge. Ce contraste, illustré par quelques statues de la même période, a été diversement interprété. Faut-il y voir l'écho d'une nouvelle conception du pharaon, qui, comme ses sujets, subit les vicissitudes de la nature humaine ? ou bien ces différentes images évoquent-elles en un raccourci saisissant l'idéal d'un cycle de vie éternellement renouvelé ? À ces œuvres qui témoignent du talent des sculpteurs de Haute-Égypte on peut opposer les reliefs ornant le temple funéraire de Sésostris Ier, qui sont directement inspirés par ceux sculptés à Saqqara pour Pépi II, roi de la VIe dynastie. Certaines tombes rupestres de Moyenne-Égypte, en particulier celles de Meir, empruntent également des thèmes aux monuments royaux de la Ve dynastie. Pour le comprendre, il suffit de rapprocher le berger décharné, figuré au tombeau d'un des Oukh-hotep, des Bédouins affamés qui, 400 ans plus tôt, illustraient sur les parois de la chaussée d'Ounas les conséquences d'un « mauvais Nil ». En revanche, les princesses au lotus sculptées dans la tombe de Djéhoutyhotep rappellent par leur ligne élancée et leur visage rude les scènes gravées sur les sarcophages des reines de la XIe dynastie. La dureté des personnages est ici compensée par une polychromie délicate, jouant dans la gamme des ocres et des turquoises. Mais les reliefs sont rares dans les tombes privées du Moyen Empire et ce sont les stèles, ex-voto déposés dans les temples, qui peuvent se mesurer par la qualité de leur sculpture avec les reliefs royaux.

STATUES. Les pharaons de la XIIe dynastie ont peuplé de leurs statues non seulement leur temple funéraire, mais beaucoup de sanctuaires d'Égypte. Cette abondance a permis de discerner deux courants dans l'art du portrait royal, l'un d'un réalisme brutal, l'autre, plus idéalisé. Le premier exprime la puissance du roi d'Égypte en jouant sur des proportions souvent colossales et une apparence sévère. De telles œuvres de propagande se retrouvent du delta du Nil aux confins de la deuxième cataracte. Leurs lignes très simplifiées accentuent des traits qui furent

sans doute ceux des souverains énergiques de la XIIe dynastie : pommettes saillantes, bouche sévère et larges oreilles. L'accent est porté sur la musculature du souverain, donnant l'image d'un athlète capable de vaincre physiquement ses ennemis, aspect que l'on trouve, en particulier, dans une statue de Sésostris II. Avec Sésostris III, le portrait royal atteint une intensité dramatique. Une statue découverte à Médamoud et un masque de granit, tous deux conservés au Louvre, illustrent bien l'effort accompli par l'artiste pour reproduire les traits et exprimer l'âme de son modèle : le visage pathétique de Sésostris III, aux yeux cernés, aux traits marqués par l'âge et à la bouche amère, est de ceux que l'on n'oublie pas. Certaines statues de son fils Amenhemat III s'en rapprochent par bien des aspects, tels les sphinx monumentaux de Tanis aux traits burinés et à l'expression dédaigneuse. Dans la même série de sculptures, que leur rudesse fit un temps nommer « Hyksos », on remarquera un torse d'Amenhemat III trouvé à Mit Farès dans le Fayoum. Le souverain qui porte des insignes sacerdotaux, peau de félin et collier Ménat, est coiffé d'une curieuse perruque, peut-être d'inspiration libyenne.

Les autres statues d'Amenhemat III illustrent combien, malgré la diversité des styles, les artistes de son temps étaient habiles à reproduire les traits d'un modèle qui demeure toujours reconnaissable. Il faut comparer aux monuments précédents les colossales têtes de granit provenant de Bubastis et la statue qui ornait à Hawara le temple de sa pyramide (v. p. 48). Le contraste est frappant. La statue funéraire, sculptée dans le calcaire, nous offre l'image apaisée d'un souverain éternellement jeune. S'il faut y voir l'œuvre de sculpteurs imprégnés de la tradition memphite, il ne faut pas oublier cependant que ce portrait idéal est un double mis à la disposition du défunt. De la même façon, on peut opposer au réalisme des colosses thébains de Sésostris Ier la série des statues assises qui ornaient son temple funéraire. Œuvres remarquables par la finesse du travail et l'harmonie de leurs proportions, mais dont le visage, à l'expression très douce, évoque plus une divinité bienveillante qu'un être de chair et de sang.

À côté de ces effigies royales qui reprennent à quelques détails près (position des mains, éléments du costume) des attitudes héritées de l'époque des pyramides se multiplient les colosses osiriaques. Dès le règne de Sésostris Ier, ils présentent un aspect classique : celui du pharaon sous les traits du dieu Osiris, moulé dans un linceul et les bras repliés sur la poitrine. Adossés à des piliers, les colosses s'intègrent dans l'architecture des temples divins et funéraires ; malgré leurs proportions imposantes, beaucoup d'entre eux reflètent avec fidélité les traits du souverain, tel le fragment appartenant à Sésostris III récemment découvert à Karnak.

Quelques riches tombes privées de la XIIe dynastie possèdent encore dans leur chapelle des statues de pierre du défunt ; il est figuré assis, portant le pagne du pharaon. Celles de Séhétépibré-ankh ou d'Aou, provenant de Lisht, ont un visage assez conventionnel, inspiré du modèle royal. La perruque longue, dégageant les oreilles, est caractéristique de la période. À Assouan, l'une des statues du gouverneur Khéma imite visiblement une effigie assise de Sésostris III ; le visage très idéalisé contraste avec d'autres représentations du même personnage qui sont également déposées dans la chapelle funéraire de la famille de Heka-ib. Parmi les statues féminines de grande taille, on trouve des chefs-d'œuvre, telle la *Statue assise de Nefret*, femme de Sésostris III, ainsi qu'une *Tête de sphinge* conservée au musée de Brooklyn. Sculptées dans des pierres sombres, merveilleusement polies, elles ont perdu leurs yeux incrustés qui devaient en accentuer le caractère impressionnant. Le visage rond de Nefret est encadré par une perruque hathorique dont les boucles retombent sur la poitrine. La statue grandeur nature de Sennouy figure cette noble dame dans la même attitude que Nefret. Mais elle s'en distingue par le traitement du corps aux lignes très dépouillées et par l'extrême pureté du visage. Elle provient de Kerma, en Nubie, où son époux était gouverneur, et la qualité exceptionnelle de l'œuvre permet de supposer qu'elle fut sculptée dans les ateliers royaux puis offerte par le souverain, selon une tradition attestée dès l'Ancien Empire.

Des attitudes nouvelles apparaissent dans la statuaire privée, correspondant à un changement dans la destination des œuvres. Petits et hauts fonctionnaires ont désormais acquis le privilège de déposer leur statue dans les temples divins. Ces effigies qui éternisent leur piété nous montrent des personnages recueillis, drapés dans de longs manteaux et coiffés de lourdes perruques, la main gauche souvent posée sur la poitrine en signe de dévotion. Certaines sont d'une facture excellente comme le *Rehemouankh assis* du British Museum, le *Khnoumhotep accroupi* du Metropolitan Museum de New York ou l'étonnante *Satsnéfrou agenouillée*. Mais beaucoup de pièces provenant d'Abydos, où ces ex-voto étaient déposés près de « l'escalier du grand dieu », sont de petite taille et de facture souvent médiocre. Les visages anonymes sont un lointain reflet de ceux des souverains de l'époque. Si quelques statues de personnages représentés debout, comme celle du *Prêtre Amenemhatankh*, sont de grande qualité, il n'y a plus cet élan, sensible dans les œuvres de l'Ancien Empire. Le mouvement est contrarié par le long pagne et la rigidité des bras et des mains plaquées sur les cuisses. Cette immobilité est accentuée dans les nombreux groupes familiaux, tel celui de Senpou, où l'on voit cinq personnages raidement alignés, se dégageant avec peine du bloc qui constitue le fond de la scène. La stylisation des formes et le jeu des volumes simples atteignent leur apogée avec les « statues-cubes » qui ont été retrouvées en grand nombre près du sanctuaire d'Osiris. Le corps du personnage accroupi, enveloppé dans un grand manteau, est interprété comme un volume cubique d'où émergent les mains posées à plat et une tête dont les traits évoquent ceux du souverain. On a rapproché ces œuvres des colosses osiriaques royaux, voyant en eux une image symbolique des pèlerins, sanctifiés par leur visite au temple.

La statuaire privée produit encore des œuvres honorables sous la XIIIe dynastie.

Les sculpteurs de l'époque excellent à rendre la dignité de hauts personnages engoncés dans leur robe empesée. Au *Vizir Iymérou* du Louvre, qui présente une physionomie froide et conventionnelle, il faut opposer la *Statue de Sobekemsaf* retrouvée à Ermant, qui reflète encore la vigueur des ateliers du Sud : le visage aux traits marqués contraste fortement avec le corps stylisé, comme inscrit dans un cylindre. À la même époque, les effigies royales prennent comme modèle les œuvres du temps d'Amenhemat III. Les représentations du souverain, souvent colossales, ne manquent pas de noblesse mais ont perdu toute originalité. Les Sebekhotep sont un bon exemple de ces copies qui se distinguent de leurs originaux par l'ampleur inaccoutumée du nemès royal et la minceur extrême de la taille.

Peinture

C'est à partir du Moyen Empire que la peinture égyptienne devient un art à part entière, alors qu'auparavant, on l'utilisait comme un complément ou un substitut du relief. Les rares fragments datant de l'Ancien Empire permettent de constater que les techniques n'ont guère évolué par la suite. Les peintures ornant les tombes ne sont pas appliquées directement sur les murs qui sont enduits de limon recouvert d'une fine couche de plâtre ; parfois ce dernier est appliqué seul sur la pierre. Sur cette surface lisse et blanche, l'artiste délimite d'abord des registres horizontaux à l'aide de cordeaux frottés d'ocre rouge, et c'est dans ce cadre que vont s'inscrire des scènes superposées, qui se déroulent de façon continue. Comme les inscriptions hiéroglyphiques qu'elles complètent, ces images peuvent être disposées dans des sens différents, autour d'axes de symétrie constitués par les portes ou les niches à statues. Les « scribes des contours » tracent les silhouettes des personnages et du décor avec des pinceaux rudimentaires, faits d'un brin de jonc à l'extrémité mâchonnée. Quand ils ne laissent pas le fond blanc, ils étendent avec des nervures de palme le gris, l'ocre ou le noir sur lequel se détacheront les sujets. Ceux-ci sont également exécutés avec un matériel d'une étonnante simplicité : pinceaux végétaux, coquillages et tessons de poterie pour délayer la poudre colorée dans de l'eau additionnée de gomme. Dans leur majorité, les couleurs étaient minérales : ocre rouge, ocre jaune, blanc de craie ou plâtre, oxydes de cuivre bleu ou vert ; le noir était à base de noir de fumée. Cette palette de tons francs permettait d'obtenir des teintes raffinées en mélangeant les poudres. Les artistes savaient aussi jouer sur les contrastes et excellaient à exalter une couleur en la rapprochant d'un noir, d'un blanc ou d'un gris. Les peintures comme les reliefs obéissent aux règles du dessin égyptien telles qu'on les trouve établies dès les premières dynasties. Pour rendre sur une surface plane les éléments que la nature échelonne en profondeur, l'artiste égyptien n'utilise pas les lois classiques de la perspective, mais se rapproche des solutions adoptées par les peintres cubistes.

Comme la sculpture, la peinture égyptienne est un art magique, qui recherche l'efficacité : elle récapitule en une seule image tous les aspects importants d'un personnage ou d'un objet que l'on s'efforce de représenter le plus complètement possible. Dans ce but, on conjuguera des éléments de face, de trois quarts et de profil pour rendre les traits les plus caractéristiques du corps humain : le visage de profil est complété par un œil vu de face, le torse figuré de face déploie toute sa largeur mais est limité par le profil du dos et d'un sein, le bassin de trois quarts est prolongé par des jambes de profil, dont l'exact alignement ne tient pas compte de la perspective. Ces « rabattements », qui représentent sur une surface plane des réalités qu'on ne peut voir que successivement, en regardant un objet sous des angles différents, sont employés fréquemment pour rendre des éléments d'architecture ou des paysages. Un bâtiment est indiqué par un plan semblable à celui qu'établirait aujourd'hui un architecte ; mais les portes et les fenêtres sont rabattues tout autour des murs, tandis que le mobilier est dessiné à l'intérieur comme s'il était vu à travers un plafond transparent. Ce principe de la « suppression des masques » se retrouve dans les scènes où l'artiste n'hésite pas à interrompre le premier plan, pour y introduire momentanément une figure qui en réalité se trouve à l'arrière-plan. Ainsi à Beni-Hassan, une brèche est pratiquée dans le fourré de papyrus, là où se dissimule le chasseur à l'affût.

Une autre façon d'exprimer une scène dans son intégralité consiste à décaler les personnages ou les objets normalement situés les uns derrière les autres. Ainsi, les porteurs d'offrandes marchant en file indienne sont représentés côte à côte ; un amoncellement de victuailles sur une table est étalé verticalement, fruits et légumes superposés sans souci de la pesanteur. Le dessin égyptien en effet ne représente pas la réalité, mais uniquement l'essentiel : c'est ce que traduisent également les échelles différentes utilisées dans un même décor. L'artiste représente toujours en plus grandes dimensions les scènes et les personnages importants, et c'est ainsi que le défunt se distingue des membres de sa famille ou de ses serviteurs par ses proportions imposantes.

Il faut connaître ces conventions pour pouvoir apprécier les peintures du Moyen Empire, qui décorent essentiellement les tombes rupestres de Moyenne- et de Haute-Égypte. La tombe thébaine du *Vizir Antefoker* est la seule qui puisse leur être comparée. Beaucoup de scènes sont empruntées aux mastabas du temps des pyramides, mais la fraîcheur des teintes vives leur confère un charme nouveau. Ainsi, la classique partie de chasse dans les marécages est renouvelée à el-Bercheh par l'exécution magistrale d'oiseaux multicolores perchés dans un acacia que son feuillage léger rend presque transparent. Une tombe de Beni-Hassan ennoblit par un jeu subtil de couleurs le thème déjà connu du gavage des animaux. Le rose du pelage des oryx est exalté par les noirs et les blancs de leurs cornes effilées. La couleur est étendue en zones franches, mais un essai de dégradé est tenté sous la gorge de l'animal. D'autres peintures sont plus remarquables pour leur caractère anecdotique ; ainsi le transport de la statue colossale qui ornait la tombe du prince Djéhoutyhotep à el-Bercheh, ou l'arrivée d'une caravane d'Asiatiques dont les vêtements bariolés sont rendus avec une fidélité extraordinaire. Les représentations de batailles et les exercices gymniques qui y préparaient sont une des créations de la période. L'image de la forteresse assiégée ou celle des lutteurs qui s'affrontent deux par deux reflètent un sens aigu de la composition et du mouvement, accentué par le rythme des personnages, alternativement clairs et foncés. Les offrandes, les « frises d'objets » directement peints sur les parois de bois des sarcophages présentent, en dépit de leur caractère utilitaire, le même souci décoratif. Au musée de Boston, une « nature morte » dominée par l'image de deux canards au col recourbé égale par la fraîcheur de ses couleurs et l'harmonie de la composition les plus belles scènes de tombes.

Arts du métal

La naissance d'une statuaire de bronze témoigne de la maîtrise qu'atteint alors le travail du métal. Les œuvres, de petite taille, s'inspirent étroitement des exemplaires de pierre : femmes assises comme la petite *Dame Nanteuil*, hommes longilignes. Certaines statuettes, d'un travail plus soigné, sont incrustées d'or et d'argent, tel le *Pseudo-vizir* du Louvre ou un précieux *Crocodile* aujourd'hui conservé à Munich.

L'Ancien Empire nous avait enseigné que, dès cette époque, les orfèvres savaient façonner les métaux précieux ; mais il nous est parvenu bien peu de choses : la tête d'un faucon divin exhumée à Hiéraconpolis, le mobilier funéraire de la mère de Chéops et quelques joyaux en or disséminés jusque dans les oasis. Le Moyen Empire se révèle en revanche une période brillante pour l'orfèvrerie et la bijouterie. À Dahshour, Illahoun, Hawara, les tombes des princesses royales ont livré de splendides bijoux, tandis que la dernière parure de la *Dame Senebtisi*, qui se fit enterrer à Lisht, nous donne un aperçu de la parure privée. À aucune autre époque, orfèvres et lapidaires ne concilieront une technique aussi éblouissante et un goût aussi sûr pour les lignes sobres et les jeux de couleurs. Deux diadèmes provenant de Dahshour et inspirés par les couronnes de fleurs dont se paraient les Égyptiens les jours de fête illustrent bien la diversité des formes. L'un est traité dans un style naturaliste : un lacis de fils d'or d'une extrême légèreté imite les tiges sur lesquelles sont posées des fleurs et des fruits réalisés en turquoise, en lapis et en cornaline, aux couleurs éclatantes. Les mêmes pierres, serties dans de minces feuilles d'or selon la technique du cloisonné, sont utilisées pour réaliser une parure bien différente sur un thème identique. L'interprétation en est très géométrique, les marguerites se réduisent à des cercles et les lotus évoquent une sorte de lyre. On retrouve la même sobriété alliée au goût des couleurs vives dans les pectoraux, pendentifs destinés à orner la poitrine. Ils inscrivent dans un décor architectural des figures symbolisant la toute-puissance du pharaon, découpées et incrustées de pierres.

Pourtant, la société capable de créer de tels chefs-d'œuvre sombre dans la décadence dès la fin de la XIIe dynastie. Le pouvoir royal s'effondre, miné par les usurpations successives, l'alternance de pharaons ambitieux ou falots. Les Hyksos, peuplade orientale, envahissent le Nord, s'y installent en pays conquis et proclament la souveraineté de leurs chefs. Alors commence pour l'Égypte les sombres années de la seconde période intermédiaire (v. 1786-1555 av. J.-C.).

Bibliographie sommaire

ARNOLD (D.), *Der Tempel des Königs Mentuhotep von Deir el Bahari*, 2 vol., Von Zabern, Mayence, 1974. EVERS (G.), *Staat aus dem Stein*, 2 vol., Bruckmann, Munich, 1929. IVERSEN (E.), *Canon and Proportions in Egyptian Art*, Aris and Phillips, Warminster, 1975. SIMPSON (K.), *The Terrace of the Great God at Abydos, the Offering Chapels of Dyn. 12 and 13*, Eastern Press, New Haven (USA), 1974. TERRACE (L. B.), *Egyptian Paintings of the Middle Kingdom -The Tomb of Djehuty -Nekht*, von Zabern, Mayence, 1975.

LE NOUVEL EMPIRE, OU LE TEMPS DES CONQUÊTES

(V. 1580 - 1085 AV. J.-C.
XVIIIe, XIXe et XXe DYNASTIE)

AVEC LA CHUTE DU MOYEN EMPIRE, l'Égypte connaît pour la seconde fois une période de troubles peu favorables à l'art. Cependant les envahisseurs hyksos ont maintenu la vie intellectuelle et apporté bien des nouveautés qui sont assimilées par les Égyptiens ; elles vont de l'usage du cheval, qui modifie complètement l'art de la guerre, jusqu'à l'emploi de motifs décoratifs inconnus alors, telles la spirale ou la palmette. De nouveau, le sursaut national vient du Sud, avec la résistance des princes thébains Kamosis et Ahmosis. Ce dernier conquiert Avaris, la capitale que les Hyksos avaient édifiée dans le Delta oriental. Après l'expulsion des envahisseurs débute le Nouvel Empire, époque brillante caractérisée par un essor artistique sans précédent. À la XVIIIe dynastie fondée par Ahmosis succèdent les XIXe et XXe dynasties qui correspondent à l'époque ramesside. Il semble que le choc de l'invasion ait engendré une réaction nationaliste, et les nouveaux pharaons se taillent un vaste empire colonial qui s'étend de l'Euphrate au Soudan. Les annales royales décrivent les monceaux d'or et de matières précieuses, les esclaves, les chars et les chevaux conquis par le roi d'Égypte. Butin de guerre ou impôts annuels, cet afflux de richesses explique le luxe et le raffinement de l'époque. Échappée par miracle au pillage de la Vallée des Rois, la tombe de Toutankhamon est la seule à nous faire entrevoir la richesse inouïe des pharaons du Nouvel Empire. Quand l'archéologue Carter la découvrit en 1922, la dernière demeure de ce petit roi mort à 18 ans renfermait toujours les fabuleux trésors déposés il y a près de 3 000 ans : masque funéraire et sarcophage d'or massif, chapelles de bois doré, statues et bijoux somptueux, meubles ouvragés et vases d'albâtre.

Au contact des civilisations orientales, les mentalités et les goûts évoluent. Si la prospérité touche la société tout entière, l'un des principaux bénéficiaires en est le clergé d'Amon ; les souverains reconnaissants comblent de largesses le dieu qui leur a accordé la victoire. Amon, patron de Thèbes capitale de l'Empire, concentre une partie de la fortune du pays entre les mains de son grand prêtre. La tentative d'Aménophis IV Akhenaton qui instaure une religion rivale, celle du globe solaire Aton, et fonde la cité d'Amarna, sera sans lendemain dans le domaine religieux. Après lui, les pharaons continuent d'embellir pour Amon le plus vaste ensemble religieux de tous les temps, Karnak et Louxor.

Le style amarnien ne sera guère plus durable. Directement inspiré par Akhenaton, il reflète les tendances de la nouvelle religion sans toutefois rompre avec les conventions traditionnelles. Il se distingue par une plus grande liberté, un sens aigu du mouvement, le goût des scènes familiales et des foules animées. La plus grande originalité réside sans conteste dans la représentation du corps humain, volontairement déformé et imitant sans doute les particularités physiques du roi. Intermède plus que « révolution », l'époque amarnienne léguera cependant à l'art égyptien des apports nouveaux tels que le sens du pathétique, un réalisme proche de la vérité et un assouplissement des lignes.

Architecture

TEMPLES DIVINS ET « CHÂTEAUX DE MILLIONS D'ANNÉES »

Ce n'est pas à Karnak, enchevêtrement grandiose de constructions successives, qu'il faut rechercher le plan désormais classique des temples divins. On le trouvera plutôt à Louxor, dont la réalisation fut menée à bien par Aménophis III, Toutankhamon et Ramsès II. La chapelle que venait habiter chaque année le dieu Amon, transporté solennellement en barque, s'allonge parallèlement au Nil, tournée vers le grand temple, alors qu'à l'ordinaire l'axe des sanctuaires égyptiens, perpendiculaire au fleuve, était orienté d'est en ouest. Le pèlerin accédait à la chapelle par un *dromos,* voie sacrée bordée de sphinx de pierre. Loin devant lui, il voyait se découper la silhouette caractéristique de la porte monumentale, ou pylône, constituée d'un massif de maçonnerie flanqué de deux tours trapézoïdales, dont la forme évoque l'horizon où chaque jour renaît le soleil. Au sommet des grands mâts fixés dans des rainures, les drapeaux divins claquaient au vent. Deux aiguilles de granit partiellement plaquées d'or se dressaient devant l'entrée, comme des rayons pétrifiés. L'un de ces obélisques fut offert en 1831 au roi Louis-Philippe par Méhémet-Ali. Depuis 1836, il orne à Paris la place de la Concorde. Des statues colossales du roi fondateur gardaient la porte qui donne accès à une enfilade de cours à portiques et de salles ornées de colonnes, les salles hypostyles. Tout au fond, la partie secrète, accessible aux seuls prêtres, comprenait un sanctuaire avec le *naos,* tabernacle contenant la statue du dieu, et des chapelles adjacentes, dont l'une était consacrée à la naissance divine du pharaon. Sur deux côtés étaient ménagées des niches correspondant aux sacristies, où les officiants rangeaient les objets du culte. Le temple de Louxor est justement renommé pour la beauté des hautes colonnes qui ornent son hall d'entrée et la pureté des colonnades bordant ses cours. Leur forme s'inspire d'éléments végétaux et des textes tardifs les comparent aux fourrés de papyrus et de lotus qui peuplent les marais à la limite des terres cultivables. Ce foisonnement de plantes doit être rapproché de certains récits évoquant la création du monde, où le soleil émerge de la corolle d'un lotus tandis que les papyrus, symboles de vigueur, jaillissent des eaux dormantes.

Avec leur sol étincelant qui évoque la terre inondée, avec leurs plafonds parsemés d'étoiles, les sanctuaires égyptiens ne sont pas une simple représentation de la nature ni du mystère de la création ; ce sont des images réduites du monde, où par l'intermédiaire du roi s'effectue le dialogue nécessaire entre l'homme et la divinité. Tout contribue à en renforcer le symbolisme : les formes choisies par l'architecte, l'emploi de matériaux chargés de signification, les images et les textes sculptés sur les murs, les couleurs conventionnelles qui les animent. Ce décor est mis en scène d'une façon théâtrale par le jeu des lumières et des ombres, par l'exhaussement progressif des dallages et l'abaissement des plafonds menant au sanctuaire où le dieu repose dans une pénombre protectrice.

Tous ces éléments se retrouvent à Karnak où, du Moyen Empire à la Basse Époque, chaque souverain s'employait à surpasser l'œuvre de ses prédécesseurs. Dans ce but, les pharaons n'hésitaient pas à démanteler des monuments antérieurs pour les inclure dans leurs propres constructions. Aussi l'exploration du site a-t-elle révélé bien des surprises. Les archéologues ont exhumé les fragments de monuments magnifiques dont certains sont aujourd'hui reconstitués : une chapelle d'albâtre construite par Aménophis Ier, des blocs de quartzite provenant d'un édifice analogue élevé par la reine Hatchepsout, les vestiges d'une cour à péristyle portant le nom de Thoutmosis IV.

On comprend mieux ainsi la complexité extrême du plan. C'est du sommet du premier pylône que l'on peut d'un seul coup d'œil embrasser ce « domaine du divin » où régnait Amon. Au sein d'une muraille de brique percée de monumentales portes de grès, on distingue trois zones, elles-mêmes entourées d'une enceinte. Au nord se dressent les sanctuaires élevés pour l'antique dieu Montou. Au sud, une palmeraie romantique dissimule les monuments consacrés à la déesse Mout, épouse d'Amon. Le centre, fastueuse succession de pylônes et de sanctuaires alignés sur deux axes perpendiculaires, appartient à Amon. On y trouve aussi quelques chapelles secondaires, comme celle consacrée à son fils Khonsou. Sur cette aire vaste de 300 000 m² se dressent des ruines grandioses dans lesquelles on ne reconnaît pas moins de 10 pylônes successifs, entrecoupés de colonnades, d'obélisques et de colosses. Elles reflètent la puissance des rois du Nouvel Empire, et constituent un hymne de reconnaissance envers le dieu qui les a soutenus dans leurs combats lointains.

Parmi les constructions les plus prodigieuses, il convient de citer la grande salle hypostyle, construite par Sethi Ier et décorée par Ramsès II. Avec ses 103 m de largeur et ses 52 m de profondeur, elle est l'un des plus grands monuments du monde et compte une forêt de 134 colonnes papyriformes, chargées d'inscriptions et de scènes gravées. On a calculé que 100 hommes tiendraient debout sur leur monumental chapiteau. Les colonnes de la travée centrale épanouissent leurs ombelles terminales à 20 m de haut. Celles des travées latérales, où règne la pénombre, possèdent des ombelles fermées et sont de moindre dimension, avec une hauteur de 13 m. Des claustra, dalles de grès ajourées hautes de 5 m, laissent filtrer la lumière. Elles sont placées de manière à rattraper la différence de niveau entre le plafond de la nef centrale, plus haute, et celui des bas-côtés. Ce type de construction qui évoque nos basiliques chrétiennes apparaît pour la première fois à Karnak dans un monument élevé par Thoutmosis III. Situé à l'est du grand temple, l'Akhménou possède une salle des fêtes dont la nef centrale est supportée par deux séries de 10 colonnes évoquant des piliers de tente archaïques.

Les temples divins qui s'élevèrent de la Nubie au Delta symbolisaient aussi la cohésion de l'Empire. C'est ainsi que les rois des XVIIIe et XIXe dynasties érigèrent dans le Sud récemment conquis des sanctuaires où le culte royal est associé à celui des grands dieux ou des divinités locales. Échelonnés le long du Nil, ils comprennent des monuments classiques comme celui de Soleb, situé au sud de la deuxième cataracte, et consacré au culte d'Amon et du roi Aménophis III. Plus caractéristiques sont les temples creusés dans le roc. Certains associent un pylône et une cour à un sanctuaire ménagé dans la falaise, tel celui de Ouadi es Seboua. D'autres sont entièrement rupestres. Ceux d'Abou-Simbel, les plus célèbres, ont été récemment sauvés des eaux du lac Nasser par un mouvement de solidarité internationale. L'un est dédié à la triade Amon-Rê Horakhti Ramsès II, l'autre à la reine Nefertari comme incarnation de la déesse Hathor. Tous deux, taillés dans la montagne, s'intègrent merveilleusement au paysage de Nubie. Leur façade rocheuse, sculptée en forme de pylône, est ornée de statues monumentales : quatre colosses assis hauts de 20 m flanquent l'entrée du premier temple, tandis que le second est orné de six grandes effigies de Ramsès II et de son épouse. La partie intérieure reproduit les éléments essentiels du temple classique, comme on peut le saisir dans le *spéos* de Ramsès II par exemple. Une première salle comprenant deux rangées de piliers osiriaques sculptés à même le grès évoque une cour à ciel ouvert. Elle est suivie d'une autre salle à piliers carrés qui introduit au saint des saints ; là, sur la paroi rocheuse, se détachent les statues d'Amon et de Rê encadrant le roi divinisé.

Les vestiges de Tell el-Amarna ont révélé le plan des sanctuaires élevés par Aménophis IV pour le globe solaire Aton. Leur conception, radicalement différente de celle du temple classique, se rapproche de celle des monuments d'Abou Gourab, à la Ve dynastie. Dédiés au soleil, ils ont la particularité d'être entièrement à ciel ouvert, les linteaux des portes menant d'une salle à l'autre étant eux-mêmes interrompus en leur milieu. Les rayons de l'astre frappent directement les nombreuses tables d'offrandes réparties le long d'une allée centrale et inondent de leur lumière le grand autel placé au centre du saint des saints.

« Château » ou « château de millions d'années à l'occident de Thèbes », tel est le nom égyptien de temples qui, par leur structure, ne diffèrent guère du temple divin classique. Mais ils ont la particularité d'être bâtis sur la rive ouest de Thèbes, à la lisière des cultures, là où commence le domaine des morts. Comme autrefois les temples des pyramides, chacun d'entre eux est associé à la tombe d'un pharaon dissimulée à quelques kilomètres de là, dans la Vallée des Rois. Le culte que l'on y célèbre s'adresse à la fois au monarque et au dieu Amon dont il est l'héritier sur terre. C'est là que chaque année l'idole de Karnak vient reposer quelques jours durant ce que l'on nomme « la belle fête de la Vallée ».

Le plus beau d'entre tous, « le splendide en splendeurs » puisque tel est son nom, fut édifié pour l'une des rares souveraines égyptiennes, Hatchepsout. Adossé à la falaise de Deir el-Bahari, il s'intègre d'une façon parfaite au paysage. Il semble que son architecte, un favori de la reine nommé Senmout, se soit inspiré du monument tout proche bâti pour Montouhotep. Comme lui il s'élève en gradins et ses trois terrasses, reliées par des rampes en pente douce, sont bordées de portiques ; la terrasse supérieure, autrefois ornée par les statues colossales de la reine, conduit au sanctuaire profondément creusé dans la falaise. Il est situé dans l'axe des rampes et de l'allée de sphinx bordée d'arbres qui y accédait. L'une des deux chapelles qui le flanquent est dédiée au père de la souveraine. Sur la deuxième terrasse, deux chapelles sont consacrées à des divinités funéraires : les piliers de celle d'Hathor portent à leur sommet le gracieux visage de la déesse (d'où leur nom de piliers hathoriques). Les portiques qui les précèdent sont ornés de reliefs célèbres, racontant la naissance divine d'Hatchepsout et les épisodes d'une expédition menée au pays de l'encens (pays de Pount). La grande pureté des lignes, l'harmonie des gradins s'élançant vers la montagne font de Deir el-Bahari un chef-d'œuvre unique auquel les autres temples de la rive ouest ne peuvent être comparés.

Du monument de brique crue, long de 600 m, édifié par Aménophis III, il ne reste que les deux statues qui ornaient le pylône. Leur réputation a traversé les siècles sous le nom de *Colosses de Memnon*. S'ils dominent toujours la plaine de leurs 20 m de haut, ils n'émettent plus au soleil levant la plainte mélodieuse qui les fit placer parmi les Sept Merveilles du monde. Un peu plus loin, enfoui sous une verdure romantique, le *Ramesseum* perpétue la mémoire de Ramsès le Grand. Avec ses statues monumentales qui gisent aujourd'hui sur le sol, son énorme pylône effondré, son colosse pesant près de 1 000 tonnes, il inspira au poète Shelley des vers mélancoliques. Son plan est celui des temples classiques, mais il possède les proportions grandioses des monuments ramessides. Tout autour subsistent encore de nombreux bâtiments de brique, ateliers, maisons des prêtres et vestiges d'un palais royal s'ouvrant par trois portes sur la première cour du temple. Des constructions identiques se retrouvent à Médinet Habou, le plus important des temples de la XXe dynastie. Celui-ci est remarquablement conservé, et possède une enceinte empruntant certains éléments aux fortifications syriennes que le roi avait pu voir lors de ses campagnes. La haute porte crénelée du sud-est a été baptisée « migdol » par les archéologues, en raison de sa ressemblance avec les forteresses orientales.

C'est au « temple de millions d'années » qu'il faut comparer le sanctuaire élevé par Sethi Ier à Abydos, la ville sainte d'Osiris, qui se compose de deux édifices juxtaposés. Le temple souterrain doit être interprété comme une tombe fictive, un cénotaphe, plaçant le roi défunt sous la protection du dieu des morts. Son long corridor, inspiré de ceux de la Vallée des Rois, descend en pente douce vers une « chambre du sarcophage » aujourd'hui envahie par les eaux. Il faut imaginer cet ensemble recouvert d'une butte de terre plantée d'arbres, semblable à la tombe d'Osiris que nous décrivent les textes. Adossé à ce monument se dresse le temple de calcaire fin où l'on célébrait le culte du roi, identifié au dieu d'Abydos. Deux cours et deux salles hypostyles précèdent les sept sanctuaires respectivement dédiés à Sethi Ier, aux divinités locales (Osiris, son épouse Isis et leur fils Horus) et aux grands dieux de l'Empire : Ptah, Réhorakhty, Amon. Tout au fond, une longue chapelle consacrée à Osiris-Sokaris possède l'un des rares rituels du culte divin.

LA VALLÉE DES ROIS

Au Nouvel Empire, les pharaons abandonnent la classique pyramide pour se faire aménager des tombes secrètes, taillées dans la falaise thébaine. À partir de Thoutmosis Ier, toutes sont creusées sur les flancs d'une gorge sauvage et brûlée de soleil. La célèbre Vallée des Rois est dominée par une montagne de forme pyramidale, singularité qui détermina le choix du site, à l'ouest de la ville où, de tout temps, les Égyptiens ont placé le domaine des morts. Aussi, pour l'habitant de Thèbes, la nécropole s'étend sur la rive gauche du Nil, là où chaque soir on voyait disparaître le soleil. En s'associant à son périple, le défunt avait l'espoir de partager sa résurrection quotidienne. Il se plaçait en même temps sous la protection d'Hathor, déesse de l'Occident, qui est parfois figurée sous l'aspect d'une vache sortant de la montagne pour accueillir le mort.

Si les 58 tombes royales ne présentent pas un plan identique, elles comportent toutes un long couloir descendant vers la salle du sarcophage. Long de plus de 100 m, il s'inspire du corridor des pyramides d'antan. Son tracé est d'abord curviligne, puis il fait un angle droit avant d'adopter à partir d'Horemheb la forme d'un tuyau de flûte (la syringe des Grecs). Ses parois sont décorées de peintures et de textes évoquant le voyage du roi dans l'au-delà, voyage assimilé à la course du Soleil. Avant d'aboutir à la chambre sépulcrale, le chemin est entrecoupé de puits jouant le rôle des herses de pierre qui interdisaient l'accès au caveau des pyramides. Tout au fond, protégé par un sarcophage de pierre dure, le pharaon reposait dans une grande salle à piliers, précédée d'une antichambre. Chaque tombe était close par une porte taillée dans la pierre et scellée, d'où le nom actuel de ce site désolé, Bibân el-Molouk, « portes des rois ». Tout près de là, un autre *ouadi* abritait les momies des reines et des princes. Ce défilé, auquel les Arabes donnent le nom de Bibân el-Harim est la Vallée des Reines. La plus belle sépulture appartient à Nefertari, la grande épouse de Ramsès II ; célèbre par l'éclat de ses peintures, elle présente un plan qui rappelle celui de la tombe de son époux.

LES SÉPULTURES PRIVÉES DE LA RÉGION THÉBAINE

Les tombes privées qui s'échelonnent sur la rive gauche de Thèbes, entre la colline de Dra Abou'l Naggah et la gorge de Deir el-Medineh, nous donnent une image exacte des sépultures du Nouvel Empire. Elles sont plus de 400, dont la plupart appartiennent aux notables du temps. Une cour avec façade ornée de stèles précède la chapelle creusée dans la falaise. Une large salle communique avec un couloir menant à la partie la plus reculée où sont placées les statues du mort, qui repose dans un caveau souterrain auquel on accède par un puits. Les peintures vives et fraîches qui en couvrent les murs gardent le souvenir d'une vie heureuse, se déroulant dans un cadre luxueux et raffiné.

À Deir el-Medineh, les tombes des artisans qui œuvrèrent dans la Vallée des Rois possèdent une architecture originale, avec leur cour précédée d'un pylône miniature et leur chapelle surmontée d'une petite pyramide de brique. Celle-ci est ornée d'un pyramidion de calcaire où l'on peut voir l'image du défunt adorant le soleil.

VILLES ET VILLAGES DU NOUVEL EMPIRE

Deir el-Medineh a également conservé les ruines des maisons où vécurent les scribes, les peintres, les sculpteurs, les carriers ou les manœuvres qui, jour après jour, aménageaient la sépulture royale. Le village, fondé au début de la XVIIIᵉ dynastie, comprenait sous Ramsès II une quarantaine de maisons très simples dont le nombre s'accrut encore. Faites de pierres sèches, elles possédaient une entrée avec une estrade surélevée, une salle de réception embellie par une ou deux colonnes et, derrière cet espace, la chambre à coucher et la cuisine. Le village, avec ses maisonnettes séparées en deux quartiers par une rue centrale, était entièrement ceint d'un mur.

Bâtie par Akhenaton, la ville nouvelle d'el-Amarna associait aux maisons ouvrières des villas et des palais selon un plan qui témoigne d'un souci d'urbanisme : trois grandes rues parallèles au fleuve formaient un quadrillage avec des voies secondaires. Au nord, le quartier des marchands et des boutiquiers regroupait des maisons modestes. Au sud, les demeures des hauts fonctionnaires s'élevaient au milieu de jardins fleuris, plantés de palmiers, d'acacias et de sycomores, et ornés de pièces d'eau. La maison du maître était entourée de bâtiments comprenant cuisines, habitations des domestiques et des animaux, celliers et silos à grain. On y retrouve les deux divisions traditionnelles de la maison égyptienne : réception et appartements privés qui sont parfois situés au premier étage. Ces derniers possèdent déjà toutes les commodités : salle d'ablutions avec des pierres plates creusées de rigoles pour l'évacuation de l'eau, et cabinets munis de sièges fixes ou mobiles.

Au centre s'étendait le palais royal, pour lequel la pierre a été largement utilisée. Il comprenait une partie officielle avec une cour ornée de statues royales et un pavillon doté d'un balcon où le souverain et sa famille pouvaient se montrer à la foule. Au-delà se succédaient des cours, une immense salle avec 48 colonnes, et un vaste édifice avec plusieurs salles hypostyles. Les appartements privés se trouvaient de l'autre côté de la rue principale, au milieu de jardins, et un pont les reliait aux bâtiments officiels. Les ruines d'Amarna, comme celles de Malgatta où demeurait Aménophis III, ont révélé que les sols et les murs de ces palais royaux étaient recouverts de peintures ou d'incrustations de faïence colorée. On a retrouvé de tels carreaux décorés à Médinet Habou, où le « pied-à-terre » réservé à Ramsès comportait également une « fenêtre d'apparition », et à Quantir, dans le Delta, où les souverains ramessides avaient transporté leur demeure.

Reliefs et peintures

Comme par le passé, les temples et les tombeaux du Nouvel Empire sont embellis par des décors sculptés ou peints. Les reliefs répètent les traditionnelles scènes de culte qui nous montrent le roi en présence des dieux. Cependant on voit apparaître des thèmes nouveaux, comme l'évocation des hauts faits du souverain, qui se plaît à retracer, sur les murs extérieurs et les façades des pylônes, le récit d'expéditions lointaines ou de campagnes victorieuses, grâce à la protection divine. Les parois friables des tombes creusées dans le calcaire thébain sont le plus souvent égalisées avec du plâtre ou du limon, et ornées de peintures. Mais le relief est utilisé dans quelques sépultures royales et certaines tombes appartenant à des ministres et hauts fonctionnaires sont taillées dans des couches de roche plus dure. Alors que dans la Vallée des Rois, les murs sont uniquement ornés de scènes religieuses, ceux des tombes privées y associent des évocations plaisantes de la vie terrestre. Elles perpétuent magiquement pour le mort l'image d'un « jour heureux », avec des banquets où les convives parés de fleurs s'enivrent de musique et de danse, des parties de chasse et de pêche dans les marais. D'autres font étalage de la richesse et de la puissance de leur propriétaire et rendent à la manière d'un récit autobiographique les principaux événements de sa vie professionnelle : on y voit ici un vizir qui reçoit des mains du roi l'insigne de sa fonction et écoute les recommandations sur la manière de l'exercer ; là un ministre accueille les délégations venues du Soudan, d'Asie ou des îles de la Méditerranée, tandis qu'un maître orfèvre montre son atelier en pleine activité. Toutes ces représentations se caractérisent par un style élégant et gracieux, d'une harmonie extrême. Hommes et femmes reflètent le même idéal de beauté : des corps jeunes, souples et élancés, des visages charmants et presque enfantins avec de grands yeux en amande. Les tuniques de lin aux larges manches plissées, les perruques aux boucles innombrables et les bijoux chatoyants illustrent le luxe de la période. Mais, malgré cette unité, des étapes peuvent être discernées dans l'élaboration du style.

LA XVIIIᵉ DYNASTIE JUSQU'AU RÈGNE D'AMÉNOPHIS III

Les artistes du début de la XVIIIᵉ dynastie tentent de renouer avec la tradition des époques précédentes. Le souci d'archaïsme, la rigidité du tracé sont sensibles sur une stèle d'Abydos dédiée par Ahmosis, le libérateur de l'Egypte. Mais déjà à Deir el-Bahari, si les guerriers revenant du pays légendaire de l'encens sont coiffés comme au temps des pyramides, la liberté de leurs mouvements, leur corps élancé au modelé précis annoncent déjà le style de la période. Un pylône de Karnak orné de l'image de Thoutmosis III abattant ses ennemis est caractéristique du relief officiel de la XVIIIᵉ dynastie. Exécutée dans du « relief en creux » où elle vibre à la lumière, la scène symbolise la victoire du pharaon sur les forces du désordre ; bien qu'elle dénote un grand sens du mouvement on n'y trouve aucun réalisme. Il s'agit d'un acte rituel et non d'un récit, comme le souligne la composition symétrique de prisonniers empoignés par les cheveux. L'art du relief atteint sa perfection sous le règne d'Aménophis III. Les tombeaux de ses dignitaires, Ramosé, Khérouef ou Khaemhat, offrent des scènes délicatement sculptées dans du calcaire, dont la blancheur n'est parfois rehaussée que par une touche de noir soulignant le regard. On est captivé par l'harmonie des corps et la pureté des visages, dont le modelé léger contraste avec les détails méticuleux des perruques et des vêtements savamment travaillés.

La XVIIIᵉ dynastie constitue l'âge d'or de la peinture égyptienne. Les innombrables tombes de la région thébaine reflètent l'activité intense des peintres de l'époque dont le style évolue parallèlement à celui des reliefs, mais il s'affranchit davantage des conventions et découvre des ressources qui lui sont propres.

Si les porteurs d'offrandes peints dans la tombe thébaine de l'intendant Amenhemat s'inspirent visiblement des représentations de mastabas, dès le règne de Thoutmosis III, la sépulture de Rekhmiré donne l'image surprenante d'une petite servante vue de dos et offrant à boire. Un peu plus tard, chez Nakht, Menna ou Djeserkareseneb, les artistes abandonnent les tons francs et les silhouettes cernées d'un trait appuyé pour étudier le jeu des ombres et les dégradés subtils. Les effets de transparence apparaissent dans les tuniques plissées et l'on essaie de reproduire les mèches folles masquant à demi une tempe ou un front. Les thèmes anciens sont repris avec une grâce inégalée, telle cette chasse dans les marais au tombeau de Menna, où une jeune fille nue se penche sur l'eau pour cueillir un lotus. Beaucoup d'œuvres exaltent la beauté des corps féminins à peine voilés par des drapés savants ou simplement ornés d'une ceinture. Les lignes s'assouplissent pour reproduire les poses nonchalantes des belles dames conversant, la frénésie des danseuses et des musiciennes qu'on se hasarde parfois à figurer de face ou les lamentations tragiques des pleureuses. Cette liberté s'exprime également dans les scènes pittoresques empruntées à la vie quotidienne : fillettes se chamaillant ou clients attendant leur tour chez le coiffeur. La disposition en registre est quelquefois abandonnée pour évoquer les dunes fauves du désert où se faufilent les animaux traqués par les chasseurs. Ce goût intense de la vie ainsi que l'usage de tons plus chauds à partir du règne d'Aménophis III préfigurent déjà la « révolution » artistique de l'époque amarnienne.

L'ÉPOQUE AMARNIENNE

Parmi les rares peintures amarniennes, la plus caractéristique représente deux des filles d'Aménophis IV. Les enfants nues, jouant avec des coussins, sont interprétées dans un camaïeu de rouges. Leur long cou, leur crâne déformé, leurs membres frêles contrastant avec un ventre potelé sont conformes au canon de l'époque. Certains détails, comme les doigts qui semblent s'étager de profil, la saillie de la cheville soulignée d'un trait ou la couleur nacrée des ongles, traduisent un souci du réel que l'on retrouve dans le décor peint des maisons d'Amarna. Ici l'artiste se dégage des stylisations habituelles pour traiter avec beaucoup de réalisme des scènes inspirées par la nature : fourré de papyrus, colombes sur un fond de feuillage ou petits veaux gambadant parmi les fleurs.

Les reliefs amarniens, comme tout l'art de l'époque, expriment la même recherche de vérité. Les innombrables « talatates » provenant des temples thébains démantelés par les successeurs d'Akhenaton, les tombeaux, les stèles et les blocs d'Amarna sont presque tous ornés de « reliefs dans le creux ». Autour d'un même sujet central — le roi inondé par les rayons du globe solaire — se déploient des scènes nouvelles décrivant des récompenses, les préparatifs de fêtes religieuses. Une vie intense se dégage des foules exubérantes qui se pressent pour saluer le roi, des cortèges où piaffent les chevaux, des gestes tendres des princesses offrant un baiser à leur père. Même les rubans ornant la coiffe royale ondulent comme animés par le souffle qui parcourt toutes ces œuvres. Les déformations outrancières, qui choquent au premier abord, ne sont sans doute que des tentatives pour rendre, de la façon la plus intelligible possible, la physionomie particulière d'Aménophis IV : un corps androgyne aux membres frêles, un long cou supportant avec peine un visage étiré au menton ingrat. On ne doit pas s'étonner si, comme par le passé, le modèle royal a inspiré les portraits des courtisans et des simples particuliers. D'ailleurs, après quelques années, ce « réalisme de cauchemar » s'adoucit tout en conservant la vie frémissante qui le caractérise.

Si l'épisode amarnien ne dure qu'une vingtaine d'années, il laisse dans l'art égyptien une empreinte durable. À la mort d'Aménophis IV, l'Égypte restaure les anciennes croyances et les reliefs montrent à nouveau des scènes traditionnelles.

C'est sous le règne de son successeur Toutankhamon que pour la dernière fois on représente les foules qui se pressent dans les cérémonies d'Amarna. Ces reliefs, sculptés sur les murs de Louxor, symbolisent également la restauration du culte d'Amon car ce sont les dieux de Karnak que prêtres, musiciens ou soldats acclament avec une telle exubérance lors de cette « fête d'Opet ». Mais les artistes conserveront le souvenir des compositions amarniennes, comme en témoigne par exemple la scène de la remise des colliers provenant d'une tombe que le général Horemheb fit bâtir à Memphis avant de monter sur le trône. Cette sépulture récemment redécouverte a livré des œuvres où la souplesse et la diversité des attitudes, l'expression intense des visages, la vérité des détails ethnographiques dérivent en droite ligne de l'exemple amarnien. À la même époque, certains reliefs « néomemphites », comme le fameux *Iménéminet* du Louvre, s'inspirent si étroitement des chefs-d'œuvre du règne d'Aménophis III qu'il serait impossible de les dater si l'on ne s'attachait pas à leur style.

L'ÉPOQUE RAMESSIDE

Le retour au classicisme s'accentue sous le règne de Sethi Ier, premier grand souverain ramesside. Cependant certaines œuvres de son temps, comme la *Stèle des colliers*, offrent des réminiscences amarniennes, ne serait-ce que par leur thème : on y voit le roi apparaissant à sa fenêtre, devant laquelle se pressent courtisans et serviteurs. Dans les reliefs d'Abydos et ceux de sa tombe de la Vallée des Rois, dieux et souverains retrouvent leur immobilité et leurs attitudes conventionnelles. Par leur modelé peu profond, leur pureté et leur équilibre, ces œuvres rappellent celles de l'époque d'Aménophis III, avec une touche de froideur et de maniérisme, rachetée par des coloris somptueux. Le pilier du Louvre, provenant de la tombe de Sethi Ier, est un exemple caractéristique de ce style : le roi et la déesse Hathor sont figurés face à face dans une composition figée, qu'anime uniquement le mouvement de leurs bras. Les silhouettes élancées ont perdu toute trace des déformations amarniennes ; la transparence des tuniques, la pureté des profils, le travail délicat des perruques, l'emploi des couleurs chaudes renouent avec l'idéal préamarnien. Mais c'est aussi sous Sethi Ier qu'apparaissent pour la première fois, sur le pylône d'un temple, les grandes scènes de batailles où l'on peut voir le roi dans son char, entraîné par le galop des chevaux. Ce thème jusque-là confiné à de petits objets *(Stèle d'Aménophis II, Char de Thoutmosis IV* ou *Coffret de Toutankhamon)* devient un leitmotiv des temples ramessides. Rares sont les sanctuaires bâtis par Ramsès II qui ne commémorent pas la bataille qu'il livra à Qadesh contre les Hittites. Dans ces scènes comme dans beaucoup d'autres, les artistes ramessides généralisent l'usage du « relief en creux », traditionnellement réservé jusqu'au règne d'Akhenaton aux parties extérieures des sanctuaires. Cette technique donne, grâce au jeu des ombres, une meilleure représentation de l'espace et de la profondeur. La perspective est également suggérée par l'accumulation de personnages sur des surfaces restreintes, qui alternent dans de grandes compositions avec la représentation monumentale du pharaon. L'absence de modelé, l'aspect schématique des figures sont compensés par un sens du mouvement et une intensité dramatique qui font défaut dans les scènes religieuses. On trouve ces mêmes qualités dans certains reliefs sculptés sur les murs du temple de Médinet Habou où, plus que les épisodes du combat opposant Ramsès III aux Peuples de la Mer, il convient d'admirer une chasse au taureau dans les marais, dans laquelle la fuite dramatique de l'animal blessé à mort est un pur chef-d'œuvre.

À la même époque, les peintures se distinguent par une prédilection pour les teintes chaudes se détachant sur des fonds dorés. Avec leurs contours cernés d'une ligne ferme, leurs personnages au nez busqué, engoncés sous de lourdes perruques, les représentations des tombes ramessides n'ont pas le même attrait que celles de la XVIIIe dynastie. Cependant certaines ne manquent pas de charme, comme les femmes figurées au tombeau d'Ouserhat, tout occupées à boire l'eau que leur verse la déesse du Sycomore. Si les peintures des tombes sont encore de vives évocations de l'existence terrestre (le jardinier au chadouf de la tombe d'Ipouy, l'âne récalcitrant de celle de Panéhésy), elles cèdent progressivement la place à des scènes religieuses vigoureusement colorées : images de processions religieuses ou de funérailles, description de l'au-delà telle qu'on la trouve sur les papyrus funéraires ou sur les murs de la Vallée des Rois.

LA PEINTURE DE L'AU-DELÀ : PAPYRUS FUNÉRAIRES ET DÉCOR DES TOMBES ROYALES

Les scènes peintes sur les murs de la Vallée des Rois évoquent irrésistiblement les papyrus funéraires déposés dans le caveau des simples particuliers. Les unes comme les autres font alterner les textes magiques et les images décrivant la marche vers la résurrection. Rien d'inquiétant cependant dans *le Livre des morts*, dont les vignettes aux vives couleurs montrent le défunt en compagnie des habitants de l'au-delà : le dieu des morts Osiris, les génies passeurs ou ces divinités si caractéristiques de l'Égypte qui associent avec un parfait naturel les éléments humains et animaux. Ces images, on les retrouve à plus grande échelle sur les parois des tombes royales, illustrées comme un immense papyrus ; beaucoup d'entre elles représentent sous de fraîches couleurs le dialogue du roi et des dieux. Les *Tombes de Nefertari et du prince Imen-her-Khepeshef,* joyaux de la Vallée des Reines, en possèdent d'admirables, rehaussées de teintes somptueuses, de jeux d'ombres et de transparence. Mais le sort du pharaon n'est pas le même que celui de ses sujets, et certaines peintures des syringes montrent un au-delà plus inquiétant. Voici le souverain entraîné dans un long périple, à la suite de la barque du soleil. Il s'enfonce dans les heures de la nuit, peuplées de monstres à corps de serpent brossés à grands coups de pinceau et peut suivre au plafond, se détachant sur un ciel d'encre, la marche des astres d'or ponctués de taches sanglantes, monde de cauchemar, où hurlent les tons stridents, où le jeu dramatique des couleurs et l'étrangeté des scènes mettent en relief le mystère de la résurrection royale.

Statuaire

Comme par le passé, le rétablissement de l'ordre et le retour à la prospérité entraînent dans l'Égypte du Nouvel Empire le renouvellement de la statuaire. Les statues royales et divines sont particulièrement nombreuses à orner les sanctuaires construits durant la période. Les effigies de pierre des particuliers sont déposées dans les grands temples, pour bénéficier des faveurs divines, ou placées dans les chapelles des tombes que visitent les pèlerins, alors qu'on prend l'habitude de mettre dans le caveau une ou plusieurs statuettes de bois. Elles reflètent les mêmes tendances stylistiques que les reliefs et les peintures qui leur sont contemporains. À la sévérité et à la massivité de la statuaire du Moyen Empire succède un style gracieux mais dans l'ensemble beaucoup moins expressif. Les corps sont élancés, les attitudes sont harmonieuses et les visages, au sourire conventionnel, ont une expression aimable. Les grands conquérants et leurs généraux sont représentés sous des traits surprenants, presque d'une douceur féminine, accentuée par les perruques bouclées, les bijoux et les vêtements recherchés. La statuaire royale se diversifie, reflétant la complexité croissante des rituels divins. Ainsi apparaissent les effigies du souverain prosterné présentant un emblème divin, ou les rois « porte-enseignes », éternisant les grandes processions. Les statues des divinités, plus abondantes que par le passé, figurent aux côtés du roi sous leur aspect humain — comme déjà au temps des pyramides —, ou protègent le souverain sous leur forme d'animal sacré ; ainsi la vache Hathor et le serpent de la montagne thébaine dominent-ils l'effigie d'Aménophis II. Pour apaiser Amon ou la redoutable déesse-lionne Sekhmet, les pharaons font sculpter des effigies de pierre, dont le site de Karnak a conservé plusieurs centaines. Dieu à l'aspect humain coiffé de deux hautes plumes, Amon présente un visage sculpté à l'image de son héritier sur terre ; ainsi celui du Louvre a-t-il les traits de Toutankhamon. Mais il peut aussi prendre l'aspect d'un bélier, et les sphinx conduisant à Karnak et Louxor ont la tête de cet animal.

La statuaire privée traduit une même créativité : la variété des statues sculptées pour Senmout, le favori d'Hatchepsout, en est un exemple significatif. À côté des « statues-cubes » traditionnellement réservées aux sanctuaires, les artistes accordent leur préférence à des compositions nouvelles : personnages agenouillés présentant une stèle, un naos ou l'image d'une divinité, dont le Setaou du Louvre précédé du serpent de Nekhbet est un exemple. On voit apparaître des groupes traduisant la piété personnelle, comme le scribe royal

Nebmertouf écrivant sous la protection du singe Thot, dieu des intellectuels. À partir du règne d'Aménophis III, les particuliers se font volontiers représenter tenant une enseigne divine, à l'exemple du roi.

Durant ces cinq siècles de création artistique, il est possible de discerner des étapes, identiques à celles que nous avons rencontrées pour la peinture et le relief.

LA XVIII⁰ DYNASTIE JUSQU'AU RÈGNE D'AMÉNOPHIS III

Les premières œuvres remarquables de la XVIIIᵉ dynastie datent du règne d'Hatchepsout. Avant cette époque, les documents sont trop rares et trop contestés. On peut cependant citer la statuette de la *Reine Tétichéri,* grand-mère d'Ahmosis, dont le visage fragile, penché en avant, et la silhouette menue contrastent avec la rudesse des membres inférieurs, mal dégagés du bloc de calcaire. Le *Prince Ahmosis* du Louvre, assis dans une attitude conventionnelle, semble avoir été imité d'œuvres de la fin de la XIᵉ dynastie.

Avec Hatchepsout, les sculpteurs réussissent le tour de force de représenter, sans rien d'ambigu, une jeune femme sous l'aspect d'un pharaon classique. Parmi la centaine de statues sculptées pour la souveraine, la plus belle, aujourd'hui à New York, provient de Deir el-Bahari. Si le corps élégant, au modelé peu poussé, pouvait à la rigueur être celui d'un jeune homme, le visage est un chef-d'œuvre de féminité ; on retrouve ces traits félins, ces joues rondes et ces yeux en amande dans le portrait de ses successeurs. Cependant le Thoutmosis III piétinant « les neuf arcs » qui symbolisent les ennemis de l'Égypte offre une image plus énergique du pharaon, bien que le visage au nez aquilin soit adouci par le même sourire rêveur. En ce début de la XVIIIᵉ dynastie, le répertoire de la statuaire privée peut être illustré par la vingtaine de statues exécutées pour Senmout, l'architecte de Deir el-Bahari. Les plus originales montrent ce haut personnage en compagnie de la princesse Neferourê, dont il était le précepteur ; l'une d'entre elles, le représentant debout avec l'enfant royal dans les bras, est unique dans l'art égyptien.

Si le groupe figurant *Thoutmosis IV et sa mère* (musée du Caire) semble vouloir renouer avec une conception plus solennelle du portrait royal, le règne de ce souverain marque un tournant dans la statuaire privée. Aux perruques sobres dégageant les oreilles, aux vêtements simples hérités du Moyen Empire se substituent des coiffes plus élaborées et des tuniques plissées, alors qu'apparaît une sensualité discrète qui s'accentue sous Aménophis III. Les traits enfantins de ce souverain, joues rondes, yeux en amande, bouche charnue, sont interprétés avec beaucoup de douceur dans la tête de diorite du Louvre ou le groupe familial du Caire. Mais à la même époque, des œuvres monumentales comme le colosse du British Museum stylisent les traits joufflus par un jeu des surfaces. C'est à son règne qu'appartiennent de ravissantes statuettes féminines comme celle de son épouse Tiy, exécutée dans une faïence bleu-vert, ou celle de la gracieuse *Dame Touy,* sans doute sculptée dans de l'acacia poli. La petite statuaire masculine peut être illustrée par l'effigie en bois de *l'Architecte Kha,* au charme presque féminin avec son visage aux traits délicats encadré par une lourde perruque. Les statues de pierre sculptées à la même époque pour Amenhotep sont plus exceptionnelles. Ce grand architecte s'est fait représenter à différents âges de la vie dans l'attitude du scribe. La plupart des statues montrent un visage idéalisé, penché en avant comme à la recherche d'un message, mais l'une d'elles évoque les chefs-d'œuvre du Moyen Empire par ses traits ravagés.

L'ÉPOQUE AMARNIENNE

La « révolution » amarnienne est annoncée par des œuvres de la fin du règne d'Aménophis III, comme la *Tête boudeuse du Sinaï* où se manifestent de nouvelles tendances réalistes : notation des rides et des plis du cou, abandon de l'œil « hiéroglyphique » pour un modelé proche de la nature. Le règne d'Aménophis IV a laissé dans la statuaire les mêmes traces que celles qui ont été rencontrées dans les reliefs. Une nouvelle génération d'artistes, directement dirigés par le roi, exagèrent à plaisir les particularités du modèle royal. Les colosses de grès trouvés à Karnak accusent cruellement les membres frêles, le ventre proéminent du souverain, bien que le visage ne manque pas de noblesse malgré son allongement excessif, son menton accentué et sa bouche épaisse. Les traits tourmentés et le regard extatique filtrant à travers les paupières sont ceux d'un prophète habité par son dieu. Mais les stigmates amarniens laissent progressivement la place à la douceur et à l'élégance, comme dans ce groupe du Louvre où, pour la première fois, on peut voir un roi et une reine marchant la main dans la main. À nulle autre époque les sculpteurs égyptiens n'ont autant exprimé la sensualité du corps féminin : les voiles transparents qui en exaltent les formes préfigurent déjà l'art grec, tel le magnifique *Torse de Nefertiti* conservé au Louvre. Parmi les portraits de la souveraine retrouvés dans un atelier d'Amarna, un *Buste* en calcaire peint (musée égyptien de Berlin) est justement célèbre pour la finesse du modelé, la délicatesse du profil et le port de tête souverain. La série de moulages en plâtre découverts dans le même lieu prouve, s'il en était besoin, que les artistes travaillaient d'après nature. C'est cette recherche de la vérité, aboutissant paradoxalement à d'étranges déformations, qui caractérise l'art amarnien.

L'orthodoxie retrouvée, les premières œuvres seront encore imprégnées de l'esprit d'Amarna. Les statues de Toutankhamon ou celle qu'il fit exécuter pour les dieux de Thèbes ont conservé l'allongement du visage, la position de la tête et une mélancolie héritée du mysticisme amarnien. La mélancolie imprègne également certaines statues de particuliers qui prennent pourtant comme modèle le beau style de l'époque d'Aménophis III : les sculpteurs qui figurèrent dans l'attitude du scribe les généraux Horemheb et Paramessou s'inspirèrent visiblement des effigies d'Amenhotep, fils de Hapou. Parfois ce néoclassicisme est insoupçonnable. Si l'on ne savait par exemple que l'architecte Maya servit Toutankhamon, on serait tenté de placer sous le règne d'Améno-

phis III les splendides statues le représentant en compagnie de son épouse : la gravité rêveuse qui en émane ne suffit pas à leur assigner une date.

L'ÉPOQUE RAMESSIDE

Au temps des Ramsès s'affirme un style exprimant l'énergie de cette dynastie de militaires. Certaines œuvres du début de la période, en particulier le *Ramsès II* de Turin, sont encore imprégnées de spiritualité et de raffinement, toutefois la tendance de l'époque est au colossal. Du Delta à la Nubie, les statues géantes reflètent les traits stylisés des souverains ramessides : visage carré, yeux globuleux et nez busqué. Bâties pour être vues de loin, ces œuvres expriment magistralement la puissance du pharaon et s'intègrent à l'architecture. On peut cependant regretter que leur modelé sommaire se retrouve dans beaucoup d'œuvres de petite taille. C'est dans les effigies de bois, femmes chastement drapées ou porte-enseignes, que se perpétuent le mieux les qualités des époques précédentes.

La mort de Ramsès II, qui fut sans nul doute le plus grand protecteur des arts qu'ait connu l'Égypte, inaugure une période de déclin dans le domaine de la sculpture. Cependant quelques pièces tranchent sur la médiocrité des œuvres ramessides : le *Sethi assis* de Karnak, le groupe figurant *Ramsès III couronné par Horus et Seth*, le *Ramsès VI tenant un Libyen par les cheveux* ou l'étonnant *Ramsès IX prosterné* qui, par la liberté de l'attitude et l'élégance de la musculature, rappelle les meilleures heures de la XVIIIe dynastie. Il ne faut pas omettre enfin de mentionner, contrastant avec la galerie assez terne des statues privées, le *Ramsèsnakht songeur*, écrivant sous la protection du dieu Thot.

Les arts mineurs

Le trésor de Toutankhamon illustre bien la richesse inégalée atteinte par les arts mineurs au Nouvel Empire : sarcophages d'or ornés d'incrustations de couleur, masque funéraire de métal précieux, bijoux chatoyants, armes et chars de parade, meubles et vases d'albâtre. Parmi ces derniers, un calice en forme de lotus tranche par la pureté de ses lignes, mais la plupart montrent une exubérance proche du mauvais goût. De même il suffit de comparer aux chefs-d'œuvre de l'époque précédente les lourds pectoraux ou les bracelets ouvragés de Toutankhamon pour regretter leur luxe un peu tapageur, et leurs lignes altérées par une accumulation de détails. Une plus grande élégance caractérise les objets précieux au milieu de la XVIIIe dynastie, comme les parures des épouses de Thoutmosis III, ou la *Coupe d'or de Djehouty*, ornée d'une ronde de poissons nageant autour de la rosette centrale. Peu de pièces d'orfèvrerie nous sont parvenues de l'époque des Ramsès, mais elles frappent par leur originalité, tels ce *Vase de Zagazig* (musée du Caire) dont l'anse est formée d'une chevrette dressée ou deux bagues du Louvre : sur l'une caracolent des chevaux que la légende attribue à Ramsès II, sur l'autre trois canards étaient sagement posés côte à côte.

Plus encore que l'orfèvrerie, l'ébénisterie, la faïence et la verrerie atteignent leur apogée au Nouvel Empire. Ce sont les objets de toilette, plus nombreux qu'à toute autre époque, qui présentent le plus grand raffinement. On y trouve des pots à kohol en forme d'animaux, des peignes d'acacia surmontés d'un bouquetin, des miroirs dont le manche sculpté prend la forme d'une jeune fille. Parmi les cuillers à fard (ou à offrandes), les plus célèbres sont à juste titre de gracieuses nageuses soutenant de leurs bras tendus un canard dont les ailes mobiles forment un couvercle. Les fioles de verre ornées de vagues multicolores, les céramiques peintes de décors floraux, les coupes de faïence bleue, les meubles décorés de marqueterie, incrustés d'ivoire et de métal, témoignent du luxe de cette période, durant laquelle les arts mineurs connurent un développement incomparable.

Bibliographie sommaire

DESROCHES-NOBLECOURT (C.), *Vie et mort d'un pharaon, Toutankhamon*, Pygmalion, Paris, 1976.

LAUFFRAY (J.), *Karnak d'Égypte, domaine du divin*, C. N. R. S., Paris, 1979. CATALOGUES D'EXPOSITION. *Akhenaten and Nefertiti*, Brooklyn Museum, New York, 1973. *Egypt Golden Age*, Museum of Fine Arts, Boston, 1982. *Ramsès le Grand*, R. M. N., Paris, 1976. *Toutankhamon*, R. M. N., Paris, 1967.

LA BASSE ÉPOQUE,

OU LES DERNIERS

FEUX DE L'ART

ÉGYPTIEN

VERS L'AN 1000 AV. J.-C., L'ÉGYPTE ENTRE DANS LA BASSE ÉPOQUE, période troublée où durant un millénaire les soubresauts nationalistes succèdent aux invasions. Après la disparition des derniers Ramsès, souverains affaiblis, confrontés aux bouleversements qui agitent l'Orient méditerranéen et aux désordres intérieurs, l'Égypte connaît une nouvelle « période intermédiaire ». Le pouvoir est morcelé entre les premiers prêtres d'Amon de Karnak, qui s'arrogent la titulature royale, et une famille rivale, régnant à Tanis, dans le nord-est du Delta. L'unité du pays est rétablie par la XXIIe dynastie, dont les ancêtres, des mercenaires lybiens, avaient été appelés par les Ramsès pour faire face à l'insécurité croissante. Le plus illustre de ces souverains, Chechonq Ier (945-924 av. J.-C.), se rend célèbre par le sac de Jérusalem. Puis des princes venus du Sud (dont les plus connus sont Piankhy [ou Peye], Taharqa) unissent sous leur couronne la terre d'Égypte et celle du Soudan, dont ils sont originaires. Ils constituent la XXVe dynastie, à laquelle l'invasion assyrienne (671-664 av. J.-C.) met fin. Le sursaut national vient du Nord, et l'Égypte est libérée du joug assyrien sous le règne de Psammétique Ier, fondateur de la XXVIe dynastie. La capitale est alors installée à Saïs, dans le Delta, et la période dite « saïte » (664-525 av. J.-C.) est l'une des plus brillantes de la Basse Époque. C'est alors que les contacts s'intensifient entre l'Égypte et le monde égéen, les pharaons utilisant des mercenaires grecs et acceptant le comptoir grec de Naucratis. Dernière dynastie indigène, la XXXe dynastie (380-343) peut être comparée à la XXVIe pour son activité artistique, mais elle s'achève avec une seconde domination perse, et les Égyptiens accueillent comme un libérateur Alexandre le Grand en 332 av. J.-C. Peu après, l'un de ses généraux devient, sous le nom de Ptolémée Ier Sôtêr, le premier souverain de l'Égypte « ptolémaïque ». La lignée de ces pharaons de sang macédonien s'éteint avec la célèbre Cléopâtre VII, en 30 av. J.-C., quand l'Égypte entre dans l'Empire romain. Elle y occupera toujours une place d'exception, due à ses richesses agricoles, mais aussi à l'originalité fascinante de sa civilisation.

Le dernier millénaire égyptien n'aboutit pas, comme on pourrait l'imaginer, à une lente décadence artistique, mais correspond au contraire à une période de création durant laquelle les artistes, confrontés au monde classique et oriental, trouvent des solutions nouvelles ou puisent leur inspiration dans les chefs-d'œuvre du passé.

Architecture

LES TEMPLES DIVINS

En dépit des invasions, la Basse Époque est une des périodes les plus florissantes de l'architecture sacrée. La plupart des conquérants comprirent que, pour garder l'Égypte, il fallait respecter la religion, qui, avec l'institution pharaonique, demeurait la clef de voûte de la société. Aussi, sur les murs des temples qui continuent à s'élever, peut-on voir indifféremment les rois égyptiens, les descendants d'Alexandre ou les empereurs romains officiant dans des costumes hérités du passé. Cependant, cette religion connaît une évolution qui se reflète dans le domaine de l'art ; des divinités jusque-là assez effacées sont mises au premier plan comme protectrices des nouvelles dynasties : Bastet de Bubastis, Amon de Napata, Neith de Saïs. Une ferveur croissante s'adresse à Osiris,

dieu secourable vers lequel, en cette époque troublée, se tournent les fidèles. Parallèlement, le culte des animaux sacrés prend une ampleur démesurée. Enfin à Karnak, ce n'est plus le grand prêtre d'Amon qui domine la vie religieuse, mais la Divine Adoratrice, vierge consacrée au dieu thébain, souvent choisie dans la famille royale et qui joue un rôle important jusqu'à la première domination perse.

DE LA TROISIÈME PÉRIODE INTERMÉDIAIRE À LA XXVe DYNASTIE (V. 1080-655 AV. J.-C.). Les vestiges colossaux du grand *Temple* de Tanis sont les seuls à illustrer l'architecture religieuse de la XXIe dynastie. Le sanctuaire dédié à Amon-Rê est conçu comme une réplique septentrionale de Karnak, et, pour le parer, les roitelets de l'an mille réutilisent des monuments anciens, d'époques et de matières diverses, qui en font un véritable musée.

Les efforts de leurs successeurs libyens portent sur l'Égypte tout entière. Chechonq Ier orne l'avant du 2e pylône de Karnak d'un élégant portique à colonnes fasciculées, le *Portique des Bubastides*. Un petit édifice de calcaire, bâti à El Hibeh, et les ruines d'un hall jubilaire se dressant à Bubastis, berceau de la dynastie libyenne, illustrent la reprise des constructions religieuses à cette époque.

Dès l'avènement de la dynastie éthiopienne, le Soudan et l'Égypte se couvrent de monuments. L'antique temple d'Amon de Napata est doté d'un pylône monumental, d'une cour aux murs richement décorés et d'une salle hypostyle. En Nubie, les temples semi-rupestres de Kawa et de Sanam s'inspirent d'édifices du temps des Ramsès ; à Napata, Louxor, Karnak, Medamoud, les façades des sanctuaires sont ornées de kiosques aux colonnes majestueuses. Des chapelles miniatures dédiées à Osiris sont bâties dans l'enceinte de Karnak par les souverains et les divines adoratrices, tandis que les enceintes et les portes de Médinet Habou ou Dendara sont restaurées. Si les moyens sont encore limités — plus que le prestigieux granit, on utilise le grès des carrières nouvellement rouvertes du djebel Silsileh —, l'architecture de cette époque, en s'inspirant délibérément de monuments antiques, inaugure le retour au passé caractéristique de l'époque saïte.

L'ÉPOQUE SAÏTE (664-525 AV. J.-C.). Du grand temple bâti à Saïs par les rois de la XXVIᵉ dynastie, il ne reste que quelques blocs stagnant dans un marécage. Pourtant, au XIXᵉ s., Champollion y signalait encore une « circonvallation de géants », et Hérodote nous décrit les « propylées admirables », les colosses et les sphinx monumentaux qui en ornaient l'accès. On ne peut donc qu'entrevoir l'importance de l'œuvre architecturale des pharaons saïtes à travers les ruines qui parsèment les lieux saints de Basse-Égypte (Saïs, Mendès, Tanis, Héliopolis, Memphis) et les chapelles osiriennes de grès construites à Karnak. Les architectes y utilisent des supports variés : chapiteaux hathoriques d'Apriès, colonnes papyriformes au kiosque de Médinet Habou.

C'est semble-t-il sous le règne de Darius Iᵉʳ qu'est bâti au cœur de l'oasis de Khargueh le temple d'Hibis. Dédié au dieu Amon, il forme une transition entre les sanctuaires de la période précédente et ceux de style « ptolémaïque » ; certains chapiteaux de l'hypostyle annoncent déjà l'ordre composite, tandis que la disposition des hiéroglyphes, entassés en colonnes serrées, et le modelé des reliefs s'apparentent au décor des édifices gréco-romains.

LES TEMPLES PTOLÉMAÏQUES ET ROMAINS (380 AV. J.-C. - IVᵉ S. APR. J.-C.). Le terme « ptolémaïque », utilisé au sens large, qualifie les monuments divins édifiés à partir de la XXXᵉ dynastie, période où les pharaons entreprennent la restauration des principaux sanctuaires de la vallée du Nil. Que ce soit à Behbeit el-Hagar dans le Delta à Karnak, à Edfou ou à Dendara, on trouve toujours des murs d'enceinte, des portes ou des fondations portant le nom des souverains de cette époque. Cette politique n'est pas interrompue par la conquête d'Alexandre, et, durant trois siècles encore, chaque ville importante voit s'élever des édifices religieux dont la décoration se poursuit parfois très tard sous l'Empire romain. Mais parmi la centaine de temples attestés par des inscriptions ou des ruines, la plupart ont disparu, victimes de la montée des eaux du delta ou du tribut qu'ils ont payé à l'ère industrielle. Par bonheur, ceux d'entre eux qui ont échappé à la destruction figurent, du fait de l'harmonie de leurs proportions, parmi les plus beaux monuments égyptiens. Ils sont tous situés en Haute-Égypte et sont bâtis dans des sites prestigieux : Philae, Kom-Ombo, Edfou, Esna. Leur conservation est exceptionnelle et, si leur construction s'est échelonnée sur plusieurs règnes — il ne fallut pas moins de 180 ans pour achever Edfou —, ils présentent un plan plus cohérent que Karnak ou Louxor. Leur architecture, qui reflète à la fois une pensée théologique et les exigences matérielles du culte, est fille du nombre d'or, comme toute l'architecture égyptienne ; mais on y saisit mieux que dans les monuments plus anciens l'équilibre des volumes et la parfaite harmonie unissant les divers éléments qui les composent.

Certains de ces éléments sont hérités de la période précédente : à l'image de Karnak, le temple principal est bâti au centre d'une aire sacrée, délimitée par des murs de brique crue percés de portes de grès. On y accède par un dromos, généralement perpendiculaire au Nil, sur la rive duquel se dresse un kiosque, élégant débarcadère où accoste la barque de procession. L'un des plus beaux, érigé par Nectanebo au sud de l'île de Philae, se mire à nouveau dans les eaux du Nil, depuis le récent sauvetage du site.

Une fois franchi le pylône, nous retrouvons les grandes divisions du temple classique : cour, hypostyle, sanctuaire. On voit se multiplier des colonnes de style nouveau, peut-être inspirées par l'ordre corinthien. Si elles rappellent par leur ligne les colonnes palmiformes, le décor des chapiteaux associe avec une grande liberté des motifs végétaux variés : faisceaux de palmes, bouquets de papyrus, lotus ou dattes. Il faut imaginer ces colonnes « composites », dont aucune ne ressemble à sa voisine, parées des couleurs vives que les voyageurs du XIXᵉ s. purent encore admirer. Parallèlement, des formes plus anciennes subsistent : les sanctuaires consacrés à des déesses

(Philae, Dendara, le temple d'Opet à Karnak) sont ornés de piliers hathoriques, tandis qu'à Kom-Ombo on opte pour le campaniforme, et à Edfou pour le palmiforme. À la différence de celles du Nouvel Empire, la façade des hypostyles est à demi fermée par des murs « bahuts » qui relient la première rangée de leurs colonnes et laissent pénétrer la lumière tout en dissimulant ce qui peut s'y célébrer.

Succédant aux hypostyles, la salle des offrandes, celle de l'ennéade et le sanctuaire sont alignés selon un axe médian. Le sanctuaire abrite dans sa salle obscure, close sur trois côtés, la barque du dieu et sa statue de culte enfermée dans un naos monolithique. Tout autour court un « couloir mystérieux » où s'ouvrent les chapelles des divinités secondaires. C'est habituellement dans cette partie reculée de l'édifice que sont ménagés d'étroits passages donnant accès aux cryptes, creusées dans l'épaisseur du mur extérieur. Celles de Dendara, célèbres pour la beauté de leurs reliefs, s'échelonnent sur trois étages. Elles servaient probablement à conserver les effigies divines les plus précieuses et les objets rituels dont l'image est sculptée sur les murs, souvent accompagnée d'indications relatives à leur matière et à leur taille. Le matériel d'usage plus courant était conservé dans de petites chambres voisines du sanctuaire, « le trésor », où l'on entreposait les vases, le « laboratoire » contenant les étoffes et les onguents, la « bibliothèque » renfermant les textes sacrés. Chaque matin, les serviteurs du dieu pénétraient dans le sanctuaire par des couloirs dissimulés pour offrir à la statue les aliments et l'eau qui lui étaient nécessaires et procéder à sa toilette. Plusieurs fois par an, des processions utilisaient les escaliers qui relient le sanctuaire à la terrasse. Celle-ci était généralement surmontée de petites chapelles où se déroulaient des cérémonies particulières : rite de l'union au disque solaire, grâce auquel la statue divine renouvelait périodiquement ses forces, rites du mois de Khoiak célébrant la résurrection d'Osiris. Demeure du dieu, le temple était conçu comme une forteresse où l'architecture, les textes et les images

sculptées conjuguaient leurs forces pour protéger la statue divine. Autour de celle-ci, le plan des temples ptolémaïques dresse une série de remparts concentriques : tabernacle de pierre, parois du sanctuaire, épais murs du temple enserrés par une muraille parallèle qui délimite un étroit chemin de ronde.

C'est à Dendara, où le site a complètement été fouillé, que l'on saisit le mieux la disposition des bâtiments associés au temple divin. On y trouve le premier exemple de *mammisi* — ou maison de naissance —, construit sous Nectanebo II. Les mammisi ptolémaïques sont de petits édifices, le plus souvent bâtis sur un axe perpendiculaire à celui du sanctuaire, entourés de colonnades reliées par des murs bahuts ou sur lesquels sont gravées des scènes de maternité. Dendara possède également l'un des plus beaux lacs sacrés. De forme rectangulaire, il est ceint de murs et pourvu d'un escalier permettant d'aller puiser l'eau sainte en toute saison ; de la tribune proche, les initiés pouvaient contempler les épisodes de la passion d'Osiris que des acteurs interprétaient sur l'eau. Près du lac sacré, un nilomètre enregistrait les variations du fleuve. Aux alentours, des constructions de brique abritaient les prêtres et les artisans travaillant pour le dieu ; la « maison de vie » où se transmettait la science sacerdotale, un sanatorium où les pèlerins venaient chercher une guérison miraculeuse. Non loin de là, un enclos abritait les animaux sacrés : vaches pour Hathor de Dendara, faucons à Edfou ou ibis à Hermopolis.

Tels sont, dans leurs grandes lignes, les éléments des temples ptolémaïques, certaines particularités locales pouvant toutefois en affecter le plan : à Kom-Ombo, le culte jumelé de Sobek et Haroeris entraîna le dédoublement de chaque partie, tandis que, dans l'île de Philae, d'élégantes colonnades se détachent sur le bleu des eaux, évoquant un paysage de Grèce.

VILLES ET TOMBEAUX

Si les temples égyptiens de la Basse Époque sont parmi les plus prestigieux, il n'en va pas de même pour les constructions urbaines et funéraires. Les habitations en briques crues ont laissé trop peu de traces pour qu'on puisse les étudier. Sur le même site, les bâtiments successifs forment de grandes buttes, ou koms, que les archéologues du passé déblayèrent souvent hâtivement. Quelques indications glanées dans les papyrus démotiques, de rares modèles de maison laissent penser qu'à la Basse Époque les grandes villes s'accroissent et que les Égyptiens adoptent les habitations à étages regroupant plusieurs familles. Les villes nouvelles, Alexandrie en particulier, sont bâties à l'image des cités grecques et ne relèvent plus de l'art égyptien. Les tombeaux montrent plus d'originalité. Le pillage de la Vallée des Rois, commencé sous Ramsès IX, se poursuit jusqu'à la XXIe dynastie. Instruits par cette expérience, les rois-prêtres de Thèbes et leurs dignitaires entassent les momies dans les tombes désaffectées ou dans des cachettes ménagées sur la rive ouest. Quelques chapelles de brique sont élevées près du Ramesseum et du temple de Médinet Habou, dont les enceintes protègent également la sépulture de hauts personnages des XXIIe et XXIIIe dynasties. À Tanis, les pharaons du Nord installent leur nécropole tout près du grand temple, et les fouilleurs français découvriront en ce lieu les tombeaux inviolés des Psousennès, Osorkon et Chechonq, qui recelaient des trésors comparables à ceux de la tombe de Toutankhamon : masques d'or et sarcophages d'argent, somptueux bijoux. Ce ne sont ici ni pyramides, ni hypogées, mais de modestes fosses creusées dans le sol et parées de blocs de récupération, à l'intérieur desquelles des murs délimitent une ou plusieurs chambres dont la superstructure est difficile à reconstituer.

C'est au Soudan, où reposent leurs ancêtres, que se font enterrer les pharaons de la XXVe dynastie. Devenu maître d'Égypte, Piankhy y importe une coutume qui se maintiendra jusqu'à l'époque méroïtique : de véritables pyramides abritent le corps des souverains. Si elles s'inspirent directement de celle de Memphis, leurs proportions sont plus modestes : 12 m de haut pour Piankhy, 52 m de côté pour Taharqa. On ne sait pourquoi la XXVIe dynastie, tant éprise d'archaïsme, n'a pas repris cette tradition ; sans doute le site humide de Saïs, la nouvelle capitale, ne s'y prêtait-il pas. Imitant l'exemple de Tanis, Amasis fait construire dans l'enceinte du temple de Neith un tombeau et un temple funéraire dont les splendeurs sont vantées par Hérodote. À la même époque, les divines adoratrices sont inhumées à Médinet Habou dans des caveaux qui, comme celui d'Aménardis, sont surmontés d'un temple miniature. Les mêmes hauts dignitaires se font bâtir des palais souterrains, creusés dans le calcaire de l'Assassif. Celui de Montouemhat, maire de Thèbes, est ceint d'une muraille de brique ornée d'un pylône ; un couloir s'enfonce dans le rocher pour aboutir à une salle à colonnes, communiquant avec une cour à ciel ouvert flanquée de dix chambres, au fond de laquelle un péristyle conduit à un dédale évoquant la Vallée des Rois. Hantés par le pillage des tombeaux, les notables de Memphis utilisent, dès le début de l'époque ptolémaïque, un système ingénieux qui rend leur sépulture inviolable : le sarcophage repose au fond d'un puits de 25 m, protégé par des tonnes de sable et un radier de pierre sur lequel on édifie une chapelle. Memphis possède également la plus prestigieuse nécropole d'animaux sacrés, le *Sérapeum*, découvert par Auguste Mariette en 1852. De l'époque saïte à celle des Ptolémées, les taureaux Apis, inhumés dans d'énormes sarcophages de diorite, reposent dans de petites chambres accolées à une vaste galerie souterraine. Moins impressionnantes, les *Catacombes d'Hermopolis* contiennent des milliers de momies d'ibis, dédiées au dieu Thot. En ce même lieu se situe également l'un des plus beaux tombeaux de Basse Époque, celui de Pétosiris, qui vivait v. 300 av. J.-C. La chapelle, avec ses colonnes et ses murs bahuts, est la réduction d'un temple divin, précédé d'un autel à cornes. Dès lors, les sépultures égyptiennes cèdent la place à des monuments mixtes où se combinent les éléments égyptiens et hellénistiques, comme à Anfouchy ou à Kom el-Chougafa.

Reliefs
et peintures

L'étude des reliefs de Basse Époque est à peine ébauchée. Certains domaines sont mieux connus, comme le décor des tombes thébaines du VIᵉ s. av. J.-C., mais nos connaissances sont encore très partielles. Il apparaît que, si les sculpteurs du Iᵉʳ millénaire av. J.-C. surent graver jusqu'à la fin de la période de véritables chefs-d'œuvre, la qualité des reliefs fut plus inégale que celle des statues. Comme ces dernières, les reliefs traduisent un retour vers les formes du passé et parfois un réel souci d'archaïsme.

À Tanis, les scènes religieuses peintes et sculptées en creux dans le *Tombeau de Psousennès* perpétuent les traditions ramessides, de même que le décor des sépultures d'Osorkon II et de Sheshonq III rappelle les compositions mythologiques et les personnages longilignes des dernières œuvres de la Vallée des Rois. Sous le *Portique des Bubastides* de Karnak, à el Hibeh ou dans le Delta, les artistes sculptent des effigies royales dans le « beau style » de la XIXᵉ dynastie, qui se retrouve également dans les scènes de jubilés royaux, dont le thème est emprunté au temps des pyramides. Mais des fragments de granit sculptés en creux et revêtus de couleur, comme celui du British Museum, montrent, aux côtés d'un Osorkon encore élancé, une souveraine dont la silhouette opulente annonce les formes alourdies de l'époque éthiopienne. Les divines adoratrices de Médinet Habou, au visage bien en chair et aux épaules rondes, les pharaons de Kawa ou de Sanam, au corps massif et aux muscles vigoureusement soulignés, illustrent bien ce nouveau style éthiopien, qui gagne en puissance et en intensité ce qu'il perd en élégance. Le visage de ces souverains d'origine africaine est traité comme un portrait : lèvres épaisses, profil ramassé, pli « kouchite » marquant les ailes du nez et crâne rond cinit d'un bandeau d'où jaillissent deux cobras. Mais les artistes œuvrant sous cette renaissance éthiopienne se tournent parallèlement vers les modèles anciens : on revient au strict

usage du relief en creux pour l'extérieur des monuments, tandis que les parois internes sont ornées de reliefs saillants ; on recopie intégralement des scènes vieilles de plusieurs millénaires, en les mettant au carreau. Aussi, dans les temples de Nubie, retrouve-t-on les sphinx combattants et les Libyens captifs ornant les temples des pyramides. À Karnak, un bloc portant l'image de Chabaka présente une ressemblance frappante avec un portrait de Thoutmosis III.

Si le décor de la *Tombe de Montouemhat*, qui servit successivement les derniers rois éthiopiens puis Psammétique Iᵉʳ, appartient déjà à la période saïte, quelques scènes possèdent cependant la vigueur de la période précédente. Un fragment en assez fort relief (auj. au musée de Kansas City) peut être considéré comme l'une des œuvres majeures de la Basse Époque : l'artiste a figuré Montouemhat debout en costume de gala, et son visage, au modelé superbe et vigoureux, est traité à la manière d'un portrait d'un réalisme étonnant. D'autres scènes de la même tombe reflètent le goût poussé pour l'archaïsme, qui est un des traits dominants de l'art saïte. Une nourrice au pied d'un arbre, la scène de l'épine qu'on retire du pied ou les deux petites filles se querellant sont directement inspirées des peintures exécutées dans les tombes thébaines sept siècles auparavant. En effet, contrairement à ce que l'on a souvent affirmé, ce n'est pas uniquement vers les œuvres de l'Ancien Empire que se tournent les artistes saïtes. Les grandes tombes de l'Assassif sont ornées de scènes copiant à s'y méprendre celles toutes proches des notables de la XVIIIᵉ dynastie, Kherouef ou Ramosé. Ainsi, les porteurs d'offrandes sculptés au *Tombeau de Pabasa* ou les pleureuses ornant celui de Nespakachouty ont la même élégance, la même délicatesse de modelé que les œuvres qui les inspirèrent. Les sculptures du Moyen Empire sont aussi scrupuleusement imitées dès la fin de la XXVᵉ dynastie, et le *Portrait d'Akhamenrê* assis possède par exemple la noble simplicité des œuvres de cette époque. Seuls diffèrent quelques détails comme le traitement de l'œil ou les proportions du mouchoir. L'Ancien

Empire est également à l'honneur : ainsi, une série de stèles conservées au musée de Cleveland décalquent scrupuleusement des monuments du temps des pyramides. Mais l'exemple le plus célèbre de ce retour aux sources est le *Tombeau d'Aba*, majordome de Psammétique Ier, pour lequel l'artiste s'est ingénieusement inspiré d'un monument appartenant à un personnage du même nom qui vécut sous la VIe dynastie.

Cependant à l'époque saïte se développe parallèlement un style plus original qui peut être illustré par un fragment de Baltimore montrant le *Roi Néchao* face à la déesse Hathor. Les personnages sculptés en creux sont cernés d'un trait sec et précis, qui souligne également les détails des coiffures. La gracieuse scène de vendanges conservée au Louvre est traitée d'une façon analogue ; le corps élancé des jeunes filles cueillant le raisin reflète l'adoption d'un nouveau canon, dorénavant fondé sur la coudée royale.

Si les reliefs de la XXXe dynastie cherchent leur inspiration dans les chefs-d'œuvre saïtes, le style en est tout autre. On y trouve déjà un modelé rond, sans doute influencé par l'art grec et qui s'accentuera à l'époque ptolémaïque. Au British Museum, le *Nectanebo Ier faisant l'offrande du pain* est doté d'une silhouette harmonieuse, cernée d'un trait sûr ; mais le visage est d'un réalisme sans concession, avec son petit menton à fossettes, son nez busqué et ses joues pleines ; le ventre replet, le cou grassouillet sont traités en trois dimensions et l'ensemble évoque une statue incrustée dans la dalle de basalte poli. Un montant de porte du *Sérapeum*, montre de même, face à Nectanebo II, une Isis dont les rondeurs potelées illustrent bien ce nouveau style. C'est au IVe s. qu'il faut également placer la plupart des reliefs appelés « néomemphites », dont beaucoup en fait formaient les linteaux de tombes situées à Héliopolis. Bien souvent, ils représentent des personnages alignés comme dans les mastabas de l'Ancien Empire. Le *Lirinon* du Louvre, les scènes de musique des musées de Cleveland et d'Alexandrie constituent les meilleurs exemples de ces œuvres charmantes où les formes féminines sont

rendues avec une sensualité discrète et où les thèmes anciens sont rajeunis par des costumes au goût du jour. Le modernisme est encore plus sensible dans la *tombe de Pétosiris*, à Hermopolis, datant à peu près de la conquête d'Alexandre et qui associe des scènes d'inspiration hellénique, comme celle du sacrifice en l'honneur du mort « héroïsé », à des sujets purement égyptiens où les personnages sont traités dans le style grec. Ainsi, dans le défilé des porteurs d'offrandes vêtus à la grecque, un homme de face portant un enfant endormi sur ses épaules rappelle les *kouroi* archaïques, tandis que sa compagne possède le fin profil d'une Athéna. Mais cette alliance des meilleures qualités de ces deux arts si différents reste unique : si les premières œuvres du temps des Ptolémées, comme le *Portrait d'Alexandre II* conservé au Louvre, ont encore la grâce des reliefs de la XXXe dynastie, bien vite le modelé devient boursouflé et les formes s'amollissent. Sans doute, les sculpteurs du Ier s. av. J.-C. sont-ils encore capables de ciseler avec art le détail des emblèmes sacrés de Dendara ; à la même époque, les épisodes du mythe d'Horus sculptés au temple d'Edfou dénotent encore un sens du mouvement et un souci d'exactitude qui rachètent le modelé schématique des corps. Mais, si le décor des derniers temples ptolémaïques possède encore de loin grande allure, la qualité du relief est décevante. Partout des silhouettes empâtées se détachent sur un fond envahi par des hiéroglyphes grossiers, comme si, pressentant la fin prochaine de la religion pharaonique, les derniers prêtres avaient voulu fixer pour l'éternité les précieux rituels et les textes anciens qui en garantissaient la survie.

Durant la première période intermédiaire, la peinture murale disparaît des tombes privées pour se réfugier sur les objets funéraires : grands sarcophages et cartonnages de momie, coffres à oushebtis ou à canopes, papyrus, stèles en bois. Sur ces dernières, comme sur les papyrus mythologiques ou les livres des morts, les défunts et les dieux sont figurés d'un trait souple ; leurs silhouettes élégantes sont souvent rehaussées de couleurs dont le temps n'a pas terni la fraîcheur. De médiocres scènes religieuses illustrent de nouveau les sépultures de la XXVIe dynastie, telle celle du *Trésorier Ramosé* à Thèbes, où se détachent sur un fond clair des figures de couleurs vives. À partir du IIe s. av. J.-C., les styles grec et égyptien se mélangent dans le décor de certaines tombes d'Alexandrie. Dans les plus belles, on peut admirer une frise de sycomores et de dattiers traités à la manière impressionniste, ou de savants motifs géométriques aux alternances de couleurs vives. Si la pratique de l'embaumement se perpétue après la mort d'Alexandre, les fameux « portraits » du Fayoum, peintures sur bois glissées comme un masque sur le visage des momies, n'ont d'égyptien ni le style ni la technique, mais appartiennent à l'art grec. En revanche, les linceuls peints représentant le plus souvent le défunt en compagnie de divinités funèbres sont caractéristiques de l'art mixte qui fleurit au lendemain de la conquête romaine. L'un des plus intéressants, conservé au Louvre, montre un jeune homme vu de face, vêtu à la romaine et protégé par un Anubis presque classique. Près de lui, une momie dressée, maladroitement coiffée d'un némès royal, reflète les traits du visage du défunt.

Statuaire

Jusqu'à son dernier souffle, la statuaire égyptienne produira des chefs-d'œuvre. Les artistes du Ier millénaire continuent à utiliser les mêmes techniques qu'aux époques antérieures, et leurs œuvres portent des traces d'outils de pierre identiques à celles du temps des pyramides. Si la statuaire garde son caractère religieux, elle disparaît des tombes : la plupart des effigies sont destinées à figurer dans les temples, où elles recevront le culte des vivants. Peut-être faut-il voir là une explication du développement, à côté d'un courant idéaliste, d'un art du portrait qui atteint son apogée au temps des Ptolémées. Les statues royales, moins nombreuses et de petite taille, sont souvent éclipsées par celles réalisées pour les hauts fonctionnaires. Ceux-ci se font fré-

quemment représenter seuls avec les traits graves et soucieux de l'âge mûr. Les groupes familiaux disparaissent et, on ne sait pourquoi, les statues féminines sont extrêmement rares jusqu'à la conquête grecque, de telle sorte que nous ne connaissons aucune représentation de reine ni de personnage ordinaire appartenant à la XXVe dynastie ; seules les divines adoratrices d'Amon semblent avoir eu le privilège de se faire sculpter une effigie de pierre. Les artistes se tournent vers les modèles du passé, et le répertoire des attitudes est plus restreint qu'à la période précédente. Les statues assises disparaissent, alors que les statues-cubes, celles représentant un scribe ou un homme debout restent en faveur. La préférence pour les pierres sombres, soigneusement polies comme le granit ou la diorite, rappelle les goûts austères du Moyen Empire. Beaucoup d'œuvres sont également exécutées dans du schiste satiné, facile à travailler et merveilleusement apte à rendre le modelé du corps humain.

DE LA PÉRIODE INTERMÉDIAIRE À LA XXVe DYNASTIE

Comme après chaque période troublée, la sculpture connaît une renaissance qu'on situe habituellement v. 700 av. J.-C. Cependant, la longue éclipse qui s'installe à partir du règne de Ramsès II ne peut être comparée avec le déclin artistique des deux premières périodes intermédiaires. Les effigies de pharaons libyens sont rares et il se peut que certaines, comme le buste de Byblos, datent d'une époque antérieure. Elles s'inspirent du meilleur style de la XVIIIe dynastie, comme peut l'illustrer l'*Osorkon III* de Karnak, prosterné sur le sol pour lancer une barque sacrée, qui évoque, par l'élégance de ses lignes et la précision des détails, les plus belles œuvres thoutmosides. Plus nombreuses que les statues royales, celles des courtisans de l'époque libyenne perpétuent également les traditions du Nouvel Empire. Ce sont pour la plupart des statues-cubes provenant du grand temple de Karnak, exécutées dans des pierres dures, et qui portent sur leurs flancs polis l'image de divinités rappelant les incrustations des œuvres contemporaines en métal. Ces dernières sont particulièrement remarquables : à côté des milliers d'ex-voto de bronze qui se multiplieront jusqu'à l'époque ptolémaïque, on trouve des pièces exceptionnelles par leur taille et leur qualité, comme l'*Amon d'or* de New York, l'*Osorkon I*er de Brooklyn ou le *Pédoubastis* de la fondation Gulbenkian de Lisbonne, tous deux en bronze noir incrusté d'or. Une des œuvres maîtresses est sans conteste la statue représentant la divine adoratrice *Karomama*, petite fille d'Osorkon Ier. La princesse est debout, les bras tendus en avant pour accomplir l'offrande rituelle des sistres. On ne sait ce qu'il faut le plus admirer : la grâce du corps élancé, aux membres déliés, le visage jeune et réfléchi, ou bien la perfection technique de cette statue de bronze partiellement plaquée d'or, dont les détails sont rehaussés par des incrustations d'or, d'électrum et de nielle. D'une qualité identique, la statue de la *Dame Takouchit*, qui vivait dans le Delta au moment de la conquête éthiopienne, en diffère par le modelé appuyé de ses formes un peu lourdes, annonciatrices de l'idéal féminin de la XXVe dynastie, qui s'incarnera dans le portrait des divines adoratrices. La plus célèbre d'entre elles est l'*Aménardis* d'albâtre conservée au Caire, dont l'attitude est directement inspirée par des statues royales de la XVIIIe dynastie, mais qui s'en distingue par les rondeurs accentuées du corps et le visage joufflu. Reprenant un thème fréquent du Moyen Empire, le *Sphinx de Chépenoupet II* (auj. à Berlin-Ouest), est d'un style plus réaliste, la tête étant traitée comme un portrait. Les statues des pharaons éthiopiens reflètent le même contraste entre un style officiel, idéaliste, et une statuaire plus puissante, se rapprochant du modèle. Au premier courant appartiennent des œuvres inspirées de la XIIe dynastie, comme le *Colosse de Chabaka,* ou les statues acéphales de Chabataka et de Taharqa. Dans la série de portraits représentant les pharaons éthiopiens, le plus remarquable est un *Taharqa* de granit sombre (musée du Caire) qui, avec sa tête ronde, ses lèvres épaisses et ses plis encadrant les ailes du nez, semble croqué sur le vif. Les statues sculptées

pour Montouemhat, prince de Thèbes, montrent que les deux courants coexistaient également chez les artistes œuvrant pour les riches particuliers. Parmi la douzaine de statues le représentant, certaines dérivent en droite ligne du « beau style » de l'époque des Thoutmosis, comme le *Montouemhat assis,* enveloppé dans un grand manteau, alors qu'un fragment provenant de Karnak montre le dignitaire sous l'aspect beaucoup plus émouvant d'un homme à moitié chauve aux traits ravagés par l'âge. Les autres statues de particuliers de l'époque éthiopienne proviennent essentiellement d'une cachette découverte dans une des cours du temple de Karnak. Beaucoup d'entre elles prennent pour modèle des œuvres de l'Ancien Empire, telle une *Statue d'Harmakis* (musée du Caire) debout, les bras le long du corps, vêtu d'un pagne court à devanteau. Mais son visage rond aux traits négroïdes et les bijoux suspendus à son cou reflètent les goûts de la période. À l'opposé, le noble *Ariketekana* (id.) a trouvé un sculpteur de génie pour immortaliser avec un réalisme saisissant son corps obèse et son visage bien en chair.

ÉPOQUE SAÏTE ET XXXe DYNASTIE

Les rois de la XXVIe dynastie n'ont laissé que très peu de statues intactes, et les inscriptions permettant de les identifier sont rares. Le musée Jacquemart-André de Paris possède une petite *Tête de Psammétique II* qui illustre à la perfection les tendances de l'époque : sculptée dans un schiste sombre merveilleusement poli, elle représente le pharaon avec des traits idéalisés. Le sourire qui inspira peut-être les artistes de la Grèce archaïque, les yeux « en boutonnière » cernés d'un trait précis et la couronne bleue sont particulièrement caractéristiques de la période. D'autres portraits royaux très semblables ont été attribués à Amasis et à Apriès sur la base de légers détails : forme du menton, yeux plus rapprochés ; mais, jusque sous la XXXe dynastie, le roi d'Égypte se figurait avec un visage idéal identique, et les meilleurs archéologues s'affrontent pour attribuer la même œuvre à Nectanebo ou bien à Amasis. Le même problème se pose, pour les statues privées, où s'affirment les tendances à l'archaïsme sensibles dès la période précédente. Exécutées dans des pierres sombres au poli admirable, beaucoup d'entre elles reprennent des attitudes héritées de l'Ancien Empire. Le *Nekhtorheb agenouillé* du Louvre, le *Scribe Nespakachouty lisant un papyrus* (musée du Caire) ont la dignité paisible des œuvres du temps des pyramides, mais la perruque « en bourse » qui dégage les oreilles et le modelé délicat des visages aimables reflètent les goûts de l'époque. C'est également dans ce style un peu fade, qui affectionne les lignes douces et les surfaces polies où joue la lumière, que Psammétique se fit représenter sous la protection de Hathor (musée du Caire). Ce groupe célèbre n'a pas la vigueur des modèles de la XVIIIe dynastie, dont il s'inspire : sous le mufle d'une vache, personnifiant la déesse, Psammétique, qui fut l'un des ministres d'Amasis, figure dans la même attitude que naguère Aménophis II.

Simultanément, on voit s'épanouir un art plus expressif, reflétant la résignation ou la communion avec la divinité et dont les premiers exemples connus datent de l'invasion perse, au moment où l'Égypte meurtrie se tourne avec une ferveur nouvelle vers son passé glorieux et ses dieux. C'est à cette période qu'appartient par exemple un buste du Louvre qui, avec son visage émacié à l'expression douloureuse, est l'un des plus beaux portraits du ve s. Fruit d'une recherche différente, l'effigie de *Psammétique-sa-neith*, habillé à la mode perse, constitue le premier jalon d'une série de portraits, les fameuses « têtes de vieillard », qui s'épanouira sous les Ptolémées. Le visage, qui ne correspond à aucun des canons anciens, est celui d'un être vivant et nous semble familier. La notation minutieuse du crâne chauve et bosselé, la légère asymétrie des traits, le modelé cruel des chairs affaissées, des orbites creusées et des rides sont d'un réalisme totalement neuf.

Sous la XXXe dynastie, le même goût pour l'archaïsme et pour la virtuosité technique se conjugue avec un formalisme un peu hiératique. Les quelques statues royales qui nous sont parvenues sont malheureusement fragmentaires. Un torse magnifique de *Nectanebo,* conservé au Louvre, illustre bien le souci de vérité animant le sculpteur dans le traitement du corps humain : la musculature qui s'inscrit entre les pectoraux et la ceinture est soigneusement notée, utilisant le modelé « tripartite » qui fut en usage à partir du règne d'Amasis, alors qu'auparavant le torse masculin était idéalement divisé par une ligne médiane, héritage du Moyen Empire. La petite tête du Louvre, attribuée au même souverain, est traitée comme un portrait véritable. Dans la statuaire privée, de nombreuses œuvres témoignent du renouveau de la sculpture. Parmi les plus célèbres, la *Statue Dattari* (New York, Brooklyn Museum), inspirée de l'Ancien Empire, se distingue par le jeu des surfaces polies, contrastant avec les zones mates. La *Tête d'Ousirour (id.)* est remarquable par la délicatesse avec laquelle l'artiste a su laisser transparaître la structure du visage sous la peau frémissante. Proche des œuvres de la période saïte, la *Statue guérisseuse Tyskiecwickz* (Louvre) force l'admiration par la finesse des inscriptions magiques qui recouvrent de leurs colonnes serrées la pierre merveilleusement polie.

L'ÉPOQUE PTOLÉMAÏQUE

Soucieux de maintenir les traditions pharaoniques, les successeurs d'Alexandre le Grand ornèrent les sanctuaires de nombreuses statues à leur image, auxquelles, faute d'inscription, il est difficile de donner une date précise. Parmi les quelques têtes royales identifiées avec certitude, celle de *Ptolémée II*, conservée à Strasbourg, illustre bien la permanence des traditions artistiques. Sculptée dans du quartzite poli, elle représente le souverain coiffé du traditionnel némès. Le traitement des yeux et des sourcils, le visage doux aux formes rondes sont proches de l'idéal établi à l'époque saïte, et seule la bouche charnue au sourire accentué semble caractériser le personnage. Quelques statues royales, beaucoup plus rares, attestent l'influence des artistes grecs qui travaillaient à la cour des Ptolémées. Un colosse provenant de Karnak incarne parfaitement ce style mixte où se juxtaposent un visage encadré de boucles, du plus pur style hellénistique, et une attitude et des vêtements hérités du temps des pyramides.

L'apport de l'art grec est beaucoup plus sensible dans la statuaire féminine. Jamais, même au temps d'Amarna, les sculpteurs égyptiens n'ont traité aussi librement le modelé du corps : les formes féminines sont mises en valeur par des robes si étroitement moulantes qu'on les croirait nues. Les statues d'*Arsinoé II* (Leningrad, musée de l'Ermitage) ou de *Cléopâtre*, caractéristiques de ce style nouveau, reflètent sans doute l'érotisme dont s'entoure désormais le culte d'Isis. Incarnations terrestres de la déesse, les reines ptolémaïques sont figurées avec des attributs symboliques comme la coiffure à longues boucles et l'étoffe nouée sous la poitrine. Les statues de particuliers reflètent avec plus de diversité les tendances de la sculpture royale. Déesses et nobles dames ont des corps d'une jeunesse éclatante, dont le modelé évoque les Aphrodites alexandrines. Les statues-cubes aux formes stylisées et les personnages debout tenant un naos triomphent dans la statuaire masculine. Quelques œuvres comme le *Pakhom* de Dendara, associant des éléments grecs et égyptiens, appartiennent aux tentatives d'art mixte déjà évoquées pour les effigies royales. Mais la grande originalité de l'époque ptolémaïque est le soin avec lequel les artistes s'attachent à détailler le visage.

Ils excellent à rendre les détails physiques de leurs modèles et à exprimer leur personnalité. Nous leur devons une série incomparable de têtes d'hommes, souvent d'âge mûr, dont la plus exceptionnelle est la *Tête verte* de Berlin-Ouest, portrait sans concession d'un homme sévère, aux traits marqués par l'âge. L'œuvre est aussi admirable par le modelé subtil du visage et du crâne rasé que par la présence qui en émane. Bien qu'elle offre beaucoup

d'affinités avec un buste présumé de Jules César, sa date demeure discutée et peut-être faut-il y voir un exemple précoce, contemporain de la XXVIe dynastie. À la fin de l'époque ptolémaïque, la *Statue de Panémérit* reste dans la tradition de l'Égypte pharaonique par l'attitude du personnage, présentant devant lui l'image d'une divinité. Avec son visage énergique et vivant, son front haut et ses cheveux bouclés, elle constitue l'un des derniers chefs-d'œuvre de cet art du portrait égyptien qui influença, semble-t-il, la sculpture de la Rome républicaine.

AINSI, MALGRÉ LES BOULEVERSEMENTS DU Ier MILLÉNAIRE, l'art égyptien sut maintenir sa cohésion et son originalité jusqu'au temps des derniers Ptolémées. À cette époque encore, les sculpteurs peuplent les sanctuaires de statues perpétuant les traditions des premières dynasties. Cette ultime floraison ne s'achève qu'au moment où l'Égypte, passée sous la domination romaine, voit son aristocratie disparaître et ses richesses méthodiquement exploitées. Mais sous les Césars, les temples continuent encore à s'élever et l'art égyptien survit tant que dure l'antique religion où il puise son inspiration. Plus que la disparition de l'institution pharaonique, c'est la victoire du christianisme qui porte le coup de grâce à l'art égyptien. Reflet d'une pensée religieuse et d'une tradition nationale, celui-ci aura vu naître d'impérissables chefs-d'œuvre pendant près de 3 000 ans.

Bibliographie sommaire

BOTHMER (B.), *Egyptian Sculpture of the Late Period,* Arno Press, New York, 1960. GRIMM - JOHANNES (D.), *Kunst der Ptolemäer und der Römerzeit im Ägyptischen Museum Kairo,* Mayence, 1975. LEFEBVRE (G.), *le Tombeau de Petosiris,* IFAO, Le Caire, 1923. MONTET (P.), *la Nécropole royale de Tanis,* 3 vol., C. N. R. S., Paris, 1947, 1951, 1960. WENIG (S.), *Africa in Antiquity,* Brooklyn Museum, New York, 1978.

LA CRÈTE MINOENNE ET LES CYCLADES

Olivier Pelon

LA LÉGENDE DU ROI MINOS, QUI A DONNÉ SON NOM à la civilisation crétoise de l'âge du bronze, nous a été transmise par la mythologie grecque. Souverain de la « vaste Knossos », époux de Pasiphaé, père d'Ariane et de Phèdre, enfin juge aux Enfers aux côtés d'Éaque et de Rhadamante, sa localisation historique exacte nous échappe ; il est même probable que, tel pharaon en Égypte, son nom a servi à désigner une dynastie ou un titre royal plutôt qu'un seul homme, fût-il célèbre. Quoi qu'il en soit, il est indissociable, aux yeux de l'archéologue, de cette civilisation palatiale qui naît en Crète au début du IIᵉ millénaire et se prolonge pendant quelque 600 ans.

Mais réduire la civilisation que Minos incarne à la seule époque des palais, c'est risquer de ne rien comprendre à l'évolution qui a conduit à la floraison des arts dans le cadre de ces mêmes palais. On peut toutefois omettre sans inconvénients la période néolithique, où l'île connaît déjà une certaine prospérité, bien éloignée pourtant des réalisations continentales, dans la mesure où, mis à part quelques acquisitions qui se transmettront à l'époque suivante, rien ne laisse encore prévoir les développements ultérieurs.

La civilisation minoenne recouvre à peu près l'âge du bronze, appellation commode, malgré son inexactitude relative, pour désigner la période qui s'étend de la fin de l'âge de la pierre au début de l'âge du fer. Il est certain que, si l'on se place sur le seul plan de la technologie, l'invention du bronze représente une des caractéristiques majeures de cette époque. Mais il est non moins sûr qu'elle ne fait pas son apparition au tout début et que, pendant un certain temps, le cuivre est travaillé à l'état pur avant d'être allié pour durcissement à l'arsenic, puis à l'étain.

Le terme de la période ne coïncide pas cependant avec la fin de la civilisation dite « de Minos ». Le subminoen du XIIᵉ et du XIᵉ s. av. J.-C. n'est plus qu'une forme abâtardie d'une culture déjà morte. Quant à la phase dite « postpalatiale », elle est encore l'objet de trop de contestations entre savants pour que l'on puisse y voir avec sûreté une des grandes phases de la civilisation proprement minoenne.

On distinguera donc :
— la *période prépalatiale*, qui, débutant peu avant 3000 av. J.-C., s'étend jusqu'à l'apparition des palais, vers la fin du IIIᵉ millénaire ;
— la *période des Premiers Palais*, qui se termine par la destruction générale des édifices palatiaux et des habitats qui les entourent, v. 1700 av. J.-C. ;
— la *période des Seconds Palais*, qui débute par la reconstruction des bâtiments détruits sur un plan nouveau et plus grandiose et se clôt par une seconde grande destruction, apparemment non simultanée sur les différents sites, mais située dans le courant du XVᵉ s. av. J.-C.

La période prépalatiale
(III° MILLÉNAIRE)

La Crète

Un des paradoxes de la Crète prépalatiale est le contraste, au moins apparent, entre une architecture d'habitat relativement modeste et une architecture funéraire quasi monumentale. Dans l'un et l'autre cas, les matériaux sont ceux-là mêmes que l'on rencontre à travers tout l'Orient à la même époque : la terre, parfois façonnée en briques crues, le bois découpé en rondins, la pierre, généralement le calcaire local, sous forme de moellons ou de gros blocs, laissés bruts la plupart du temps, et sans doute aussi la paille et les branchages.

Jusqu'en 1967, on ne connaissait guère qu'un habitat important pour cette époque, celui de Vassiliki, dans la partie est de l'île, fouillé par l'archéologue américain R. B. Seager au début du siècle. Mais la fouille de Myrtos, sur la côte sud, a révélé, depuis, les principaux caractères d'une agglomération villageoise aux activités à la fois agricoles et proto-industrielles. Le « village » forme un tout organique, sans distinction de maisons individuelles ; seuls quelques passages ou courettes ménagent des espaces de circulation à ciel ouvert entre les constructions. Au sein du tissu communautaire, on discerne cependant l'amorce d'une certaine différenciation : des réserves, ou « magasins », remplies de grandes jarres, un atelier de potier avec les disques sur lesquels se façonnait le vase, enfin un petit sanctuaire où trônait sur un piédestal une figurine de déesse. Hameau pour certains, manoir pour d'autres, l'habitat de Myrtos n'est pas sans annoncer l'articulation des palais du II° millénaire, et de même à Vassiliki s'étend, à l'extérieur des constructions, une cour pavée qui semble préluder aux esplanades occidentales des édifices palatiaux.

Étrangement, l'architecture funéraire connaît au même moment un développement plus spectaculaire. À côté des os-suaires rectangulaires de plan très simple, sur un modèle hérité de l'époque néolithique, fréquents dans la partie orientale de l'île, la grande plaine de Messara, au sud du massif de l'Ida, et ses abords montagneux offrent de nombreux exemples de grandes tombes collectives, au plan circulaire et à la voûte en encorbellement. Certes, aucune d'elles n'est intégralement conservée, mais les ruines montrent assez l'audace du projet : à Platanos par exemple, les murs de moellons ont 2,50 m d'épaisseur, et le diamètre de la chambre dépasse 13 m, réalisation qui annonce, malgré les différences de structure, les grandes tombes à tholos de Mycènes. Non couverte par un tumulus, la construction funéraire, accessible par un petit vestibule étroit ou un dédale de petites pièces placé vers l'est, restait bien visible dans la campagne, à proximité du village qui en assurait l'entretien. Tombes communales où s'entassaient des centaines de morts, elles furent encore utilisées dans certains cas à l'époque des Seconds Palais.

CÉRAMIQUE

La céramique de l'époque prépalatiale est très proche à ses débuts des productions néolithiques. La fabrication se fait à la main, probablement dans un cadre familial. Les mêmes procédés de cuisson sont encore en usage pour certaines catégories de vases dont la pâte, noire ou grise, a été cuite en atmosphère réductrice. Sur ce fond sombre, le décor est souvent exécuté au polissoir ; un système de lignes noires parallèles, combiné avec des anneaux horizontaux incisés, imite sur de grands calices à pied haut les veines du bois des prototypes probables. Le décor incisé occupe la place principale sur des vases d'argile grise courants en Crète orientale : lignes parallèles, demi-cercles concentriques, semis ou lignes de points en constituent les motifs les plus fréquents.

Cependant, dès le début du minoen ancien, se développe une production tout autre, sans précédent à l'époque antérieure : la pâte est claire, jaunâtre ou chamois, et le décor en peinture brune ou rouge sombre. Dans le style d'Agios

Onouphrios, le plus ancien, des réseaux de minces lignes parallèles parcourent la panse et le col de cruches à bec dressé ; dans le style de Koumassa, qui lui fait suite, des motifs nouveaux apparaissent, comme le triangle ou le losange à quadrillage intérieur. La cruche à bec dressé est elle-même une forme nouvelle, venue probablement de l'Anatolie du Nord-Ouest, qui paraît avoir entretenu des relations particulières avec la Crète de cette époque.

La technique inverse, à décor blanc sur un fond sombre, a longtemps été considérée comme caractéristique de la dernière phase du minoen ancien, mais on sait maintenant, à la suite des fouilles de Lébèna, sur la côte sud, qu'elle existait dès la première. La peinture de couleur crème n'a pas encore acquis la coloration franche qui sera obtenue plus tard. Les motifs, pour la plupart rectilignes à l'origine, deviennent ensuite en majorité curvilignes, avec une place particulière donnée à la spirale, probablement originaire des Cyclades, où elle a joué un rôle important dans le répertoire décoratif dès le début du bronze ancien.

Cependant, c'est une céramique à fond sombre irrégulier, sans décor surajouté, qui constitue l'essentiel de la production du bronze ancien crétois à son apogée ; la coloration de la surface en fait toute l'ornementation, réduite à de grandes taches jaunes ou noires au contour sinueux se détachant sur le fond brun-rouge. Cette céramique, dont il existe un prototype incontestable à l'époque néolithique, semble être originaire de Crète orientale, d'où elle a rayonné dans le reste de l'île jusqu'à l'extrême ouest. Cette technique, connue sous le nom de « style de Vassiliki » d'après le site déjà mentionné plus haut, est le fruit d'une cuisson particulière au cours de laquelle les charbons sont plus ou moins rapprochés de la surface du vase revêtue d'un enduit monochrome. À côté d'un coquetier à pied large, la « théière » à long bec d'oiseau ou la cruche à bec dressé évoquent, avec leurs protubérances latérales en forme d'œil, des prototypes anatoliens de la région de Yortan.

Le mode de fabrication évolue incontestablement au cours de la période. La découverte à Myrtos de plusieurs disques d'argile rassemblés dans une même pièce de l'habitat prouve l'utilisation, dès la phase moyenne, de la tournette, qui reste mue par la main du potier. Jusqu'alors familiale, la production des vases prend un caractère artisanal et l'on voit déjà poindre une spécialisation relative au niveau professionnel.

L'influence cycladique que l'on discerne dans la céramique de la dernière phase est également sensible dans la plastique. Il n'est pas toujours facile de distinguer dans ce domaine la production locale de l'importation, tant les figurines des tombes de Messara ou celles de Téké, près d'Héraklion, ressemblent à celles des îles voisines de l'Égée. Même matériau, le marbre, en règle générale, même géométrisation des lignes combinée à un même sens du volume, même attitude du personnage représenté, qu'il soit masculin ou, plus fréquemment, féminin, nu les bras croisés sous la poitrine. Il n'est pas impossible non plus que des artisans cycladiques installés en Crète soient les auteurs de certaines de ces œuvres, telle une figurine d'ivoire trouvée à Archanès, non loin de Knossos, dans laquelle s'allient une matière peu usitée dans les Cyclades et une exécution spécifiquement cycladique.

C'est au potier que sont dues alors les créations locales les plus marquantes, que la figurine soit uniquement la représentation de la divinité ou qu'elle serve en même temps de vase à libations. De Myrtos proviennent une statuette de terre cuite d'une vingtaine de centimètres dont la fonction ne peut être mise en doute : elle gisait au pied du socle de pierre sur lequel elle était initialement posée, dans une salle-sanctuaire de l'habitat. Pourvue d'un très long cou, jailli telle une tige de la ligne des épaules, la « déesse » serre contre sa poitrine, de ses bras inégaux, une cruche qui l'apparente aux divinités mésopotamiennes des eaux ; sa relation avec les forces de la fécondité semble indiscutablement matérialisée par le triangle peint sur le bas ventre.

Les nécropoles de Mochlos et de Malia ont fourni pour leur part deux vases anthropomorphes en forme de femme pressant ses seins d'où s'écoulait par une perforation le liquide de la libation, reflet du geste immémorial des déesses de la fécondité proche-orientales. Leur présence insolite dans les tombes témoigne du lien étroit qui unissait la vie et la mort dans les croyances de cette époque. Des vases zoomorphes venant des tombes de Messara préfigurent un des aspects de la civilisation des palais : de petits personnages en relief se cramponnent aux cornes d'un taureau de terre cuite dont l'échine est surmontée d'une anse.

TRAVAIL DE LA PIERRE

Dans la pierre, l'artisan crétois s'attache alors à reproduire, plutôt que la figure humaine, la forme de vases et l'on doit reconnaître là l'influence de l'Égypte de l'Ancien Empire. Le milieu de la période marque l'apogée de cette production, qui dénote des contacts relativement étroits, sinon directs, avec la vallée du Nil. La pierre, d'origine locale, est choisie et travaillée avec soin pour que les veines se marient harmonieusement avec les lignes du vase et créent un effet polychrome dont les Crétois sont friands. Certains ateliers diffusent déjà leurs produits ; un même artisan semble avoir travaillé pour Zakros, Mochlos et peut-être Tylissos, où un couvercle de pyxide porterait sa marque : un chien aux pattes étendues servant de poignée, sur fond de triangles incisés. On trouvera à peine quelque raideur dans cette évocation animale, pourtant bien antérieure au style naturaliste de l'époque des Seconds Palais.

La glyptique, qui deviendra une des spécialités de l'art minoen, n'atteint pas encore la richesse ni la souplesse des représentations plus tardives : personnages schématiques, motifs géométriques où la spirale n'apparaît que vers la fin de la période sont exécutés dans des matériaux tendres, faciles à travailler. On sent déjà poindre cependant l'intérêt de l'artiste pour des compositions ornementales et des scènes complexes ramassées dans le cadre étroit du champ disponible.

TRAVAIL DU MÉTAL

L'une des acquisitions majeures de la période, avons-nous dit, est le travail du métal. L'invention (ou l'introduction) du bronze autorise la fabrication d'armes et d'outils plus résistants, mais encore peu nombreux et relativement massifs. La grande rapière qui sera empruntée par le continent vers 1600 n'est pas encore créée et ses premiers exemplaires ne feront leur apparition qu'au début de l'époque des Palais.

Mais l'artisan crétois excelle déjà dans la confection des bijoux d'or et d'argent, celui-ci, importé des Cyclades, étant d'ailleurs plus prisé que l'or venu d'Égypte. Des tombes de Mochlos plus que des tombes de Messara provient une série d'objets d'or qui ont servi de parure aux morts plutôt que d'ornements aux vivants : diadèmes, bandeaux, épingles ou colliers. La feuille d'or soigneusement martelée a été découpée en longues bandes ou en minces pétales ; un décor complémentaire y est appliqué au repoussé ou au pointillé. La technique de fabrication du fil d'or est connue, mais non pas encore, semble-t-il, son usage pour l'exécution d'un décor appliqué et l'on hésitera à situer à cette époque une perle cylindrique ornée de spirales en filigrane aussi bien qu'une petite grenouille revêtue d'un fin grènetis, provenant l'une et l'autre de Messara.

Les techniques employées et la richesse du dépôt de Mochlos évoquent les « trésors » contemporains du nord de l'Égée (Troie et Poliochni) et même ceux, plus anciens, des tombes royales d'Our en Mésopotamie, à cette différence près, toutefois, que les bijoux crétois témoignent d'une rusticité plus grande. Comme pour le travail du bronze, la Syrie semble être la région d'où se diffusent les influences civilisatrices. C'est de là aussi que vient probablement la faïence, produit nouveau utilisé avec la pierre pour la fabrication des perles de couleur.

Le IIIe millénaire atteste donc des progrès décisifs sur l'art du néolithique : les contacts avec l'extérieur se sont multipliés, des techniques nouvelles se sont développées et les grandes tendances de la civilisation palatiale apparaissent déjà en filigrane. On ne peut guère être surpris dans ces conditions que, au moment où naissent les premiers palais, les arts et les techniques produisent d'emblée des réalisations éclatantes.

Les Cyclades

Au moment où la Crète commence seulement à bourgeonner, les Cyclades, qui parsèment la mer Égée, connaissent un brillant essor. C'est en pierre que ces îles de petite taille, aux côtes fortement découpées, propices à une navigation embryonnaire et encore incertaine, sont le plus riches et, dès l'époque néolithique, elles exportent l'obsidienne de Mélos jusque dans la lointaine Thessalie. Quant au marbre de Paros ou de Naxos, il sera longtemps la principale matière première de l'artisanat local avant d'être exporté brut pour servir aux créations des sculpteurs et des architectes du continent.

L'abondance de ce marbre de belle qualité a très tôt orienté les artisans cycladiques vers une production sans équivalent dans le monde égéen de l'époque : celle de vases, de figurines et même de statuettes dont la taille peut atteindre 1,50 m. Il est probable que l'inspiration en vient du néolithique continental, qui connaît l'effigie d'une « déesse » de la fécondité dont les formes généreuses ne se voilent ordinairement d'aucun vêtement. Mais les différences sont significatives. Si les plus anciennes statuettes ont un aspect assez naturaliste, celles de l'apogée, à partir de 2500 av. J.-C., se signalent par une géométrisation poussée : sur le visage aux lignes simplifiées ne se détache que l'arête du nez, le buste aux bras ramenés sur la poitrine et aux seins menus s'inscrit dans un trapèze, les jambes serrées forment un socle étroit et d'ailleurs instable et il n'y a guère que le geste des bras et le triangle pubien incisé pour rappeler le souvenir des plus anciennes idoles de la fécondité. Un harpiste et un flûtiste introduisent une variante imprévue et rare qui conjugue un corps stylisé avec la forme schématique d'un instrument de musique.

Des types céramiques marquent égale-

ment l'originalité des Cyclades de cette époque : ainsi la « saucière », un récipient ouvert à la vasque allongée et au bec évasé ; la « poêle à frire », en particulier, porte habituellement sur son revers une ornementation incisée de valeur symbolique, un réseau de spirales enchaînées conjugué à la représentation d'un navire, à des pousses indifférenciées ou à un triangle sexuel dont la dominante paraît répondre à un culte de la fécondité.

La période des Premiers Palais

(2000-1700 AV. J.-C.)

Les palais crétois représentent l'aboutissement d'une longue évolution commencée au bronze ancien ; la date même de leur apparition est controversée, dans la mesure où il est malaisé d'établir à quel moment exact un édifice donné acquiert un caractère palatial. En Crète, le palais se définit comme une construction monumentale organisée autour d'une cour qui en constitue le centre organique plus que géométrique. À cela s'ajoutent des traits secondaires tels que l'existence d'une façade « noble » à l'ouest, en bordure d'une esplanade au sol pavé parcourue par des chaussées dallées.

Les premiers palais sont restés longtemps mal connus en raison des reconstructions qui ont affecté le même emplacement à l'époque des Seconds Palais ; les architectes minoens en effet, à Knossos, Phaistos et Malia, ont systématiquement réutilisé l'endroit déjà construit et remployé les murs subsistants ou leurs matériaux. Seul Phaistos, bâti sur une colline de Messara, a conservé des restes substantiels des premiers édifices, sauvegardés par la déclivité même sur laquelle ils s'étagent. Les archéologues italiens y ont déterminé la succession de trois établissements protopalatiaux qui, s'ils apparaissent encore comme un enchevêtrement de petites pièces communiquant par des passages étroits ou des escaliers, possèdent déjà une cour centrale de grandes dimensions et, sur une cour ouest soigneusement pavée et bordée de gradins, une façade de blocs équarris reposant sur un socle débordant. Déjà est sensible, le long de cette façade, le système des décrochements légers et des redans profonds qui caractériseront les constructions plus tardives. Cependant, respectant une longue tradition, les murs intérieurs ne sont faits que d'un blocage de petits moellons noyés dans de l'argile et solidement armés par des madriers transversaux. Déjà sont présents sur les parois et les sols des enduits stuqués et peints, mais le décor se limite encore à de simples motifs géométriques ou à de grandes bandes de couleur unie, bien éloignés des réalisations ultérieures.

L'importance du rôle joué par la religion se laisse également deviner, même si notre connaissance des édifices reste très fragmentaire. Le fouilleur de Knossos, A. Evans, a ainsi rattaché au premier palais les deux cryptes de l'ouest, dont les piliers centraux, décorés de 29 doubles haches incisées, semblent avoir été l'objet d'un rituel. À Phaistos, trois petites pièces placées le long de la façade ouest définissent un quartier cultuel ; l'une d'elles, à banquettes, présentait encore, posé sur le sol, un grand plateau rectangulaire en terre cuite, bordé d'une margelle à motifs estampés de bovins et de spirales et creusé d'une large cupule en son centre : table à libations ou à sacrifices. Pour la même époque, le mobilier originel d'un sanctuaire palatial nous est connu sous la forme d'objets miniatures tombés de l'étage dans la partie est du palais de Knossos : autels couronnés de cornes sacrées, colonnettes à chapiteaux carrés et poutres rondes sur lesquelles étaient posées des colombes, palanquin destiné au prêtre ou plus vraisemblablement, selon un usage oriental, à la statue de culte.

De l'époque précédente, la période des Premiers Palais a hérité la construction funéraire de plan circulaire, mais celle-ci n'est plus guère qu'une survivance, mis à part quelques exemples isolés en Messara. Les ossuaires rectangulaires du bronze ancien acquièrent un aspect monumental dans la nécropole princière de Chryssolakkos, à Malia, où on les entoure d'une enceinte de grands blocs de calcaire soigneusement découpés à la scie qui transforme en un édifice unique et grandiose un agrégat de petites pièces sans caractère.

CÉRAMIQUE

La production la mieux connue à travers laquelle s'exprime le plus librement le génie minoen à l'époque protopalatiale est celle du potier. Le tour, en usage dès le IVe millénaire en Mésopotamie, apparaît en Crète vers la fin du IIIe, autorisant un élargissement et une plus grande régularité de la fabrication. La cuisson, pour sa part, s'améliore et le vernis noir qui désormais recouvre les vases d'une teinte uniforme prend des reflets d'un bleuté métallique.

La technique du décor blanc sur le fond sombre, caractéristique de la dernière phase du bronze ancien, se modifie et le blanc crémeux cède la place à un blanc de teinte plus franche. La palette du peintre s'enrichit avec l'emploi, à côté du blanc, qui reste prédominant, du rouge lie-de-vin et de l'orangé, utilisés comme couleurs additionnelles. L'évolution technique atteint son apogée avec la production des vases « coquille d'œuf » où l'extrême minceur des parois s'accompagne d'une grande richesse ornementale.

Les formes prolongent celles de l'époque précédente, mais aux formes lourdes du bronze ancien succèdent des profils plus nets, parfois même anguleux ou moulurés, qui attestent l'influence de prototypes métalliques. Prenant confiance en ses moyens, le potier devient le concurrent du bronzier comme il est déjà celui du lapidaire. Son invention d'ailleurs n'a plus guère de limites et confine parfois au baroque. Tantôt il reproduit à la surface du vase l'aspect verruqueux de coquillages marins et tantôt il fait figurer en relief la courbure d'une coquille ou le corps fuselé d'un dauphin. Le monde végétal lui offre également des modèles et de Phaistos proviennent un compotier dont la vasque s'ouvre en corolle aux pétales retombants et un cratère orné de grandes fleurs de lys des sables en relief sur la vasque et sur le pied. Il crée même des compositions qui vont à l'encontre de l'utilisation pratique du vase, mais renforcent sans doute sa signification symbolique : un oiseau aux ailes déployées se pose au fond d'un bol de Palaikastro et, dans un autre, un berger mène son troupeau à la pâture.

Le décor peint prend parallèlement une ampleur inusitée. Conçu pour s'harmoniser avec la forme même du vase dont il met en valeur les volumes et les articulations, il compose un réseau serré de motifs qui ont perdu la géométrisation un peu sèche des productions antérieures. La spirale et la courbe sont privilégiées aux dépens des motifs rectilignes, et chaque élément semble doté d'un mouvement giratoire qu'accompagnent des gouttelettes de caractère ornemental. La flore fournit de grandes marguerites à pétales rayonnants et des feuilles stylisées ; la mer, ses poissons, ses poulpes et ses algues. D'étranges compositions marient, dans une atmosphère irréelle, des spirales et un pistil ou des étamines ; la spirale même s'enrichit de denticules, et une feuille s'échappe de la gueule ouverte d'un poisson.

L'artiste semble encore peu attiré par la reproduction de la personne humaine et pourtant, à Phaistos, un bol et un compotier offrent des scènes où des danseuses, schématiques malgré leur grâce et leur souplesse, virevoltent autour d'une probable « déesse aux serpents » ou « aux lys », première image de ces scènes de culte que nous offrira l'époque suivante.

On a souvent parlé de la fantaisie débridée qui présiderait à l'art minoen, et spécialement à l'art du peintre de vases, mais on y discernerait plutôt une imagination bien contrôlée par les impératifs de la surface à décorer et du mouvement à suggérer.

La petite plastique, le plus souvent de terre cuite, rarement de bronze, revêt pour sa part une apparence toute nouvelle. Les sanctuaires construits aux sommets qui font alors leur apparition, tels Petsopha près de Palaikastro ou Piskokephalo près de Sitia, sont peuplés d'une foule d'adorants aux gestes hiératiques qui n'ont plus rien des représentations antérieures. Les chevelures ramassées en chignon haut placé, les chapeaux en galette ou à haute visière, les seins libres ou le corsage à grand col, les jupes-cloches des femmes et le simple cache-sexe des hommes font partie d'une mode singulière, mais bien réelle. Et que de naturel dans le geste de la jeune femme qui croise les bras devant sa poitrine nue, quelle force contenue et quelle vie dans ces humbles images d'une dévotion populaire qui répondent à une indiscutable tradition proche-orientale, incarnée par une figurine en stéatite de Messara encore toute proche de ses modèles !

TRAVAIL DE LA PIERRE

Les améliorations dans la production des vases de pierre sont surtout d'ordre technique ; même si l'éventail des formes s'enrichit, on ne saurait parler d'un véritable progrès sur l'époque antérieure. L'artisan n'hésite plus à faire appel à des matériaux beaucoup plus durs ; outre la stéatite tendre toujours en usage, il emploie l'obsidienne tachetée venue du Dodécanèse, dont les inclusions blanches se détachent sur le fond sombre, sinon déjà le cristal de roche. Un atelier palatial de Malia a livré côte à côte obsidienne et quartzite rose, en même temps qu'un couvercle de marbre parfaitement poli. Des pierres plus dures et plus belles sont également utilisées en glyptique : cornaline, agate, cristal de roche, améthyste, qui prouvent le perfectionnement du petit outillage de gravure, vraisemblablement en métal. Mais le progrès des sceaux est surtout d'ordre stylistique. Le schématisme des représentations du bronze ancien ne subsiste plus que par endroits, et spécialement à Malia, où un atelier a été découvert. À Knossos et à Phaistos, deux dépôts d'empreintes sur argile, généralement datés de cette époque, donnent une impression toute différente : fleurs et animaux font leur apparition sous une forme naturaliste qui annonce les développements de l'époque postérieure, et A. Evans a pu parler de portraits royaux à propos de deux effigies d'un *Homme aux cheveux bouclés* et d'un *Jeune Garçon au crâne rasé*. Le signe d'écriture sous la forme de l'hiéroglyphe primitif est traité en élément décoratif soit seul, soit en combinaison avec des motifs à valeur plus ou moins symbolique : palmettes, spirales ou même animaux ou tête humaine. La composition prend souvent alors un aspect monumental qui relie la production des sceaux à l'ensemble de l'art palatial ; on croit même reconnaître un titre royal sur un prisme à trois faces où la silhouette d'un chat aux oreilles dressées se combine à un groupe formulaire de signes hiéroglyphiques.

TRAVAIL DU MÉTAL

Le développement conjugué de l'art du bronzier et de celui de l'orfèvre pour la production des armes d'apparat est, sans nul doute, de caractère palatial. Malia est le site qui en a offert les exemplaires les plus remarquables. Du palais même proviennent les deux épées que l'on a parfois surnommées *Durandal* et *Joyeuse :* l'une est une rapière à large lame avec poignée de calcaire gris initialement revêtue d'or et pommeau à huit faces en cristal de roche, l'autre, dont la lame est presque aussi longue mais moins large, possédait un pommeau en os décoré d'une rondelle d'or sur laquelle s'enroule la figure d'un acrobate exécutée au repoussé. Ces armes, de près d'un mètre de long, sont des innovations de la période ; sur la seconde, l'orfèvre a su à merveille rendre le corps nerveux d'un de ces athlètes qui hantaient les palais et en détacher les volumes sur un fond semé d'un pointillé serré. Un poignard trouvé dans un des grands bâtiments de la ville associe un fin décor ajouré et des incrustations aujourd'hui disparues, probablement d'émaux ou de pierres de couleur.

C'est encore de Malia, mais de la nécropole princière de Chryssolakkos, que provient l'admirable bijou connu sous le nom de *Pendentif aux abeilles :* deux insectes au corps annelé, opposés par la tête et l'extrémité de l'abdomen, tiennent dans leurs pattes un disque figurant peut-être une boule de pollen et s'équilibrent de leurs ailes étendues (musée d'Héraklion). La technique de l'orfèvre atteint là son apogée dans le raffinement : la délicatesse du grènetis, la finesse du filigrane, la régularité des gaufrures montrent les progrès réalisés depuis les bijoux de Mochlos, que rappelle pourtant dans la même tombe un pendentif en forme de feuille. Ici, tout autant que dans la figure de l'*Acrobate* (id.), le naturalisme s'associe à une schématisation ornementale qui donne à cette production des Premiers Palais à la fois son unité et son charme.

Il ne nous reste rien de l'art de la marqueterie, sinon peut-être ces petites façades de faïence peinte trouvées à Knossos qui semblent représenter toute une ville aux maisons à plusieurs étages de pierre ou de brique et armature de bois dont le toit plat s'orne d'une curieuse construction en saillie ; document précieux bien que fragmentaire sur une architecture dont nous ne possédons guère plus que les plans.

La période des Seconds Palais
(1700-1400 AV. J.-C.)

La Crète

La période des Premiers Palais se clôt vers 1700 par une grande catastrophe d'origine probablement sismique ; sur tous les sites, palais et maisons s'écroulent, parfois avec accompagnement d'un incendie dévastateur, ensevelissant dans leurs ruines mobilier ordinaire et objets précieux. La reconstruction commence sans délai, preuve que l'économie crétoise n'a pas été trop sévèrement touchée. Sur l'emplacement même des premiers palais s'installent de nouveaux édifices, conçus selon les mêmes principes, mais sur un parti plus grandiose. Les bâtiments de cette époque sont, à quelques modifications près, ceux que le touriste contemple encore sur le terrain. C'est autour d'eux que va s'élaborer un art différent sans doute, mais qui, profondément enraciné dans le passé crétois, en développera des tendances demeurées plus ou moins latentes.

Les seconds palais, plus imposants que les premiers, couvrent des superficies considérables : près de deux hectares pour Knossos, la moitié environ pour Phaistos et Malia, le quart pour Zakros. Seul en est conservé le plus souvent le rez-de-chaussée ; mais l'effort des archéologues, et plus particulièrement d'Evans à Knossos, a tendu à en reconstituer les étages. L'emplacement choisi au départ pour la demeure des premiers souverains a conditionné dans une certaine mesure la disposition de l'ensemble : une colline aux lignes molles à Knossos, une acropole escarpée à Phaistos, une éminence à peine marquée à Malia, enfin le fond d'une vallée littorale à Zakros. Toutefois, et de façon surprenante, les mêmes grandes règles ont été appliquées partout.

Contrairement au palais mycénien qui se développera plus tard sur le continent, le palais minoen n'est pas fortifié et les termes de « bastion » ou de « donjon » qu'ont parfois employés les archéologues ne recouvrent aucune réalité d'ordre défensif. Largement ouvert de toutes parts, il est généralement relié à la ville environnante par un système de vastes esplanades pavées et de voies dallées prolongeant les rues de l'agglomération. Massif et carré, il domine les environs de ses hautes façades en blocs appareillés revêtus d'un badigeon blanc ou de ses murailles de gros blocs bruts recouverts de terre et de stuc où les redans créent une suite d'avancées et de renfoncements à la fois fonctionnels et décoratifs.

On a souvent assimilé le palais crétois au labyrinthe de la légende de Thésée et du Minotaure dont le héros athénien ne peut s'échapper, après avoir tué le monstre, que par la vertu du cadeau fait par Ariane, la fille de Minos, peloton de fil ou couronne de lumière. La notion de bâtiment complexe et obscur, d'entrelacs inextricable de petites pièces et de corridors tortueux lui est donc attachée et fausse la réalité archéologique. Sans doute à tout esprit nourri de classicisme grec les palais de Crète sembleront-ils bien souvent déconcertants dans leur absence apparente de symétrie et les nombreux coins et recoins, mais leur plan obéit dans la réalité à des principes solidement établis.

L'édifice est construit autour d'une cour rectangulaire dont l'orientation varie peu d'un site à l'autre ; elle en constitue le cœur, sinon le centre géométrique. C'est vers elle que convergent entrées et corridors d'accès ; c'est d'elle que partent la plupart des grands escaliers menant à l'étage. Elle est souvent, comme à Phaistos et à Malia, bordée de longues galeries présentant un front homogène de colonnes de bois sur bases de pierre ou une alternance régulière de piliers carrés et de colonnes rondes. Dallée ou non, elle a servi de théâtre aux manifestations essentielles de la vie palatiale, et plus particulièrement aux cérémonies religieuses telles que processions et sacrifices, et aussi, semble-t-il, d'arène pour les jeux de taureaux, si fréquemment représentés dans l'art minoen.

Sur les côtés s'organisent les pièces groupées en quartiers, chacun avec son individualité propre : salles d'apparat, salles de culte, magasins, ateliers. Les appartements privés semblent avoir été placés à l'étage, selon une tradition généralement observée en Orient. Le quartier officiel répond à un schéma bien défini : au centre, une grande salle dallée ouverte sur trois côtés par un système de baies multiples que fermaient à l'occasion des tentures ou des portes ; une courette, ou « puits de lumière », en assurait l'éclairage et la ventilation, tandis que, par-delà un profond portique, la vue s'étendait sur un paysage de nature, vallée du Kairatos à Knossos, cime du mont Ida à Phaistos ou encore zone de jardins à Malia.

Les salles-magasins, longues et étroites, desservies par un couloir unique, et les grands silos circulaires, disposés à Malia sur deux rangées parallèles, soulignent l'importance du rôle économique de l'édifice. Dans les uns, le grain des terres royales s'entassait du sol jusqu'au sommet des murs ; dans les autres, de hauts *pithoi*, qui pouvaient atteindre deux mètres, renfermaient huile ou vin, céréales ou légumineuses.

Mais dans le palais crétois, c'est la religion qui apparaît omniprésente. Salles à piliers, salles à banquettes, salles à lustrations, petits sanctuaires avec autel ou table d'offrandes sont en relation avec la célébration de rites multiformes. On connaît à Knossos ces deux cryptes héritées du premier palais dont le pilier central s'ornait du signe sacré de la double hache répété sur chaque bloc ; à Malia, cette grande table circulaire en marbre, placée sur une terrasse dallée dans l'angle sud-ouest de la cour centrale, dont les cupules recevaient, à n'en point douter, comme le *kernos* d'Éleusis, les prémices des productions du sol offertes à la divinité. Knossos a conservé dans de grandes fosses le mobilier sacré d'une de ces salles de culte palatiales, et Zakros a récemment révélé l'aspect pratiquement intact d'un quartier sacré avec sa salle-sanctuaire et son trésor où s'entassaient encore dans leurs coffres de brique les vases rituels et le mobilier de culte.

Bien loin de n'être qu'un inextricable fouillis, le palais crétois présente une organisation parfaitement étudiée pour répondre à des besoins spécifiques, une esthétique qui ne relève nullement de la fantaisie du moment, mais d'un art très concerté, une régularité même assez surprenante pour cette époque. Les grandes maisons édifiées aux alentours répondent aux mêmes nécessités et copient sur une échelle réduite l'exemple des bâtiments palatiaux. L'architecte minoen, dans les uns et les autres, a su concilier à merveille goût de la monumentalité et souci du fonctionnel. Il n'est pas jusqu'à l'architecture funéraire qui ne prenne un aspect plus grandiose, telle la *Tombe-Temple* de Knossos avec sa façade appareillée donnant sur une courette à portique, sa crypte à double pilier, sa chambre funéraire dallée son étage réservé au culte. Quant à la voûte de pierre en quille de navire, elle apparaît pour la première fois dans la *Tombe royale* d'Isopata, près de Knossos, à laquelle conduisait un long *dromos* en pente légère.

PEINTURE MURALE

La peinture vient fréquemment rehausser dans les palais et les maisons l'enduit stuqué qui recouvre les murs intérieurs. La technique employée n'est pas de façon certaine la fresque véritable, mais plutôt la détrempe, exécutée sur un enduit déjà sec. La palette des teintes est assez étendue : noir, ocre jaune, rouge clair et rouge foncé, bleu et vert, toutes fabriquées à partir de colorants minéraux naturels. L'application se fait par zones uniformes sans aucune recherche de volume et ce n'est que vers la fin de la période que des hachures sont employées pour indiquer des ombres sur les griffons de la *Salle du trône* de Knossos. Selon le modèle égyptien, des conventions resteront en usage constant : le brun-rouge pour peindre le corps des hommes, le blanc pour les chairs féminines, le bleu pour les singes. Le choix des teintes pour la végétation n'est lui-même guère commandé par la fidélité à la nature.

Le relief est parfois ajouté à la peinture pour donner plus de présence à l'image : c'est le cas de la puissante tête de taureau chargeant qui provient du propylée nord de Knossos ; c'est aussi celui du célèbre *Prince aux fleurs de lys*, dont le torse et les membres musclés sont peut-être ceux d'un athlète combattant plutôt que d'un jeune roi défilant.

La fresque n'est parfois qu'un simple décor géométrique qui ne comporte que des rosettes ou des spirales enchaînées ; mais déjà, dans la grande *Salle des doubles haches* de Knossos, les boucliers en peau de taureau ont sans doute une valeur symbolique. La nature est le grand thème d'inspiration du peintre crétois : à côté de motifs isolés comme les grands lys blancs d'Amnisos, on trouve divers tableaux de genre qui témoignent d'une observation directe du monde végétal et animal pris sur le vif, tel l'oiseau bleu de la *Maison des fresques* ou le chat d'Agia Triada guettant un faisan, l'un et l'autre environnés d'une végétation exubérante. Le monde marin est également présent avec les dauphins bleus évoluant sur fond de rochers dans le *Mégaron de la reine* à Knossos. Le mythe lui-même se concrétise sous la forme des superbes griffons couchants de la *Salle du trône* de Knossos, dont l'attitude hiératique conbribue au caractère cérémoniel de la pièce.

Les peintures de Knossos illustrent fidèlement divers aspects de la vie minoenne. L'un des thèmes les plus courants est celui des jeux de taureaux, dont des fragments ont été trouvés un peu partout.

L'exemplaire le plus connu est la *Fresque dite de la tauromachie* (musée d'Héraklion), un petit panneau représentant trois acrobates, un homme et deux femmes, habillés de même façon, joutant avec un énorme taureau, par-dessus lequel l'un d'eux exécute un surprenant saut périlleux. Rien n'indique que la scène se place au cœur du palais, mais on le croirait volontiers à voir ces fresques miniatures où sont figurées des foules denses et animées de spectateurs, et plus spécialement de dames de la cour, assistant dans un cadre architectural à quelque cérémonie, jeu de taureau ou scène de danse sacrée qu'exécutent sur un fragment des femmes en longue jupe à volants. Le mouvement même de ces danseuses aux leurs cheveux flottant au vent n'est-il pas saisi sur le vif au mur du *Mégaron de la reine ?*

La composition la plus monumentale qui nous ait été conservée est celle du *Corridor de la procession.* Sur deux bandeaux superposés, de longues files de personnages s'avançaient, porteurs d'offrandes, vers la prêtresse ou la déesse ; l'un d'eux, le fameux *Porteur de rhyton,* est encore relativement complet : il progresse avec lenteur et gravité, tenant le grand vase d'argent verticalement devant lui, digne symbole du cheminement des processions réelles en direction de la cour centrale. Mais nulle image peut-être ne nous rend mieux l'esprit de l'art minoen, habile à mêler le profane et le sacré, que celle de la *Parisienne* (musée d'Héraklion), cette jeune femme avenante et mutine, les lèvres rouges et les cheveux serrés par un gros nœud : isolée, on dirait une Crétoise attentive aux divertissements de la vie de cour ; elle s'intégrait en fait dans une scène rituelle, aujourd'hui très fragmentaire, où des personnages, solennellement assis, se faisaient face deux à deux en se transmettant un vase sacré.

CÉRAMIQUE

Plus nettement encore que toute autre technique, la céramique marque une rupture avec la période précédente. Sans doute le style de décor en blanc sur le fond sombre se prolonge-t-il après la catastrophe, mais on n'y retrouve plus le caractère des savantes compositions antérieures. La polychromie sur fond sombre naguère en honneur laisse la place à un procédé bien connu de l'époque prépalatiale, celui du décor en peinture lustrée, de teinte brune, sur fond chamois, qui, joint à une amélioration de la cuisson, va s'imposer rapidement. La spirale à gros point central et cercle extérieur épaissi est alors un des motifs les plus employés, au point de recouvrir parfois entièrement les flancs du vase sous la forme de bandeaux continus ou d'un réseau uniforme. À ses côtés apparaissent des motifs empruntés au monde végétal : roseaux, crocus, lys, feuilles de lierre, représentés avec un grand souci de fidélité au réel. Le naturalisme l'emporte maintenant sur la schématisation ornementale de l'art des Premiers Palais.

Si les motifs végétaux sont présents dès le début, ce n'est que vers 1500 que resurgissent dans le répertoire les thèmes empruntés au monde de la mer : poulpes, étoiles de mer, murex, nautiles figurés sur fond d'algues et de rochers. Sur un vase à étrier de Gournia, un poulpe à l'œil exorbité tord en tous sens ses tentacules et l'on connaît l'*Œnochoé, dite de Marseille,* au flanc de laquelle défilent les nautiles environnés de varech et de coraux et dont une réplique presque exacte trouvée récemment à Zakros révèle l'origine, pour ne pas dire l'atelier de production.

Knossos semble être le seul site à avoir connu après 1450 un prolongement des styles naturalistes des premières phases de la période. Sur de grandes jarres ou de hautes amphores s'épanouissent, sous une forme plus monumentale, motifs floraux ou marins ; des fleurs stylisées, lys ou papyrus, couvrent de leur corolle largement étalée un espace plus large qu'auparavant, des poulpes inscrivent leurs arabesques décoratives dans un cadre plus majestueux en s'accompagnant de divers motifs de remplissage qui ne nuisent pas au caractère grandiose de la composition. Ce « style du palais », s'il a perdu la fraîcheur et la vie des premières créations de l'art naturaliste, a par contre la grandeur d'un art de cour parvenu à sa pleine maturité.

PLASTIQUE

Pas davantage qu'à l'époque précédente, la Crète ne connaît la grande sculpture, et la présence au palais de Knossos d'une statue de haute taille en bois, si elle est possible, ne constitue de toute manière qu'une exception. Par contre, les figurines continuent à tenir une place importante dans le culte et dans l'art. Les plus connues sont sans doute les deux statuettes de faïence trouvées à Knossos dans un dépôt de sanctuaire. De taille presque égale, une trentaine de centimètres, polychromes, elles portent le costume de cérémonie, composé d'une grande jupe en cloche à volants, d'un court tablier brodé et d'un corsage étroitement lacé qui découvre les seins. Couronnées de la haute tiare ou de la toque surmontée d'un léopard, le regard fixe, les bras tendus, enlacées par des serpents, elles ont l'une et l'autre l'aspect à la fois mystérieux et redoutable que les Minoens attribuaient à la puissance divine.

En face de la déesse se rassemble comme par le passé le petit peuple des adorants. La plupart sont des figurines masculines de bronze qui ne portent généralement qu'un mince cache-sexe. Même si les traits du visage sont rarement indiqués, la vérité anatomique s'y trouve mieux observée. L'attitude, elle, est étrangement stéréotypée : le personnage debout, parfois fortement cambré vers l'arrière, les jambes jointes, élève son poing droit à la hauteur de ses yeux. Il s'en dégage un sentiment mêlé de déférence et de crainte devant la puissance surnaturelle.

Mais les plus grandes réussites de la plastique crétoise de cette époque, bien que peu nombreuses à nous être parvenues, sont des figures en mouvement. L'*Acrobate* en ivoire de Knossos (musée d'Héraklion), reste d'une composition chryséléphantine, est l'une d'elles et l'on admirera, malgré la détérioration de la surface, la finesse nerveuse de ses membres longilignes et, sur son bras gauche violemment tendu, le rendu détaillé des veines en relief. Tel un plongeur, l'homme se jette de tout son élan sur un taureau aujourd'hui disparu, amorçant l'une de

ces figures de haute voltige que nous montrent les peintures murales.

TRAVAIL DE LA PIERRE

La pierre n'est plus guère utilisée dans la plastique, alors que la production des vases de pierre continue à être florissante. Les formes acquièrent une audace de plus en plus étonnante et à Zakros, sur une amphore en marbre veiné, se superposent sans nécessité pratique deux larges lèvres que surplombent de hautes anses latérales. De Zakros encore proviennent un rhyton au corps allongé, sculpté dans un seul bloc de cristal et ornementé d'or. De tels chefs-d'œuvre supposent une maîtrise absolue des moyens techniques.

On connaît depuis longtemps le *Rhyton de Knossos* (musée d'Héraklion) en forme de tête de taureau ; en stéatite noire, il a des yeux de cristal et de jaspe, des naseaux de nacre, et ses cornes devaient être de bois plaqué d'or. Vase rituel, il évoque avec une vie intense l'animal même du sacrifice et aura un descendant d'or et d'argent à Mycènes.

L'artiste, de même qu'il reproduit en relief les mèches de la toison du taureau, n'hésite plus à représenter sur le flanc des vases des scènes complexes à personnages. Sur un gobelet en stéatite verdâtre d'Agia Triada apparaît le jeune prince minoen dans toute sa prestance : il est debout, tenant dans sa main droite une longue hampe, et sa chevelure bouclée descend jusqu'à sa taille. Un rhyton conique illustre en quatre bandeaux superposés des exercices athlétiques de luttes et de joutes tandis que, sur un autre, de forme ovoïde, défile une procession de gais moissonneurs qu'accompagnent des musiciens. Scènes liées au culte sans aucun doute, comme l'indique la nature des vases sur lesquels elles sont sculptées, elles n'en ont pas moins tout l'élan de la vérité et de la vie. Une des plus belles pièces de Zakros montre que de tels vases étaient initialement recouverts d'or, ce qui conférait un aspect plus précieux encore à ces objets d'un art délicat : tout un sanctuaire de sommet y est figuré dans son ordonnance architecturale, des bouquetins sauvages aux longues cornes tantôt sont couchés sur le toit, tantôt sautent souplement de rocher en rocher.

On ne saurait passer sous silence un objet unique, en schiste gris, qui provient de Malia : une double hache dont l'une des lames s'est muée en avant-train de léopard bondissant. La surface est entièrement couverte par un réseau serré d'incisions et sur l'épaule de l'animal était logée une incrustation. Étonnante fusion de l'arme et de la bête, la *Hachette de Malia* (musée d'Héraklion) trouve son inspiration dans le domaine proche-oriental, en Anatolie ou au Luristãn, plutôt qu'en Crète.

Les vases de pierre témoignaient déjà de l'habileté des Minoens à recréer une scène complexe à une échelle réduite ; la glyptique nous en apporte la confirmation. Le champ de la pierre gravée ou le chaton de la bague en or, rectangulaire, circulaire ou allongé en forme d'amande, accueillent des motifs empruntés à la nature ou des scènes cultuelles. Un dépôt d'empreintes de Zakros révèle un monde fantastique de démons à tête de chèvre, de femmes à bec d'oiseau et de griffons ailés. Sur une bague d'Isopata, on croit reconnaître une scène capitale, l'apparition de la divinité au milieu de danseuses évoluant parmi les fleurs. Seul le grossissement photographique rend pleine justice à l'extrême minutie du travail accompli par l'artiste.

L'utilisation décorative des hiéroglyphes se perpétue tandis que leur utilisation comme écriture passe de mode. Bien qu'il soit difficile de le mettre à proprement parler au rang des œuvres d'art, le disque de Phaistos en terre cuite, aux signes estampés à partir de matrices séparées, attire les regards du profane en même temps que l'attention des déchiffreurs : hymne, poésie, jeu, texte magique ou astrologique, nul ne sait ce que contiennent ses spirales de pictogrammes dont on discerne la forme extérieure, mais non le sens.

La fin de la période des Seconds Palais se place vers 1450 avec la destruction généralisée des grands édifices palatiaux. Seul Knossos survit et connaît la floraison de cet art céramique hautement décoratif connu sous le nom de « style du palais ».

De nombreux indices témoignent alors d'un changement dynastique au palais de Minos : la *Salle du trône* est construite et, sur une colline voisine, apparaît la plus ancienne tombe à tholos de type continental. Non loin, et pour la première fois, des guerriers sont enterrés avec leurs armes, de grandes épées aux poignées ouvragées. Les traditions crétoises semblent toutefois se perpétuer, comme à Agia Triada, où un sarcophage de calcaire (musée d'Héraklion) est recouvert de fresques rappelant les peintures palatiales : sur un côté, un taureau est sacrifié à la mode minoenne devant une tombe, sur l'autre, libations et offrandes sont apportées au mort. Mais la Crète de Minos a déjà cédé la place à celle du Grec Idoménée.

Les Cyclades

On ne saurait évoquer la Crète des Seconds Palais sans mentionner l'influence subie par les Cyclades les plus proches. De cette influence, on n'a longtemps connu, mis à part la céramique, qui reprend souvent formes et motifs crétois, que la fresque aux poissons volants de Phylakopi, où, sur un étroit bandeau, évoluent avec naturel des poissons bleus au ventre jaune. Les travaux récents ont révélé l'existence d'une véritable Pompéi cycladique, ensevelie sous les cendres du volcan de Santorin : le site d'Akrotiri.

La pierre ponce a conservé l'architecture de l'habitat dans un état inconnu en Crète : les façades se dressent encore à un ou deux étages et, si les planchers se sont effondrés, portes, fenêtres, escaliers sont encore presque intacts. Dans les déblais, parfois sur les murs mêmes, le revêtement peint a gardé sa fraîcheur de coloris et offre l'intérêt de scènes qu'il est possible de reconstituer à partir d'innombrables fragments. La *Fresque du printemps* est célèbre, avec ses hirondelles tournoyant dans le ciel au-dessus de rochers fleuris. Scènes de la nature comme celle des deux antilopes, scènes de la vie quotidienne, pêcheurs rapportant des poissons ou enfants boxeurs, scènes de la vie religieuse avec une jeune prêtresse tenant un brûle-parfum révèlent un art influencé par la Crète mais néanmoins indépendant. Plus mystérieuse est la fresque miniature, ou *Fresque de la flotte* (Athènes, M. N.), où huit grands navires à la proue décorée et parés de guirlandes quittent une ville littorale inconnue pour en gagner une autre, à l'architecture imposante : scène de piraterie ou scène de fête ? épisode de la vie quotidienne ou de la légende ? Peu importe. Elle nous fait pénétrer, mieux que toute peinture crétoise, dans ce monde de la mer qui est celui des insulaires des Cyclades.

À mi-chemin entre la Crète et le continent, les îles de l'Égée leur ont servi sans aucun doute de point de contact, tout en conservant l'esprit qui leur est propre.

Bibliographie sommaire

ALEXIOU (S.), PLATON (N.) et GUANELLA (H.), *Ancient Crete*, Thames and Hudson, Londres, 1968. DEMARGNE (P.), *Naissance de l'art grec*, L'Univers des Formes, Gallimard, Paris, 1964. HIGGINS (R.), *Minoan and Mycenaean Art*, Thames and Hudson, Londres, 1976. HIGGINS (R.), *The Archaeology of Minoan Crete*, The Bodley Head Ltd., Londres, Sydney, Toronto, 1973. HOOD (S.), *The Arts in Prehistoric Greece*, The Pelican History of Art, Penguin Books Ltd., Harmondsworth, 1978. MARINATOS (S.), HIRMER (M.), *Crete and Mycenae*, Thames and Hudson, Londres, 1960 ; nouv. éd. : *Kreta, Thera und das mykenische Hellas*, Munich, 1973. WARREN (P.), *The Aegean Civilizations*, Elsevier-Phaidon, Lausanne, 1975. ZERVOS (C.), *l'Art des Cyclades*, Éd. Cahiers d'Arts, Paris, 1957.

LA GRÈCE MYCÉNIENNE

Olivier Pelon

FACE À LA CRÈTE MINOENNE SE DRESSE LA GRÈCE MYCÉNIENNE ; la première tire son nom de la gloire d'un souverain plus ou moins mythique, la seconde de la renommée de sa principale cité : Mycènes, ce site d'Argolide autour duquel gravitent les légendes maléfiques des Atrides. Les âmes des héros morts hantent encore les murailles cyclopéennes de son acropole, qui domine la route de Corinthe à Argos : Atrée et Thyeste, Agamemnon et Clytemnestre, Oreste et Électre, ces noms qui ont nourri l'inspiration des poètes tragiques y sont encore attachés aux ruines d'un lointain passé.

Mycènes même n'était plus guère qu'un nom lorsqu'en 1876 Henri Schliemann, un négociant prussien féru de littérature grecque et plus spécialement homérique, mit au jour, à l'intérieur des murailles, cinq tombes de caractère royal jonchées d'objets d'or, dans lesquelles il crut reconnaître les sépultures d'Achéens contemporains de la guerre de Troie. Aujourd'hui, le *Masque d'Agamemnon* (Athènes, M. N.) ou la *Coupe de Nestor* doivent être débaptisés, mais ils n'en conservent pas moins l'attrait d'objets exceptionnels.

À la suite de Schliemann, on a tendance à confondre encore de nos jours Grèce mycénienne et Grèce homérique, alors que les héros de la guerre de Troie sont vus à travers la lentille déformante d'un poète bien postérieur. Chronologiquement, la période mycénienne s'étend sur près d'un demi-millénaire, entre 1630 et 1100 av. J.-C., période d'apogée où le continent grec, longtemps somnolent, voit soudain éclore une civilisation qui doit assez peu de chose aux traditions locales.

Le début du IIe millénaire est marqué par une incontestable stagnation, pour ne pas dire par un recul net, de la civilisation : ni grande architecture ni production artistique notable ne le caractérisent ; les tombes ne sont guère que de petites cistes de pierre où le mort est déposé en position fœtale, les genoux ramenés sur la poitrine, sans autre mobilier qu'une épingle en os ou un vase sans décor. La pauvreté du continent et son sous-développement sont d'autant plus étonnants qu'ils offrent un parfait contraste avec la richesse et le raffinement de la Crète des Premiers Palais, à faible distance vers le sud.

Jusqu'à une date récente, on parlait, pour les époques antérieures au Ier millénaire, de Grèce « préhellénique ». Or, il a été montré depuis, de façon convaincante, que les premiers Grecs avaient pénétré dans la péninsule balkanique à une date plus ancienne qu'on ne le supposait, sans doute vers la fin du IIIe millénaire. Dans ces conditions, il est surprenant de constater, mais incontestable, que leur arrivée s'est accompagnée d'un recul généralisé de la civilisation, indice probable que ces Proto-Grecs ne représentaient que des tribus encore peu évoluées et plus ou moins nomades.

La période mycénienne, qui débute dans la seconde moitié du XVIIe s. av. J.-C., se subdivise assez aisément en trois phases.

L'époque des tombes
à fosse

(1630-1500 AV. J.-C.)

En 1876, dans un télégramme en français au roi Georges Ier de Grèce, Schliemann proclamait : « *Avec une extrême joie j'annonce à votre Majesté que j'ai découvert les tombeaux que la tradition, dont Pausanias se fait l'écho, désignait comme les sépultures d'Agamemnon, de Cassandre, d'Eurymédon et de leurs camarades, tous tués pendant le repas par Clytemnestre et son amant Égisthe.* »

L'une des découvertes les plus spectaculaires de l'archéologie protohistorique en Grèce, le cercle A de tombes royales, venait d'être faite à l'intérieur des murailles de l'acropole, mais elle était au départ mal interprétée par son inventeur même. Depuis, le hasard et les travaux de restauration d'une tombe postérieure ont amené le dégagement, au pied de l'acropole, d'un ensemble comparable, encore qu'un peu plus ancien et un peu moins riche, le cercle B. La combinaison des résultats obtenus en 1876 et en 1952-1954 conduit à constater l'apparition à cette époque, en Grèce continentale, d'une véritable architecture funéraire.

Les tombes du type dit « à fosse » sont composées d'un puits vertical, grossièrement rectangulaire, s'enfonçant souvent à grande profondeur dans le sol naturel, et d'une chambre aux parois généralement faites de moellons bruts et d'argile, au sol tapissé de cailloutis ; intérieurement creuse, celle-ci est couverte de longues poutres supportant une couche de grandes plaques de schiste ou une natte d'une plante herbacée imperméabilisée par de l'argile. Si certaines de ces constructions sont petites, les plus grandes, dans le cercle A, ont jusqu'à 25 m² de superficie. Le caractère étrange de ces tombes est renforcé par l'existence autour d'elles d'une enceinte circulaire, mal conservée dans le cercle B, mais encore très nette dans le cercle A, où elle est faite de deux rangées concentriques de grandes plaques posées sur la tranche et couronnées par une assise de plaques horizontales qui s'interrompent au nord-

est pour laisser la place à une entrée monumentale en direction de la célèbre *Porte des lions*. La meilleure conservation et l'élaboration supérieure de l'enceinte du cercle A sont dues à une réfection tardive (XIIIe s.) d'une enceinte plus ancienne.

Chaque tombe était surmontée d'une ou de plusieurs stèles dont certaines ont été retrouvées en place par Schliemann ; le cercle B en offre également deux exemples. Ce sont de grandes plaques rectangulaires en calcaire coquillier ou en poros qui offrent sur une de leurs faces un décor sculpté à base de scènes figurées et d'ornements géométriques. La scène la plus courante représente un char tiré par un cheval au galop et conduit par un personnage qui tient les rênes dans une main et un poignard dans l'autre ; mais on y voit aussi un lion poursuivant une gazelle ou, comme dans le cercle B, le combat d'un lion et d'un taureau au milieu de plusieurs personnages. Rien de crétois dans ces évocations grossières, hormis les spirales qui courent le long des bordures ou occupent tout un registre. La platitude du relief, la maladresse des formes, qui cesse dès qu'apparaît la spirale, marquent l'inexpérience du sculpteur, à moins que chaque stèle, et non pas seulement les stèles unies, n'ait été stuquée et peinte.

Le mort était placé dans la chambre sur le sol de cailloutis, recouvert de ses bijoux, accompagné de ses armes et d'un riche mobilier de métal, et des proches parents venaient l'y rejoindre au fil des années. La richesse de ces sépultures ne saurait être une surestimation : dans une tombe du cercle A, une trentaine d'armes étaient déposées près de trois corps de guerriers ; dans une autre, femmes et enfants disparaissaient sous l'accumulation des parures en or.

MASQUES

Une des séries les plus remarquables parmi les objets des tombes est celle des masques de métal placés sur le visage de certains morts de sexe masculin ; un seul, en électrum, a été retrouvé dans le cercle B, alors que cinq proviennent du cercle A, tous en or. Si l'origine ultime de la coutume, inconnue dans l'Égée antérieurement, n'a pas encore été élucidée avec certitude, la production des masques eux-mêmes est à coup sûr locale : l'objet était fabriqué sur place à l'occasion de la fastueuse cérémonie des funérailles.

Le plus connu est celui que Schliemann a par erreur attribué au roi Agamemnon. L'image qu'il nous présente n'est à vrai dire pas très éloignée sans doute du portrait d'un prince achéen du XIII⁽ᵉ⁾ s. : un visage allongé aux pommettes légèrement saillantes, ceint d'une barbe en collier et barré d'une moustache aux pointes recourbées, un nez long et mince, une bouche aux lèvres fines. Les yeux en amande étroitement clos n'enlèvent rien à la majesté de l'expression. Mais, plus qu'un portrait, n'aurait-on pas là l'image idéalisée d'un roi défunt ?

Les autres masques se répartissent en deux groupes : le type allongé, auquel celui d'«Agamemnon» se rattache incontestablement, avec une élaboration plus poussée, et le type arrondi, aux yeux rapprochés et au nez massif et court. La technique est la même : le repoussé pour les grandes masses et l'incision pour les détails, mais la plus grande rareté de celle-ci dans le second cas amène à y voir une production plus rudimentaire.

Le caractère conventionnel de la représentation apparaît particulièrement dans la stylisation des oreilles, dont la forme et l'emplacement sont souvent étranges. Objet rituel, le masque n'est pas destiné à reproduire avec exactitude le visage du défunt, mais à en éterniser une certaine figuration stéréotypée. Dans le *Masque d'Agamemnon* se glisse même une conception nouvelle du pouvoir du chef.

Le masque est parfois complété par des pectoraux où la convention est incontestable : la poitrine du défunt y est figurée par deux coupoles en relief au centre desquelles se détache le mamelon. Confirmant son rang éminent, le pseudo-Agamemnon était doté du plus beau d'entre eux, décoré au repoussé d'un réseau serré de spirales conjuguées, réunies par une boucle. Degré ultime de cette coutume, deux enfants réunis dans une même tombe sont entièrement revêtus d'un habit d'or.

ARMES

Le guerrier est accompagné dans la mort par tout un arsenal d'armes offensives, dont la plupart sont des armes d'apparat. Épées et poignards relèvent autant de l'art de l'orfèvre que de celui du bronzier. Autour du bois de la poignée et du bronze de la lame, ivoire, or, lapis-lazuli, cristal de roche sont employés pour les orner. Si la poignée a disparu, son revêtement d'or subsiste avec son riche décor géométrique, en relief ou cloisonné. L'art animalier est présent sur le pommeau, où s'inscrivent tantôt un lion combattant une panthère et tantôt quatre lions bondissants affrontés par le mufle, sur la poignée aussi lorsque deux lions ou deux griffons paraissent enserrer dans leur gueule ou dans leur bec la naissance de la lame. Sur la lame elle-même apparaissent motifs incisés ou motifs en relief : deux épées du cercle A offrent la vision pleine de vie de griffons ou de chevaux galopant et ceux-ci témoignent d'une alliance, rarement atteinte dans l'art minoen, de souplesse et de vigueur.

Mais la réalisation la plus étonnante des orfèvres mycéniens, inspirée par une technique proche-orientale, est celle des poignards damasquinés et niellés du cercle A, véritable peinture sur métal. Sur la lame, l'or, l'argent, l'électrum et le nielle combinent artistement leurs colorations, blanc, jaune, rougeâtre et noir pour composer un tableau apparenté à l'art de la fresque. Thème traditionnel en Crète, lions ou antilopes bondissent sur fond de rochers, mais deux scènes retiennent plus particulièrement l'attention. Ici, dans un décor naturel de papyrus, le long d'un fleuve sinueux où nagent des poissons, deux chats sauvages chassent des canards apeurés. Là, des chasseurs traquent un groupe de lions dont l'un, blessé, leur fait face ; un homme est à terre, les autres se dissimulent derrière leurs hauts boucliers et brandissent lances et arcs. Autant la première est empreinte d'esprit crétois, autant l'autre marque une préférence nouvelle pour des jeux périlleux où l'homme a parfois le dessous.

BIJOUX

C'est une profusion de bijoux qui accompagne les sépultures féminines, mais il arrive aussi qu'un homme ait avec lui quelque lourd bracelet d'or où s'épanouit la corolle d'une fleur d'or à cœur d'argent. Diadèmes, épingles, boucles d'oreilles font partie de la parure des mortes plus encore que de celle des vivantes. Les diadèmes en effet semblent avoir été fabriqués à l'usage exclusif de la tombe : longs bandeaux elliptiques en or, ils sont souvent couronnés de fleurs faites d'une mince et fragile pellicule de métal ou même de lourdes feuilles renforcées par des fils de bronze. On imagine mal une coiffure aussi incommode, fût-ce dans un cadre cérémoniel. Leur décor est réalisé pour l'essentiel au repoussé et fignolé par ciselure : la surface est entièrement couverte d'un réseau dense de cercles concentriques, de mamelons hémisphériques et de rosettes. Bien qu'un peu mécanique et stéréotypée, cette ornementation apparaît en parfait accord avec le style majestueux de l'ensemble.

Les épingles prennent des dimensions presque anormales, qu'elles soient de bronze ou d'argent. On en a fait parfois des ornements de chevelure, mais on les imaginerait aussi bien retenant les plis d'une lourde étoffe. Leur tête massive peut être sculptée dans du cristal de roche ou façonnée dans une feuille d'or où se jouent, délicatement ouvragés, des lions et des griffons. On notera surtout une épingle d'argent dont la tête en or est un joyau unique où l'on a parfois voulu voir un vœu de bonheur à l'égyptienne pour la morte ; on y admirera plus simplement l'apparition de la déesse minoenne dans son apparat traditionnel, en jupe à volants et torse nu, écartant de ses bras étendus des pousses de papyrus retombantes, évident symbole de sa puissance fécondante.

Quant aux boucles d'oreilles, le cercle A en a fourni une paire particulièrement remarquable : que l'on se figure un lourd croissant d'or tissé de fleurs à quatre pétales parsemées de grains d'or et bordées d'une ligne d'arcades. Bien que l'inspiration en soit à coup sûr crétoise,

aucun exemplaire comparable n'a été retrouvé sur l'île.

Hommes et femmes semblent avoir été également ensevelis dans des habits ou des étoffes couverts de rondelles d'or cousues ou collées et d'ornements découpés, mais la coutume est plus constante dans le cas des femmes : dans une seule tombe du cercle A, Schliemann en a retrouvé plus de 700 autour des trois corps. Les rondelles, en mince feuille d'or, portent gravés des motifs empruntés à la nature, mais toujours rigoureusement schématisés ; d'autres présentent des entrelacs de courbes complexes régulièrement tracés ou des séries de petits cercles concentriques : cette régularité et cette uniformité du rendu prouvent l'utilisation du compas et n'évoquent aucun modèle crétois.

Les ornements découpés font partie d'un répertoire animalier assez différent : le poulpe et le papillon témoignent d'un naturalisme plus marqué et l'on voit apparaître des motifs qui n'ont pas cours dans l'art minoen, tels que des cerfs ou des aigles figurés en paires symétriques. Une petite construction reproduit la façade caractéristique d'un sanctuaire crétois avec ses cornes de consécration, ses colonnes et ses trois parties surmontées aux angles par des oiseaux qui prennent leur envol. De petits personnages portent la jupe à volants minoenne mais se drapent dans une écharpe inhabituelle en Crète, et, fait plus étrange, une petite déesse couronnée d'oiseaux sacrés, les mains ramenées sur la poitrine, rappelle la déesse nue proche-orientale plus que la déesse minoenne.

C'est manifestement à l'influence crétoise qu'est due la présence dans les tombes du cercle A de plusieurs bagues en or au chaton rectangulaire ou elliptique, dont le type est une nouveauté sur le continent. La réalisation même est fidèle à la technique et au savoir-faire de l'artiste minoen et l'on admirera tantôt le rendu nerveux des corps humains, tantôt la puissance expressive d'un lion blessé, qui sont le reflet d'un art arrivé à sa maturité. Cependant, comme sur les stèles et sur les poignards historiés, le choix des sujets dénote un esprit nouveau : scènes de chasse et scènes de combat y sont les thèmes favoris, bien que ces bagues aient toutes été trouvées dans des sépultures féminines. Ici, un homme lutte au corps à corps avec un lion à demi dressé sur ses pattes de derrière et brandit une longue épée qu'il tente de lui plonger dans la gorge ; là, deux personnages montés sur un char que traîne un attelage au grand galop poursuivent avec leur arc un cerf blessé qui s'enfuit en tournant la tête ; ailleurs, dans une scène d'une rare intensité dramatique, une sorte de héros guerrier paraît tenir tête à trois adversaires dont la diversité des attitudes traduit une même infériorité : l'un, sans armes, se redresse à demi sur le sol ; un autre, couvert de son grand bouclier, tente encore de brandir sa lance ; le troisième enfin, déjà terrassé, mais encore dangereux, voit se dresser au-dessus de lui la haute stature et le poignard levé de son ennemi. Fait de guerre ou joute héroïque ? L'absence de tout texte nous interdit une interprétation sûre.

Le cercle B a sans doute livré le portrait d'un de ces guerriers, tueur de fauves et démolisseur d'hommes : une intaille en améthyste nous révèle un visage énergique, aux pommettes saillantes, au profil droit et déjà grec, couronné d'une chevelure dense ramenée derrière l'oreille et allongé par une barbe en pointe. Là aussi, la dextérité crétoise dans le travail de la pierre se fait jour à l'intérieur du cadre réduit de la gemme, mais le sujet n'est guère conforme aux canons habituels. On serait tenté d'y voir l'image d'un « Agamemnon » plus jeune que sur le masque d'or du cercle A.

VASES DE MÉTAL

On a souvent noté la relative rareté, dans les tombes du cercle A, des vases de terre cuite, en comparaison de l'abondance des vases d'apparat, en métal précieux, en pierre ou en faïence ; l'exploration du cercle B a montré toutefois que, dans des tombes analogues, mais moins riches ou plus anciennes, la céramique était largement représentée. Les formes reflètent tantôt une influence crétoise et tantôt une influence continentale : gobe-

lets, tasses, coupes, canthares, cruches se rattachent indifféremment aux deux séries. Des gobelets d'or typiquement minoens portent en relief un réseau de spirales ou des pousses végétales empruntés au répertoire insulaire ; une grande cruche d'argent possède une réplique presque exacte à Knossos, mais en bronze ; une coupe de forme continentale qui s'orne de lions courant à la mode minoenne montre l'étroite intrication des deux mondes. La fameuse *Coupe de Nestor* présente un étrange amalgame : sa vasque tronconique à anses en bobine est d'inspiration crétoise, mais elle est montée sur un pied et pourvue sur les côtés de tiges de renforcement ajourées qui en font une création unique, les oiseaux posés sur les anses paraissant renvoyer, pour leur part, au répertoire minoen. Si un vase d'albâtre du cercle A, aux hautes anses contournées, a son équivalent à Knossos, un bol en cristal de roche du cercle B offre, avec son élégante courbure et son anse en tête de canard (Athènes, M. N.), la transposition de modèles levantins.

Des vases aussi spécifiques que les rhytons, ou vases à libations zoomorphes de la religion minoenne, figurent également dans le cercle A, en forme de tête de taureau ou de tête de lion, mais réalisés dans un matériau plus précieux : argent au lieu de stéatite, et or au lieu d'albâtre. Pourtant, si la tête de taureau sur la copie presque conforme de l'exemplaire de Knossos, la tête de lion a perdu le naturalisme de son modèle crétois : on y sent une schématisation décorative qui s'apparente de très près à celle des masques d'or, et, détail surprenant, les oreilles de l'animal ont l'apparence d'oreilles humaines.

On ne saurait passer sous silence, bien qu'ils soient l'un et l'autre fragmentaires, deux vases d'argent à scène figurée en relief, un grand cratère et un rhyton conique. Le rhyton est connu sous le nom de *Rhyton du Siège*, car il est orné d'une scène de bataille qui se déroule au bord de la mer devant les murailles d'une ville fortifiée ; sur la panse du cratère se développe en un seul registre un combat limité à neuf hommes que seule la forme de leurs boucliers, en huit pour les uns, rectangulaire pour les autres, permet de distinguer. Malgré la similitude des sujets, empruntés l'un et l'autre à la vie guerrière, le style de l'évocation n'est pas le même : d'un côté, une scène ramassée où l'attention se concentre sur un épisode unique, construit de façon antithétique de part et d'autre d'un blessé ou d'un mort, de l'autre, une scène plus ample, plus aérée, plus crétoise pour tout dire avec son étalement sur plusieurs plans et la présence d'un paysage qui n'est pas sans rappeler l'art de la fresque. Pourtant, c'est de ce creuset commun que sont sortis, à n'en point douter, les mythes de l'épopée homérique.

Outre les vases, hommes et femmes avaient avec eux divers objets mobiliers, parmi lesquels des boîtes de bois. L'une d'elles est de forme hexagonale et chacune de ses faces est revêtue de plaques d'or rectangulaires travaillées au repoussé, où figurent soit un réseau de spirales, soit des scènes de nature avec motifs animaux et végétaux : sur l'une, un lion se saisit d'un cerf dans un paysage de palmiers ; sur l'autre, un deuxième lion bondit sur un taureau tandis qu'un bucrane et de longues palmes meublent le champ. Quelles que soient la parenté de la technique et la nature des motifs utilisés, l'ornementation n'a plus rien de crétois. L'horreur du vide est telle qu'aucun espace n'est laissé libre ; ·le bucrane ne joue dans la scène d'autre rôle que purement ornemental. La rudesse indéniable de l'exécution ainsi que l'exagération des postures animales donnent l'impression d'une sensibilité nouvelle superposée à des thèmes de tradition minoenne ; on serait tenté de parler d'expressionnisme décoratif.

L'art des tombes à fosse traduit donc un amalgame étrange. Matériaux et techniques sont pour l'essentiel empruntés à la Crète de l'époque des palais, mais on n'oubliera pas l'importance d'un matériau nouveau, l'ambre, importé de la Baltique. Dans le domaine proprement artistique, la part de l'influence crétoise varie avec les objets et avec la personnalité du commentateur. Cependant, le goût systématique, même dans les sépultures féminines, pour les scènes empruntées à une vie guerrière ou dangereuse, joint à une stylisation décorative qui confère un aspect nouveau à un naturalisme d'origine minoenne, la profusion dans les tombes d'objets de prix dont l'équivalent a rarement été trouvé en Crète même, tout cela semble en rapport avec un mode de vie particulier : on y verrait volontiers l'image d'une vie de cour fastueuse, encore que barbare, celle des premiers princes achéens.

On s'attendrait à une architecture d'habitat en rapport avec cette architecture et avec ce mobilier funéraires. Rien n'en a été retrouvé, mais la constante réutilisation de l'acropole de Mycènes suffit à en expliquer l'anéantissement, d'autant plus complet que, à l'image des tombes, les constructions devaient être de moellons, de bois et de torchis.

L'époque des principautés mycéniennes
(1500-1200 AV. J.-C.)

ARCHITECTURE

L'architecture prend son essor au cours de la période d'apogée du monde mycénien. On connaît assez généralement les grandes fortifications de Mycènes et de Tirynthe en Argolide, mais il faut aussi rapporter à cette époque les 3 km de l'enceinte de l'île de Gla en Béotie tout autant que les murailles de bien d'autres sites moins célèbres. Fondée sur le rocher dont elle suit les sinuosités, la fortification mycénienne dépasse souvent 5 m de large et s'élève parfois encore à plus de 8 m. Puissant travail de défense, elle est construite en gros blocs bruts, et la mythologie rapporte son édification à la peuplade légendaire des Cyclopes, venue d'Asie Mineure. Les architectes ont choisi de préférence pour l'implanter un site d'acropole ou une butte escarpée dominant la plaine environnante. Des portes fortement protégées assurent l'accès vers l'intérieur de la citadelle et le palais royal. La plus connue d'entre elles est la *Porte des lions* de Mycènes : faite de quatre grands blocs de conglomérat, elle était fermée par deux vantaux de bois massifs que bloquait à l'arrière une barre encastrée dans les jambages et surmontée par le relief auquel elle doit son nom. Des poternes complètent le dispositif, dont l'une, à Tirynthe, est accessible de l'intérieur par un étroit escalier de pierre. L'art de la construction cyclopéenne atteint son apogée à Mycènes, où une galerie à degrés, entièrement voûtée de gros blocs en encorbellement, permet d'accéder à une source souterraine, ou encore à Tirynthe, où des couloirs également voûtés desservent plusieurs pièces, ou casemates, aménagées dans l'épaisseur de la muraille.

Le palais mycénien est donc avant tout une résidence fortifiée, ce qui le distingue nettement du palais crétois, largement ouvert sur la ville environnante. Un seul fait exception à la règle, celui de Pylos, qui, dans la lointaine Messénie, ne paraît pas avoir eu à craindre les assauts de populations belliqueuses. Dernier des édifices palatiaux du continent à avoir été dégagé, il offre encore sur le terrain un plan et une organisation relativement clairs. On y pénètre par un double porche ouvrant sur une cour intérieure, dans l'axe de laquelle est placé le *mégaron*. La salle principale, mieux conservée qu'ailleurs, comporte en son centre un grand foyer circulaire, encadré par quatre colonnes de bois, qui portait encore les traces de motifs peints de couleurs vives. Contre le mur de droite est visible l'emplacement d'un trône de bois, devant un mur décoré de lions et de sphinx. Aux alentours s'organisaient les salles-magasins, remplies de jarres à huile ou à vin, les resserres à vaisselle et les salles d'archives où les tablettes d'argile étaient rangées sur des étagères de bois. Un quartier du palais était sans doute réservé aux hôtes de marque, et une petite pièce avec une cuve de terre cuite et deux pithoi servait de salle de bains. Par rapport au palais crétois, le palais continental témoigne d'une profonde originalité : à la juxtaposition assez libre des quartiers autour d'une vaste cour centrale s'oppose la concentration du palais mycénien sur un groupe de pièces à fonction d'apparat. Il est clair que la notion de souveraineté a évolué et que le pouvoir est passé maintenant entre les mains d'un monarque plus absolu.

On s'étonne un peu, quand on songe à l'essor du temple grec au Ier millénaire, de ne pas voir naître encore sur le continent de grand édifice à vocation religieuse. Certes, les recherches récentes ont amené la découverte à Mycènes d'un sanctuaire indépendant dans la partie basse de l'acropole, mais il semble que le mégaron du palais royal reste le théâtre de la plupart des cérémonies de la vie religieuse. Contrairement au palais crétois, dans lequel le sacré est omniprésent, le palais mycénien rassemble entre les mains du seul souverain, à la fois roi, grand prêtre et souverain-sacrificateur, les manifestations du culte.

L'architecture funéraire témoigne aussi de ce même état d'esprit. Un nouveau type de tombe se développe alors, la *tombe à tholos*, dont les racines lointaines plongent, il est vrai, dans le passé crétois. Creusée au flanc des collines et recouverte d'un tumulus de terre rapportée, la chambre circulaire, accessible par un long couloir ouvert, ou *dromos*, est construite en encorbellement. Dans les plus grandioses de ces chambres, le portail monumental était fermé par une porte massive à deux battants, en bois incrusté d'ivoire et plaqué d'or, dont ne nous sont parvenus que des restes infimes. Dans la pénombre de la chambre brillaient faiblement sur la paroi de pierre des rosettes de bronze doré et, parfois, ouvrait sur la droite une petite chambre latérale spécialement aménagée et soigneusement close. L'énormité du travail accompli par les constructeurs mycéniens ne peut être mieux suggérée que par l'évocation du linteau de la plus grande des tombes, le *Trésor d'Atrée* à Mycènes, encore appelée *Tombe d'Agamemnon*, qui, long de plus de 8 m, devait peser quelque 120 t. Il ne nous est généralement parvenu que peu de chose des magnifiques sépultures royales qui y étaient déposées, mais elles étaient sans aucun doute à la mesure des voûtes grandioses spécialement conçues pour elles.

PEINTURE MURALE

Comme en Crète, les murs des palais et des maisons étaient ornés de fresques, qui dérivaient d'ailleurs pour la plupart de prototypes minoens. Les scènes de la vie religieuse s'y mêlent étroitement aux scènes de la vie de cour : à Thèbes et à Tirynthe se déroulent des processions de figures féminines richement vêtues à la mode crétoise, avec jupe à volants et le sein nu. La comparaison avec la *Parisienne* de Knossos montre toute la différence : à la vie concentrée et à la liberté de l'une s'opposent la rigidité et l'hiératisme des autres. De plus, des thèmes nouveaux apparaissent, ceux de la guerre et de la chasse, que l'artiste traite dans le même esprit : à Tirynthe encore, des personnages partant pour une chasse au sanglier défilent majestueusement dans des chars sur un fond d'arbres stylisés. La recherche de l'effet culmine dans le décor principal du mégaron du palais de Pylos, où des griffons accroupis, leurs ailes haut dressées, et des lions, gueule ouverte et langue pendante, encadrent le trône du souverain. Mais nulle évocation, ni en Crète ni sur le continent, n'égale la perfection graphique d'un fragment de Mycènes récemment découvert : une femme, dont seul le haut du corps est conservé, vêtue d'un corsage discrètement échancré et coiffée de longues tresses noires descendant au-dessous des épaules, contemple, la tête légèrement penchée, les bijoux qu'elle tient dans sa main droite. On admirera sans restriction la pureté du profil et le dessin des mains et de l'œil, qui annoncent déjà la perfection des réalisations grecques du style sévère. La richesse de la décoration des murs se prolonge dans les palais, sur les sols mêmes où des motifs peints — dauphins, pieuvres, poissons et dessins géométriques inscrits dans des carrés — déroulaient une somptueuse tapisserie sous les pieds des courtisans.

CÉRAMIQUE

Pour la céramique aussi, la Crète constitue le réservoir des formes et des motifs. Mais, si l'on a quelque peine parfois à distinguer à l'époque des tombes à fosse un vase continental d'un vase crétois, l'évolution ne tarde pas à faire diverger les deux productions. Le peintre de vases mycénien continue à puiser largement dans le répertoire figuratif minoen, et plus particulièrement parmi les motifs d'origine végétale ou marine : fleur de papyrus, feuille de lierre, palme, poulpe ou murex sont les thèmes les plus fréquents. Mais on constate très tôt le développement d'une tendance à la stylisation du motif et même à sa désintégration progressive. Le thème initial n'est plus que le prétexte à une composition géométrique à base d'arcs de cercle concentriques, de chevrons emboîtés ou de petits traits parallèles. La vie et le naturel du motif crétois originel se sont d'abord figés dans le schématisme et la symétrie, puis le motif s'est transformé au point de rendre parfois presque impossible l'identification de son origine ; ainsi, le coquillage et la fleur finissent par ne faire plus qu'un, point d'aboutissement d'un étonnant syncrétisme formel.

La technique est restée celle des Minoens, du moins de l'époque des Seconds Palais, à peinture brune lustrée sur le fond clair de l'argile. Mais on observe une telle épuration du décor que souvent le motif schématisé n'occupe plus qu'une part infime de la surface du vase et laisse autour de lui de larges zones vides.

Les personnages, peu fréquents dans la céramique crétoise, n'apparaissent aussi qu'à de rares exemplaires dans la production mycénienne. Il semble pourtant que les ateliers de potiers continentaux eux-mêmes ont fabriqué des vases destinés à l'exportation vers Chypre et le Levant, sur lesquels figurent des scènes de char analogues à celles que présentent les fresques. Alors que les chevaux ont un aspect assez proche du modèle, les personnages sont stéréotypés et maladroitement dessinés, simples silhouettes à l'allure souvent caricaturale. La même impression se dégage des sarcophages peints de Tanagra, sur lesquels apparaissent d'étranges processions de pleureuses aux longues robes, les mains ramenées sur le sommet de la tête. Le peintre de vases mycénien, habile à décomposer en éléments géométriques les motifs naturalistes dont il est parti, est inapte à faire subir le même sort aux représentations humaines et s'en tient à une schématisation grossière du corps, sans aucun rendu du volume ou de la perspective.

PLASTIQUE

Pas davantage que les Minoens, les Mycéniens ne sont attirés par la grande statuaire. Aucune œuvre proche de la taille humaine n'est connue sur le continent, à l'exception d'une tête de plâtre peint en provenance de Mycènes. La couleur y joue un rôle essentiel en soulignant les lignes du relief : des traits de peinture bleu foncé cernent les yeux et figurent les mèches de la chevelure, retenues par un bandeau rouge grenat, et ce même rouge est employé pour peindre les lèvres et des motifs circulaires qui ornent le front, les joues et le menton. Tête de femme ou tête de sphinx ? Ce visage isolé dans la production mycénienne garde pour nous toute son ambiguïté.

La petite plastique cependant occupe une place importante dans l'art et dans la vie du continent. Si les figurines en plomb de Kambos, en Laconie occidentale, dont l'une est celle d'un jeune athlète vêtu du pagne à la crétoise, encore assez proches des modèles minoens, restent exceptionnelles par leur matériau et leur fini relatif, il existe à travers la Grèce toute une population de petites statuettes de terre cuite qui hantent tombes et sanctuaires. Leur aspect ne rappelle que de loin la déesse mère, dont elles dérivent : dressées sur un haut piédestal en forme de cylindre ou de tronc de cône, le buste plat en croissant ou en disque sur lequel saillent faiblement les deux seins, la tête triangulaire à profil d'aigle, elles semblent drapées dans une longue robe que stylisent des bandes sinueuses de peinture brunrouge sur le fond clair de l'argile. Derniers avatars d'une antique tradition égéenne, elles s'éloignent autant des prototypes locaux que des modèles minoens. Pourtant, l'effigie d'une déesse trouvée récemment à Mycènes révèle chez certains potiers un souci de réalisme inhabituel, encore que limité, comme le montrent les grandes fleurs stylisées qui lui confèrent une décoration de type céramique.

L'art du relief a laissé des traces plus nombreuses que la statuaire. Il n'est rien de plus connu pour cette époque que la plaque ornementale qui, au-dessus du linteau de la *Porte des lions* à Mycènes,

a de tout temps signalé au voyageur l'entrée de la capitale d'Agamemnon. De part et d'autre d'une colonne inversée à la mode minoenne sont affrontés deux lions dont la tête en matériau rapporté est aujourd'hui absente et dont les pattes antérieures reposent sur de petits autels crétois. Thème familier de la glyptique minoenne, le motif s'inscrit ici dans le cadre puissant du triangle de décharge avec une monumentalité nouvelle bien digne du palais royal, dont les lions sont les farouches gardiens et la colonne le symbole manifeste. L'influence directe de la Crète se fait sentir plus nettement sur les plaques fragmentaires rapportées par lord Elgin au British Museum, en provenance des alentours du *Trésor d'Atrée :* sur l'une d'elles, un taureau, bien qu'incomplet, rappelle l'élan furieux de celui qui domine l'entrée nord du palais de Knossos.

Mais il est rare que le sculpteur mycénien sache mettre en place les grandes masses d'un corps immobile ou en mouvement. Plus conforme à son génie, et plus remarquable encore par la virtuosité de l'exécution, apparaît le plafond de la chambre latérale dans la grande *Tholos d'Orchomène,* en Béotie : à la face inférieure des lourdes dalles de calcaire verdâtre s'enlève, sur un délicat réseau de spirales enchaînées et de fleurs de papyrus, un cadre rectangulaire de rosettes au cœur en saillie. Quels que soient les prototypes minoens que l'on puisse invoquer, cette fine tapisserie de pierre représente l'un des sommets de la science décorative des Mycéniens, aux côtés des compositions polychromes qui ornaient le portail des plus grandes tombes de Mycènes.

TRAVAIL DU MÉTAL

Le mobilier des tombes à fosse témoignait de la force de l'influence crétoise dans la production des objets de métal, et plus particulièrement des vases de métal précieux, au XVIe s. Nul n'ignore les deux tasses en or à reliefs venant de la *Tholos de Vaphio,* en Laconie, datées du XVe s. (Athènes, M. N.) : sur l'une, un même taureau sauvage, au milieu d'un paysage d'arbres et de rochers, flaire une piste, puis, attiré par une vache domestiquée qui sert d'appât, est pris au lasso par un chasseur vêtu à la crétoise ; sur l'autre, trois bêtes différentes sont engagées dans une action violente : la première combat au corps à corps contre deux chasseurs qu'elle désarçonne, la deuxième se débat furieusement dans le filet qui l'emprisonne, la troisième s'enfuit de tout son élan loin du danger. De forme presque identique et de sujet voisin, les deux tasses ne font cependant pas partie d'une même paire. Sur les deux, l'inspiration crétoise est évidente, mais si la première est sans doute l'œuvre d'un artiste minoen rompu à l'art naturaliste du XVIe s., la seconde pourrait n'être que la copie d'un excellent élève continental.

Un peu plus tardive, une *Coupe en or de Dendra*, en Argolide, utilise encore des motifs typiquement crétois, poulpe aux longs tentacules, dauphins bondissants, argonautes sur fond de rochers et de sable empruntés au répertoire de style marin du XVe s., mais le caractère répétitif et mécanique des poulpes, le schématisme du paysage trahissent la main de l'artiste mycénien, tout autant que le remplissage systématique qui ne laisse aucune surface inoccupée.

La technique de l'incrustation sur métal, gloire de l'époque des tombes à fosse, ne se perd pas après elle. Entre autres, deux bols d'argent en témoignent, tous deux décorés d'une rangée de bucranes en or et en nielle : l'un vient d'Argolide et l'autre de Chypre, copie plus riche de l'original argien, produite pour l'exportation ou fabriquée sur place, avec ses rosettes et ses fleurs de papyrus remplissant les vides du décor. Là encore, l'artiste a puisé son inspiration dans un répertoire familier en Crète, mais il l'a organisé avec un sens de l'effet qui n'a plus rien à voir avec l'esprit minoen : dès le premier regard, on ne saurait se méprendre sur la fonction de ce bol d'apparat, destiné à figurer en bonne place dans des cérémonies religieuses ou royales.

Les bronziers ont fait pour leur part des progrès rapides : on ne compte plus les armes retrouvées dans les tombes, auxquelles font écho celles que mentionnent les archives des palais sur tablettes d'argile. Grandes épées, poignards, pointes de lances accompagnent le mort dans l'au-delà, et parfois aussi sa cuirasse, son casque à pare-joues de métal et ses jambières, vestiges de la vie guerrière que mènent princes et nobles du continent, dignes successeurs de leurs ancêtres des tombes à fosse.

TRAVAIL DE L'IVOIRE ET DE LA PIERRE

Il est plus difficile de reconstituer la provenance et la fonction des fragments d'ivoire sculptés qui se multiplient à la même époque. Les inventaires des tablettes montrent que beaucoup ont servi à l'incrustation de meubles aujourd'hui disparus et il est certain que l'or et l'ivoire ornaient les vantaux massifs des plus grandes tholoi de Mycènes. Des relations commerciales en terre d'Asie expliquent cet engouement pour une matière exotique déjà connue des Minoens et qui, découpée en plaquettes ou taillée en forme de peigne ou de pyxide, tantôt ornait un trône ou un fauteuil et tantôt figurait sur la table de toilette d'une grande dame de l'époque. Une tombe de l'Agora d'Athènes a livré une boîte cylindrique sur laquelle des griffons ailés livrent combat à une harde de cerfs. La scène est étonnante de violence et d'excès, mais plus encore qu'à l'ardeur de la lutte l'artiste a été sensible à la ligne décorative, qu'elle soit celle d'un corps qui bondit ou d'ailes qui se déploient, prolongeant des tendances déjà sensibles, quelques siècles plus tôt, sur la boîte hexagonale de Mycènes. Mais guerrier casqué, sphinx ou lions prédateurs exécutés en bas relief pour l'ornementation d'un mobilier ne sauraient faire oublier les véritables figurines qui nous sont parvenues plus ou moins incomplètes, tels une déesse assise au corsage échancré et à la jupe à volants ou, plus encore, un groupe énigmatique de trois personnages, deux femmes enlacées veillant amoureusement sur un jeune enfant. Dépassant les réalisations connues dans l'art minoen, l'artiste mycénien est parvenu à recréer, dans l'exiguïté d'un morceau d'ivoire, le climat d'une scène familiale qui, humaine ou divine, aura des prolongements dans l'art classique.

L'influence de Mycènes s'étend jusqu'au rivage asiatique : d'une tombe de Minet el-Beïda, sur la côte syrienne, provient un couvercle de pyxide sur lequel s'unissent le thème oriental de la déesse nourrissant ses animaux familiers, des chèvres sauvages, et celui de la potnia créto-mycénienne, en jupe à volants et les seins nus, bel exemple d'osmose entre le monde égéen et les confins orientaux de la Méditerranée au XIVe s.

L'artiste continental est aussi à l'aise que le Crétois dans l'exécution de scènes ou de motifs réduits à une échelle miniature. Si l'esprit général a changé, l'évolution n'est guère sensible sur les bagues en or à représentations religieuses : les mêmes figures féminines, accoutrées de même façon, se livrent aux mêmes rites de danse ou de célébration sacrée. Cependant, une bague de Tirynthe n'a pas d'équivalent en Crète : quatre démons léonins présentent solennellement une cruche à libations à une déesse assise qui leur tend le gobelet rituel. Dans son immuable répétition du geste, la scène, placée dans un au-delà mythique, a l'hiératisme des processions sacrées. Un sceau en or de Pylos confère une majesté singulière au griffon crêté, aux ailes largement déployées, en fait sans conteste le symbole du pouvoir royal. Sur les cachets de pierre, par contre, les motifs tendent peu à peu à se styliser jusqu'à la sécheresse, et l'animal finit par se désintégrer et par perdre son individualité au point de n'être plus toujours identifiable. Ce qui paraît compter, pour le lapidaire comme pour le peintre de vase, c'est plus la valeur ornementale du thème que son rendu naturaliste ; sur le continent plus encore qu'en Crète, le sceau prend une valeur héraldique.

ORFÈVRERIE

Quant à l'orfèvrerie, si florissante à l'époque des tombes à fosse, sa production subit un déclin progressif, dû à un appauvrissement des royaumes mycéniens ou à un ralentissement des échanges. L'or, encore abondant au XVe et au XIVe s., se raréfie au cours du XIIIe s. et tend à être remplacé par des matières moins coûteuses, en particulier par la pâte de verre qui, d'emploi exceptionnel au début de la période, se multiplie petit à petit dans les sépultures sous la forme d'éléments de colliers aux motifs les plus divers. Coquillages stylisés, fleurs schématisées, symboles religieux, rosettes sont produits industriellement par les artisans et nulle évolution n'apparaît dans les formes.

Au XIIIe s., l'art mycénien atteint son apogée : céramique, orfèvrerie, glyptique sont partout employés, à travers le monde égéen, pour accompagner les sépultures les plus riches. Sur la côte levantine elle-même, l'interpénétration des éléments locaux et des influences occidentales est manifeste. Le caractère stéréotypé de la production est tel qu'on ne peut distinguer des centres ou des ateliers. Jamais l'art crétois, malgré ses qualités, n'a atteint à ce degré de renommée et de diffusion ; pour la première fois dans l'Égée, une manifestation hégémonique qui souligne, malgré les divisions politiques, l'unité et la puissance d'une même civilisation.

La fin
du monde mycénien
(1200-1100 AV. J.-C.)

Cependant, au cœur même de son rayonnement maximal, le monde mycénien paraît rongé de l'intérieur. Des destructions sont signalées un peu partout avant qu'une vague plus forte n'emporte la civilisation palatiale et son brillant art de cour, à la fin du XIIIe s. L'écriture et les productions de luxe s'anéantissent dans la tourmente. La Méditerranée est parcourue par des peuples égéens chassés de leur territoire, les Peuples de la Mer, qui vont jusqu'en Égypte, où ils sont arrêtés par Ramsès III.

Mais la production céramique ne disparaît pas pour autant et elle garde certains des caractères de la production plus ancienne. Le célèbre *Vase aux guerriers* de Mycènes est encore empreint des conventions de l'art figuratif des Mycéniens, mais la scène n'a pas d'équivalent à l'époque antérieure : une femme qui fait le geste usuel du deuil assiste au départ de guerriers équipés de casques à cornes et de lances à pennon. Cet accoutrement est plutôt celui d'un de ces Peuples de la Mer qui ravagent la Méditerranée orientale. Les styles non figuratifs restent proches des prototypes créto-mycéniens et l'on voit s'épanouir dans les régions insulaires un « style au poulpe » où l'animal marin familier à la Crète comme au continent revêt une stylisation décorative conforme à l'évolution antérieure.

Les formes céramiques spécifiques vont disparaître peu à peu, mais on observe l'étonnante persistance du vase à étrier en Attique et en Argolide jusqu'à l'extrême fin du IIe millénaire, qui dénote une continuité remarquable dans une civilisation qui se défait. Ailleurs, la rupture est bien marquée et un hiatus sépare l'époque mycénienne du début de l'âge du fer. La Grèce continentale se dépeuple au profit des régions excentriques, parmi lesquelles Chypre joue un rôle essentiel : s'il est possible de reconnaître encore un reste d'influence égéenne dans la statuette du *Dieu cornu* d'Enkomi, le *Dieu au lingot*, pour sa part, se rattache uniquement à la sphère orientale. En Palestine se développe une céramique, dite « philistine », dont la technique est de tradition locale et les motifs égéens, et plus spécialement du monde mycénien.

Sans doute est-ce la frange levantine de l'Asie occidentale qui assure le plus fermement le maintien des traditions culturelles héritées de Mycènes. Ce n'est pas sans raison qu'Homère — réalité historique ou fiction symbolique ? — a vu le jour en Ionie ; les récits légendaires, transmis par voie orale, y étaient mieux enracinés qu'ailleurs. Premier poète grec, il puise son répertoire jusque dans un lointain passé archéologique, et Schliemann n'a pas été mal inspiré de l'avoir choisi pour guide dans sa résurrection d'une civilisation disparue.

Bibliographie sommaire

CHADWICK (J.), *The Mycenaean World*, Cambridge University Press, Cambridge, 1976. DEMARGNE (P.), *Naissance de l'art grec*, L'Univers des Formes, Gallimard, Paris, 1964. HIGGINS (R.), *Minoan and Mycenaean Art*, Thames and Hudson, Londres, 1967. HOOD (S.), *The Home of the Heroes. The Aegean before the Greeks*, Thames and Hudson, Londres, 1967. HOOD (S.), *The Arts in Prehistoric Greece*, The Pelican History of Art, Penguin Books, Harmondsworth, 1978. MARINATOS (M.), Hirmer (M.), *Crete and Mycenae*, Thames and Hudson, Londres, 1960 ; nouv. éd., *Kreta, Thera und das mykenische Hellas*, Hirmer, Munich, 1973. PLATON (N.), *la Civilisation égéenne*, Albin Michel, Paris, 1981. VERMEULE (E.T.), *Greece in the Bronze Age*, University of Chicago Press, Chicago, 1964. WARREN (P.), *The Aegean Civilizations*, Elsevier-Phaidon, Lausanne, 1975.

L'ART GREC

Francis Croissant

PENDANT LONGTEMPS, L'IMAGE DE L'ART GREC s'est pratiquement confondue, dans la conscience des Européens, avec la hautaine silhouette du Parthénon, et aujourd'hui encore il est difficile de ne pas lui associer, comme instinctivement, l'idée de perfection. C'est qu'à l'instar des Romains, qui furent fascinés par un projet esthétique si différent du leur, nous nous sommes habitués à en considérer les créations comme autant de références indépassables. Mais cette religion du Classicisme, dont on verra qu'elle empêchait en fait de prendre l'exacte mesure du phénomène grec et qui a surtout permis longtemps à nos cultures européennes de se reconstituer, aux dépens de la Grèce réelle, un héritage à la fois prestigieux et rassurant, a été heureusement remise en cause, dès la fin du siècle dernier, par le soudain essor de la recherche archéologique. Les quelques décennies qui précèdent la Première Guerre mondiale virent se succéder, parallèlement à la découverte des civilisations préhelléniques, un certain nombre de révélations majeures : les fouilles de l'Acropole d'Athènes, des sanctuaires de Delphes, Délos et Olympie, de l'*Héraion de Samos* et de l'*Artémision d'Éphèse*, des nécropoles d'Athènes et de Corinthe superposèrent peu à peu à l'image un peu figée du classicisme parthénonien celle d'un art bouillonnant de vie, en perpétuel renouvellement, qui tirait son dynamisme et sa richesse de sa diversité même et des multiples influences, en particulier orientales, qu'il avait accueillies au cours d'une longue histoire.

Cette brusque révélation d'un « Archaïsme » grec (dénomination qui, à l'origine un peu condescendante, prit bientôt une valeur laudative, comparable à celle du mot « primitif » appliqué aux plus anciens maîtres de la peinture italienne), par un retour des choses explicable mais injuste, provoqua dans le public à l'égard du Classicisme, trop souvent confondu avec l'académisme, qui n'en était que la caricature, une désaffection dont pâtirent spécialement les périodes les plus récentes de l'histoire de l'art grec, celles dites « du second Classicisme » et de l'art « hellénistique ». La tâche des historiens est donc aujourd'hui de rétablir les équilibres, et ce que nous voudrions montrer avant tout, c'est l'unité profonde d'un art qui, tout en se posant, durant près d'un millénaire, les mêmes questions, n'a jamais cessé de renouveler les réponses qu'il tentait de leur apporter. Grâce à l'élargissement sans cesse accru de notre documentation, nous sommes en tout cas mieux placés qu'autrefois pour comprendre qu'il n'y a pas moins de « perfection » dans une amphore géométrique que dans une statue de Praxitèle, et pour retrouver, sur les frises du *Grand Autel de Pergame* comme sur celles d'un trésor archaïque de Delphes, le même choix fondamental d'une adaptation lucide de la forme à l'idée : démarche éminemment intellectuelle, en quoi réside, par rapport à l'art de tous les autres peuples du bassin égéen, l'originalité radicale de l'art grec et qui explique en définitive son incomparable rayonnement.

C'est dire qu'une histoire de l'art grec

devrait, pour coller d'aussi près que possible à la réalité, offrir l'image d'un développement continu. La valeur des grandes divisions traditionnelles, et surtout de leurs délimitations chronologiques, même si l'on continue par commodité de s'y référer, doit donc être considérée comme assez relative. Rappelons brièvement les cadres généraux qui nous sont ainsi fournis par la réflexion historique moderne. On distingue six périodes, qui feront chacune l'objet d'un chapitre.

L'**art géométrique** (XIᵉ-VIIIᵉ s. av. J.-C.). La renaissance d'un art grec, après la chute de la civilisation mycénienne, est caractérisée d'abord par la formation d'un style résolument abstrait et décoratif, auquel on a donné le nom d'« art géométrique ». Mais cette période voit se développer peu à peu les contacts de la Grèce avec les civilisations voisines, en particulier celles du Proche-Orient, dont les influences, vers la fin du VIIIᵉ s., deviennent prépondérantes.

L'**art orientalisant** (VIIᵉ s. av. J.-C.). Ces influences orientales, vite assimilées par les Grecs, provoquent l'éclatement du système décoratif géométrique et favorisent l'apparition, dans la céramique, de grands styles figurés, tandis que l'on assiste aux débuts de la statuaire et de l'architecture monumentale.

L'**Archaïsme** (VIᵉ s.). C'est la phase d'épanouissement des principales formes de l'expression artistique des Grecs (statuaire, architecture, céramique peinte, petite plastique de bronze et de terre cuite), qui commence aux environs de 600, au moment où les influences orientales sont pleinement assimilées et dont on fait coïncider la fin, d'une manière assez conventionnelle, avec celle des guerres médiques (480).

Le **premier Classicisme** (Vᵉ s.). C'est la période de maturité, qui, après la phase de transition — remarquablement riche — du « style sévère » (480-450), est illustrée à la fois par les grandioses réalisations de Phidias et de ses collaborateurs et successeurs sur l'Acropole d'Athènes et par les créations de la statuaire péloponnésienne autour de l'atelier de Polyclète.

Le **second Classicisme** (IVᵉ s.). L'ébran-lement physique et moral que représente pour la Grèce et en particulier pour Athènes la guerre du Péloponnèse (431-404) provoque une remise en question des valeurs sur lesquelles s'était fondé le classicisme parthénonien ; après une phase d'expérimentations qui occupe en gros le dernier quart du Vᵉ s., un second art classique se développe, qui va s'épanouir dans le courant du IVᵉ s., annonçant à bien des égards ce que l'on appellera, après la mort d'Alexandre (323), l'« art hellénistique ».

L'**art hellénistique** (IIIᵉ-Iᵉʳ s.). Cette période connaît, en même temps qu'une extension sans précédent du rayonnement de l'art grec dans toutes les régions du monde antique, un approfondissement, sans véritable rupture, des conquêtes du second Classicisme (particulièrement dans les domaines de la plastique, de l'architecture et de l'urbanisme) et un maintien de l'hellénisme, qui survivra longtemps au terme fixé par l'histoire politico-militaire (la bataille d'Actium, en 31 av. J.-C.) à l'« époque hellénistique ».

L'ART
GÉOMÉTRIQUE
(XIᵉ-VIIIᵉ s.)

SI L'ON VOIT ASSEZ CLAIREMENT AUJOURD'HUI LA FILIATION ininterrompue qui relie l'art grec du début du Iᵉʳ millénaire à celui du VIᵉ et du Vᵉ s., en revanche, les conditions du passage de la brillante civilisation mycénienne à celle que l'on a pris l'habitude de désigner, faute de mieux, du nom de « géométrique », d'après le style — essentiellement décoratif et abstrait — de la céramique peinte qui en est le principal témoin archéologique, demeurent obscures. Ce qui est certain, c'est que le premier résultat de la vague d'invasion qui — à une date que l'on situe, d'après le témoignage de Thucydide, dans le courant du XIIᵉ s. — déferle sur la Grèce a été la destruction brutale et quasi intégrale de la civilisation mycénienne. Les Doriens, venus de la vallée du Danube,

Chronologie du haut archaïsme

	événements historiques	céramique	plastique, architecture	littérature, philosophie	autres civilisations
1200	chute de la civilisation mycénienne				
1100	début de migration ionienne	Submycénien			fin du Nouvel Empire égyptien
1000		Protogéométrique			David roi d'Israël
900					Assurnazirpal II
		Géométrique	petite plastique		
800	début de la colonisation en Sicile et		premiers temples	l'Iliade	fondation de Carthage
750	en Grande-Grèce				
		Protocorinthien		l'Odyssée	
700		Protoattique		Hésiode	
					Sargon II
675	colonisation du littoral de la mer Noire		débuts de la statuaire		XXVIe dynastie égyptiene, dite saïte
650		Ptotocorinthien récent	Hékatompédon II de Samos	Thalès	Psammétique Ier
		Corinthien ancien			
625	Kypsélos, tyran de Corinthe	Protoattique récent			
600	Solon, archonte à Athènes		Héraïon d'Olympie	Alcée, Sappho	les Grecs en Égypte : Naucratis

nantis d'une culture dont il faut admettre aujourd'hui qu'elle était assez rudimentaire, se comportèrent d'abord indiscutablement comme de simples pillards, et l'on a pu dire sans exagération que la Grèce, à l'aube du XIe s., se retrouvait plongée à cause d'eux dans un état proche de la barbarie. Mais nous savons maintenant que ces envahisseurs n'étaient qu'une branche attardée du groupe de peuples indo-européens qui s'étaient installés en Grèce au début du IIe millénaire et y avaient créé les admirables civilisations du bronze récent. Cette communauté d'origine et de langue permet sans doute de mieux comprendre comment, après une période de convulsions et de conflits violents qui aboutirent à une redistribution du territoire entre les différentes ethnies — les Ioniens et les Achéens refluant vers l'Attique et l'Eubée ou traversant la mer pour aller s'établir sur le littoral de l'Asie Mineure, les Doriens s'imposant à peu près partout dans le Péloponnèse —, contacts et échanges purent progressivement s'établir qui permirent aux nouveaux arrivants d'adopter des techniques et des formes artistiques où les premières influences orientales se superposaient aux survivances de l'art mycénien.

Il n'est plus question en effet d'attribuer aux Doriens, comme on l'avait un peu hâtivement proposé, l'introduction en Grèce des deux innovations capitales que représentent la métallurgie du fer et la céramique géométrique. La première semble en effet avoir fait son apparition bien avant cette date en Anatolie, dans l'Empire hittite, d'où elle se serait répandue, à partir de 1200 env., en Palestine, puis en Crète et en Grèce. Quant à la seconde, il est frappant qu'elle ait connu son plus brillant développement à Athènes, que précisément n'avait pas touchée l'invasion dorienne. Il est donc probable que ce style, incontestablement nouveau mais dont la phase initiale, dite « protogéométrique », présente des affinités précises avec les dernières manifestations du style mycénien (ce que l'on appelle le « Submycénien »), doit être compris plutôt comme une renaissance que comme une importation. Mais les causes et les conditions exactes de cette renaissance nous échappent encore à peu près complètement. La comparaison d'un vase mycénien de la grande époque (XIVe s.) et d'un vase géométrique du VIIIe s. fait apparaître à l'évidence deux conceptions artistiques non seulement différentes, mais même radicalement opposées. Et il faut bien dire que la continuité n'est vraiment sensible qu'à la transition entre un Mycénien dégénéré — le Submycénien — et un Géométrique primitif, le Protogéométrique. Si les Doriens n'ont certes pas apporté avec eux la céramique géométrique, il est donc plus que probable qu'ils ont, assez rapidement, joué un rôle dans sa formation, y introduisant cet esprit de rigueur, de clarté et d'austérité dorienne donnera par la suite tant de témoignages.

Parler de l'art géométrique revient d'abord à décrire une céramique : trouvés en abondance, dans un état de conservation souvent parfait, sur la plupart des sites de Grèce, en particulier dans les nécropoles, où ils constituaient la grande majorité des offrandes destinées aux morts, les vases peints sont en effet notre principale documentation sur cette première civilisation grecque de l'âge du fer. Et ils apparaissent de toute façon comme sa plus ancienne manifestation artistique.

Céramique protogéométrique

Bien que la production en soit assez vite attestée sur presque tous les sites, on peut affirmer que la céramique de ce premier style géométrique fit d'abord son apparition en Attique. Dans le courant du XIe s., les formes héritées du Mycénien font place peu à peu, dans les tombes du cimetière du Céramique à Athènes (ainsi nommé parce qu'il était proche du quartier des potiers), à un répertoire de formes à la fois plus équilibrées et plus fonctionnelles, qui resteront d'ailleurs celles de la céramique grecque durant toute son histoire : l'amphore à col, avec ses deux anses horizontales ou verticales, l'œnochoé, cruche à verser le vin, munie d'une seule anse, le cratère, fait pour mélanger le vin (qui était épais et que l'on buvait en général coupé d'eau), les coupes, à pied tronconique, à anses horizontales ou verticales. Ce qui frappe avant tout dans cette production, c'est le contraste entre l'extrême simplicité — pour ne pas dire la pauvreté — du décor, qui consiste en motifs élémentaires (cercles ou demi-cercles concentriques, triangles ou losanges quadrillés) se détachant en noir sur le fond clair de l'argile, et le soin apporté à la fabrication, sensible non seulement dans l'équilibre des formes, mais aussi dans la minutie, la netteté rigoureuse du dessin, dans la qualité d'un « vernis » noir dont la formule fera encore, au VIe s., la fortune des ateliers attiques.

L'évolution de ce style, que permettent de suivre d'assez près les tombes du Céramique, s'oriente d'ailleurs résolument, après une phase d'expérimentation qui couvre en gros la seconde moitié du XIe s., dans le sens de la sobriété et de la rigueur. Le décor, dont la fonction est de plus en plus clairement d'exprimer la logique inhérente à la forme, se limite le plus souvent, au Xe s., à un bandeau situé à la partie supérieure du vase et qui se détache de manière saisissante sur l'ensemble de surface recouverte de vernis noir. Une amphore du musée du Céramique en donnera un bon exemple : la zone décorée, où les motifs se répartissent avec une netteté quasi architecturale, cerne la panse du vase dans sa plus grande largeur et met en valeur la courbure de l'épaule tout en conférant à la double saillie latérale des anses une sorte de nécessité. Modeste dans son objet, produit d'une civilisation dont les autres témoins archéologiques (des tombes de structure élémentaire, quelques outils et armes de bronze ou de fer) permettent de supposer qu'elle fut rien moins que luxueuse, ce premier art grec atteint pourtant d'un coup à un équilibre, à une harmonie dont on peut dire qu'ils ne seront pas vraiment dépassés dans la suite. Mais il s'agit, on le voit, d'un art qui s'adresse plus à l'esprit qu'à la sensibilité : le plaisir que procure la contemplation d'un tel vase tient à ce qu'il offre l'image — tout intellectuelle — d'un ordre parfait. Ce projet esthétique, lumineux bien qu'austère, que l'on comprendra mieux si l'on se souvient qu'en grec c'est le même mot *(kosmos)* qui signifie à la fois « ordre » et « ornementation », n'épuise pas bien entendu toute la richesse de l'art grec. Il constitue en tout cas le point de départ de l'un des deux grands courants entre lesquels se partageront l'Archaïsme et le Classicisme : celui qu'illustrera par excellence l'architecture dite « dorique » (parce que née, précisément, en terres doriennes). Encore qu'il soit à peu près sûr, nous l'avons dit, que le style protogéométrique ne fut pas une invention des Doriens, on croira difficilement que cet esprit nouveau, si radicalement opposé au naturalisme créto-mycénien, ne leur doive pas quelque chose.

Céramique géométrique

Le passage au style que l'on appelle proprement « géométrique », et qui se développera durant les IXe et VIIIe s., se fait de manière progressive : là encore, ce sont les ateliers attiques, dont le rayonnement ne cesse de grandir, qui nous fournissent la documentation essentielle. Mais d'autres centres de création, plus ou moins directement influencés par Athènes, se manifestent avec vigueur : à Argos, à Corinthe, à Rhodes, en Crète et dans les Cyclades (à Théra en particulier) s'élaborent des variantes locales, dont l'originalité laisse prévoir les oppositions stylistiques qui apparaîtront à la période orientalisante.

Nous suivrons d'abord le développement de la céramique attique. On y distingue,

après une phase « ancienne » (ou « sévère ») qui couvre à peu près le IXe s., une phase de maturité (« géométrique moyen » ou « mûr », première moitié du VIIIe s.), puis une phase « récente » (seconde moitié du VIIIe s.). Au IXe s., le système décoratif est encore très proche du Protogéométrique : la panse du vase est noire, ornée seulement de quelques bandeaux qui en soulignent la forme. Les motifs, disposés en frise ou en métopes, d'où disparaissent assez vite les éléments circulaires, se construisent à partir de lignes obliques parallèles, se recoupant de diverses façons, ou de structures rectangulaires, dont la plus fréquente est le « méandre » (promis à une longue fortune et devenu si caractéristique qu'on lui a donné le nom de « grecque »). Les formes tendent à se diversifier : l'amphore s'affine et son col s'allonge, entraînant la substitution, aux petites anses horizontales, de grandes anses verticales reliant le haut du col à l'épaule ; l'œnochoé devient plus trapue, le pied des coupes fait place à une base élargie. En dépit d'une complexité accrue de la décoration, qui tend à se tailler une place de plus en plus grande, la conception d'ensemble demeure très sobre, et surtout purement abstraite.

C'est au début du VIIIe s., semble-t-il, que se manifestent les changements les plus spectaculaires. D'abord dans la dimension des vases : à côté d'une production destinée à l'usage courant apparaissent des amphores et des cratères de proportions considérables (la hauteur peut atteindre 1,55 m), qui reflètent le luxe orgueilleux des funérailles célébrées par l'aristocratie de propriétaires terriens qui paraît dominer la société de cette époque. Ancêtres des stèles funéraires, ces vases géants, spécialement conçus pour cet usage, restaient dressés sur la tombe après l'ensevelissement et permettaient, grâce à une ouverture pratiquée dans le fond, de renouveler les libations rituelles qui avaient eu lieu lors de la cérémonie. Affranchis des préoccupations étroitement fonctionnelles qui s'imposaient à la production courante, les potiers non seulement font preuve d'une habileté technique surprenante (la cuisson d'un vase de semblables dimensions dans les fours rudimentaires dont on disposait à l'époque représente un véritable tour de force), mais donnent libre cours à leur conception quasi architecturale de la forme. D'allure élancée grâce à l'allongement du col ou l'adjonction d'un pied qui équilibrent l'énorme diamètre de la panse, amphores et cratères prennent une ampleur monumentale sans précédent dans l'histoire de la céramique et qui d'ailleurs en déborde évidemment la fonction.

Aussi bien deviennent-ils rapidement le support d'une narration picturale en quoi se résume l'essentiel de leur signification. D'abord constitué des mêmes éléments linéaires abstraits qu'à la période précédente, mais étendu à toute la surface du vase en un tissu continu où la répétition des motifs et leur exacte imbrication créent une harmonie indiscutable, encore que plus diffuse, moins clairement intégrée à la structure générale, le décor introduit bientôt, après quelques motifs isolés comme le cheval ou l'oiseau et des frises de silhouettes animales (cerfs ou bouquetins par exemple) indéfiniment répétées qui s'inspirent sans doute déjà de modèles orientaux, de véritables scènes figurées. Sur les grands vases du « style du Dipylon » (ainsi nommé d'après la porte de la ville qui est proche de la nécropole), que l'on date du milieu du VIIIe s., se trouve représentée en bonne place (généralement entre les anses) la cérémonie même des funérailles, dans l'un au moins de ses moments essentiels : l'exposition du corps sur un lit d'apparat et la déploration collective qui l'accompagnait ; le transport jusqu'à la tombe, sur un char funèbre, que suit parfois un défilé de chars de combat, évoquant apparemment le rôle guerrier et la puissance du défunt.

Ce qui caractérise d'abord ces premières réapparitions de la figure humaine dans l'art grec, c'est qu'elles s'intègrent de manière presque parfaite au tissu décoratif qui les entoure. Cela tient sans doute au soin apporté par les peintres à remplir systématiquement (on a parlé à ce propos d'« horreur du vide ») tous les espaces disponibles entre les personnages avec des motifs géométriques (que l'on appelle précisément « ornements de remplissage ») ; mais cela tient surtout à la nature profondément abstraite de ces figures, qui (un peu à la manière des idéogrammes) *signifient* telle forme humaine ou animale, tel ou tel objet matériel, plutôt qu'elles ne les représentent. Ces images, où l'on a cru autrefois, par référence aux conquêtes du naturalisme de l'époque classique, déceler une maladresse « primitive », ne prétendent en réalité aucunement « donner à voir » et procèdent même au départ d'une indifférence délibérée à l'égard des apparences sensibles. Ce qui compte ici, c'est le sens bien plus que l'aspect des choses : c'est pourquoi l'on choisit de faire figurer le mort, vu en plan, au-dessus du lit funèbre et d'étager en hauteur les plans successifs de la scène ; les deux roues des chars, au lieu de se recouvrir, sont, pour la clarté de la description, juxtaposées, tandis que dans les attelages la tête du cheval de gauche se superpose simplement à celle de son compagnon. Quant à la forme humaine, elle s'inscrit elle-même dans un schéma géométrique élémentaire (simple résumé graphique de l'idée d'« homme » ou de « guerrier »), particulièrement propre à des effets répétitifs qui expriment les manifestations ou les émotions collectives tout en contribuant à l'intégration harmonieuse des scènes animées dans la trame décorative.

Comparant ces figures raides et schématiques aux souples représentations, frémissantes de vie, de la peinture mycénienne et surtout minoenne, on a évidemment parlé d'abord de régression. Et nulle part en effet la coupure n'est plus sensible entre les deux époques. Mais il est vain, en fin de compte, de se demander si les peintres attiques du milieu du VIIIe s. étaient ou n'étaient pas capables de reproduire fidèlement les formes naturelles, car le fait est que tel n'était pas leur projet. Et l'on aurait tort de considérer leur parti pris d'abstraction, de réduction des apparences sensibles comme une sorte de discours intelligible comme le palliatif provisoire d'insuffisances techniques : il s'agit au contraire d'une tendance fondamentale de l'esprit grec, pour qui la fonction de l'art ne sera jamais d'imiter purement et simplement la nature, mais de la « recomposer » à partir d'une vision abstraite, dont la cohérence interne constitue proprement ce que l'on appelle le « style ». Nous verrons plus loin que la démarche d'un sculpteur archaïque « traduisant » tel détail anatomique par un motif purement décoratif ou celle d'un urbaniste de l'époque hellénistique imposant au paysage l'ordre d'un plan de ville conçu a priori ne seront pas foncièrement différentes de celle de nos peintres du Dipylon : un sens, il n'est pas excessif de dire que ces grandes compositions austères fournissent une des clés essentielles pour la compréhension de l'art grec tout entier.

Cependant, la rapide décadence de ce grand style n'est pas moins exemplaire. Dans la seconde moitié du siècle, durant la phase dite « du Géométrique récent », les scènes figurées, qui vont se multiplier, ne tardent pas en effet à poser aux peintres des problèmes quasi insolubles dans le cadre de l'esthétique géométrique. Les thèmes traités, qui ne sont plus exclusivement funéraires, mais impliquent les personnages, peut-être déjà sous l'influence de l'épopée, dans des actions dramatiques et mouvementées (scènes de combat sur terre et sur mer, scènes de chasse), obligent les figures abstraites héritées du style du Dipylon à des contorsions pour lesquelles elles n'étaient pas prévues et qui donnent parfois une impression de malaise. Sur les vases d'usage courant, de dimensions modestes, sont représentées des scènes à deux ou trois personnages qui favorisent une différenciation accrue des silhouettes : les gestes s'assouplissent, on commence à noter, par un point noir dans une zone réservée, la place de l'œil ; les corps s'étoffent, prennent du volume, peut-être à l'imitation des statuettes et reliefs orientaux qui dès cette époque apparaissent à Athènes, comme l'attestent ces étonnantes figurines d'ivoire, trouvées au Dipylon dans une tombe du milieu du VIIIᵉ s., qui représentent une femme nue, coiffée du *polos*, directement imitée sans doute d'un modèle syro-phénicien.

Cette évolution, qui rendait inévitable à terme l'éclatement du système géométrique, puisque l'intégration de formes et de gestes cherchant à donner l'illusion de la réalité dans la trame décorative abstraite devenait de plus en plus difficile, se fait toutefois en Attique de manière progressive. Et l'on verra que le phénomène orientalisant n'y a pas le même caractère soudain que dans d'autres régions, à Corinthe en particulier : du Géométrique récent au Protoattique du VIIᵉ s., la transition sera relativement lente et permettra de suivre par étapes cet effacement inéluctable du système ancien.

Tout en exportant abondamment sa céramique, Athènes semble en effet plutôt fermée aux apports extérieurs ; elle exerce en tout cas, durant cette période, plus d'influences qu'elle n'en subit. C'est sans doute au contact de la céramique attique que se développent, dans la seconde moitié du VIIIᵉ s., d'autres styles géométriques : simple imitation en Béotie, cette céramique revêt à Corinthe et surtout en Argolide une véritable originalité, combinant des traditions locales dont l'origine exacte nous échappe avec les inspirations venues d'Attique. Et rien n'est plus différent en fait que le géométrique argien et le géométrique corinthien : l'un se plaît aux grandes compositions où les figures humaines et animales (en particulier le cheval, dont nous savons que l'élevage et le dressage étaient une spécialité argienne) s'intègrent assez librement à un décor linéaire assoupli par l'introduction de motifs obliques et surtout curvilignes ; l'autre manifeste une extrême sobriété (le décor se borne le plus souvent à quelques motifs simples, peints avec minutie dans la partie supérieure du vase, ou à une superposition de filets exactement tracés autour de la panse) et ne fait qu'exceptionnellement place à la représentation humaine. Dans les Cyclades, le style de Théra est le plus remarquable : le décor sobre, au dessin rigoureux, incorpore au répertoire géométrique des ornements circulaires (rosaces, fausses spirales) dont l'origine orientale est évidente. Le cas de la Crète enfin apparaît comme le plus complexe, les influences attiques s'y heurtant à la fois aux survivances préhelléniques et aux influences orientales, dont les « boucliers » votifs en bronze repoussé, trouvés dans une grotte du mont Ida et que décorent, autour d'un mufle de lion, des frises d'animaux et des scènes de chasse, attestent l'importance dès la fin du IXᵉ s. Le style « géométrique » divers et évidemment instable qui en résulte reste marginal, mais il est assez typique des recherches et des hésitations d'une Grèce ouverte à trop de sollicitations extérieures pour pouvoir maintenir longtemps intact un style dont l'austère grandeur et l'intellectualisme intransigeant permettront toutefois à l'art grec de traverser la vague orientalisante du VIIᵉ s. et d'en assimiler la richesse sans altérer sa personnalité profonde. Ce n'est d'ailleurs pas Athènes, nous le verrons, qui jouera dans l'apparition du nouveau style un rôle moteur, mais Corinthe, où la tradition géométrique était moins enracinée et que sa situation géographique plaçait au carrefour de toutes les routes commerciales.

Ce développement de la céramique peinte — qui concerne toutes les régions de la Grèce et où d'emblée, en dépit d'un morcellement géographique qui favorise, à partir du début du VIIIᵉ s. sans doute, la formation de petites communautés fondées sur une structure politique originale, la cité-État *(polis)*, qui restera caractéristique de la société grecque jusqu'aux conquêtes d'Alexandre, se reflète la conscience de son unité — est évidemment pour nous la manifestation la plus brillante d'une « civilisation géométrique ». Mais les premières créations de la plastique et de l'architecture, moins nombreuses et, surtout pour la seconde, très partiellement connues, n'en sont pas moins riches d'avenir.

Plastique

Hormis quelques exceptions remarquables — notamment un vase plastique en forme de cerf, adapté peut-être d'un modèle oriental, et un magnifique centaure, trouvés l'un à Athènes, l'autre à Érétrie, dans des tombes protogéométriques —, ce n'est guère qu'au VIIIᵉ s., et surtout dans la seconde moitié, que se développe une véritable plastique : chevaux ornant le couvercle des pyxides, figurines peintes dans la même technique que les vases et surtout statuettes de bronze, le plus souvent destinées à décorer les anses de ces grands chaudrons

tripodes qui vont devenir une des offrandes les plus prisées durant tout l'Archaïsme, se multiplient désormais, particulièrement dans les sanctuaires. Évoquant parfois les bêtes de sacrifice (taureau, bélier, par exemple), mais célébrant avant tout les deux personnages essentiels de cette société agraire et militaire, le guerrier et le cheval, ces représentations en ronde bosse se caractérisent d'abord par une parfaite soumission aux principes de l'esthétique géométrique : la schématisation des éléments essentiels de l'anatomie, qui permet, par une accentuation des contrastes et des articulations, de « signifier » ici la fougue et la puissance de l'animal, là l'orgueil et la vaillance de l'homme, fait de ces figures l'exacte transposition dans un espace à trois dimensions de celles des grands vases du Dipylon. Mais l'individualité propre à toute création plastique conduit parfois les artistes à une recherche beaucoup plus raffinée de l'harmonie des courbes et de l'équilibre des volumes : la série des petits chevaux de bronze compte ainsi, grâce à une stylisation rigoureuse qui par la tension qu'elle impose fait passer dans ces figures abstraites tout le frémissement de la vie, quelques-uns des chefs-d'œuvre de la plastique grecque.

Les représentations de la figure humaine n'atteignent pas toujours, il faut le dire, à la même perfection, sans doute parce que, comme dans la peinture, s'impose très vite de manière pressante la nécessité de les impliquer dans une action, c'est-à-dire de leur faire subir l'épreuve du mouvement. Ces images de guerriers brandissant la lance et le bouclier, d'auriges crispés sur les rênes de leur attelage, que nous ont fait connaître les fouilles de Delphes et surtout d'Olympie, ont parfois quelque chose de noueux, de trop lourdement articulé qui fait regretter la finesse immatérielle des silhouettes peintes sur les vases. C'est, cependant, dans les groupes à deux ou trois personnages, où l'on essaie, dès le milieu du VIIIᵉ s., d'illustrer tel ou tel épisode de la mythologie ou peut-être déjà de l'épopée, qu'apparaissent le mieux les contradictions internes de cette plastique « géométrique ». L'un des plus anciens, qui représente, face à face, un *Homme et un centaure* (New York, Metropolitan Museum), sacrifie évidemment l'action à la stylisation : on l'interprète généralement comme une « centauromachie », quoique l'allusion au conflit entre ces deux personnages parfaitement figés — une simple prise aux bras — reste bien discrète. En revanche, cette immobilité permet une mise en place harmonieuse des lignes et des volumes. Si l'on compare ce groupe avec un autre, certainement plus tardif, qui met un chasseur et son chien aux prises avec un fauve, on voit que c'est le parti inverse qui l'a emporté : les personnages sont informes et la composition plastique approximative, mais le mouvement et même la violence s'expriment pleinement. La recherche patiente d'un équilibre entre ces deux exigences pourrait au fond résumer l'histoire de la sculpture grecque : en ce sens, les petits guerriers géométriques sont bien les précurseurs directs des grands *kouroi* de l'époque archaïque ; toutefois, il faudra passer par cette phase d'expérimentations ambiguës où la plastique se veut tout à la fois intemporelle et dramatique, stylisatrice et descriptive, avant que puissent se développer parallèlement les deux genres complémentaires, encore que contradictoires, de la statuaire et du relief narratif. Pour cela, il était nécessaire aussi qu'un cadre favorable à l'épanouissement de ces formes supérieures de la plastique, qui se rejoindront d'ailleurs dans les grandes compositions tympanales des temples de l'époque classique, se fût vraiment constitué : celui que commenceront à offrir, à partir du VIIᵉ s., les grands sanctuaires.

Architecture

Pour l'architecture comme pour les autres arts, les recommencements semblent avoir été difficiles. Nous connaissons bien mal les premières constructions qui s'élevèrent sur les sites dévastés par l'assaut des Doriens, mais on peut au moins affirmer qu'elles étaient fort modestes et ne gardaient pas grand-chose de la somptueuse architecture qui les avait précédées. Le seul lien évident entre les deux époques est un type de plan, sûrement hérité de celui du *mégaron*, salle centrale des palais mycéniens, de forme rectangulaire et précédée d'un vestibule s'ouvrant par un porche à colonnes. Et encore ce plan mettra-t-il un certain temps à réapparaître : ce n'est guère avant le VIIIᵉ s. qu'il semble s'imposer à la fois dans l'architecture privée et dans l'architecture religieuse, où son évolution donnera naissance aux deux types essentiels du « trésor » et du temple. Il n'empêche que, là encore, c'est comme si l'on assistait à une lente « renaissance » plutôt qu'à l'intervention de facteurs externes. Et le fait est que même les influences « orientales », dont nous venons de voir qu'elles se faisaient sentir, dans le développement de la peinture de vases, dès le VIIIᵉ s., et qui de toute façon s'affirmeront au VIIᵉ s. même dans le domaine plastique, semblent au contraire n'avoir joué aucun rôle dans ces débuts de l'architecture grecque : on ne saurait guère, en fait, en trouver trace dans ce domaine avant la fin du VIIᵉ ou même le début du VIᵉ s. Parler d'une architecture « orientalisante », qui succéderait à une architecture « géométrique », n'aurait en réalité pas de sens et c'est pourquoi nous présenterons ici d'un seul tenant l'évolution qui mène sans rupture des cabanes protogéométriques aux premiers temples « périptères », c'est-à-dire pratiquement jusqu'à la fin du VIIᵉ s. Car c'est seulement au début du VIᵉ s. que s'ouvrira une nouvelle période de l'architecture avec la différenciation entre les « ordres » et l'apparition de la sculpture décorative.

Pour autant qu'on la connaisse, l'architecture de l'époque proprement « géométrique » semble rester jusqu'à la fin d'un niveau assez élémentaire. Les installations funéraires, qui nous offrent la documentation la plus vaste, sont d'une simplicité frappante, surtout quand on les compare au faste monumental des *tholoi* mycéniennes. Lorsque, vers la fin du IXᵉ s., l'incinération (qui donnait lieu seulement à l'enfouissement d'un vase contenant les cendres) fait place à un rite d'inhumation, on se contente d'une fosse, de dimensions modestes, bordée et recouverte de dalles

LA GRÈCE
MYCÉNIENNE

Porte des lions à Mycènes,
*qui marque l'entrée du palais
royal des Atrides.*

Masque dit d'Agamemnon.
*XVIe s. av. J.-C. Or. H. 30,3 cm.
Athènes, Musée national.*

Vue du cercle « A » des tombes royales à Mycènes.
XVIe s. av. J.-C.
L'enceinte est du XIIIe s.

Ci-contre : bague en or
avec scène de combat.
XVIe s. av. J.-C.
3,5 × 2,1 cm. Athènes,
Musée national.

Poignard avec scène de chasse.
*XVIe s. av. J.-C. L. 23,8 cm.
Athènes, Musée national.*

Tête en plâtre peint. *XIIIᵉ s. av. J.-C. H. 16,8 cm.
Athènes, Musée national.*

L'ART GREC

Tête de Kouros,
*provenant du Dipylon.
Début du VIe s. av. J.-C.
Marbre. H. 44 cm.
Athènes, Musée national.*

Jument allaitant
son poulain.
*Époque géométrique.
Bronze.
Athènes, Musée national.*

37

Paestum : *la rue romaine, le temple de Neptune et la basilique.*
Milieu du VIe s. av. J.-C.

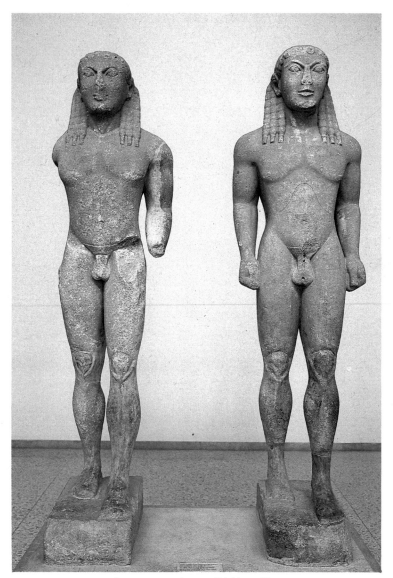

Les statues argiennes Cléobis et Biton.
V. 580 av. J.-C. Marbre. H. 2,18 m. Musée de Delphes.

Hydrie de Caere : *Héraclès ramène Cerbère à Eurysthée.*
V. 525 av. J.-C. Terre cuite. H. 45 cm.
Paris, musée du Louvre.

L'Éphèbe blond.
*V. 490-480 av. J.-C.
Marbre. Athènes,
musée de l'Acropole.*

Delphes : *la Voie Sacrée
et le trésor des Athéniens.
Apr. 490 av. J.-C.*

Le Doryphore.
*Copie romaine
du bronze
de Polyclète.
H. 2,12 m.
Naples,
Musée national.*

43

Athènes, l'Acropole : *vue de l'ouest avec les Propylées,
le Parthénon et, à gauche, l'Érechthéion.*

Ci-contre :
temple d'Apollon Épikourios
à Bassæ.
V. 410 av. J.-C.

44

Hercule Farnèse, *copie romaine d'un original attribué à Lysippe.*
V. 320 av. J.-C. Bronze. H. 3,17 m. Naples, Musée national.

Ci-contre :
stèle funéraire d'Hégésô.
V. 410 av. J.-C. H. 1,49 m.
Athènes, Musée national.

Achille et Briséis, *peinture murale de Pompéi reproduisant un original d'env. 330 av. J.-C. H. 1,27 m. Naples, Musée national.*

grossièrement taillées. Quant aux demeures des vivants, même de ces aristocrates athéniens ou argiens dont les funérailles paraissent avoir été si ostentatoires, nous devons malheureusement renoncer à nous en faire une idée précise : sur tous les sites fouillés, les niveaux d'habitation ont été irrémédiablement détruits par les occupations ultérieures. Mais on ne doit pas les imaginer comme des constructions bien somptueuses : des maisonnettes protogéométriques dont la fouille du site archaïque de Smyrne nous a révélé les soubassements grossièrement elliptiques, on est sans doute passé peu à peu à des formes plus vastes et plus fonctionnelles, comportant une abside où était aménagé le foyer, et ouvertes à l'autre extrémité sur un auvent porté par deux piliers. À Smyrne, en tout cas, ce n'est guère avant la fin du VIIIe s. que s'imposent des plans rectangulaires où semble réapparaître la structure du mégaron mycénien. Et c'est sans doute seulement dans le courant du VIIe s. que se constitue, grâce à cette régularisation des plans de maisons, une première trame urbaine : la reconstitution de Smyrne à la fin du VIIe s., proposée par les fouilleurs britanniques, si elle comporte une large part d'hypothèse, permet au moins d'imaginer l'aspect d'une cité grecque du haut archaïsme et d'en prendre la mesure. Smyrne n'était pas, il s'en faut, la plus brillante des cités de l'Ionie (Milet, Samos ou Chios étaient sans doute plus peuplées et plus riches), mais nous ne devons pas oublier qu'elle fut de celles qui revendiquaient la naissance d'Homère. Et il nous faut bien admettre en tout cas que c'est dans le cadre — à la vérité modeste — de petites villes du même genre, aux rues étroites, aux maisons de bois et de terre crue entassées derrière de massifs remparts de brique, que furent composées *l'Iliade* et *l'Odyssée* et que naquirent un peu plus tard l'histoire, la poésie lyrique et la philosophie.

Architecture religieuse

L'architecture religieuse, au moins quant à la structure des plans, est un peu mieux connue : les fouilles de Thermos en Étolie, de l'*Héraion de Samos* et, plus récemment, du temple d'Apollon à Érétrie ont permis de reconstituer au moins approximativement les formes primitives et de suivre la genèse de ce qui sera l'un des types majeurs de l'architecture des Grecs : le temple. Avec l'apparition de cette « maison du dieu », dont la fonction exclusive est et restera d'en abriter l'effigie (d'abord simple idole de bois ou de pierre, probablement aniconique [sans représentation humaine] et qui ne deviendra anthropomorphe que vers la fin du VIIIe s. au plus tôt), une étape décisive est franchie dans la constitution du sanctuaire : domaine précisément délimité, consacré à la divinité, celui-ci s'organise autour d'un autel en plein air, qui est le plus souvent la structure la plus ancienne et où sont célébrés les sacrifices en présence des fidèles, et du temple, auquel n'a ordinairement accès que le clergé affecté à l'entretien de la statue, ce qui explique qu'à l'origine ses proportions soient modestes et qu'il emprunte tout naturellement sa structure à celle de la demeure des hommes.

Ainsi, le bâtiment que l'on peut considérer, à Thermos, comme le premier temple d'Apollon a été d'abord désigné sous le nom de « mégaron B », parce que ni son plan ni ses dimensions ne le distinguaient nettement des fondations antérieures trouvées à proximité, en particulier d'un édifice de forme absidale comportant trois pièces séparées par des murs de refend (« mégaron A »), qui paraît avoir été seulement la plus grande habitation d'un village remontant à l'époque mycénienne. Ce « mégaron B », datable de la période géométrique, présentait toutefois des traits nouveaux : non seulement le mur de fond était devenu presque rectiligne, mais le bâtiment était entouré sur trois côtés d'un alignement de bases en pierre, qui retrouvait d'ailleurs le plan absidal, et ne peut avoir été que la fondation d'une colonnade de bois. La fonction de ce dispositif, qui a peut-être été ajouté au bâtiment primitif et qui constitue la plus ancienne apparition de la colonnade dans l'architecture du temple grec, est assez claire : il avait essentiellement pour fonction de protéger des intempéries, en élargissant la portée d'un toit à double pente, les murs du temple proprement dit, le *naos* (ou *cella*), faits, comme ceux des maisons, d'assises de briques crues élevées sur un socle de pierre. Cependant, il faudra attendre la seconde moitié du VIIe s. pour voir apparaître une véritable « péristasis » (colonnade faisant tout le tour de l'édifice) : v. 630 peut-être, le « mégaron B » de Thermos est remplacé par un « temple C » qui présente déjà en gros tous les caractères du futur temple dorique « périptère » (entouré d'une rangée de colonnes). Les dimensions sont devenues considérables (près de 40 m de long), bien que la cella reste étroite, malgré l'introduction d'une colonnade axiale évidemment destinée à supporter la poutre faîtière. Elle s'ouvre directement, vers l'avant, sans vestibule, mais à l'autre extrémité apparaît un des éléments qui resteront typiques du temple dorique, l'*opisthodome* (littéralement « pièce de l'arrière »), isolé du naos par un mur plein. La *péristasis,* certainement faite de fûts de bois, était fondée sur un socle de pierre continu et comptait 15 colonnes sur les côtés, 5 en façade et à l'arrière, nombre impair imposé par l'alignement médian de la colonnade intérieure.

À cette évolution, observée en terre dorienne, il est intéressant de comparer celles que nous montrent, en domaine ionien, les sanctuaires d'Érétrie et surtout de Samos. À l'*Héraion de Samos,* dont la fouille méthodique a fourni des données exceptionnellement précises, le développement de la forme du temple paraît avoir été précoce : dès le début du VIIIe s., le simple abri qui depuis le Xe s. sans doute protégeait la « statue » de culte fait place à un bâtiment de proportions très allongées et de grandes dimensions (c'est le premier exemple de la série des *hékatompéda,* temples « longs de cent pieds », c'est-à-dire d'à peu près 30 m), dont l'étroitesse n'a vraisemblablement d'autre raison d'être que de faciliter la couverture. Toutefois, il comporte déjà une colonnade axiale, qui suppose une toiture à double pente, mais sans portique extérieur. Le plan est rectangulaire, sans autre séparation intérieure que celle de la colonnade.

Au début du VIIe s., la nécessité s'impose sans doute, comme on l'a vu à Thermos, de protéger les murs en aménageant autour de ce naos un auvent soutenu par des piliers de bois ; mais celui-ci fait d'emblée tout le tour de l'édifice, constituant une première *péristasis*, dont la façade à 7 colonnes s'adapte à la structure axiale de la cella. Et très vite, sans doute avant le milieu du VIIe s., ce dispositif va permettre aux architectes samiens de faire l'économie de l'encombrante colonnade intérieure, qui bouchait la perspective médiane et les avait d'ailleurs contraints jusque-là à décaler sur le côté la base de la statue située au fond du naos : v. 650, en tout cas, dans l'« *Hékatompédon II* », les points d'appui de la charpente sont reportés sur deux séries de piliers engagés dans la face intérieure des murs de la cella, ce qui dégage une nef centrale et permet à la fois de donner à la base sa place logique et d'aménager la façade de manière plus rationnelle. Une double rangée de 6 colonnes précède l'entrée de la cella, marquée par 2 colonnes *in antis,* et l'accès au temple prend un caractère axial, évidemment plus solennel, conférant d'un coup toute son importance à la statue, que l'on pouvait apercevoir dès l'entrée, à une distance de près de 30 m. On croira volontiers que ce nouvel aménagement dut coïncider avec le moment où l'ancienne idole de bois fit place à une véritable statue, représentant pour la première fois la déesse sous sa forme humaine. Au demeurant, c'est aussi vers cette époque que la structure générale du sanctuaire s'amplifie : l'autel, aménagé dès les origines autour du buisson sacré, le *lygos,* et déjà plusieurs fois reconstruit, est agrandi, mais son orientation reste sans lien avec celle du temple ; surtout, au sud de celui-ci, apparaît le premier exemple de ce qui deviendra l'une des formes caractéristiques de l'architecture grecque. Un portique (ou *stoa*), peu profond mais long de près de 70 m, soutenu par 2 rangées de piliers en bois, s'ouvre vers l'intérieur de l'enceinte sacrée, permettant désormais aux fidèles et aux pèlerins, dont la variété des offrandes indique qu'ils se font de plus en plus nombreux, de s'abriter du vent, du soleil ou de la pluie. Ainsi avons-nous à Samos, dès le milieu du VIIᵉ s., tous les éléments du sanctuaire classique : temple, autel, stoa, et même quelques-uns de ces édicules, destinés à protéger les offrandes précieuses ou volumineuses, qui donneront plus tard naissance à la forme du trésor. Il est donc possible que le développement du *Sanctuaire d'Apollon* à Érétrie, que des fouilles récentes ont permis de préciser, soit au moins partiellement tributaire des expériences samiennes : le temple du VIIᵉ s., qui succède à un premier hékatompédon de plan absidal remontant peut-être à la première moitié du VIIIᵉ s., présente en tout cas des analogies avec l'« Hékatompédon II » de Samos. Bien que l'on n'y retrouve pas la double colonnade de la façade principale, l'absence d'opisthodome, qui le distingue tous deux du temple C de Thermos, pourrait être le premier signe d'une différenciation entre plans ioniens et doriens. Mais, bien que le *Temple* de Thermos, qui est le plus récent, présente déjà des traits qui annoncent directement le système décoratif des temples doriques (en particulier des métopes de terre cuite peinte, pour masquer les éléments de charpente au-dessus de l'entablement), il serait sans doute imprudent de parler, avant la fin du VIIᵉ s., d'« ordres » dorique et ionique.

Car le plus difficile est évidemment d'imaginer l'aspect extérieur de ces premiers temples grecs. Des maquettes de terre cuite, datées par le décor géométrique qui les recouvre, ont été trouvées à Pérachora, près de Corinthe, ainsi qu'à l'Héraion d'Argos, et passent généralement pour des reproductions de temples. Toutefois, il peut s'agir simplement de maisons dont le fidèle dédiait l'image afin d'attirer sur elles la faveur divine. Des modèles semblables, sculptés dans le calcaire, avaient été offerts à Héra dans le sanctuaire de Samos, et ils ressemblent fort à ce que suggèrent les fondations exhumées dans les niveaux géométriques de Smyrne. Quoi qu'il en soit, la différence entre temple et maison ne tient guère qu'aux dimensions, et ces maquettes nous apportent assurément pour la restitution des toitures du VIIIᵉ s., à double pente et parfois de forme ogivale, une documentation de premier ordre. Quant aux colonnades des temples périptères du VIIᵉ s., il est à peu près évident qu'elles se constituaient de simples piliers de bois, fondés sur des bases de pierre et surmontés de chapiteaux élémentaires, purement fonctionnels. De ce point de vue, on ne saurait en tout cas affirmer qu'il y ait eu dès le VIIᵉ s. une réelle différenciation entre les « ordres » : aucun des chapiteaux en pierre que nous avons conservés n'est antérieur au VIᵉ s. Il n'en reste pas moins que tous les éléments structurels sont d'ores et déjà constitués, à partir desquels vont se développer, au cours du VIᵉ s., les deux types majeurs de l'architecture archaïque et classique : le diptère ionique et le périptère dorique.

Bibliographie sommaire

ARIAS (P.), HIRMER (M.), *le Vase grec*, Flammarion, Paris, 1962. BERVE (H.), GRUBEN (G.), HIRMER (M.), *Temples et sanctuaires grecs*, Flammarion, Paris, 1965. BOARDMAN (J.), DÖRIG (J.), FUCHS (W.), HIRMER (M.), *l'Art grec*, Flammarion, Paris, 1966. CHAMOUX (F.), *la Civilisation grecque*, Arthaud, Paris, 1963. COLDSTREAM (J.. N.), *Greek Geometric Pottery*, Methuen, Londres, 1968. DEMARGNE (P.), *la Naissance de l'art grec*, L'Univers des Formes, Gallimard, Paris, 2ᵉ éd., 1974. LÉVÊQUE (P.), *l'Aventure grecque*, Armand Colin, Paris, 2ᵉ éd., 1969. LULLIES (R.), HIRMER (M.), *la Sculpture grecque*, Flammarion, Paris, 1965. ROBERTSON (M.), *A History of Greek Art*, Cambridge University, Cambridge, 1975. ROBERTSON (M.), *A Shorter History of Greek Art*, Cambridge University, Cambridge, 1981. SCHEFOLD (K.), *Die Griechen und ihre Nachbarn*, Propyläen, Berlin, 1967. SCHWEITZER (B.), *Die geometrische Kunst Griechenlands*, Dumont, Cologne, 1969. SIMON (E.) *Die griechischen Vasen*, Dumont, Cologne, 1976. VILLARD ((F.), *les Vases grecs*, P. U. F., Paris, 1956.

L'ART
ORIENTALISANT

(VIIᵉ s.)

NOUS AVONS VU QU'À ATHÈNES MÊME, OÙ ÉTAIT NÉ L'ART GÉOMÉTRIQUE ET OÙ IL AVAIT CONNU SON PLUS BRILLANT DÉVELOPPEMENT, les signes commençaient à apparaître, dès la fin du VIIIe s., d'une remise en question de son principe fondamental. La nécessité de s'adapter à un goût grandissant pour la narration mythologique ou épique introduisait aussi bien dans la plastique que dans la peinture des préoccupations naturalistes qui ne pouvaient qu'aboutir à la dislocation d'un système fondé sur l'abstraction décorative. Cette évolution, due à la contradiction interne que l'insertion de la figure humaine avait créée dans un art essentiellement abstrait, va se poursuivre en Attique sans véritable rupture, mais sans apporter non plus de valeurs nouvelles susceptibles de remplacer les anciennes.

Le phénomène orientalisant

Ces valeurs nouvelles viendront en effet d'un phénomène d'une tout autre ampleur, auquel Athènes reste un certain temps relativement fermée : l'influence de plus en plus massive exercée sur les Grecs par les arts du Proche-Orient. Il ne s'agit pas bien sûr d'une nouveauté absolue : nous avons vu que la Grèce géométrique avait eu très tôt des contacts avec les arts orientaux. Mais ils se limitaient à des importations isolées (par exemple une coupe syrienne a été trouvée au Céramique dans une tombe de la fin du IXe s.), qui restaient sans effet sur la production locale. Même si les statuettes d'ivoire du Dipylon sont bien, comme on l'admet généralement, l'adaptation attique d'un modèle phénicien, il semble en tout cas que l'expérience soit restée sans lendemain immédiat : il faudra attendre près d'un siècle pour retrouver dans la plastique grecque une telle sensibilité aux volumes réels du corps. Quant aux files de bouquetins stylisés qui apparaissent sur les vases du milieu du VIIIe s. et qui dérivent sans aucun doute de modèles orientaux, elles sont si bien assimilées, si étroitement intégrées au système qu'il faut parler plutôt d'emprunt que d'influence.

Nous avons vu toutefois que les autres styles géométriques, après avoir accueilli les modèles attiques, semblaient également plus ouverts aux motifs orientaux. En Crète, les *Boucliers* en bronze de l'Ida en attestent l'importance dès le début du VIIIe s. Le littoral d'Asie Mineure, les Cyclades, Sparte et Argos dans le Péloponnèse y furent visiblement plus sensibles que l'Attique. Et il était normal que Corinthe, point de passage quasi obligé des routes maritimes qu'empruntaient les marchands phéniciens pour diffuser les produits de l'Orient anatolien et mésopotamien jusqu'en Méditerranée occidentale, jouât dans cette évolution un rôle de premier plan. Mais l'accélération rapide de celle-ci vers le début du VIIe s. fut évidemment favorisée par un autre phénomène historique majeur : l'essor de la colonisation. C'est en effet à cette époque que se situe l'essentiel du grand mouvement qui va couvrir de cités grecques toutes les rives de la Méditerranée. Sans doute cette expansion, qui se fait essentiellement vers le nord (mer Noire) et vers l'ouest (Italie du Sud et Sicile), n'est-elle pas la cause directe de cet afflux des modèles orientaux. Cependant, il est probable qu'elle y a tout de même contribué en augmentant le volume des échanges maritimes, où les Grecs prendront peu à peu le relais des Phéniciens, et en développant dans ces jeunes cités sans traditions une curiosité, un esprit d'ouverture et d'expérimentation que la Grèce géométrique n'avait pas connus : ce n'est pas un hasard si Athènes, où le phénomène orientalisant a été moins sensible qu'ailleurs, est aussi l'une des rares grandes cités n'ayant pas pris part au mouvement colonisateur.

Cela dit, et sans remettre en cause une appellation devenue traditionnelle (à laquelle on préfère parfois celle, plus neutre, de « protoarchaïque »), il convient de souligner d'emblée les limites de cet « orientalisme » : à aucun moment l'art orientalisant n'a cessé d'être un art grec, et son originalité n'est pas moins forte que celle de l'art géométrique. D'ailleurs, des domaines entiers de la création ne sont pour ainsi dire pas concernés par le phénomène. L'architecture, nous l'avons vu, ne doit rien à l'Orient : c'est seulement au VIe s. que l'ordre ionique lui empruntera son répertoire décoratif. Quant à la grande plastique qui va se développer dans la Grèce du VIIe s., on en est encore à se demander quelle en est l'origine exacte : l'idée de la statue est sans doute venue d'Orient, mais l'application qui en est faite presque aussitôt par les sculpteurs grecs est si nouvelle, si personnelle que l'on serait bien en peine de trouver à leurs œuvres, en Égypte, en Syrie ou en Mésopotamie, des « modèles » précis. En fin de compte, c'est donc surtout la céramique et les arts mineurs (l'orfèvrerie notamment) qui réellement « orientalisent », en empruntant à la fois des techniques (pour le travail des métaux et de l'ivoire) et une iconographie mi-naturaliste, mi-fantastique, où, dans un décor de palmes stylisées, de rosettes, de fleurs de lotus, se mêlent taureaux et griffons, oiseaux et sphinx, lions et sirènes. Ces images incontestablement étrangères, les artistes grecs vont très vite les utiliser comme un simple matériau pour bâtir leurs propres compositions, et en particulier illustrer leurs propres légendes, auxquelles la poésie épique venait de donner une forme littéraire (la composition des « poèmes homériques », de *l'Odyssée* en tout cas, n'est sans doute pas antérieure au milieu du VIIIe s.). Et même lorsque leur propos est purement décoratif, comme sur ces vases de Rhodes ou de Corinthe, orientalisants par excellence, dont on a parfois l'impression qu'ils imitent le décor répétitif de tissus brodés ou estampés, il faut bien constater qu'en réalité seuls les motifs sont empruntés, non les compositions, que l'on ne retrouve pas sur les objets venus d'Orient et dont le principe — une superposition de zones ornementales couvrant toute la surface du vase — semble parfois directement hérité de la céramique géométrique.

Quoi qu'il en soit, c'est encore la peinture qui nous fournit, dans cette période complexe où la multiplicité des expériences et l'affirmation de personnalités régionales rendent l'unité de l'art grec plus diffuse, les points de repère essentiels. C'est en tout cas sur elle, et spécialement sur le premier des styles orientalisants, celui de Corinthe, auquel on donne le nom de « style protocorinthien », que repose toute la chronologie.

Céramique protocorinthienne

La présence de cette céramique, qui fut très tôt exportée dans toute la Méditerranée, sur les sites des premières colonies grecques d'Italie méridionale (dont la date de fondation nous était connue par le témoignage des historiens anciens), a en effet permis de déterminer au moins approximativement les étapes de son évolution. Dans le courant de la seconde moitié du VIIIe s., alors que se développent en Attique des représentations figurées de plus en plus ambitieuses, les peintres corinthiens se contentent d'introduire dans un décor géométrique très soigné, mais remarquablement pauvre, quelques éléments curvilignes (tresses ou spirales) et quelques figures animales ou fantastiques (cervidés, sphinx, griffons), évidemment empruntés au répertoire oriental. La forme la plus fréquente est, dès cette époque, celle qui fera la fortune des ateliers corinthiens (et dont ils garderont pratiquement l'exclusivité) : l'*aryballe*, petit flacon muni d'une embouchure plate permettant l'application de l'huile parfumée dont les jeunes gens s'enduisaient le corps pour les exercices athlétiques. Mais à côté de ce type de vase, qui évoluera tout au long du siècle (on parlera successivement d'aryballes « pansus », « ovoïdes », « piriformes » — en forme de poire —, puis « globulaires »), on trouve aussi des *œnochoés*, des coupes, des *skyphoi*, sorte de tasse à deux anses horizontales, ou des pyxides, boîtes rondes à couvercle pour les menus objets. Il est donc frappant de voir d'emblée s'affirmer, à la fois dans la fonction des vases (qui ne sera, semble-t-il, jamais spécifiquement funéraire), dans leurs dimensions (qui resteront toujours modestes) et dans leur décor (volontiers miniaturiste), une personnalité corinthienne fondamentalement différente de l'attique : on notera que ce goût de la précision du dessin, de la sobriété des formes, cette recherche d'un équilibre par la stylisation harmonieuse demeureront jusqu'au VIe s. caractéristiques du style corinthien.

Dans une seconde phase, qui couvre à peu près la première moitié du VIIe s., apparaissent des frises d'animaux, alignements répétitifs sans prétention narrative, mais aussi quelques scènes mythologiques, assez énigmatiques, dont certains personnages sont sans doute eux-mêmes empruntés à l'iconographie orientale. Ces décors nouveaux conduisent vite les peintres corinthiens à développer une technique originale (peut-être inspirée de la gravure sur métaux), qui ne sera vraiment adoptée par les peintres attiques que vers la fin du siècle : celle des incisions pratiquées avant cuisson dans les surfaces couvertes de vernis pour faire apparaître en clair sur la silhouette noire des figures les détails de l'ornementation, de la musculature et du vêtement.

Ainsi va s'épanouir, dès le troisième quart du VIIe s., durant la phase dite du Protocorinthien moyen, un premier style « à figures noires », que l'on a parfois appelé le « style magnifique » et dont les créations, peu nombreuses, comptent en effet parmi les plus purs chefs-d'œuvre de l'art grec. Production de luxe sans aucun doute, et principalement destinée à l'exportation (en particulier vers l'Étrurie, où l'on a trouvé la plupart des exemplaires), cette céramique, qui représente avec une élégance et une minutie inégalées, sur des vases hauts le plus souvent de quelques centimètres, des scènes complexes (chasses et batailles de la mythologie ou de l'épopée), a sur toutes les autres une avance surprenante : pour trouver une aisance comparable dans la représentation des figures humaines et animales, un tel raffinement dans les compositions, il faudra attendre en Attique le début du VIe s. L'aryballe, devenu « ovoïde », quelquefois pourvu d'un goulot en forme de tête de lion, par exemple, ou de tête humaine (documents précieux, nous le verrons, pour l'étude de la plastique contemporaine), demeure la forme favorite, mais le chef-d'œuvre du groupe est une *olpé* (sorte de cruche, variante de l'œnochoé), le *Vase Chigi* (ou *Olpé Chigi*), trouvé en Étrurie (Rome, Villa Giulia). Haut de 26 cm seulement, ce vase ne comporte pas moins de 4 scènes figurées, disposées sur 3 zones et comprenant de nombreux personnages. La zone supérieure nous montre deux troupes de guerriers affrontés, marchant au combat. Créant, par la superposition partielle des silhouettes, un effet de fausse perspective, l'artiste a su donner l'impression de la profondeur et suggérer, en jouant sur le parallélisme des boucliers et des lances, à la fois la puissance massive de ces troupes en marche et leur mouvement implacable. Mais une subtile dissymétrie, soulignée par la présence du flûtiste qui rythme l'assaut, nous fait entrevoir, inscrite dans la composition comme une sorte de fatalité interne, l'issue même du combat. Et les deux registres inférieurs ne sont pas moins remarquables, avec un défilé de cavaliers, une chasse au lion, à laquelle la rigueur de la mise en page graphique et la netteté de la superposition des plans donnent toute l'intensité d'un drame, et, en contraste, une chasse au lièvre où les chasseurs silencieux retiennent leurs chiens, à l'affût derrière des buissons, et dont la composition est d'une fluidité, d'un naturel extraordinaires. Devant ces représentations, où la technique des incisions exprime les détails avec une véritable virtuosité et qui recourent à une riche polychromie (rehauts blancs, rouges et jaunes) pour différencier les surfaces, dont enfin les compositions — celle de la bataille en particulier, que l'on ne saurait vraiment apprécier que sur un développement graphique — semblent avoir trop d'ampleur pour s'adapter à la courbure du vase, on ne peut s'empêcher d'évoquer la grande peinture, à fresque ou sur panneaux de bois. Rien ne nous en est parvenu, mais nous savons qu'elle a existé dès cette époque, et l'on peut se demander si les étonnantes miniatures du *Vase Chigi* n'en transmettent pas le reflet direct.

En tout cas, la peinture décorative, qui n'avait sans doute jamais cessé de dominer la production courante, reprend tous ses droits à la période suivante : dans le dernier tiers du siècle, les vases protocorinthiens (aux formes traditionnelles vient s'adjoindre l'alabastre, imité de vases égyptiens en albâtre), toujours décorés avec le même soin, reviennent à un style purement orientalisant, avec des frises d'animaux (lions, panthères, taureaux, chiens courants) d'abord admirablement stylisés, mais dont le caractère stéréotypé provoque rapidement la décadence. Il faudra attendre la fin du siècle pour voir réapparaître, avec des scènes à représentations humaines, un grand style corinthien à figures noires, qui exercera, à l'aube de l'archaïsme, une influence décisive sur tous les autres styles, en particulier sur le style attique. Les métopes de terre cuite du « temple C » de Thermos témoignent d'ailleurs, vers la même époque, de l'existence d'une peinture monumentale corinthienne : traités largement, dans une technique simplifiée mais efficace qui utilise le dessin au trait avec des rehauts blancs, bruns et rouges, ces tableaux mythologiques à un ou deux personnages sont à première vue très opposés au miniaturisme du « style magnifique ». Mais c'est sans doute qu'ils reflètent directement l'effort de la grande peinture pour s'adapter au cadre nouveau du décor architectural, où elle sera d'ailleurs rapidement supplantée par la sculpture en relief.

Céramique protoattique

Parallèle à celle que l'on emploie pour désigner le premier style corinthien, cette appellation recouvre une réalité bien différente. Le passage du Géométrique récent au Protoattique se fait de manière très progressive, et les apports orientaux ne jouent qu'un rôle relativement marginal dans une évolution qui tient surtout à des facteurs internes. C'est, globalement, une phase d'expérimentations assez anarchique, où des peintres attiques, se libérant peu à peu du « carcan » géométrique, manifestent les qualités exactement inverses de celles de leurs collègues corinthiens : fantaisie, improvisation, goût du déséquilibre et de l'outrance, voire de la caricature, sens de la vie instantanée, qui ne pouvaient guère déboucher sur une réelle stylisation et qui n'y parviendront, précisément, qu'en se coulant vers la fin du siècle dans les « moules » formels harmonieux et stricts fournis par la peinture corinthienne.

Dès la fin du VIIIe s., on voit, à l'intérieur d'un système qui demeure pour l'essentiel celui de la peinture géométrique, des ornements curvilignes se substituer au décor ancien : spirales, rosettes, tresses. Les très grands vases disparaissent, mais certaines formes, de dimensions encore considérables, restent expressément destinées à l'usage funéraire : la loutrophore, sorte d'amphore étirée en hauteur, qui contenait le bain lustral préparé pour le mort, ou l'hydrie, dont les anses s'ornent de serpents en relief évoquant sans doute les puissances souterraines. Les scènes figurées, qui s'insèrent encore, à la manière géométrique, dans un tissu décoratif continu disposé en bandes horizontales, et qui en outre perpétuent au moins en partie le répertoire ancien, prennent toutefois une place de plus en plus importante. Sur une loutrophore du Louvre, qui est le chef-d'œuvre de ce Protoattique ancien, apparaît le traditionnel défilé de chars. Mais malgré la présence toujours obsédante des ornements de remplissage, l'esprit de la représentation s'est transformé : la superposition des silhouettes des chevaux, rendue possible par l'emploi — d'ailleurs très modeste — de l'incision, et la différenciation du mouvement des têtes, la souplesse de l'attitude du cocher ainsi que la représentation du char (dont, conformément à l'apparence, une seule roue est visible) trahissent des préoccupations naturalistes grandissantes. Et c'est encore plus vrai de la scène du col, où un groupe d'hommes et de femmes danse au son de la flûte : l'usage systématique du dessin au trait permet d'indiquer non seulement le détail des vêtements féminins, mais aussi l'essentiel des traits du visage. Au registre supérieur, au-dessus d'une frise de rosettes, 2 sphinx évoquent le répertoire oriental, en l'intégrant, toutefois, soigneusement à l'univers attique. De cette assimilation des modèles orientaux, un beau cratère de la même période donne un exemple encore plus clair, et particulièrement savoureux. Les deux gros animaux au mufle épais, aux pattes griffues, mais à l'expression naïvement placide, qui défilent sur la panse ne peuvent être que des lions. Cependant, il y a sans doute loin du modèle oriental dont s'inspire, peut-être seulement de mémoire, le peintre attique à ces créations purement fantaisistes où il s'amuse, rejoignant par un détour inattendu l'esprit d'abstraction qui avait présidé aux débuts de la peinture figurative sur les grands vases du Dipylon, à réinventer à sa manière l'« idée de lion ».

Cette indépendance par rapport aux influences étrangères explique que, tout en se libérant progressivement du cadre contraignant de la décoration en zones superposées, les peintres accordent assez rapidement la première place aux scènes figurées, qui, dans la phase « moyenne » du Protoattique (680-630 env.), occupent pratiquement toute la surface du vase. Empruntées à la mythologie et à l'épopée homérique, ces scènes, peintes en général sur de grands vases, ne comportent pourtant que peu de personnages, largement dessinés dans une technique qui combine le trait, la figure noire et les rehauts blancs et qui a valu à ce style l'appellation anglaise de *Black and White*. L'imagination et la fantaisie des peintres s'y donnent libre cours, sans grand souci de composition : la relation du décor à la forme du vase leur est visiblement assez indifférente et la mise en place des figures sent parfois l'improvisation, comme d'ailleurs le dessin lui-même, auquel les traces de reprises donnent fréquemment le caractère d'une esquisse. Rejetant tout stéréotype, ils conçoivent les figures humaines et surtout fantastiques d'une manière si personnelle que leurs créations sont le plus souvent difficiles à situer précisément dans une chronologie évolutive. Aussi faut-il se contenter de dater prudemment « vers le milieu du siècle » une magnifique amphore trouvée à Éleusis : les Gorgones purement humoristiques, à la tête en forme de chaudron, fendue par une bouche en râtelier et encadrée de serpents farceurs dignes de nos dessins animés, qui esquissent, pour se mettre à la poursuite du héros Persée, meurtrier de leur sœur Méduse, comme un curieux pas de danse sont évidemment sans précédent, et resteront aussi sans postérité. On verra ce que sont devenues les Gorgones attiques, au début du VIe s., sous l'influence de la stylisation corinthienne. La scène du col,

en revanche, annonce dans une certaine mesure la dernière phase de l'évolution protoattique : un épisode de *l'Odyssée*, l'aveuglement du Cyclope Polyphème par Ulysse et ses compagnons, s'y encadre assez strictement dans la « métope » délimitée par les anses. Mais on sent que la composition est en quelque sorte une contrainte extérieure : elle s'organise depuis les bords du cadre, sur lesquels s'alignent d'abord les têtes, puis les dos des personnages extrêmes (Polyphème assis, à droite, le dernier compagnon d'Ulysse, à gauche), avant de se développer dans l'espace intermédiaire. Si l'on se souvient de la logique rigoureuse qui donne à la composition, dans la chasse au lion de *l'Olpé Chigi*, une sorte de nécessité interne, on comprendra quel abîme sépare encore la conception attique de la conception corinthienne.

Il n'en est que plus frappant de constater que dans le dernier tiers du siècle les peintres du Céramique vont discipliner cette fantaisie un peu anarchique pour se mettre à l'école de la rigueur, de la discrétion, de la minutie corinthiennes. Le dessin au trait disparaît au profit de la stricte figure noire, et surtout la technique de l'incision se généralise. Les scènes, qui restent de grandes dimensions et traitent toujours les mêmes sujets, sont mieux composées et plus soigneusement encadrées. Les personnages perdent progressivement l'allure dégingandée, le profil caricatural qu'ils avaient à la période précédente, et tous les détails de l'anatomie et des draperies sont scrupuleusement rendus par des incisions nombreuses. Le tableau qui décore le col d'une grande amphore du Musée national d'Athènes, datable des environs de 610, reste toutefois bien attique dans sa forme comme dans son esprit : il y a dans cette poursuite du centaure Nessos par Héraclès, qui, au prix d'un « grand écart » assez extravagant, entreprend de terrasser son adversaire en le saisissant aux cheveux, une sorte de bonne humeur, de refus de prendre la légende tout à fait au sérieux et un sens de la vie, du mouvement brusque et inattendu qui établissent une directe filiation avec l'amphore d'Éleusis. Mais il suffit de comparer à celles d'Éleusis les Gorgones minutieusement détaillées, à la silhouette superbement équilibrée, qui se déploient sur la panse de l'amphore de Nessos pour mesurer l'ampleur du changement qui est intervenu. Cet ascendant qu'exerce à la fin du VIIe s. le style corinthien sur les artistes attiques, et qui se maintiendra pendant tout le premier tiers du VIe s., tient probablement d'abord au fait que ces derniers cherchent à concurrencer leurs voisins sur des marchés dont ils avaient jusque-là l'exclusivité, ceux de l'Étrurie et des colonies grecques de l'Ouest, mais on peut y voir aussi, plus profondément, un hommage de l'imagination au métier, de la fantaisie à la rigueur, caractéristique de l'extraordinaire faculté d'assimilation qui s'affirmera, nous le verrons, comme un des traits les plus constants du génie attique.

Autres céramiques orientalisantes

Les Athéniens ne sont pas les seuls, en cette fin du VIIe s., à subir la séduction de l'art corinthien. Les autres styles, au départ très divers, qui se développent dans une ambiance orientalisante finissent tous par adopter plus ou moins les techniques et les schémas corinthiens. Le style protoargien, encore très mal connu, dont l'existence a été révélée par un magnifique fragment de cratère représentant, d'une manière toute différente de celle de l'amphore d'Éleusis (et peut-être largement tributaire des expériences de la grande peinture), *l'Aveuglement de Polyphème*, semble se borner à développer brillamment, jusque vers le milieu du siècle, les recherches du Géométrique récent local. Après quoi la céramique argienne tombe en rapide décadence, avec une production abondante mais monotone de petits vases sommairement décorés de motifs floraux, évidemment incapable de résister aux importations corinthiennes. Paradoxalement, c'est aussi le cas de la Crète, qui a peut-être joué, nous le verrons, un rôle majeur dans le renouveau de la plastique, mais qui ne parvient pas à définir un style pictural : les meilleurs vases crétois du

VIIe s., ceux de l'atelier d'Arcadès, donnent l'impression d'hésiter entre la fidélité à un système géométrique et une expérimentation anarchique inspirée des modèles orientaux. Les scènes figurées, en tout cas, restent élémentaires, empruntant assez tôt leur technique à la céramique protocorinthienne, qui ne tarde pas à supplanter complètement la production locale.

À Rhodes, au contraire (et probablement sur le littoral de l'Asie Mineure, à Samos, en particulier, d'où paraît provenir une bonne part de la céramique dite « rhodienne »), s'épanouit à partir de 650 environ un style d'une grande richesse décorative et d'une merveilleuse perfection formelle. Mais il reste purement ornemental, avec des files d'animaux dessinées au trait et rehaussées de couleurs qui semblent imiter le décor d'un tapis, et évolue progressivement vers une technique à figures noires sans doute inspirée de la manière corinthienne. Et c'est en fin de compte dans les Cyclades que se développent les styles les plus originaux. Dès la première moitié du siècle, les ateliers naxiens, puis pariens produisent de grands vases (amphores, cratères, œnochoés, plats) sobrement décorés de sphinx, de griffons, d'animaux paissant ou de figures héraldiques encadrés dans des compositions linéaires strictes. Et l'on voit apparaître, après le milieu du siècle, un très grand style figuré, dit « mélien », parce que les plus beaux exemplaires ont d'abord été trouvés à Mélos (Milo), mais dont on a proposé de situer l'origine à Paros depuis que les fouilles en ont révélé la présence abondante à Thasos, colonie parienne : têtes féminines, sphinx, cerfs ou sangliers, scènes mythologiques, combats ou cortèges de divinités hiératiques, dessins au trait et rehaussés de couleurs avec un sens admirable de la stylisation ornementale y sont intégrés à un tissu continu d'éléments de remplissage, d'une profusion décorative exceptionnelle. Toutefois, ce style grandiose s'assouplit vers la fin du siècle et semble à son tour subir l'influence des figures noires corinthiennes. Il n'en constitue pas moins, jusqu'à la fin de la période orientalisante, l'affirmation d'une personnalité cycladique originale, qui s'exprime aussi dans la série des vases à reliefs dont le musée de Mykonos conserve un des plus beaux exemplaires. Sur le col et la panse d'une grande amphore, façonnée selon la technique des *pithoi* (vases à provisions en argile brute), mais dont la destination était évidemment funéraire, sont figurées en relief estampé (repris et complété par des incisions) les scènes essentielles de la prise de Troie, que racontait une épopée perdue, l'*Ilioupersis*. Au-dessus d'une série de métopes à deux ou trois personnages, où sont décrites les atrocités des Grecs durant la nuit fatale (comme autant de variations sur les thèmes de la femme brutalisée par un guerrier ou de l'enfant massacré sous les yeux de sa mère), apparaît sur le col l'instrument du destin, le cheval de bois qui permit aux Achéens de pénétrer par ruse dans la ville de Priam. Monté sur roues, entouré de guerriers en armes, laissant voir par de curieuses lucarnes carrées les têtes de ceux qui se dissimulent dans ses flancs, il dresse sa haute silhouette mince avec le même hiératisme que les attelages divins des amphores « méliennes », mais avec toute l'intensité d'une menace, qu'explicite sous nos yeux la violence effrénée des tableaux de la panse. Un tel sens de la composition d'ensemble, comme des effets dramatiques obtenus par le groupement rigoureux des personnages dans un cadre rectangulaire, ne laisse pas de surprendre si le vase remonte bien, comme on l'admet généralement, à la première moitié du VIIᵉ s. Même un peu plus tardif, il continuerait d'apparaître comme l'un des plus impressionnants témoignages de la vigueur du style cycladique et de son autonomie non seulement par rapport aux autres styles grecs, mais aussi à l'égard des modèles orientaux, dont on voit bien qu'ils ne jouent ici aucun rôle. De cette autonomie et de cette vigueur, l'histoire des débuts de la statuaire va de toute façon nous apporter d'autres preuves.

Plastique

L'essor de la plastique grecque au cours du VIIᵉ s. est lié, nous l'avons dit, au développement des sanctuaires. La demande croissante en offrandes luxueuses provoque l'accélération des importations orientales, tant à Samos qu'à Delphes et à Olympie, dont le renom s'étend dès le milieu du siècle aux contrées les plus reculées du monde antique. Et des ateliers locaux ne tardent pas à imiter puis à adapter librement les objets de bronze, d'ivoire et d'or qui arrivent ainsi d'Anatolie, d'Égypte ou de Syrie. Le domaine de la petite plastique décorative, des appliques en relief ou en ronde bosse ainsi que celui de la joaillerie offrent donc tout naturellement un champ privilégié aux influences orientales. Rhodes, dont le style céramique était déjà le plus orientalisant de tous, produit dans la seconde moitié du siècle des bijoux d'or somptueux, d'un style assez lourdement composite, où des figures humaines dérivées de la statuaire contemporaine s'encadrent d'une profusion de rosettes et de pendeloques, d'inspiration purement orientale. On notera toutefois qu'il ne s'agit jamais, à proprement parler, d'imitations : en fin de compte, mis à part le vocabulaire décoratif, les emprunts les plus évidents sont d'ordre technique (grènetis, filigrane notamment). De même, il est probable que c'est à l'exemple des petits reliefs syro-phéniciens que les artistes grecs ont réappris le travail de l'ivoire, oublié depuis la période mycénienne : on ne trouve pourtant rien de spécifiquement oriental, par exemple, dans une plaque d'ivoire sculpté, découverte à l'Héraion de Samos, qui représente *Persée décapitant Méduse* (comme sur l'amphore protoattique d'Éleusis, mais dans un style tout différent). Et quant aux grands chaudrons de bronze, montés sur trépied, dont nous savons que les premiers modèles vinrent du lointain Ourartou (au sud de la Caspienne), ils s'affranchissent rapidement, dès le début du VIIᵉ s., sans doute, de toute ressemblance étrangère, grâce aux appliques, en principe orientalisantes, qui en ornent le bord : ces sirènes et surtout ces têtes de griffons (monstres à corps de lion et à tête d'aigle) dont les fouilles d'Olympie ont fourni quelques magnifiques exemplaires non seulement sont sans équivalent dans les arts orientaux, mais annoncent directement, par leur stylisation puissante et harmonieuse, les futures conquêtes de la grande plastique grecque.

Au reste, le phénomène majeur de cette période est en effet l'apparition de la statuaire, et l'on verra que, s'il s'agit d'un fait orientalisant, c'est d'une manière encore plus indirecte. Il est peu contestable évidemment que la possibilité même d'une représentation monumentale de figures humaines ou animales ait été suggérée aux Grecs par des exemples orientaux : c'est en Égypte et en Mésopotamie que sont nés les types de la statue en majesté, assise ou debout, que développera pendant des siècles la sculpture grecque, et les origines égyptiennes du type du *kouros* (jeune homme nu, debout, en présentation frontale), en particulier, ont été depuis longtemps reconnues. Cependant, il semble qu'ici encore, et plus nettement qu'en d'autres domaines de l'art, les modèles étrangers ne soient pour les Grecs qu'un prétexte, un matériau brut à partir duquel ils développent leurs traditions propres. Or, nous avons vu que ces traditions sont déjà anciennes et qu'elles sont, comme pour la peinture, fort diverses. Il n'y a donc pas lieu de s'étonner que cette grande plastique grecque à ses débuts nous offre une documentation déjà fortement contrastée, où les archéologues — avec plus ou moins de bonheur — se sont efforcés de discerner des évolutions cohérentes, mais dont il faut bien dire que l'histoire reste, aujourd'hui encore, passablement obscure.

LE COURANT DÉDALIQUE

L'appellation courante de « dédalique », appliquée à l'ensemble de la sculpture du VIIe s. (d'après le nom de Dédale, artiste crétois semi-légendaire qui aurait le premier, selon les Anciens, su communiquer aux statues le mouvement de la vie), doit notamment être accueillie avec prudence. Quelle que soit la valeur de la tradition antique, qui recouvre peut-être essentiellement la substitution, dans les sanctuaires, d'effigies anthropomorphes aux anciens *xoana* de bois brut qui jusque-là y « représentaient » la divinité, tout ce que l'on peut dire est que la Crète semble en effet avoir

joué dans la transmission et l'adaptation des types orientaux un rôle déterminant. Dès la première moitié du siècle y apparaissent des statuettes de terre cuite qui marquent une rupture avec la tradition géométrique : à Gortyne en particulier plusieurs séries représentent une figure féminine debout, les bras plaqués le long du corps, vêtue d'une robe étroitement ajustée, coiffée d'un haut *polos* (sorte de tiare cylindrique que portaient les divinités orientales) et d'une lourde perruque qui encadre le visage de deux masses triangulaires et recouvre les épaules. De ce type plastique nouveau, auquel il convient de réserver le nom de « dédalique », se dégage, à l'opposé de la construction analytique et abstraite des statuettes géométriques, une impression d'unité massive et presque élémentaire. Aussi s'est-on demandé si la frontalité, la raideur de ces torses, qui semblent garder quelque chose de la forme d'une poutre, n'étaient pas directement héritées des grossières effigies de bois qui les avaient précédés. D'autres types, attestés parallèlement à Gortyne, mais qui disparaissent ensuite rapidement du répertoire grec, comme celui de la déesse nue, montrent toutefois que ces premières images féminines furent probablement toutes empruntées à la typologie orientale. Leur structure quadrangulaire, qui restera caractéristique de tout un courant de la statuaire grecque jusqu'à la fin du VIe s., n'a en fait rien à voir avec le matériau d'origine ni avec un quelconque « primitivisme ». Elle procède d'une stylisation délibérée, dont on comprendra mieux le caractère systématique en comparant les figurines crétoises avec les statuettes d'un support de vasque sculpté à Samos durant la même période. Adaptant le motif oriental de « la Maîtresse des fauves », ces élégantes figures, encadrées de lions débonnaires dont elles tiennent les queues en signe de domination, proposent du type de la déesse vêtue une « interprétation » toute différente : la structure cylindrique du torse et des bras, le buste à la fois mince et épanoui, le souple mouvement de la chevelure donnent d'emblée ce sentiment d'une continuité fluide, d'un élan quasi végétal qui sera, nous le verrons, caractéristique des grandes statues samiennes du VIe s. Il est donc assez clair qu'une telle création n'a rien à voir avec la tradition proprement dédalique et qu'elle procède déjà de l'affirmation, tout à fait indépendante, d'un style samien. Au reste, même en Crète il serait difficile de tout expliquer par le simple développement du type de Gortyne : les trois grandes statuettes de bronze martelé trouvées à Dréros, qui représentaient sans doute la « triade apollinienne » (Apollon encadré de sa mère Léto et de sa sœur Artémis), n'ont vraiment rien de commun avec celui-ci. La continuité presque cylindrique du torse des déesses vêtues les rapprocherait plutôt, à vrai dire, de nos statuettes samiennes, et, en dépit d'une construction nécessairement plus analytique, le corps nu de l'Apollon révèle lui-même un parti pris de rondeur assez exceptionnel dans la plastique du VIIe s., mais non sans exemple : les deux figures féminines d'un relief en ivoire du Metropolitan Museum, provenant de Tarente, offrent de ce point de vue avec l'*Apollon de Dréros* une ressemblance vraiment frappante.

Il semble donc qu'à côté du courant dédalique que nous allons voir se développer, d'autres styles, dès le second quart du siècle peut-être, commencent de toute façon à s'affirmer. Mais le style dédalique connaît lui-même une évolution complexe. C'est d'abord, bien entendu, un style crétois, et la structure caractéristique des statuettes de Gortyne se retrouve presque inchangée dans la seconde moitié du siècle : les déesses qui ornaient le linteau du petit temple de Prinias, en Crète centrale (curieux édifice rectangulaire dont le plan dérive peut-être de celui des tombeaux minoens), et surtout la *Dame d'Auxerre* du Louvre, que l'on en a rapprochée, illustrent la complète assimilation par les sculpteurs crétois du vieux type oriental. Le geste d'adoration de la main droite et l'absence du *polos*, qui désignent la *Dame d'Auxerre* comme une mortelle, montrent notamment que cette assimilation est d'abord une humanisation : nous retrouverons cette ambivalence (figure humaine ou image divine ?) dans le type du kouros. La petite statue d'Auxerre, par la sensibilité d'un modelé grâce auquel le corps féminin prend, à l'intérieur d'un schéma conventionnel très strict, une véritable présence, préfigure ainsi de manière saisissante la série des *korés* du VIe s. Mais le rayonnement de ce style semble avoir largement débordé la Crète : on peut se demander plus précisément si la plastique du Péloponnèse n'en a pas bénéficié. Le goulot en forme de tête humaine d'un aryballe du Louvre, chef-d'œuvre du protocorinthien moyen, une statuette de jeune homme nu en bronze, trouvée à Delphes, ainsi qu'un fragment de relief, provenant de Mycènes, qui est peut-être une œuvre argienne, présentent, avec un visage proche de celui de la *Dame d'Auxerre*, une perruque à ondulations « étagées » du type inauguré par les figurines de Gortyne ; on peut noter que ce schéma restera caractéristique des têtes corinthiennes jusqu'à la fin du VIe s. Il n'empêche que parallèlement à cette lignée « dédalique » ou « dédalisante » semble se maintenir une tradition purement péloponnésienne : le petit Apollon en bronze dédié près de Thèbes, au début du VIIe s., par un certain Mantiklos pourrait en être le témoin le plus ancien. Avec ses volumes clairement et fortement articulés, il apparaît en tout cas comme l'ancêtre direct d'une merveilleuse statuette en ivoire de jeune homme accroupi, trouvée à l'Héraion de Samos et qui devait faire partie de la décoration d'une lyre : considérée généralement comme samienne, cette œuvre, que la construction du torse, la coiffure, le profil du visage apparentent directement aux personnages de l'*Olpé Chigi*, doit être en réalité une importation corinthienne. Elle n'a en effet rien de commun avec ce que les autres trouvailles du sanctuaire nous font connaître de la plastique samienne : celles-ci illustrent en effet assez clairement la coexistence d'une tradition stylistique locale avec des influences venues de l'extérieur. À peu près à l'époque où les caryatides du support de vasque proclament l'autonomie radicale du style samien, une statuette de bois, coiffée d'un polos richement orné (qui invite à y reconnaître la déesse elle-même), mais qui par ailleurs ressemble de très près à la *Dame d'Auxerre*, suppose que les modèles dédaliques sont déjà connus et imités. Et il n'en est que plus frappant de retrouver intacte, vers la fin du siècle, avec une autre série de statuettes de bois, la structure cylindrique qui caractérisait les premières créations samiennes et qui va s'imposer au début du VIᵉ s.

LA SCULPTURE
DES CYCLADES
ET LEUR RAYONNEMENT

Autre domaine où il n'est sans doute pas nécessaire d'invoquer, comme on l'a fait souvent, l'influence du dédalisme pour expliquer l'apparition de la grande statuaire : les Cyclades. Une tradition, vieille de deux millénaires, existait dans ces îles riches en marbre, d'où était sortie la prodigieuse floraison des « idoles cycladiques ». Et nous ne devons pas oublier que la statue, haute de 1,75 m, offerte à Artémis dans le sanctuaire de Délos par la Naxienne Nikandré aux environs de 660 (Athènes, M. N.) est probablement la plus ancienne création de la grande sculpture en Grèce. Malgré la ressemblance générale qu'elle offre avec les types crétois, est-elle à proprement parler dédalique ? Ou n'est-elle pas plutôt l'adaptation, tentée — indépendamment des Crétois, et peut-être avant eux — par les Naxiens, du même schéma oriental ? Par l'austère simplicité de la structure, la pureté des courbes du profil, la sobriété d'un modelé qui se contente d'adoucir l'articulation des plans et des volumes, l'œuvre en tout cas n'est pas indigne de ces grandes compositions abstraites que sont les idoles du IIᵉ millénaire.

Au demeurant, l'art cycladique va donner durant cette période d'autres preuves de son dynamisme : c'est en effet aux sculpteurs de Naxos que reviennent sans conteste les premières créations de la statuaire masculine. Alors qu'en Grèce centrale, en Attique et même en Crète la petite plastique de bronze se borne à développer les formes héritées de l'art géométrique (chez l'*Apollon de Mantiklos*, par exemple, la rondeur des volumes ne fait qu'« habiller » un schéma foncièrement analytique et abstrait), les Naxiens conçoivent, peut-être dès le milieu du

siècle, un type tout nouveau d'effigies en marbre, évidemment inspirées des statues égyptiennes, auxquelles elles empruntent l'essentiel de leur attitude (position strictement frontale, bras collés au corps, jambe gauche avancée), et même parfois leurs dimensions surhumaines. Moment extraordinaire de l'histoire de l'art grec, où l'on voit ces sculpteurs en principe débutants se risquer bientôt, dès le dernier quart du siècle sans doute, à des réalisations dont l'audace peut encore aujourd'hui étonner : dans le sanctuaire de Délos, que les Naxiens domineront jusqu'au milieu du VIᵉ s. et où ils construiront le premier temple, s'élèvent des offrandes grandioses, comme la célèbre terrasse des lions, où face au lac sacré 9 fauves rugissants alignaient leurs silhouettes puissamment stylisées, et surtout comme une statue d'Apollon, haute de 9 m, dont les fragments énormes, au milieu des ruines de Délos, témoignent encore de la démesure des ambitions naxiennes. D'ailleurs, bien d'autres documents l'attestent, en même temps qu'ils permettent d'en apprécier le rayonnement. D'abord à Naxos même, où l'on peut voir, abandonné au bord du chemin parce qu'il s'était brisé en cours de transport, un colosse inachevé de 5 m de long ou un autre, qui devait dépasser 10 m, mais dont la masse, encore incomplètement dégagée de la carrière, s'était fendue. Mais aussi à Délos et à Théra, où plusieurs torses de grands kouroi, malheureusement mutilés, nous permettent néanmoins de retrouver ce sens des volumes simples et des courbes harmonieuses qui faisait déjà la beauté de la statue de Nikandré.

Il est clair toutefois que les effets de ce puissant mouvement créateur se font sentir bien au-delà du domaine cycladique proprement dit : au moins indirectement, on peut mettre au crédit des ateliers naxiens la floraison de kouroi plus ou moins colossaux que va connaître la Grèce de la fin du VIIᵉ s. et du début du VIᵉ. À Thasos, la statue d'un homme portant un bélier, haute de 3,50 m, est demeurée inachevée. Mais à Samos, une série de kouroi géants (on vient d'en trouver un, presque complet, qui devait mesurer près de 5 m) se dressaient dès le début du VIᵉ s. dans le sanctuaire d'Héra. Autant qu'on puisse en juger par les fragments actuellement connus, ces statues, sculptées dans le marbre local, constituent déjà une adaptation des modèles cycladiques au style samien, qui tend ici encore à intégrer le torse dans un système de volumes cylindriques et dont une statuette en bronze du musée de Stockholm, provenant peut-être de Samos, permet sans doute de se faire une idée assez exacte. En Attique semble se produire un phénomène comparable, à ceci près que l'existence d'une tradition plastique originale reste très difficile à cerner dans le courant du VIIᵉ s. : entre les derniers bronzes géométriques et les premiers kouroi de marbre, les jalons intermédiaires nous manquent complètement. De toute façon, il est à peu près sûr que les statues hautes de 3 m qui s'élèvent vers le début du VIᵉ s. dans le sanctuaire de Poséidon au cap Sounion, et dont un exemplaire nous a été conservé presque intact (Athènes, M. N.), s'inspirent directement des exemples naxiens (elles sont d'ailleurs sculptées en marbre de Naxos). Mais il est significatif que d'emblée elles témoignent d'un souci d'articulation, d'une volonté d'analyse anatomique profondément opposés aux tendances du style naxien, dont elles empruntent pourtant la structure quadrangulaire. Sur la face et le dos sont détaillées, par un réseau conventionnel de bourrelets et d'incisions, les structures musculaires et osseuses, mais cette insistance à « compartimenter » le volume d'ensemble fait perdre à la statue l'élan vertical que devaient avoir ses modèles et lui donne une sorte de lourdeur appliquée, qui a fait parler à son propos de « provincialisme », voire de « rusticité ». Si ce kouros, qui reste un document impressionnant, n'est pourtant qu'une œuvre de second plan, c'est plutôt parce qu'il hésite encore entre deux styles. La tête, où les traits semblent « flotter » dans une face trop large, ne soutient guère la comparaison avec une autre tête de la même période, trouvée au Dipylon, qui nous montre l'aboutissement admirable de ce travail d'assimilation des influences naxiennes par la sculpture attique : le visage s'est allongé, rééquilibré — de l'extérieur par l'ample courbe de la chevelure tombant sur la nuque, de l'intérieur par une mise en place harmonieuse du nez, des arcades sourcilières et des yeux, au dessin resserré, dont le regard mystérieusement limpide avait fait croire d'abord à une statue de sphinx. On sait aujourd'hui, depuis la découverte de fragments d'un bras et du torse, qu'il s'agissait d'un kouros, un peu plus grand que nature : incontestablement, le premier chef-d'œuvre de la statuaire attique, sans commune mesure avec le trop célèbre *Kouros* du Metropolitan Museum, dont on le rapproche généralement mais qui n'en est que la médiocre imitation, ni même avec le kouros de Sounion (Athènes, M. N.).

Tel qu'il est, ce dernier nous propose toutefois dans son intégrité l'image d'un type qui va en grande partie dominer la plastique du VIᵉ s. et sur la signification duquel il faut s'interroger : celui du kouros, du « jeune homme », représentation intemporelle de la beauté virile telle que les exercices athlétiques la mettaient chaque jour sous les yeux des Grecs, mais dans une attitude frontale, presque hiératique, la jambe gauche légèrement avancée, le poids du corps également réparti sur les deux pieds posés à plat sur le sol, les poings fermés plaqués le long des cuisses, le visage impersonnel et impassible. D'emblée, le gigantisme même de ces premières créations met en évidence l'ambiguïté originelle du type : trop surhumains pour être la simple représentation du mortel qui les dédiait, les colosses de Samos et du Sounion étaient encore moins destinés à figurer la divinité — ici Héra, là Poséidon — à qui ils étaient dédiés. Bien que, dans certains cas (le colosse naxien de Délos notamment), la spécialisation soit évidente, ils n'étaient probablement pas non plus, comme on l'a cru autrefois, des statues d'Apollon. Et ce que les fidèles, en fin de compte, entendaient offrir, ce n'était rien d'autre qu'un *agalma*, un « bel objet », image de beauté absolue qui ne représentait ni dieu ni homme, mais qui à chaque fois *recréait* l'idée d'homme, c'est-à-dire en même temps l'idée de dieu.

Bibliographie sommaire

CHARBONNEAUX (J.), MARTIN (R.), VILLARD (F.), *Grèce archaïque*, L'Univers des Formes, Gallimard, Paris, 1968. HOMANN-WEDEKING (E.), *la Grèce archaïque*, Albin Michel, Paris, 1968. PAYNE (H.), *Protokorinthische Vasenmalerei*, Heinrich Keller, Berlin, 1933. Ph. von Zabern, 1974. SCHEFOLD (K.), *Frühgriechische Sagenbilder*, Hirmer, Munich, 1964.

L'ARCHAÏSME

(VIᵉ s.)

LES DÉLIMITATIONS CHRONOLOGIQUES, surtout pour l'historien de l'art, sont toujours assez arbitraires, et nous venons de le vérifier à propos des débuts de la statuaire : la date de 600 n'a pas, dans une histoire de la sculpture, de signification particulière, pas plus que n'en avait celle de 700 dans l'évolution de l'architecture. L'habitude que l'on a prise de faire débuter avec le VIᵉ s. une période nouvelle de l'art grec constitue donc d'abord une commodité, mais elle n'est cependant pas tout à fait gratuite, car cette date correspond en gros à l'apparition d'un certain nombre de facteurs sociologiques, politiques et religieux inconnus de la période précédente, et en dehors desquels le développement des arts tel que nous pouvons l'observer ne serait pas explicable. Et, si l'on na pas trouvé mieux que l'appellation, assez neutre, d'archaïque pour désigner cette période foisonnante, ce n'est pas seulement par manque d'imagination : l'Archaïsme est vraiment, à la lettre, la « période des commencements », c'est-à-dire, les influences orientales une fois assimilées, des commencements purement grecs. On peut considérer en effet qu'à l'aube du VIᵉ s. les artistes grecs ont désormais en main tous les éléments — formes, iconographie, matériaux, techniques — qui vont leur permettre de régner durant cinq siècles sur la civilisation du Bassin méditerranéen. Que ces « commencements » d'un art qui ne s'alimente plus que de ses propres recherches et de sa propre réflexion atteignent d'emblée, dans certains cas, ce qui nous apparaît aujourd'hui comme des sommets tient à sa nature fondamentale idéaliste, le style étant d'abord pour les Grecs la recherche d'un équilibre, d'une perfection qui, aussitôt réalisée, devient indépassable et ne peut plus être que menacée. Nous verrons que l'Archaïsme est, plus encore que le Classicisme, exemplaire à cet égard.

L'un des phénomènes majeurs qui vont favoriser, à partir du début du VIᵉ s., cet essor artistique sans précédent est naturellement le développement des sanctuaires, dont nous avons vu que les éléments essentiels étaient constitués avant la fin du VIIᵉ s., mais dont l'activité s'intensifie rapidement. C'est particulièrement le cas de ceux que l'on dit « panhelléniques », parce que tous les Grecs, quels que fussent leurs désaccords du moment, s'y réunissaient à dates régulières (en général tous les quatre ans) pour célébrer des fêtes, accompagnées de concours poétiques, musicaux et surtout athlétiques qui transposaient en quelque sorte la violence de leurs conflits en émulation sportive. À Delphes et à Olympie, qui furent les deux plus prestigieux, une « trêve sacrée » était proclamée à l'occasion de ces concours (que l'on appelle aussi, improprement, des « jeux »), et annoncée à travers tout le monde grec : les cités qui se faisaient la guerre (et elles étaient rarement en paix) acceptaient de déposer momentanément les armes, et même de garantir la sécurité des chemins, pour permettre aux athlètes et aux pèlerins de se rendre sur le lieu saint. Mais ces rencontres « internationales » étaient, on s'en doute, l'occasion de faire étalage de richesse et de puissance par des offrandes spectaculaires, que les cités les plus opulentes exposaient dans de petits monuments, spécialement construits sur le domaine du dieu, à proximité du temple ; et ces *Trésors*, que nous ont fait connaître les fouilles de Delphes et d'Olympie, étaient en eux-mêmes de superbes offrandes, chefs-d'œuvre d'architecture et parfois de sculpture monumentale. Mais bien d'autres ex-voto s'accumulent dans les sanctuaires : individuels, comme ceux des athlètes vainqueurs aux « jeux Olympiques » qui dédiaient à Zeus leur effigie en bronze, ou collectifs, comme ces groupes statuaires ou ces monuments de toutes sortes élevés par les cités pour commémorer leurs victoires ou remercier le dieu d'une intervention favorable. À Delphes en particulier, la renommée de l'oracle d'Apollon, qui va devenir pendant des siècles pour les Grecs une sorte de guide spirituel, consulté en toute occasion, attire même les offrandes somptueuses de souverains étrangers, comme le pharaon Amasis ou le fameux Crésus, roi de Lydie.

Bien entendu l'activité des sanctuaires est ancienne, mais il semble que ce soit surtout à partir du premier quart du VIe s. qu'ils offrent ainsi aux artistes, particulièrement aux architectes et aux sculpteurs, un vaste champ d'action : à Delphes, nous savons qu'en 586, après une « guerre sacrée » de dix ans, grâce à laquelle une coalition de cités prend le contrôle du sanctuaire, sont instituées et célébrées pour la première fois des fêtes régulières, qui seront le point de départ d'une série de constructions nouvelles. Mais cet essor des sanctuaires, non seulement sur les sites panhelléniques, mais sur le territoire des cités, à Samos, à Éphèse, à Athènes, n'est lui-même que le reflet d'un autre fait essentiel : la prise de conscience par les cités grecques, en partie grâce à l'émergence d'une classe nouvelle d'artisans et de commerçants, de leur personnalité. Après une période de convulsions sociales qui ont amené au pouvoir presque partout, dès le VIIe s., des « tyrannies » appuyées sur les classes moyennes, le VIe s. va être pour la plupart des cités une période de prospérité et de dynamisme commercial, où l'on voit se superposer aux rivalités économiques une émulation intellectuelle et artistique qui favorise l'affirmation des styles. Le rôle des tyrans, dont la politique de prestige tend à stimuler ce dynamisme par des programmes d'aménagements urbains ou de constructions monumentales (comme Pisistrate à Athènes ou Polycrate à Samos), apparaît ainsi comme complémentaire de celui des grands sanctuaires, qui offrent aux cités une occasion permanente de confrontations, sinon d'affrontements artistiques.

Or le rapide épanouissement de toutes les formes de l'art grec au cours du VIe s. est sans doute pour une large part à mettre au compte de ces rivalités entre des cités pour qui le maintien d'une tradition artistique originale, s'exprimant par un style, était une manière d'affirmer et de préserver leur identité. De là viennent l'extrême diversité de l'Archaïsme et la difficulté que l'on éprouve à y discerner des évolutions générales. Plus que ces dernières, en fin de compte, ce qui nous est directement perceptible aujourd'hui, ce sont les oppositions stylistiques entre les différents centres créateurs (on dit parfois les différentes « écoles »), dont le jeu conditionnera en fait tout le développement de l'art grec jusqu'à ce que la suprématie d'Athènes, à partir du milieu du Ve s., y introduise une unité relative, sur laquelle sera fondé ce que nous appelons le Classicisme. C'est donc région par région qu'il convient de dresser un inventaire de cet art archaïque : il ne saurait être ici que superficiel, mais voudrait au moins en faire entrevoir la richesse.

À part le domaine cycladique, autour de Naxos, dont nous avons vu le rôle majeur dans la naissance de la grande statuaire, spécialement dans la formation du type du kouros, mais dont l'importance va décliner ensuite assez rapidement, la région qui domine incontestablement ce début du siècle est le Péloponnèse, où Corinthe, mais aussi Argos et Sicyone, ainsi que Sparte dans une moindre mesure, déploient une activité créatrice considérable dont le rayonnement va s'étendre en particulier vers l'ouest, sur les colonies grecques de Sicile et d'Italie méridionale.

Le Péloponnèse

ARCHITECTURE

La première réalisation majeure de l'art péloponnésien durant cette période est du domaine de l'architecture : c'est la mise au point définitive du type de plan et du style de décoration qui constituent ce que les Anciens déjà appelèrent l'« ordre dorique ». Le *Temple d'Héra* à Olympie, construit sans doute au tout début du siècle, en présente déjà à peu près tous les caractères. Le plan, encore très allongé, observe une frappante symétrie : la cella, où la colonnade axiale de Thermos a été remplacée par deux rangées de colonnes proches des murs (dispositif qui restera celui des temples classiques, à cela près qu'ici une colonne sur deux est encore liée au mur pour plus de solidité), s'ouvre sur un *pronaos* à deux colonnes *in antis*, qu'équilibre à l'arrière un opisthodome du même type. À l'extérieur, 6 colonnes ornaient les façades, et 16 les longs côtés ; elles étaient en bois comme les chapiteaux qui les surmontaient, mais le temple devait comporter déjà tous les éléments de l'ordre dorique : chapiteau divisé en deux parties, l'échine ronde en forme de galette, l'abaque carré et plat, supportant une architrave au-dessus de laquelle régnait la frise, rythmée par l'alternance des triglyphes et des métopes. Il est toutefois difficile de dire à quel moment ces structures, qui rappelaient certainement les pièces de bois des charpentes primitives sans en être la simple reproduction, ont été réalisées en pierre. De toute façon, c'est déjà le cas au *Temple d'Artémis* à Corcyre (Corfou), dont la façade à 8 colonnes s'orne pour la première fois d'un fronton sculpté en calcaire : ce monumental ensemble, proche par le style des métopes peintes de Thermos, montre d'emblée quel fut le rôle des Corinthiens dans ces débuts de l'architecture dorique. C'est encore, en tout cas, dans une colonie de Corinthe, à Syracuse, que l'on consacre à Apollon, vers 570, un temple dorique dont toute l'élévation est taillée dans la pierre. Il retrouve le plan à 6 colonnes de l'*Héraion d'Olympie,* mais les proportions, telles qu'on peut les restituer, sont massives et même lourdes, avec des colonnes trapues et rapprochées, au-dessus desquelles l'entablement paraît énorme. Mais les excès mêmes de cette création expérimentale montrent bien quel est le projet que se fixe dès l'origine l'architecture dorique : traduire dans la pierre la tension qui résulte du poids de la superstructure. L'implantation directe (sans base intermédiaire) sur le stylobate, les proportions trapues, les cannelures larges et peu profondes, le chapiteau en forme de coussin écrasé, tout dans la colonne dorique semble conçu pour suggérer la résistance à un fardeau. Interprétation de la réalité architecturale moins évidente qu'il n'y paraît, puisque l'ordre ionique en donne une exactement inverse, recourant à l'image, expressément végétale, d'une poussée vers le haut. Il y a donc là un choix délibéré, que ne sauraient expliquer les souvenirs de l'architecture en bois (les piliers primitifs devaient être au contraire assez minces), mais que l'on retrouve dans les créations mieux équilibrées du milieu du siècle : à Paestum, en Italie du Sud, avec un grand temple, surnommé à tort la « Basilique », dont le plan trahit sans doute l'influence des temples ioniques d'Asie Mineure, mais dont le péristyle, admirablement conservé, avec ses chapiteaux en galette et ses colonnes fortement galbées, est typique de la « pesanteur » dorique, mais surtout à Corinthe même, où le temple d'Apollon nous montre vers 540 la structure dorique dans sa forme quasi définitive.

PLASTIQUE

Évidemment liée à ce développement de l'ordre dorique, l'autre grande nouveauté du début du vi^e s. est l'apparition d'une décoration monumentale sculptée, et c'est probablement aussi aux Corinthiens qu'on la doit. Le fronton du *Temple de Corfou,* vers 590, s'orne d'une vaste composition, qui introduit dans un schéma héraldique d'inspiration orientale des scènes figurées illustrant la légende grecque. Au centre, une gigantesque *Gorgone,* flanquée de deux panthères couchées, rappelle clairement le vieux thème anatolien de la « Maîtresse des fauves », symbolisant la toute-puissance de la terre nourricière sur la nature sauvage. Mais entre Méduse et les panthères s'intercalent les deux créatures nées, selon le mythe grec, du sang de son torse décapité : Pégase, le cheval ailé, et Chrysaôr, figure purement humaine conservée à droite. Et dans les angles apparaissent deux épisodes de la lutte des dieux contre les Géants, la gigantomachie, qui deviendra l'un des grands thèmes de la sculpture monumentale. Puissamment stylisées, et modelées, en dépit de leurs proportions colossales, avec une admirable minutie, ces figures évoquent fortement la peinture corinthienne, et les personnages de la *Gigantomachie* offrent en particulier avec ceux des métopes de Thermos une ressemblance directe. C'est d'ailleurs sans doute aussi à des artistes venus de Corinthe qu'il faut attribuer les premières métopes sculptées, celles d'un petit monument dorique dédié à Delphes, vers 570, peut-être par le tyran Clisthène de Sicyone, et destiné sans doute à l'exposition de quelque offrande somptueuse. Le choix de thèmes narratifs complexes tirés de la mythologie met en évidence les problèmes que posa d'abord aux artistes le cadre obligé de la frise dorique. Deux scènes au moins — la *Chasse du sanglier de Calydon* et le *Débarquement de la nef des Argonautes* — s'étalaient ici sur plusieurs métopes, sans égard aux coupures imposées par les triglyphes. L'une des métopes les mieux conservées montre toutefois une adaptation parfaite de la composition au cadre : et ce curieux épisode de l'enlèvement d'un troupeau de bœufs par les Dioscures (*Castor et Pollux*, identifiés par des inscriptions) fournit au sculpteur l'occasion de manifester une rigueur dans la mise en place des personnages, une maîtrise de la profondeur et un sens des équilibres dynamiques qui font de lui l'héritier lointain mais direct des peintres protocorinthiens du « style magnifique ».

De telles réussites font bien sûr regretter que la grande plastique corinthienne en ronde bosse du premier quart du vi^e s. nous soit si mal connue : le *Chrysaôr* du fronton de Corfou, et aussi une tête de sphinx en terre cuite provenant d'un acrotère du temple de Calydon nous donnent cependant une idée de ce que pouvaient être les premiers kouroi péloponnésiens. On peut noter que l'influence naxienne, que nous avons vue si évidente en Attique, ne semble pas jouer ici. Et cette autonomie est d'ailleurs confirmée par celle d'un autre atelier du nord-est du Péloponnèse, Argos. Deux statues jumelles, œuvres d'un sculpteur argien nom-mé peut-être Polymédès, et dédiées à Delphes vers 580, représentaient, comme nous l'indique l'inscription de la base, deux frères, *Cléobis et Biton*, honorés par les Argiens comme des héros nationaux, et dont Hérodote nous raconte l'histoire. Le visage large, au front bas, aux sourcils levés sur de grands yeux attentifs, comme le torse massif, râblé, aux rondeurs puissantes, qui donnent une impression de force juvénile contenue, ne doivent évidemment rien à la stylisation hautaine et abstraite des statues cycladiques. Ces deux chefs-d'œuvre, malheureusement encore isolés (au moins dans la grande plastique, car de nombreuses figurines de terre cuite, trouvées à Argos, reproduisent le même type de visage), mais dont les torses ont tout de même, si surprenant que cela puisse paraître, un antécédent direct dans une belle cuirasse argienne en bronze de la fin du viiie s., suffisent de toute façon à illustrer dès le début du vi^e s. la vivacité de la tradition stylistique qui culminera au ve s. avec l'atelier du grand Polyclète d'Argos. Quant à la statuaire corinthienne, rien ne permet, dans la documentation actuellement connue, d'affirmer qu'elle ait atteint le même niveau de qualité : le petit *Kouros de Ténéa* (localité proche de Corinthe), qui n'est sans doute pas antérieur au milieu du siècle, offre un mélange de robustesse et de finesse un peu trop gracieuse, qui semble indiquer que l'art corinthien, après avoir subi l'influence de l'école argienne, est déjà sur son déclin (Munich, Glyptothèque). Il suffit de le comparer à un magnifique kouros trouvé à Mélos, qui représente peut-être, vers 550, l'une des dernières réussites de l'art naxien (Athènes, M. N.), pour sentir à quel point les ateliers péloponnésiens sont restés fermés aux influences cycladiques.

Une impressionnante trouvaille faite à Delphes en 1938 nous met en présence de telles oppositions stylistiques. Mises au rebut après leur destruction accidentelle, une série d'offrandes somptueuses avaient été enterrées, dès le ve s., sous la Voie Sacrée : outre un taureau colossal en plaques d'argent martelées, les fragments de plusieurs statues chryséléphantines ont été conservés, ainsi que de petits reliefs miniatures en ivoire, à sujets mythologiques, qui devaient décorer un coffre ou un meuble précieux. Mais l'ensemble, comme il est naturel puisque la réunion de ces objets avait été le fait du hasard, est, du point de vue du style, hétérogène. Le taureau venait sans doute d'Asie Mineure, comme deux statues au moins, dont les têtes se rattachent clairement à l'art de Samos, mais il en est une autre que son style invite à considérer comme l'œuvre d'un atelier corinthien : ce grand visage allongé, au profil accusé, rappelle fortement certains des personnages des métopes de Thermos ou des vases corinthiens de la première moitié du VIe s. Le rapprochement avec la peinture s'impose d'ailleurs en ce qui concerne les petits reliefs, dont les schémas iconographiques et les types de visages semblent directement hérités du Protocorinthien à figures noires. Et c'est en se fondant sur les mêmes comparaisons que l'on a pu proposer dernièrement, avec beaucoup de vraisemblance, d'attribuer aux bronziers corinthiens le fameux cratère colossal, haut de 1,64 m, trouvé en 1953 à Vix dans une tombe gauloise. Quelle que soit la valeur des arguments que l'on a d'abord présentés en faveur d'autres hypothèses (un atelier de Grande-Grèce notamment), il faut bien constater que c'est seulement dans la peinture et la petite plastique corinthiennes que les Gorgones des anses, la statuette du couvercle et le défilé de chars et d'hoplites qui orne le col trouvent des parallèles précis.

CÉRAMIQUE

La céramique offre en effet heureusement, pour définir le style corinthien, une documentation abondante et sûre : après une éclipse relative dans le dernier quart du VIIe s., au profit du style décoratif orientalisant, on voit de nouveau s'épanouir, dans le premier quart du VIe s. (période du Corinthien moyen), un très beau style figuré : sur de grands vases, des cratères du type dit « à colonnettes » en particulier, se déroulent des frises à nombreux personnages, combats d'hoplites, défilés de cavaliers, banquets, cortèges solennels, comme sur un vase du musée du Vatican, évoquant peut-être des noces divines. La précision du dessin, le raffinement de la polychromie (qui joue sur les rehauts blancs et rouges pour différencier les plans et caractériser les personnages), la maîtrise de l'espace sont tels qu'ils évoquent parfois, comme à l'époque du « style magnifique », la grande peinture. Il est donc aisé de comprendre que ces vases non seulement ont eu un vif succès auprès de la clientèle, mais ont exercé sur les peintres des autres ateliers un attrait considérable. En Attique, bien sûr, mais aussi en Laconie, où se développe durant la première moitié du VIe s. une série de coupes à fond blanc dont le dessin s'inspire des modèles corinthiens, mais dont les thèmes sont d'une complète originalité, comme en témoignent par exemple des guerriers portant sur leurs épaules le corps d'un camarade mort au combat. Cependant, cette attachante production s'interrompt brusquement vers 550, tandis qu'à Corinthe la perfection même des compositions, minutieusement calculées et équilibrées, où nul mouvement ne peut plus « déplacer les lignes », laisse pressentir la fin d'un style. Et de fait, après un ultime effort pour résister à la concurrence attique, avec des compositions à la fois moins complexes et plus dramatiques, la céramique corinthienne figurée disparaît brusquement vers le milieu du siècle. On s'est beaucoup interrogé sur les causes de cette disparition, que ne suffisent pas à expliquer des difficultés économiques. Si les peintres corinthiens n'ont pas su faire face à la concurrence, c'est peut-être simplement parce que dès le premier quart du siècle ils étaient allés au bout de leur projet esthétique, et ne pouvaient plus désormais que se répéter ou perdre leur style. Nous verrons d'ailleurs que la force des ateliers attiques fut précisément d'avoir su animer, grâce à leur esprit d'analyse, à leur imagination, à leur sens de l'humour, les schémas formels corinthiens d'une vie toute neuve. Mais auparavant il nous faut porter notre regard vers le second pôle de la création artistique dans la Grèce de la première moitié du VIe s. : le littoral de l'Asie Mineure.

La Grèce
de l'Est

C'est à Samos, nous l'avons vu, que l'on suit le mieux, jusqu'au VIIᵉ s., les débuts de l'architecture et de la statuaire sur cette côte anatolienne où les Grecs étaient installés à peu près partout depuis l'époque géométrique, mais ce n'est pas le seul foyer de la brillante civilisation qui va s'épanouir là durant trois quarts de siècle, avant d'être mise en sommeil jusqu'à la fin du Classicisme par la domination perse : Milet, qu'Hérodote appelle la « parure de l'Ionie », Chios (Kíos), dont les sculpteurs resteront célèbres durant toute l'Antiquité, sont certainement aussi de grands centres créateurs. Et des recherches récentes permettent aujourd'hui de mieux apprécier le rôle joué par la région nord de l'Ionie et par l'Éolide, avec des cités comme Clazomènes et Phocée, métropole de Marseille.

L'ARCHITECTURE

L'évolution de l'architecture, qui va rapidement aboutir à la formation de l'« ordre ionique », ne saurait toutefois se comprendre qu'à partir de Samos, où nous avons vu que dès le milieu du VIIᵉ s. la forme du temple avait atteint un stade comparable à celui de l'*Héraion d'Olympie*. De cet *Hékatompédon II*, qui fut en usage jusque vers 580, il est malheureusement difficile de savoir quel était, au début du VIᵉ s., l'aspect extérieur. Colonnes et entablement étaient sans doute encore en bois, avec divers revêtements de terre cuite et de bronze. Mais les premiers chapiteaux sculptés en pierre que nous connaissions en Grèce de l'Est proviennent d'une autre région, l'Éolide, où en revanche les plans paraissent moins évolués : le *Temple de Néandria*, construit peut-être au début du VIᵉ s., comporte une simple cella sans péristyle, avec une colonnade axiale dont les chapiteaux à volutes verticales, d'inspiration végétale, adaptent directement des modèles orientaux. Mais ces chapiteaux « éoliques », que l'on retrouve à Smyrne et sur d'autres sites du nord de l'Asie Mineure, et qui sont

peut-être à l'origine du chapiteau ionique à volutes horizontales, ne se maintiendront pas longtemps. Ils ne figurent en tout cas dans le nouveau *Temple d'Héra* construit à Samos, vers 570, à l'occasion d'une vaste restructuration du sanctuaire, par deux architectes dont les noms demeurèrent illustres, Rhoikos et Théodoros. Édifice colossal, dont les dimensions (52,5 m × 105 m) sont plus de trois fois supérieures à celles de l'*Hékatompédon II*, et qui d'un coup dépasse en audace tout ce que l'on avait fait jusqu'alors : c'est le premier des grands diptères ioniques, dont la cella s'entoure d'une double colonnade créant, surtout en façade où elle était prolongée par celle du profond pronaos, l'impression d'une « forêt de colonnes », peut-être inspirée des salles hypostyles des temples égyptiens, et dont nous savons qu'elle valut en son temps au *Temple de Samos* le surnom de « Labyrinthe ». De ces colonnes, hautes de plus de 15 m, n'ont subsisté que des fragments de fûts et de bases en calcaire, ornées de cannelures délicatement sculptées. L'entablement était sans doute en bois, mais la présence de deux colonnades latérales à l'intérieur de la cella indique qu'à la différence de ceux qui vont lui succéder en l'imitant, cet énorme édifice était entièrement couvert.

Car cette réalisation sans précédent frappa naturellement l'imagination des contemporains : une dizaine d'années plus tard, avant 550 en tout cas, l'opulente cité d'Éphèse, dont le vieux sanctuaire d'Artémis s'était contenté jusque-là d'un autel, entreprit à son tour la construction d'un diptère, encore plus grand et plus beau que le temple de Samos. Confié à deux architectes crétois, qui appelèrent en consultation Théodoros de Samos, cet *Artémision d'Éphèse*, malheureusement très mal connu, fut l'un des plus somptueux monuments de l'Archaïsme. Large de 55 m, avec 8 colonnes en façade, long de 115 m, le péristyle s'ornait, aux tambours inférieurs des colonnes de la façade et du pronaos, d'une décoration figurée en haut relief, dont le roi de Lydie, Crésus, avait en partie assumé les frais, et surtout de magnifiques chapiteaux à volutes, que l'on a pu reconstituer et qui présentent déjà tous les caractères de l'ordre ionique classique. Type nouveau, créé peut-être à Naxos, qui représente apparemment l'adaptation du motif floral orientalisant des chapiteaux éoliques, où les volutes semblaient vraiment sortir du fût et de la couronne de feuillage qui le surmontait, aux exigences de l'architecture en pierre. Ainsi le chapiteau ionique serait un chapiteau éolique « écrasé » : de leur origine végétale, ses volutes garderont d'ailleurs une élasticité de formes accordée au parti pris de légèreté, de jaillissement vertical qu'impliquent déjà par elles-mêmes les proportions élancées de la colonne ionique. L'usage de décorer de reliefs le premier tambour de la colonne ne se retrouve en revanche qu'au temple construit vers 540 à Didymes, sanctuaire d'Apollon qui dépendait de Milet : avec des dimensions moindres, celui-ci paraît d'ailleurs imiter directement l'*Artémision* éphésien ; la cella y était également à ciel ouvert, mais comportait un petit édifice, le *naïskos*, abritant la statue de culte. À Samos enfin, à la suite de la destruction accidentelle, pour une cause inconnue, du diptère de Rhoikos et Théodoros, le tyran Polycrate, v. 535, entreprend la construction d'un nouveau diptère, long de 112 m, avec un péristyle de 123 colonnes. Sa mort brutale, en 522, au cours d'une expédition en territoire perse, interrompt les travaux, qui seront repris, mais jamais complètement achevés.

PLASTIQUE

Tel est, à s'en tenir à la documentation archéologique (car nous savons que d'autres grands temples s'élevèrent à Milet, à Phocée, à Chios, dans le comptoir grec de Naucratis en Égypte), le bilan de ce qui apparaît comme l'un des plus grands moments de l'architecture grecque. Mais le dynamisme créateur des Ioniens n'est pas moindre dans le domaine de la statuaire. Ici encore c'est de Samos qu'il faut partir. Car la tradition stylistique originale que nous avons vu se développer au VII° s., parallèlement aux courants cycladique et « dédalique », va y connaître dans la première moitié du VI° s. son plein accomplissement, et produire quelques-uns des chefs-d'œuvre de la plastique

archaïque. C'est d'abord la célèbre statue du Louvre dite *Héra de Samos*, mais dont l'attitude indique qu'il s'agissait plutôt d'une porteuse d'offrandes : dédiée vers 570 par un notable du nom de Chéramyès, cette œuvre, dont le sculpteur reste malheureusement anonyme, porte à ses ultimes conséquences le parti pris de continuité, d'élan presque végétal qu'affirmaient déjà les petites « caryatides » du support de vasque de Berlin ou certaines des statuettes de bois trouvées à l'Héraion, et dont nous venons de voir qu'il était au cœur même de la conception architecturale ionienne. Sa structure parfaitement ronde a fait parler de « statue-colonne », et les stries verticales de la tunique finement plissée, le *chitôn*, qui enserre les jambes comme dans un fourreau et donne au corps, dont il efface les articulations, une puissante unité, peuvent en effet difficilement ne pas évoquer les cannelures serrées des colonnes ioniques. Mais ce n'est pas qu'il y ait à proprement parler influence de l'architecture sur la sculpture : plus simplement, les deux formes se rejoignent dans une profonde identité de conception. Celle-ci suppose une immobilité hiératique et intemporelle dont la plastique, art figuratif, ne pouvait longtemps s'accommoder. Après quelques réalisations dont la facture est moins subtile, mais dont le style reste aussi pur (en particulier une *koré* dédiée par le même Chéramyès, conservée au Pergamon Museum de Berlin-Est), la statuaire samienne va affronter l'épreuve du mouvement et de la différenciation des attitudes. Un groupe familial, dédié vers 560, qui réunissait sur la même base allongée le père, couché dans la position du banqueteur, la mère, assise, et les quatre enfants — trois jeunes filles et un adolescent — debout, illustre bien la contradiction entre les exigences de ce style et celles d'un naturalisme naissant : le léger déplacement vers l'avant de la jambe droite des jeunes filles, qui entraîne le geste de la main relevant les plis du chiton, impose de renoncer à la structure cylindrique et menace de rompre la continuité verticale du vêtement, dont le traitement graphique paraît désormais à la limite de l'artificiel. Le sculpteur, un excellent artiste nommé

Généléos, qui n'est pas autrement connu, parvient toutefois, ce qui ne sera pas souvent le cas de ses successeurs, à préserver l'unité de ses figures, communiquant même à la statue couchée du père une fluidité toute samienne. Et la figure assise de la mère permet une comparaison instructive avec une autre grande série ionienne, celle des statues qu'une famille sacerdotale de Milet, les Branchides, avait élevées tout au long du siècle en bordure de la Voie Sacrée qui reliait la cité au sanctuaire de Didymes. Ces effigies massives, trônant sur des sièges de forme cubique dont elles épousent la frontalité, et où l'accent est mis avant tout sur les axes horizontaux, donnent une impression de majestueuse pesanteur qui est à l'opposé du style samien. Les plus anciennes remontent à peu près à l'époque des offrandes de Chéramyès, et il est frappant de voir deux ateliers si voisins développer d'emblée des projets esthétiques si différents : même lorsque les Milésiens traiteront le thème de la statue debout (avec le type du kouros drapé, notamment) l'opposition restera flagrante. On pourrait dire, en simplifiant, qu'une statue samienne donne toujours plus ou moins l'impression de jaillir du sol, une statue milésienne de s'y implanter solidement. Et la petite plastique de bronze et surtout de terre cuite, qui illustre de telles oppositions peut-être plus clairement encore que la statuaire, peut nous aider d'autre part à en restituer les visages perdus ou mutilés : les têtes samiennes, de forme trapézoïdale, semblaient s'ouvrir vers le haut, avec leurs grands yeux obliques, leurs bouches courbées dans un sourire ironique et hautain ; les visages milésiens étaient ronds, avec une face large, des yeux horizontaux, et l'expression sereine et énigmatique que nous montrent encore deux admirables fragments des colonnes sculptées du *Temple de Didymes*.

Le troisième grand atelier de sculpteurs de l'Ionie archaïque, celui de Chios, nous est hélas très mal connu : deux torses de korés, trouvés sur le site même et sans doute contemporains de l'*Héra* de Chéramyès, témoignent en tout cas d'un style complètement différent à la fois du style samien et du style milésien, mais que l'on retrouve avec une belle statue de Niké, la *Victoire ailée*, dédiée vers 550 dans le sanctuaire de Délos (Athènes, M. N.), que l'on a rapprochée non sans vraisemblance d'une base portant la signature du célèbre Archermos de Chios. Et Delphes nous fournit sans doute un autre témoignage sur l'art des sculpteurs de cette école illustre : on admet en effet qu'une partie au moins de la décoration du trésor ionique que la petite cité insulaire de Siphnos, soudainement enrichie par la découverte de mines d'or, y fit construire vers 525 pour manifester à Apollon sa gratitude leur avait été confiée. Deux caryatides, statues de korés qui remplaçaient les colonnes de la façade, ainsi que les personnages de la frise est, présentent, en particulier pour la tête, avec la *Niké* d'Archermos des relations précises. L'édifice, d'une richesse décorative sans précédent, s'ornait en effet non seulement de deux frontons sculptés, mais aussi, selon un usage qui se généralisera plus tard dans l'ordre ionique, d'une frise continue figurant sur chacun des quatre côtés de vastes scènes à sujets épiques ou mythologiques. À ces reliefs, qui comptent parmi les grands chefs-d'œuvre de l'Archaïsme et dont il serait vain de tenter ici la description, semble avoir travaillé un atelier complexe, réunissant divers maîtres venus, à une époque où les Ioniens commençaient à fuir la domination perse, non seulement de Chios, mais de Clazomènes, de Phocée et peut-être d'Éolide.

PEINTURE

Au demeurant, cette région nord de l'Asie Mineure paraît avoir connu, au moins à partir du milieu du siècle, une grande activité créatrice, spécialement dans un domaine où ni les Samiens ni les Milésiens ne s'étaient illustrés, celui de la peinture : d'admirables fresques, trouvées récemment dans une tombe lycienne à Karaburun, peuvent lui être attribuées, ainsi que l'étonnante série des « hydries de Caere », produites dans le troisième quart du siècle par un atelier phocéen installé en Étrurie. Ces vases, où les scènes mythologiques sont traitées avec un sens très vif du mouvement, du détail pittoresque et de la couleur, trahissent un bonheur de la narration unique dans l'art archaïque, et que l'on retrouve précisément dans la tumultueuse gigantomachie de la frise nord du *Trésor de Siphnos*. Le contraste est en tout cas frappant avec le style hautain et elliptique du maître des frises ouest et sud, pour qui le récit n'est qu'un prétexte à décrire, en grandes arabesques décoratives, de superbes figures de chevaux, dont les types se retrouvent dans la peinture ionienne. À Clazomènes sans doute, un atelier de céramistes produit, durant toute la seconde moitié du siècle, des sarcophages historiés, dont la facture est souvent industrielle, mais dont le style, d'un graphisme souple et élégant, reflète peut-être celui de la grande peinture. Nous verrons d'ailleurs le rôle qu'il paraît avoir joué, à partir de 520, dans le renouvellement de la céramique attique.

L'Attique

Le paradoxe de l'art attique est en effet que, après avoir vécu en relative autarcie jusqu'à la fin de l'époque orientalisante, il s'ouvre soudain aux influences extérieures et, tout en accueillant plus qu'aucun autre les modèles étrangers, parvienne à développer un style original qui, dès la fin du VIe s., lui assurera sur la plupart de ses concurrents une suprématie incontestée. Mais c'est sans doute parce que ce style n'est pas de même nature que ceux dont nous venons de décrire le rapide mais relativement éphémère épanouissement. Le style samien comme le style corinthien se caractérisaient par la fidélité à des structures de représentation que leur perfection même ne pouvait que réduire tôt ou tard à l'état de formules. Pour les artistes attiques au contraire, en vertu d'une tendance qui expliquait déjà l'apparition de l'art géométrique, le travail créateur semble s'être d'abord identifié à une analyse abstraite de l'objet à représenter. C'est pourquoi l'imitation de modèles étrangers n'est jamais pour eux copie, mais réinterprétation, et loin d'exclure

l'observation — elle aussi analytique — des formes naturelles et du mouvement, elle leur permet de les intégrer à un répertoire formel sans cesse renouvelé. En un sens, nous allons voir que l'histoire de l'Archaïsme est celle d'une « récupération » progressive par l'art attique de formules stylistiques et techniques qui avaient été mises au point ailleurs : ce qui fait à la fois sa singularité et sa grandeur, et explique le rôle unificateur qu'il jouera à partir de l'époque classique.

PEINTURE DE VASES

Toutefois ce goût de l'analyse — exactement opposé aux visions globales, synthétiques, que proposaient les styles ioniens — détermine aussi dans l'art attique une tendance permanente au refus des formules, à la fantaisie un peu anarchique, qui faisait déjà toute la saveur de la peinture protoattique. C'est cette veine critique et humoristique qui va contrebalancer dans la première moitié du siècle l'influence de la rigueur et du formalisme corinthiens. Nous avons vu déjà comment, à la fin du VIIe s., le Peintre de Nessos empruntait aux Corinthiens leur technique et certaines de leurs formules, tout en conservant à l'égard de son récit une sorte d'irrévérence amusée. Mais cette indépendance semble diminuer avec le Peintre de la Gorgone, que l'on considère généralement comme le premier peintre de la céramique attique « à figures noires ». Sur un magnifique *Dinos* (sorte de cratère sans pied que l'on posait sur un support spécial) du Louvre, datable des environs de 600, se trouve représentée (comme sur l'*Amphore d'Éleusis*, mais dans un style tout autre) la scène du meurtre de Méduse par Persée. Le héros, poursuivi par deux Gorgones élégamment stylisées et détaillées par un minutieux réseau d'incisions, s'enfuit à toutes jambes sous le regard protecteur d'Hermès et d'Athéna, dont les figures gardent pourtant une allure libre et familière, très attique. Au-dessous de la zone figurée se succèdent des frises décoratives, directement imitées du style animalier corinthien, mais caractéristiques du travail de réinterprétation effectué par le peintre attique : bien que juxtaposés sans lien narratif ni dramatique, les lions, les panthères, les sangliers du Peintre de la Gorgone ont acquis une sorte de présence individuelle que n'avaient pas les silhouettes merveilleusement équilibrées des fauves corinthiens. Des fragments d'un autre dinos, portant la signature — l'une des premières connues — du peintre Sophilos (Athènes, M. N.), nous conservent une scène de *l'Iliade* (les « jeux » célébrés pour les funérailles de Patrocle), traitée toujours dans un cadre strictement « corinthianisant », mais avec une liberté remarquable : juchés sur les gradins de l'hippodrome, les spectateurs, de la voix et du geste, encouragent les attelages.

Cette synthèse du formalisme corinthien et de l'imagination attique culmine vers 570 avec un chef-d'œuvre exceptionnel, le grand cratère à volutes du musée archéologique de Florence connu sous le nom de *Vase François*. Trouvé dans une tombe étrusque, ce vase, signé à la fois par le potier Ergotimos et le peintre Clitias, ne représente certes pas la production courante des ateliers attiques. Mais sa forme somptueuse, directement imitée des grands vases de bronze comme le *Cratère de Vix*, et surtout sa décoration sont une éclatante démonstration de leur maîtrise et de leur présence déjà conquérante sur un marché jusque-là dominé par la céramique corinthienne. Six frises superposées, comprenant près de deux cents personnages, constituent un recueil sans équivalent d'images épiques et mythologiques. Les thèmes traités, dont certains — Chasse de Calydon, Guerre de Troie, Noces de Thétis et de Pélée — recoupent le répertoire corinthien, appartiennent aussi à la légende proprement attique de Thésée. La technique — figures noires abondamment incisées à rehauts blancs et rouges, aujourd'hui disparus, avec des inscriptions nombreuses identifiant les personnages — et la typologie des visages, au profil aigu et contrasté mais bien proportionné, sont purement corinthiennes, tout comme la minutieuse rigueur du dessin. Mais l'assaut contre le sanglier, où les chasseurs se succèdent par groupes de deux dans une décomposition quasi cinématographique du mouvement,

offre un bon exemple de la manière dont l'esprit attique d'analyse sait animer d'une vie intense une structure rigide. Et le débarquement de Thésée ramenant les jeunes Athéniens sauvés du Minotaure donne au peintre l'occasion d'une scène pittoresque, où la gesticulation des personnages s'affranchit de tout stéréotype.

Ainsi se dessinent déjà sur le *Vase François* les deux veines complémentaires qui se partageront l'évolution de la céramique attique vers le milieu du siècle, et que peuvent résumer ici les grands noms d'Exékias et d'Amasis. Le premier surtout, par la gravité épique des sujets, la rigueur du dessin et de la composition, apparaît comme l'héritier direct d'un courant issu de l'œuvre de Clitias. Mais il décore des vases de dimensions moyennes, coupes et surtout amphores « à tableau », où des scènes à deux ou trois personnages se chargent d'une intensité dramatique et psychologique sans précédent. Achille et Ajax, oubliant un instant les combats, absorbés dans leur jeu mais toujours armés, suffisent à évoquer l'atmosphère héroïque de *l'Iliade*. Et les personnages ne sont liés que par l'arche puissante de leurs dos courbés, l'entrecroisement des javelots qui matérialise la concentration des regards. De même Achille et Penthésilée unis, dans le moment même où le héros tue la reine des Amazones, par un regard passionné, mais parallèle au coup de lance qui en constitue comme la tragique négation. À l'opposé de cette inspiration austère et sublime, qui évoque par avance l'univers de la tragédie, Amasis apparaît comme le peintre de la vie familière, saisissant sur le vif une noce villageoise, imaginant le dialogue enjoué d'un Dionysos paternel et de deux ménades tendrement embrassées, ou les joyeux ébats d'une troupe de silènes vendangeurs : ici la composition ne vise pas à la concentration dramatique, mais à une harmonie à la fois légère et savoureuse, où l'on retrouve la spontanéité, le refus des structures qui faisaient le charme des peintures protoattiques.

PLASTIQUE

Cette veine populaire, volontiers humoristique, est évidemment moins à son aise dans la sculpture. Elle s'exprime pourtant encore, au début du siècle, dans une série très originale de fragments de frontons en calcaire, seuls vestiges des premiers temples élevés sur l'Acropole. Le plus beau représentait, de part et d'autre d'un groupe central composé de deux lions dévorant un taureau, la lutte d'Héraclès et de Triton sous les yeux d'un curieux spectateur, Nérée, génie marin au triple corps dont les enroulements serpentins occupaient l'angle du fronton : les trois têtes, qui avec leur barbe en pointe et leur moustache recourbée rappellent les visages protoattiques, spécialement l'*Héraclès* du Peintre de Nessos, illustrent avec un sens psychologique étonnant les différents degrés de l'attention, la dernière se présentant presque de face, comme pour un souriant clin d'œil au public. Inspiration familière dont témoigne aussi, vers la même époque (570-560), la statue du *Moschophore* (« porteur de veau ») [Athènes, musée de l'Acropole], présentant avec simplicité et franchise son offrande à la déesse, mais que vient rapidement concurrencer là encore l'influence de l'art corinthien. La grande *Koré à la grenade* du Pergamon Museum de Berlin-Est, avec ses fortes articulations, son drapé lourdement accentué, sa longue figure au sourire crispé par la volonté de structurer le visage, n'est certes pas une œuvre de premier plan. Mais elle est caractéristique, par son profil pointu qui trouve d'ailleurs des parallèles exacts sur les vases à figures noires de cette période, des premiers essais faits par les sculpteurs attiques pour adapter les modèles corinthiens. Il est clair en tout cas qu'il y a là une rupture avec le style des œuvres « naxisantes » du début du siècle, comme les *Kouroi* de Sounion ou la *Tête du Dipylon*. Un style nouveau, que distinguent en particulier des visages émaciés et tendus, au profil aigu et contrasté, va désormais s'imposer dans la plastique attique, où il se maintiendra, en dépit d'autres influences, jusqu'à la fin du siècle. Le plus bel exemple en est une petite tête de l'Acropole, merveille d'équilibre entre la clarté de la construction et la sensibilité du modelé, qui annonce directement le célèbre *Cavalier Rampin* et que l'on a

d'ailleurs proposé d'attribuer au même sculpteur. C'est à ce Maître Rampin qu'on a voulu faire crédit d'un autre chef-d'œuvre, la *Koré au péplos* (Athènes, musée de l'Acropole). Mais cette radieuse figure de jeune fille, la plus belle peut-être de toute la série, a aussi des affinités précises avec la *Niké* d'Archermos et l'une des caryatides de Delphes : on peut donc se demander si sa structure résolument quadrangulaire, sa face large au sourire intense et rayonnant ne reflètent pas l'influence sur l'Acropole, vers 530, de maîtres venus de Chios.

De toute façon, l'imitation des œuvres ioniennes, encouragée par les modes qui régnaient à la cour de Pisistrate, est désormais à l'ordre du jour. Plusieurs *Korés* de l'Acropole, dès le troisième quart du siècle, illustrent les premiers essais — plus ou moins heureux — que les sculpteurs attiques pour adapter les types créés en Asie Mineure. Mais ces recherches aboutissent dans le dernier quart du siècle : à côté de charmantes *Korés* dont les auteurs sont sans doute des Ioniens immigrés, quelques chefs-d'œuvre, comme la *Tête n° 643*, dite parfois *Tête miraculeuse* (Athènes, musée de l'Acropole), réalisent pleinement la synthèse de la clarté attique et de la douceur enveloppante du modelé ionien. D'autres maintiennent en revanche la tradition austère de la plastique attico-corinthienne de la première moitié du siècle : c'est le courant « vieil attique », superbement illustré par la grande *Koré* signée d'Anténor (id.), l'un des maîtres de l'époque, à qui la famille noble des Alcméonides, bannie d'Athènes par Pisistrate, confie vers 520 l'exécution du fronton principal du nouveau *Temple d'Apollon* à Delphes, un périptère dorique qui adopte les proportions désormais canoniques de 6 colonnes sur 15. Le quadrige du dieu y est encadré de statues de jeunes gens et de jeunes filles symbolisant la jeunesse aristocratique d'Athènes.

CÉRAMIQUE

Cependant cette réaction traditionaliste n'est guère sensible dans le domaine de la céramique, où l'irruption des modes et des schémas ioniens s'accompagne d'une innovation technique majeure : inversant le procédé qui permettait d'isoler des silhouettes noires sur le fond rouge de l'argile, les peintres réservent désormais en rouge la forme des personnages, qui se détachent ainsi sur un fond noir et à l'intérieur desquels les détails peuvent être rendus au pinceau. Le Peintre d'Andokidès, venu sans doute de Phocée après 540, travaille d'abord dans l'atelier d'Exékias, puis met rapidement au point cette technique révolutionnaire. Son style, caractérisé par un mélange de préciosité et d'humour qui reste purement ionien (dans la tradition, en particulier, des *Hydries de Caere*), mais retrouve à certains égards l'esprit de liberté familière de l'œuvre d'Amasis, inaugure une ère nouvelle dans l'histoire de la peinture attique. Ce précurseur est suivi, à partir de 520, par toute une génération d'artistes, dont certains, comme Phintias, qui introduit en Attique des types de visages bien attestés sur les sarcophages de Clazomènes, sont sans doute aussi des immigrés. Mais les dernières années du VIe s. et le début du Ve s. voient l'assimilation rapide de ces nouveaux schémas stylistiques par les peintres athéniens : Euphronios et le Peintre de Kléophradès, qui représentent, avec le luxe de détails anatomiques qu'autorise la technique des figures rouges, des épisodes mythologiques ou des scènes de palestre, puis Brygos et le Peintre de Berlin sont les plus grandes personnalités de cette période exceptionnellement brillante, durant laquelle la céramique attique conquiert définitivement tous les marchés du monde grec. On y voit se définir une synthèse « attico-ionienne », que la plastique reflète au moins partiellement et qui constituera, dans la première moitié du Ve s., la contribution attique à ce que nous appelons le « style sévère ».

Bibliographie sommaire

BOARDMAN (J.), *Athenian Black Figure Vases,* Thames and Hudson, Londres, 1974 ; *Athenian Red Figure Vases : the Archaic Period,* id., 1975 ; *Greek Sculpture : the Archaic Period,* id., 1978. CHARBONNEAUX (J.), MARTIN (R.), VILLARD (F.), *Grèce archaïque,* L'Univers des Formes, Gallimard, 1968. HOMANN-WEDEKING (E.), *la Grèce archaïque,* Albin Michel, Paris, 1968. RICHTER (G.), *Korai,* Phaidon, Londres, 1968 ; *Kouroi,* id., 3e éd., 1970.

LE PREMIER
CLASSICISME
(Ve s.)

ON A DIT DU Ve S. QU'IL ÉTAIT LE « SIÈCLE DE PÉRICLÈS », et nous verrons que du point de vue de l'histoire de l'art surtout cet hommage rendu au grand homme d'État athénien n'est sans doute pas excessif. Mais il reflète, plus généralement, le nouvel équilibre qui s'établit dès la première moitié du siècle en faveur d'Athènes, et qui est la conséquence directe de son rôle pendant les guerres médiques. Après avoir, plus qu'aucune autre, accueilli les Ioniens émigrés dans le dernier quart du VIe s., Athènes est en effet la seule cité de Grèce à leur venir en aide quand ils se révoltent contre l'autorité du Grand Roi. C'est elle ensuite qui, presque seule, arrête en 490 l'envahisseur à Marathon, puis en 480 organise la victoire décisive de la flotte grecque à Salamine. Dans le temps même où le dynamisme de ses artisans et de ses marchands lui permettait de s'assurer partout la suprématie économique, elle s'était acquis, par son attitude courageuse en face du Perse, un prestige moral considérable : en un sens, l'histoire de la Grèce au Ve s. pourrait se résumer à l'exploitation de ce prestige, au nom duquel les Athéniens, par le biais d'une confédération qui se transforme vite en empire, imposent leur domination à l'ensemble de l'Égée. D'abord bien acceptée, celle-ci permet à Athènes, pendant les trente années qui coïncident sensiblement avec le pouvoir de Périclès (461-429), de devenir — phénomène sans précédent — une sorte de « capitale » intellectuelle et artistique du monde grec, le lieu par excellence où s'épanouissent les talents, où se concentrent les énergies créatrices. Que cette suprématie ait été, après 425, durement contestée sur le plan politique et finalement mise à bas, au cours de la guerre du Péloponnèse (431-404), par une coalition des anciennes rivales d'Athènes n'enlève rien — et c'est là le fait impressionnant — à son caractère irréversible dans le domaine des arts et de la pensée. Quelle que soit encore par la suite la vivacité des traditions régionales, en particulier péloponnésiennes, Athènes est devenue pour des siècles, selon la belle formule que Thucydide prête, justement, à Périclès, l'« école de la Grèce ».

Mais ce processus d'unification de l'art grec dans un classicisme dont le symbole le plus éclatant sera l'Acropole de Périclès est une évolution progressive, préparée dans la première moitié du siècle par ce que l'on a pris l'habitude d'appeler le « style sévère » : période préclassique, a-t-on dit, mais qui à bien des égards pourrait aussi être comprise comme une sorte d'épilogue de l'Archaïsme. Nous allons voir en effet que les antagonismes stylistiques qui avaient fait la richesse et la vitalité de l'art grec aux VIIe et VIe s. y trouvent des prolongements encore assez nets.

Le « style sévère »

Il est significatif que cette expression, qui désigne en principe la période immédiatement postérieure aux guerres médiques (480-450 env.), revête aussi un autre sens lorsqu'il s'agit de l'art attique. On parle en effet de « style sévère » à propos des peintres de vases de la période 500-480, ou même parfois de l'ensemble de la peinture à figures rouges. C'est que les schémas stylistiques qui vont s'imposer dans la plastique de la première moitié du Ve s. sont en fait déjà bien implantés dans la peinture avant la fin du VIe s. Il est probable que des immigrés, venus principalement d'Ionie du Nord, ont joué là au départ un rôle déterminant, même si nous ne pouvons affirmer que les plus grands peintres du premier quart du Ve s. étaient des étrangers. Leur style est désormais, de toute façon, le style attique, et les profils au nez droit, au menton arrondi, à l'expression plus désabusée que réellement sévère des personnages du Peintre de Brygos ou du Peintre de Berlin annoncent directement ceux des statues de Phidias. Il y a donc là une continuité remarquable, et il n'est aucunement nécessaire d'invoquer, comme on l'a fait souvent, l'influence de l'art péloponnésien pour expliquer l'apparition dans la plastique, vers 480, de figures comme la *Koré* d'Euthydikos, surnommée la *Boudeuse*, ou le célèbre *Éphèbe blond* (Athènes, musée de l'Acropole) : ce dernier ressemble en réalité comme un frère aux héros du Peintre de Berlin. Il n'en reste pas moins que la sculpture semble accuser ici un certain retard : les artistes qui décorèrent, après 490, les métopes du *Trésor* offert au dieu de Delphes par les Athéniens sur la dîme de leur victoire de Marathon travaillaient dans un style analytique et tendu, soucieux de détails anatomiques, qui rappelle celui des peintres de la fin du VIe s., Euphronios en particulier. Le monument, une simple cella précédée d'un vestibule à deux colonnes *in antis*, qui a pu être restauré en place, est une des plus parfaites réalisations de l'ordre dorique. Il s'orne, pour la première fois, d'un ensemble complet de métopes sculptées, qui racontaient, en autant de tableaux isolés, la lutte des Grecs contre les Amazones (préfiguration symbolique des guerres contre le Barbare asiatique) et associaient aux exploits d'Héraclès ceux de Thésée, le héros national athénien. Malgré leur superbe qualité de facture, il faut dire que l'on ne trouve pas dans ces reliefs savamment composés la liberté d'attitudes et le sens dramatique qui font des scènes familières ou épiques du Peintre de Brygos de véritables visions théâtrales.

STATUAIRE

On n'y trouve pas non plus la souplesse naturaliste dont semble témoigner au contraire la statuaire de l'époque : l'*Éphèbe* en marbre de l'Acropole, attribué à Critios, l'un des auteurs du groupe en bronze (perdu, mais que des copies romaines permettent de restituer) dédié en 477 par les Athéniens à la mémoire des Tyrannochtones, les deux meurtriers du tyran Hipparque, fils de Pisistrate, marque une étape importante dans l'évolution de la statuaire masculine. C'est encore, si l'on veut, un kouros, mais dans une posture tout à fait nouvelle (le poids du corps appuyé sur la jambe gauche, la droite avancée et légèrement fléchie), qui rompt pour la première fois le strict parallélisme des épaules et du bassin, communiquant au buste, où le jeu des muscles est rendu avec précision mais délicatesse, un léger mouvement de torsion vers la gauche. Ce schéma, conquête décisive du naturalisme, dont on a pu dire qu'elle marquait la véritable fin de l'Archaïsme, nous introduit d'emblée dans un monde où la statue cesse d'être seulement un signe pour tenter d'être aussi la représentation, à un certain moment, en un certain lieu, d'un être réel. On ne s'étonnera pas que cette période soit celle qui voit aussi, peut-être, apparaître les premiers portraits. Déjà le groupe des *Tyrannochtones*, qui associait à un homme mûr, barbu, un jeune homme imberbe, ouvrait la voie à une caractérisation individuelle. Une autre tête barbue, à la physionomie énergique et rusée, que nous ont transmise des copies romaines avec le nom de Thémistocle, semble bien être un portrait du vainqueur de Salamine. Et des groupes comme celui qu'un tyran sicilien, Polyzalos, dédia à Delphes vers 470 pour commémorer sa victoire aux jeux Pythiques devaient poser le même problème : le seul vestige, ou presque, en est le célèbre *Aurige* du musée de Delphes, dont on a pu précisément rapprocher le visage de celui de l'*Éphèbe de Critios ;* mais à ses côtés, sur le char qu'il conduisait au pas pour un dernier tour d'honneur, se tenait sans doute Polyzalos lui-même. Peut-on croire que le sculpteur s'était complètement abstenu d'intégrer à cette orgueilleuse effigie le moindre trait individuel ?

Notre connaissance de la grande statuaire de « style sévère » s'est récemment enrichie grâce à la découverte fortuite, en 1976, à Riace, au large des côtes de Calabre, de deux superbes bronzes, parfaitement conservés, dont le schéma est identique (un guerrier au repos, nu, le bouclier au bras gauche, s'appuyant sur sa lance qu'il tient de la main droite), mais dont le style et la date donnent lieu actuellement à de vives controverses. Quelle qu'en soit l'issue, on peut admettre que les deux statues, arrachées sans doute à quelque groupe de Delphes ou d'Olympie

pour être transportées en Italie à l'époque impériale, représentaient non des divinités, mais des héros du mythe ou de l'épopée. Car un autre chef-d'œuvre conservé par la mer, le dieu barbu en bronze du musée national d'Athènes, trouvé près du cap Artémision et qui, plutôt qu'un Poséidon brandissant son trident, paraît être un Zeus lançant la foudre, nous montre bien par comparaison quelle différence les sculpteurs de l'époque se souciaient d'introduire entre le masque intemporel et souverain du maître des dieux et les visages personnalisés, traversés d'émotions, de héros sans doute impliqués dans une situation plus ou moins dramatique. L'une des *Statues de Riace* (Musée de Reggio de Calabre) est de ce point de vue particulièrement saisissante : le regard avide, les lèvres entrouvertes dans un frémissement d'attente et presque d'angoisse autoriseraient à parler ici d'« expressionnisme ». Mais cette prise en compte nouvelle des caractères individuels et des émotions par la sculpture, qui à bien des égards annonce, par-delà le Classicisme, l'esprit de l'art hellénistique, est apparemment le résultat d'une évolution complexe, où le rôle des différentes « écoles » qui s'étaient affirmées au VIe s. et des maîtres dont les noms nous ont été transmis par la tradition littéraire antique reste difficile à apprécier.

Ainsi les tentatives qui ont été faites pour reconstituer l'œuvre des grands sculpteurs de l'époque ne sont-elles à mentionner que pour mémoire. À l'Athénien Calamis on a voulu attribuer, en même temps que le *Zeus* de l'Artémision, l'original perdu de l'*Apollon à l'omphalos*, dont plusieurs copies romaines attestent la célébrité. Mais cette statue aux proportions élancées, à la musculature puissamment construite, peut être également rapprochée, pour le type de la tête, de plusieurs figures féminines vêtues de l'austère *péplos* dorien, dont l'origine est vraisemblablement péloponnésienne : ces visages ovales au nez droit et fin, au front découpé en triangle par la chevelure, aux yeux tristes, à la bouche presque amère, ces drapés d'une sobriété quasi architecturale, dont les types se retrouvent dans la petite plastique de bronze et de terre cuite du nord-est du Péloponnèse, sont probablement ce qui, dans la sculpture de l'époque, justifie le mieux l'appellation de « style sévère ». Et l'on a d'ailleurs longtemps supposé que les ateliers de bronziers d'Argos et de Sicyone, où des artistes comme Hagéladas ou Canachos, dont nous ne connaissons guère que le nom, furent les précurseurs illustres de Polyclète, avaient joué dans l'apparition du nouveau style le rôle principal : vue un peu simpliste des choses, qui faisait au « sourire ionien » succéder brusquement l'« austérité dorienne ». En réalité les composantes de ce que l'on peut continuer d'appeler, par commodité, le « style sévère » paraissent avoir été assez diverses. À côté de ces traditions attique (dont nous avons vu les lointaines origines ioniennes) et « argivo-sicyonienne », il faut en effet certainement tenir compte d'un autre centre créateur, dont l'importance, encore relativement limitée au VIe s., semble grandir rapidement dans le premier quart du Ve s. : Paros. Évidemment experts dans le travail du marbre, mais aussi à l'occasion bronziers de talent, comme le prouve la très belle statuette-support d'un brûle-parfum trouvé à Delphes, les artistes pariens ont sans doute non seulement travaillé dans leur île natale, où quelques pièces d'une rare qualité — notamment un *Torse de Niké*, conservé au musée de Paros — témoignent de leur maîtrise, mais se sont aussi, semble-t-il, volontiers expatriés. Leur style, caractérisé par des drapés moelleux et souples, un modelé tout en rondeurs, des visages pleins aux pommettes larges, au front bas, aux yeux un peu tombants, au menton lourd, se retrouve en tout cas dans la plastique de Grèce centrale, où il paraît avoir fortement influencé la statuaire corinthienne de terre cuite, et même en Argolide, où il coexiste avec le style tendu, à la fois lisse et anguleux, de l'école « argivo-sicyonienne ».

SCULPTURE ARCHITECTURALE

On doit se demander, en particulier, si les Pariens n'ont pas tenu une place essentielle dans les grands chantiers de sculpture architecturale auxquels sont dues quelques-unes des créations les plus impressionnantes de la période.

Le premier est celui du *Temple d'Aphaia* (Aphaia était une ancienne divinité locale), élevé entre 500 et 480 dans l'île d'Égine. L'édifice lui-même offre déjà, avec 6 colonnes en façade, 12 sur les longs côtés, des proportions qui resteront celles des temples doriques du Classicisme. Pourvue d'un pronaos et d'un opisthodome presque symétriques, à deux colonnes *in antis*, la cella comportait sur les côtés deux petites colonnades à étage, dispositif qui, tout en facilitant la couverture, rétablissait à l'intérieur du naos des proportions harmonieuses, et que l'on retrouvera d'ailleurs par la suite dans la plupart des grands temples doriques, notamment à Olympie, à Paestum, au *Temple dit « de Poséidon »* (en réalité consacré à Héra), et au Parthénon. Comme au *Temple de Delphes*, les métopes de la frise étaient nues, et la décoration sculptée se concentrait dans les frontons, qui cette fois rompaient complètement avec la vieille tradition héraldique du *Fronton de Corfou* pour grouper dans de vastes compositions unitaires les personnages d'un drame épique, en l'occurrence le siège de Troie. À l'est comme à l'ouest, la figure centrale d'Athéna dominait une mêlée violente mais savamment équilibrée, où les groupes de combattants affrontés, les figures des archers agenouillés, les corps étendus des mourants réalisaient pour la première fois l'adaptation systématique du récit à la logique de l'espace tympanal triangulaire. Aujourd'hui débarrassés des restaurations abusives du sculpteur néoclassique Thorvaldsen, ces ensembles fort bien conservés ont retrouvé, dans la nouvelle présentation de la Glyptothèque de Munich, toute leur fraîcheur originelle, mais continuent de poser bien des problèmes de chronologie et de style. On admet généralement que le fronton ouest est antérieur à l'autre, qui correspondrait à une réfection, d'une bonne dizaine d'années : la composition est en effet plus raide, et le style des figures, de l'Athéna en particulier, semble se référer à des schémas d'attitudes et de drapé en honneur à la fin du VIe s. Mais l'exemple du *Trésor des Athéniens* à

Delphes doit nous inciter à la prudence : on ne saurait exclure totalement l'hypothèse de sculpteurs travaillant, vers 490, dans un style résolument traditionaliste. La question de leur origine est d'ailleurs encore plus difficile : ces figures un peu trop soigneusement construites — et c'est vrai même de celles du fronton est —, mais ciselées dans le marbre avec une admirable délicatesse, n'ont guère, quoi qu'on en ait dit, d'affinités avec les œuvres attiques. Leur modelé strict et élégant évoque le travail du bronze, et nous savons par ailleurs que les bronziers éginètes jouissaient d'une réputation considérable. Mais les plus célèbres d'entre eux, Kalon et Onatas, ne sont guère pour nous que des noms, et l'analyse des frontons orienterait plutôt, de toute façon, vers la plastique péloponnésienne. La typologie des visages, cependant, semble refléter un curieux éclectisme. Et il est possible en fin de compte que le style assez exceptionnel de ces ensembles, qui restent plus impressionnants par la qualité de la facture et la rigueur de la composition que par l'invention et l'intensité dramatique, résulte d'une collaboration entre des sculpteurs d'origines diverses : Argiens et Sicyoniens sans doute, mais peut-être aussi Pariens.

Une présence parienne en Occident paraît seule capable en tout cas d'expliquer le style des métopes sculptées, entre 470 et 460, pour la décoration du *Temple E* de Sélinonte, puissant édifice dorique peut-être consacré à Dionysos. Loin des compositions rigoureuses et un peu froides d'Égine, la violence s'exprime sans retenue dans ces tableaux isolés qui nous montrent, par exemple, le berger Actéon déchiré par les chiens d'Artémis sous le regard impitoyable de la déesse, ou Zeus écartant d'un geste impérieux le voile d'Héra, qu'il saisit au poignet pour l'attirer sur sa couche du mont Ida. Sculptés dans le calcaire du corps de la métope, les torses, dont le modelé est souple, mais les proportions curieusement maladroites, ne sont pas de la même qualité que les têtes, travaillées à part, en marbre, et rapportées : le menton lourd, la bouche pulpeuse, les grands yeux un peu tombants, aux paupières épaisses, évoquent si directe-

ment des œuvres pariennes comme la *Stèle Giustiniani* (Pergamon Museum de Berlin-Est) ou le *Disque de Mélos* (Athènes, M. N.) que l'on peut se demander si le maître d'œuvre au moins n'était pas un de ces Pariens expatriés, sur l'activité desquels la sculpture de l'époque, en Grande-Grèce et ailleurs, offre de toute façon d'autres témoignages.

C'est sans doute leur style, notamment, que l'on retrouve, associé à celui de l'école péloponnésienne, dans ce qui constitue le sommet de la sculpture du « style séyère » : la décoration du temple que les Éléens, s'étant assuré le contrôle du sanctuaire, élèvent à Olympie en l'honneur de Zeus, à quelque distance du vieux *Temple d'Héra*. Confié à un architecte local, Libon d'Élis, l'édifice, commencé en 468 et achevé sans doute en 456, rivalise par ses dimensions colossales avec les temples de la Grèce d'Occident, et fixe de façon durable les canons de l'ordre dorique. Les proportions de la colonnade (6 colonnes sur 13, c'est-à-dire le double plus un), dont les restes énormes gisent aujourd'hui au milieu des pins et des cyprès qui rythment seuls le calme paysage d'Olympie, mais dont le *Temple dit de Poséidon* à Paestum, à peu près contemporain, peut nous aider, grâce à sa parfaite conservation, à restituer l'image, s'établissaient sur des rapports élémentaires assurant l'harmonie de l'ensemble : ainsi la hauteur de la colonne était égale au double de la distance entre les axes, tandis que l'abaque du chapiteau, comme l'ensemble triglyphe-métope, mesurait la moitié d'un entraxe. Bâti en calcaire coquillier, le temple était entièrement recouvert de stuc, à l'exception des tuiles du toit, taillées dans le marbre comme les statues des frontons et les métopes à reliefs.

Quelles que soient les intentions précises qui avaient déterminé le choix des sujets, l'ensemble de ce décor sculpté paraît refléter des préoccupations morales, bien caractéristiques d'une époque où Eschyle, dans ses tragédies angoissées, comme Pindare, dans ses odes triomphales, s'efforcent de déterminer la part de l'homme, des dieux et du destin dans l'ordre du monde. Mais c'est ici, comme chez Pindare, l'aspect optimiste de cette réflexion qui prédomine : on peut considérer en effet que les sculptures d'Olympie développent une seule et même grande idée, celle de la protection divine qui s'exerce en faveur de l'homme juste et courageux. Les douze « travaux » d'Héraclès, héros dorien par excellence, présentés en bonne place sur autant de métopes, non pas à l'extérieur, mais sous le péristyle, en façade du pronaos et de l'opisthodome, en étaient l'illustration la plus claire : c'est en effet la discrète présence à ses côtés d'Athéna, l'aidant ici à supporter le fardeau du ciel pendant qu'Atlas lui remettait les pommes d'or du jardin des Hespérides, là recevant de ses mains les oiseaux du lac Stymphale, ou encore veillant sur sa méditation solitaire alors que, courbé de fatigue au-dessus du cadavre du lion de Némée, dans une attitude qui préfigure de manière saisissante les Héraclès de l'époque hellénistique, il s'interroge sur sa pénible destinée, qui donnait au héros bienfaiteur la force morale nécessaire pour accomplir ses exploits. Mais son mérite n'en était pas pour autant diminué : d'autres tableaux, comme celui du *Taureau de Crète*, sur la métope conservée au Louvre, ou celui des *Écuries d'Augias*, exaltaient, par une puissante composition en croix, tendue à l'extrême, les prouesses physiques qui faisaient aussi d'Héraclès un modèle pour les athlètes appelés, tous les quatre ans, à concourir dans le stade en l'honneur de Zeus.

Le sujet du *Fronton principal*, du côté est, était d'ailleurs lui aussi la transposition mythique de l'une des épreuves sportives les plus prestigieuses des jeux Olympiques, puisqu'il s'agissait d'une course de chars : celle qui avait permis à Pélops, vainqueur du roi Œnomaos, d'obtenir, avec la main d'Hippodamie, sa fille, la possession d'un royaume auquel il allait donner son nom, le Péloponnèse. Légende de fondation sans doute imposée par des préoccupations de politique religieuse locale, mais histoire peu édifiante, à vrai dire, et encore moins « sportive », dans la version primitive du mythe : Œnomaos était un père abusif qui, grâce aux chevaux divins que lui avait donnés son père Arès, défiait à bon compte les prétendants et prétextait de leur défaite pour les mettre à mort les uns après les autres, et Pélops n'en venait à bout que par la ruse, en soudoyant l'écuyer de son adversaire, qui sabotait l'essieu du char et provoquait un accident mortel. Mais il n'est pas certain qu'il y ait eu dans le fronton d'Olympie la moindre allusion précise à cet aspect peu glorieux de la victoire de Pélops : la composition, presque parfaitement symétrique, oppose, de part et d'autre de la colossale figure de Zeus, arbitre du concours, les deux groupes antithétiques d'Œnomaos avec Stéropé, son épouse, et de Pélops avec Hippodamie, puis les deux quadriges prêts pour le départ. À gauche, derrière le char d'Œnomaos, un personnage agenouillé pourrait être Myrtilos, l'écuyer félon, tandis qu'une étonnante figure de vieillard, au visage bouleversé, a été généralement comprise comme un devin épouvanté par le pressentiment d'une issue fatale de la course : n'aurait-il pas plutôt surpris le terrible geste de Myrtilos ? Quoi qu'il en soit, l'impression qui se dégage de cette composition est avant tout d'équilibre, et l'arbitrage divin y revêt une majesté exceptionnelle. On a fait justement remarquer que Pindare, célébrant une victoire remportée aux jeux Olympiques de 476, donne du vieux mythe péloponnésien une version édulcorée, où il n'est pas question de l'écuyer et où Pélops gagne la course grâce à la simple supériorité de son attelage : il ne serait pas surprenant que ce soit cette version nouvelle, beaucoup mieux accordée à la morale du temps, qui ait été choisie par les décorateurs du temple.

Il y a en tout cas dans ce fronton est un parti pris de statisme qui, même s'il n'est que le calme annonçant l'orage, contraste singulièrement avec la violence déchaînée du *Fronton occidental :* une mêlée véritablement enragée y oppose les Centaures aux Lapithes, dont ils tentent, à l'occasion des noces de leur roi Pirithoos, ami du héros athénien Thésée, de violenter et d'enlever les femmes. Au centre, Apollon, dominant l'ensemble de sa stature surhumaine, protégeait de son bras étendu le juste combat de Pirithoos et de Thésée, entourés d'une série de groupes antithétiques où jeunes gens et jeunes filles s'efforçaient de s'arracher aux brutales étreintes des monstres. Traitée non plus, comme à Égine et même au fronton est, en ronde bosse, mais comme une frise continue de groupes en haut relief où les corps enchevêtrés et les draperies s'organisent selon de puissantes arabesques, cette composition grandiose est parcourue d'un mouvement irrésistible, et exprime la violence avec une force que seuls retrouveront, deux siècles plus tard, les sculpteurs du grand autel de Pergame, encore que dans un esprit tout autre. Car à la différence des Olympiens de la *Gigantomachie* pergaménienne, âprement impliqués dans la défense de leur propre pouvoir, la haute figure d'*Apollon*, immobile, silencieuse et souveraine au milieu de cette gesticulation forcenée, est ici l'image même de la transcendance divine, mais aussi d'une supériorité morale qui permet aux dieux d'intervenir dans les obscurs combats des hommes, pour y faire triompher la justice.

On s'est naturellement beaucoup interrogé sur le style de ce prodigieux ensemble, dont les créateurs restent fâcheusement anonymes : il serait vain de tenter même d'esquisser ici le résumé de discussions qui n'ont pas cessé depuis un siècle, et qui sont loin d'être closes. On a longtemps cru, et certains continuent d'y croire, à l'existence d'un seul Maître d'Olympie, dont on expliquait la surprenante diversité d'inspiration par un subtil dosage des influences qu'il avait pu subir au cours de sa formation : ainsi a-t-on proposé, par exemple, encore récemment, de situer celle-ci à Sparte, région où pouvait s'être élaborée la synthèse de l'art ionien et de l'art péloponnésien que semblent en effet réaliser les sculptures d'Olympie. Mais de telles solutions sont abstraites, et il vaut mieux, comme on tend à le faire aujourd'hui, se laisser guider par l'analyse des documents, qui révèle incontestablement de nombreuses disparités stylistiques et impose l'idée d'un grand atelier où se côtoyaient des sculpteurs d'origines diverses. Sans aller jusqu'à distinguer, comme on l'a fait, cinq maîtres différents, il est probable que l'on

peut reconnaître dans les compositions si contrastées des deux frontons, comme dans celles des deux séries de métopes, la marque de deux maîtres d'œuvre, qui auraient été assistés, dans l'exécution du détail, par de nombreux praticiens. Sur l'origine de tous ces artistes, on ne peut faire évidemment que des conjectures. En raison d'une ressemblance, à vrai dire illusoire, entre l'*Apollon* du fronton ouest et l'*Éphèbe blond* de l'Acropole, on a proposé de la situer en Attique. Et l'on a même invoqué l'influence de Polygnote de Thasos, le plus brillant représentant de la grande peinture dont l'essor semble coïncider, vers cette époque, avec le déclin de la peinture de vases ; mais les vases attiques qui, comme ceux du Peintre des Niobides ou du Peintre de Penthésilée, passent à tort ou à raison pour refléter sa manière ne sauraient nous en donner qu'une idée très imparfaite, et ne soutiennent guère la confrontation avec les sculptures d'Olympie. En fait, les comparaisons avec la plastique orientent bien plutôt non seulement vers le nord-est du Péloponnèse (Argos et Sicyone), mais aussi, encore une fois, vers Paros. La structure de certains visages, en particulier celui de l'*Apollon*, et le modelé fluide, éminemment plastique, des drapés, qui évoquent parfois directement la superbe *Niké* du musée de Paros, invitent à supposer en effet, dans les équipes de l'atelier d'Olympie, une participation parienne importante.

Œuvre largement collective, donc, où sont encore sensibles les oppositions de styles caractéristiques de l'Archaïsme, le décor sculpté du temple d'Olympie n'en manifeste pas moins une forte unité de conception. Et les deux maîtres qui en assumèrent sans doute conjointement la responsabilité, même s'ils doivent rester anonymes, appartiennent déjà bien à une époque où l'importance des écoles tend à s'effacer au profit d'individualités marquantes, dont le rayonnement transcende largement les anciens clivages régionaux, favorisant cette universalisation stylistique que nous appelons le Classicisme.

La première
génération
classique

À partir du ve s., en effet, l'histoire de l'art grec va être jalonnée de noms illustres, transmis par la tradition littéraire (notamment par Pline l'Ancien), dont certains correspondent heureusement pour nous à une réalité concrète, grâce aux nombreuses copies qui reflètent la célébrité de leurs œuvres à l'époque impériale. Mais lorsqu'on parle de Myron ou de Polyclète et, au siècle suivant, de Praxitèle ou de Lysippe, il ne faut jamais oublier que nous ne possédons pas une seule œuvre qui soit réellement sortie de leurs mains : pour la plupart en bronze, les chefs-d'œuvre de la statuaire classique ont, sauf exception (on peut espérer beaucoup, dans ce domaine, d'un développement systématique de l'archéologie sous-marine), irrémédiablement disparu, au même titre que ceux de la grande peinture. À la différence de ces derniers, dont le prestige n'était pas moindre, mais dont même les copies se sont rarement conservées (sauf lorsqu'il s'agit de mosaïques, ou dans le cas privilégié des peintures murales de Pompéi et d'Herculanum), ils ont toutefois bénéficié de l'extraordinaire engouement des Romains pour l'art grec : à partir de l'époque d'Auguste, il n'est pas d'édifice ou de jardin, public ou privé, qui ne soit abondamment orné de statues en marbre, simples reproductions de modèles grecs. Le plus philhellène des empereurs, Hadrien, fera même de sa somptueuse villa de Tivoli une sorte d'immense musée de la sculpture classique. Telle qu'elle est — avec toutes ses imperfections, car ces copies étaient souvent approximatives, et le nombre des variantes de détail à l'intérieur d'une même série en dit long à cet égard —, cette documentation de seconde main nous donne tout de même une connaissance précise au moins des caractères généraux du style de quelques-uns des plus grands artistes grecs. Mais le fait est qu'il s'agit d'une connaissance indirecte, et en quelque sorte théorique, qui exclut toute approche sensible des œuvres.

Ainsi doit-on se contenter d'imaginer, à partir de répliques en marbre correctes mais froides, les créations des deux plus grands contemporains de Phidias. Tous deux formés sans doute dans l'atelier argien d'Hagéladas, et également spécialisés dans la statuaire masculine en bronze, à laquelle les athlètes vainqueurs aux jeux Olympiques ou dans les autres concours offraient une clientèle permanente, Myron et Polyclète semblent pourtant avoir développé leurs recherches dans des directions très différentes. Le premier, qui fit carrière à Athènes, s'attache à la représentation de la vie instantanée et du mouvement : son célèbre *Discobole*, créé vers le milieu du siècle, était, dans la tradition du *Zeus* de l'Artémision et des personnages du *Fronton ouest* d'Olympie, une figure en action, où la construction du corps visait surtout à mettre en valeur le jeu des muscles impliqués dans un effort déterminé, et dont l'équilibre reposait sur un balancement dynamique. Telle qu'on a pu la reconstituer, la composition du groupe, dédié sur l'Acropole d'Athènes, où il racontait la découverte par Marsyas de la flûte rejetée par Athéna, reflétait d'ailleurs, dans un autre registre, des intentions similaires : le geste de joyeuse surprise du satyre y contrastait avec la réserve dédaigneuse mais légèrement amusée de la déesse et créait, à partir d'une structure divergente et tendue, un lien dramatique et psychologique entre les personnages. Tout autres paraissent avoir été les préoccupations de Polyclète : son œuvre la plus célèbre, le *Doryphore* (c'est-à-dire le « porteur de lance »), était également surnommée le *Canon* (la « règle » ou le « modèle »), parce qu'il s'était efforcé d'y concrétiser un système idéal de proportions pour la représentation du corps humain, qu'il exposait par ailleurs dans un traité théorique. Plus encore que le détail de ce système, dont la postérité a surtout retenu le rapport de 1 à 7 entre la hauteur de la tête et celle du corps, mais qui soumettait strictement, dans un esprit évidemment proche de celui de l'architecture dorique, chaque partie du corps à une sorte de « nombre d'or », c'est le caractère éminemment intellectuel de la démarche qui doit ici retenir l'attention. Car il nous montre bien, quel que soit le naturalisme de l'attitude, qui systématise et accentue le hanchement de l'*Éphèbe* de Critios, faisant porter le poids du corps sur la jambe droite et libérant la jambe gauche qui reste en arrière comme dans une marche interrompue, que le Classicisme ne vise pas plus que l'Archaïsme à une véritable imitation de la réalité, mais seulement à une rationalisation des structures conventionnelles au moyen desquelles il entreprend de la recréer. La construction du *Doryphore* ou celle du *Diadumène* (autre chef-d'œuvre de Polyclète [Athènes, M. N.], sans doute plus tardif, qui représentait un athlète ceignant son front du bandeau réservé aux vainqueurs) ne sont pas moins abstraites que celle des kouroi du VIᵉ s., mais l'abstraction prend ici possession de l'espace environnant, par une « cristallisation intemporelle du mouvement » qui contient en germe tout le développement futur de la statuaire grecque.

Paradoxalement, la personnalité la plus difficile à cerner est sans doute celle de Phidias, sur laquelle le prodigieux ensemble du Parthénon nous apporte un témoignage direct, mais dont l'activité considérable dans le domaine de la statuaire n'a laissé que peu de traces tangibles. Les Anciens l'opposaient à Polyclète comme un créateur de dieux à un créateur de figures humaines : distinction peut-être un peu simpliste, mais qui correspond en gros à ce que nous savons de son œuvre. À côté des deux colosses en or et en ivoire — les fameuses statues chryséléphantines d'*Athéna* pour le Parthénon et de *Zeus* pour le temple d'Olympie — qui furent évidemment ses créations majeures, on sait qu'il avait signé sur l'Acropole plusieurs effigies divines en bronze : un *Apollon,* dont une statue du musée de Kassel nous transmet sans doute assez fidèlement le type, une *Athéna Lemnia,* consacrée vers 448 par des colons partant pour Lemnos, et surtout la gigantesque *Athéna Promachos,* la « Combattante », dont la haute silhouette se dressait sur la citadelle dans l'axe des Propylées. Mais cette inspiration hiératique, proprement olympienne, ne fut certainement pas la seule où se manifesta le génie de Phidias : une anecdote, d'ailleurs suspecte, le montre en concurrence avec Polyclète et trois autres sculpteurs de renom, sur un thème proposé par les Éphésiens, celui de l'« Amazone blessée ». Trois de ces créations au moins paraissent nous avoir été transmises par les copistes romains : celles que l'on attribue à Phidias et à Polyclète permettent, si ces conjectures modernes sont exactes, une confrontation frappante de leurs styles. À la musculature presque virile, à la carrure massive, à l'attitude un peu mélancolique, effectivement « polyclétéennes », de l'*Amazone* du Capitole s'oppose en tout cas la figure svelte et animée de l'*Amazone Mattei* (Tivoli, Villa Adriana) : le traitement du court chiton, qui découvre la jambe blessée et dont le drapé, en épousant les formes du corps, souligne la cohérence du mouvement, nous introduit dans un univers dramatique, frémissant de vie, qui est celui des frontons du Parthénon. Et ce sont, en tout état de cause, même si Phidias n'en a exécuté lui-même qu'une faible part (et encore reste-t-elle à déterminer), les sculptures de l'Acropole qui constituent pour nous la référence la plus sûre.

L'Acropole de Périclès

Le grandiose projet de reconstruction des monuments de l'Acropole conçu par Périclès vers le milieu du siècle, à une époque où l'impérialisme d'Athènes lui donne les ambitions et les moyens financiers d'une politique de prestige, n'est que l'élément central d'un vaste programme d'aménagements monumentaux dont bénéficièrent tous les sanctuaires de l'Attique : de nouveaux temples vont s'élever en l'honneur de Poséidon au cap Sounion, de Némésis à Rhamnonte, à Éleusis un *telestèrion,* salle d'initiation aux mystères de Déméter et Coré, à Athènes enfin, dominant l'agora, un temple d'Héphaïstos, improprement connu sous le nom de *Théséion,* qui est, sinon le plus beau, du moins le mieux conservé des temples grecs. Mais c'est évidemment à l'Acropole, à la colline sacrée d'Athéna, protectrice de la cité et désormais orgueilleuse maîtresse d'un empire (il y a plus qu'un symbole dans le fait qu'en 454 le trésor de la Confédération ait été transféré de Délos sur l'Acropole), que Périclès et celui dont on a pu dire qu'il avait fait son « surintendant des Beaux-Arts », Phidias, vont consacrer l'essentiel de leurs soins. Dès le début du siècle, des efforts avaient été faits par Cimon et Miltiade pour relever la citadelle de ses ruines : on avait rebâti les fortifications et même, sur l'emplacement de l'*Hékatompédon* du VIᵉ s., mis en chantier après Marathon un nouveau temple dorique, à 6 colonnes de façade, dont la construction avait été interrompue par le passage dévastateur des Perses en 479. Mais Périclès fait adopter un plan nouveau, sans doute élaboré en commun par Phidias et l'architecte Ictinos : la façade comportera 8 colonnes, ce qui, selon les proportions déjà fixées par le temple d'Olympie (le double, plus une), porte à 17 le nombre des colonnes latérales, et permet de donner à la cella un développement monumental. Pronaos et opisthodome s'ouvrent sur de véritables portiques à 6 colonnes, et derrière le naos, où la colonnade intérieure à étage délimite autour de la statue un promenoir continu, est réservée une pièce presque carrée, le *Parthénon* proprement dit, où se trouvait déposé le trésor sacré. Construit (les inscriptions où furent enregistrés les comptes du chantier nous l'apprennent) entre 447 et 438, ce temple suscita d'emblée l'admiration universelle. Et il est certain que ses dimensions considérables (près de 31 m sur un peu moins de 70 m), l'originalité de son plan, qui conférait à ce monument dorique une ampleur majestueuse comparable seulement à celle des grands diptères d'Asie Mineure, les raffinements par lesquels ses architectes avaient eu soin de corriger les illusions d'optique (on sait par exemple que le stylobate est convexe et que les colonnes s'inclinent légèrement vers l'intérieur), la qualité du matériau, le marbre pentélique, employé dans tout l'édifice, la richesse de sa décoration enfin faisaient de la nouvelle demeure d'Athéna une réalisation sans égale.

La parure sculptée, dont il ne fait guère de doute que le dessin d'ensemble au moins revient à Phidias, répondait, encore plus nettement qu'à Olympie, à un programme cohérent. Aux deux frontons, la naissance d'Athéna et sa dispute avec Poséidon pour la possession de l'Attique exposaient aux regards comme une généalogie mythique de la cité. Les métopes de la frise dorique se répartissaient entre quatre légendes belliqueuses, préfigurant plus ou moins directement les guerres médiques, et dont le symbolisme commun était le triomphe de l'ordre sur le chaos, de la civilisation sur la barbarie, de la Grèce sur l'Asie : luttes des dieux contre les Géants, des Lapithes contre les Centaures, des Grecs contre les Amazones, prise de Troie par les Achéens. Enfin, grâce à l'insertion, tout à fait exceptionnelle, d'une frise ionique continue dans l'ordonnance dorique, une scène humaine, encore que pénétrée d'une majesté intemporelle, se déroulait sous le péristyle, au couronnement du mur de cella : la procession au cours de laquelle, tous les quatre ans, lors de la fête des Panathénées, le peuple athénien tout entier venait rendre hommage à sa divine protectrice. Projet inouï que celui qui élevait un peuple à la hauteur de ses dieux, et l'invitait à la contemplation de sa propre image, mais conception grandiose, où se mesurent à la fois l'orgueil patriotique d'un Périclès et le génie d'un Phidias. Cette frise, en dépit de l'emplacement relativement discret où elle apparaissait, est peut-être pour nous, parmi les sculptures du Parthénon recueillies au début du XIXᵉ s. par lord Elgin, et pour la plupart conservées au British Museum, l'élément le plus impressionnant. Sur un bandeau long de 160 m, la cérémonie s'y déroulait dans le sens même qu'empruntait la procession sur l'Acropole. Prenant naissance à l'angle sud-ouest, deux files parallèles semblaient contourner l'édifice pour aboutir à la façade est, où les dieux assemblés attendaient les jeunes filles chargées d'offrir à Athéna le nouveau péplos qu'elles avaient tissé pour elle. Magistrats, sacrificateurs menant les bêtes et s'efforçant d'en calmer l'agitation inquiète, porteurs d'offrandes diverses se succédaient dans une marche solennelle, à laquelle le parallélisme des attitudes et des drapés, rompu par de subtiles variations de détail, donnait à la fois rythme et continuité.

Mais l'ornement principal du cortège était la cavalerie, où servaient les jeunes gens de l'aristocratie athénienne : emportés dans un galop intemporel que l'on ne saurait mieux comparer qu'à un ralenti cinématographique, chevaux et cavaliers sont figurés en bas relief, avec une virtuosité raffinée, sur trois ou quatre plans, et l'enchevêtrement des jambes, l'enchaînement du profil des torses font courir tout au long du défilé comme une onde frémissante. Dans cette fringante parade comme dans l'ensemble de la frise, l'expression des visages est recueillie et même grave, donnant à la rencontre du peuple athénien et de ses dieux toute la solennité d'une « héroïsation » collective.

Plus encore que les métopes, dont les mieux conservées, celles du côté sud, offrent quelques puissantes figures de centaures aux visages convulsés par la violence, les frontons devaient refléter directement le génie de Phidias : sans doute les groupes médians, misérablement détruits par l'explosion de 1687, mais que des dessins antérieurs permettent de restituer au moins partiellement, étaient-ils même de sa main. À l'est, Athéna, née tout armée du cerveau de Zeus, se dressait devant son père, miraculeusement grandie et déjà couronnée par une Victoire ailée, tandis qu'autour d'eux les dieux de l'Olympe, attentifs ou encore alanguis de sommeil, entre les chevaux du Soleil qui jaillissaient de la mer et ceux de la Lune qui s'y engloutissaient, étaient les témoins de cette aurore prodigieuse. À cette sérénité olympienne le fronton ouest opposait la violence du conflit né entre deux divinités pour la possession de l'Attique : les figures divergentes d'Athéna faisant d'un coup de lance naître l'olivier et de Poséidon frappant de son trident le rocher d'où jaillira une source étaient encadrées et comme « contrefortées » par leurs attelages cabrés, derrière lesquels se pressaient les héros légendaires de l'Attique.

L'éloquence et la majesté des attitudes, la richesse foisonnante des drapés, dont les linéaments cernent les volumes et assurent la cohésion des groupes de personnages, faisaient de ces vastes compositions un modèle insurpassable, qui exerça une longue influence mais demeura, en fait, inégalé.

Ce que les Anciens pourtant considéraient comme le chef-d'œuvre de Phidias sur l'Acropole, c'était la statue chryséléphantine d'*Athéna Parthénos*, haute de plus de 12 m, qui se dressait dans le naos. Le visage était en ivoire, ainsi que les bras et les pieds, le vêtement fait de plaques d'or fixées sur une armature de bois, et nous savons, par des copies malheureusement médiocres, que la statue se présentait de face, tenant contre son flanc gauche la lance et le bouclier, portant dans la main droite une Niké haute de plus d'un mètre. Son casque était surmonté de figures fantastiques, et le bouclier comme les sandales et la base étaient couverts de reliefs historiés. Surcharge décorative et somptuosité de facture presque baroques, que nos idées modernes sur la « sobriété classique » nous empêchent de bien comprendre, mais qui n'étaient pas en elles-mêmes surprenantes pour les Grecs du ve s. Nous savons que l'austère Polyclète avait lui aussi sculpté pour l'*Héraion d'Argos* une statue chryséléphantine. Et Phidias, vers 430, fut chargé de créer pour le temple d'Olympie un second colosse du même genre, un *Zeus en majesté*, assis sur un trône d'ivoire et d'ébène, dont la décoration était encore plus riche, et qui fut unanimement considéré comme le sommet de sa carrière.

Mais l'œuvre grandiose de Phidias et d'Ictinos n'était que la pièce maîtresse d'un plan d'ensemble, dont un autre élément au moins put être mis en chantier et presque achevé avant la mort de Périclès : les *Propylées*, portes monumentales de l'Acropole, construites de 437 à 432 par l'architecte Mnésiclès. Monument complètement original, de pure architecture (il n'y a pas le moindre décor sculpté), qui inaugure une conception riche d'avenir, puisqu'elle trouvera son lointain épanouissement au IIe s. dans l'acropole de Pergame : l'architecte s'y donne pour projet non la construction *a priori* d'un beau volume isolé au centre d'un espace indifférencié, mais la rationalisation des éléments d'un paysage. De l'escarpement rocheux qui constituait à l'ouest l'accès naturel de la colline, et auquel, par un chemin en lacet, aboutissait la Voie Sacrée, il fait une vaste façade monumentale, dont les ailes s'avancent comme pour encadrer le visiteur et le guider par paliers, à travers deux profonds portiques, vers le plateau d'où il découvrait tout à coup la statue d'*Athéna Promachos* et le *Parthénon*. Ainsi l'architecture est-elle, dans cet ultime chef-d'œuvre du classicisme péricléen, dont la construction fut interrompue par la guerre du Péloponnèse, à la fois structuration du relief et mise en scène quasi théâtrale du mouvement et du regard humains.

La génération de la guerre du Péloponnèse

Le traumatisme que représente pour la Grèce tout entière le terrible conflit qui oppose pendant près de trente ans Sparte et Athènes, et qui se termine en 404 par l'humiliante défaite de celle-ci, ne semble pas affecter gravement son dynamisme créateur. Chaque fois que les circonstances le permettent, les chantiers reprennent sur l'Acropole, et il est frappant que l'art attique, en ces années troublées, ne cesse d'accroître son influence. Mais le temps est passé des réalisations grandioses où la ferveur religieuse se confondait avec un triomphalisme politique. Les œuvres des successeurs de Phidias et d'Ictinos s'adresseront plus à la sensibilité qu'à la raison, sembleront faites pour susciter le plaisir plus que l'admiration. Non que leur propos manque de gravité, mais ce n'est plus la gravité forte et sereine des grandes célébrations collectives : à un art dont la fonction était d'élever l'homme au niveau de ses dieux succède un art qui

tend de plus en plus à humaniser le divin, dans une méditation inquiète où les valeurs individuelles prennent le pas sur celles qui touchent à la vie de la cité.

C'est naturellement dans la sculpture que se reflète le plus clairement cet esprit nouveau : les œuvres de cette période participent déjà du Second Classicisme. Mais un changement se fait sentir même dans l'architecture, et les deux derniers temples construits sur l'Acropole offrent avec ceux de l'âge précédent un contraste saisissant. Le petit temple ionique d'Athéna Niké n'est guère qu'une chapelle, dont la gracieuse silhouette se détache comme un ornement devant la monumentalité austère et majestueuse des *Propylées*. L'*Érechthéion*, construit après 421 au nord du Parthénon, est de dimensions plus considérables, mais son plan, qui concilie des impératifs cultuels opposés (il fallait englober dans une même structure la source de Poséidon et l'olivier d'Athéna), est bizarrement recherché : une cella prostyle y est flanquée de deux portiques latéraux dissymétriques. Celui du sud, une sorte de loggia surélevée, comporte en guise de colonnes six statues de jeunes filles, les célèbres *Caryatides*, dont l'attitude à la fois avenante et grave ressuscite un instant l'esprit de la *Frise des Panathénées*.

Mais quant au reste, le contraste est total entre le *Parthénon* et cet édifice, l'*Érechthéion*, élégamment compliqué, auquel l'harmonie de ses proportions et la délicatesse raffinée du décor architectural ionique donnent un charme incontestable, mais que nul ne songerait à qualifier d'imposant : on sent bien que le Classicisme a désormais changé de visage.

Bibliographie sommaire

ASHMOLE (B.), YALOURIS (N.), *Olympia, the Sculptures of the Temple of Zeus*, Phaidon, Londres, 1967. BROMMER (F.), *Die Parthenon-Skulpturen*, Ph. v. Zabern, Mayence, 1979. CHARBONNEAUX (J.), MARTIN (R.), VILLARD (F.), *Grèce classique*, L'Univers des Formes, Gallimard, 2e éd., 1983. SCHEFOLD (K.), *la Grèce classique*, Albin Michel, Paris, 1967.

LE SECOND

CLASSICISME

(IVᵉ s.)

LA COÏNCIDENCE DE CE QUE NOUS APPE-
LONS LE SECOND CLASSICISME avec la
période chronologique définie par le IVᵉ
s. av. J.-C. ne saurait être évidemment
qu'approximative. Nous venons de voir
que les signes d'un changement profond
dans les mentalités et dans les modes
d'expression apparaissaient dès les débuts
de la guerre du Péloponnèse. Il s'agit
naturellement d'un changement assez
brusque et l'on peut constater en tout cas
que les œuvres créées après 420 sont déjà
plus proches, au moins par l'esprit, de ce
qui se fera cinquante ans plus tard que de
l'héritage parthénonien : pratiquement
toutes les valeurs sur lesquelles va se
construire le second Classicisme s'expriment déjà dans la peinture et la sculpture
de la fin du Vᵉ s. Et entre les successeurs
directs de Phidias et la génération de
Céphisodote et de Timothéos, qui sont en
pleine activité v. 370, il n'y a pas de
discontinuité sensible. Ce n'est toutefois
qu'après cette date — en gros dans le tiers
médian du siècle — que se produit, avec
la génération de Praxitèle et de Scopas,
de Léocharès et de Lysippe, un nouvel
épanouissement, qui mérite proprement
le nom de « second Classicisme ».

*Les successeurs de Phidias
et la transition
vers le second Classicisme*

ALCAMÈNE

Parmi les principaux élèves de Phidias,
c'est sans doute Alcamène, dans la mesure
où nous pouvons cerner sa personnalité,
qui semble incarner le mieux l'apparition
dans la sculpture classique d'une nouvelle
sensibilité, en même temps que d'une
nouvelle conception des rapports de la
statue avec l'espace environnant. Les témoignages sont nombreux sur son œuvre

et sur l'admiration que lui portèrent les
Athéniens, mais on dispose comme à
l'ordinaire de peu de documents sûrs. Sa
création la plus célèbre était l'*Aphrodite
aux jardins* (ainsi nommée d'après l'emplacement de son sanctuaire) : deux
petites statues du Louvre représentant la
déesse, vêtue d'un *chiton*, dont le fin plissé
laisse deviner les formes du corps, non-
chalamment accoudée à un pilier, et
surtout un relief, connu seulement par un
moulage, mais apparemment destiné à la
décoration d'un garde-joue de casque en
bronze, où elle serrait contre elle Éros en
le regardant tendrement, reproduisent
sans doute plus ou moins directement ce
type, dont on voit toute la nouveauté et
qui exercera d'ailleurs une durable influence. Non seulement la divinité y
apparaît sous un aspect familier, avec
toute la sensibilité et la sensualité d'un
être humain, mais encore la statue, en
prenant appui sur un support extérieur,
rompt avec le principe qui prévalait
jusqu'alors d'un aplomb équilibré et autonome et s'intègre pour la première fois à
l'espace concret, annonçant directement
les compositions en « équilibre instable »
de Praxitèle. L'une des préoccupations
majeures d'Alcamène semble avoir été
d'ailleurs la « mise en situation », dramatique et psychologique, de ses personnages :
un groupe, dédié par lui sur l'Acropole et
dont on a peut-être retrouvé l'original,
montrait Procné méditant le meurtre de
son enfant, dans un monologue intérieur
comparable à celui de la Médée d'Euripide, et l'on a proposé de lui attribuer une
série de reliefs, connus par de bonnes
répliques, qui décoraient peut-être l'*Autel
des Douze Dieux* sur l'agora d'Athènes. Ces
scènes à trois personnages, dont les sujets
évoquent eux aussi l'univers de la tragédie, introduisent dans la sculpture un
genre nouveau, que l'on a pu définir
comme une « narration psychologique » :
très peu d'action dans ces tableaux, mais
beaucoup d'émotions muettes et de pas-
sions contenues. Le plus beau est celui qui
montre Hermès contraint de séparer à
jamais Orphée et Eurydice : la pitié du
dieu, ému mais impuissant devant les
décrets du destin, ne s'exprime que par
une légère crispation de la main droite sur

l'étoffe de son vêtement et par la douceur avec laquelle, de l'autre, il attire vers lui le bras d'Eurydice. La composition, qui équilibre strictement les masses (un axe vertical encadré par deux courbes anti-thétiques), crée dans le détail une relation ambiguë entre les trois personnages : Eurydice, la tête encore tendrement penchée vers son époux, appartient pourtant déjà à Hermès, c'est-à-dire à la mort, par le parallélisme exact de la position des jambes, et le bras qu'elle lui abandonne en le laissant retomber est comme la négation pathétique du geste ascendant de sa main gauche posée sur l'épaule d'Orphée. Il y a là une alliance de la sensibilité et de la rigueur qui dénote incontestablement le génie d'un maître : si l'auteur n'est pas Alcamène, il doit s'agir en tout cas de l'un des plus grands sculpteurs de l'époque, celui-là même à qui l'on attribue l'original de l'*Arès Borghèse* du Louvre, étonnante figure de guerrier mélancolique, comme plongé dans une douloureuse interrogation sur le sens de sa destinée.

LE STYLE RICHE

Parallèlement à ce style psychologique et pathétique, la fin du ve s. voit se développer un style plus extérieur, à la fois mouvementé et décoratif, auquel on a donné le nom de « style riche ». Son expression la plus parfaite est sans doute la frise de la balustrade qui bordait sur trois côtés le « bastion » avancé d'où le petit *Temple d'Athéna Niké* surplombait la Voie Sacrée. La construction du temple, commencée en 432, ne fut sans doute pas achevée avant 420, et l'on a généralement supposé, d'ailleurs sans arguments décisifs, que la balustrade était encore plus tardive. Sur un bandeau continu, long d'une trentaine de mètres, une troupe de Victoires ailées, en présence d'Athéna (qui était sans doute représentée trois fois, une sur chaque côté), érigeait des trophées et célébrait des sacrifices. Thème triomphaliste, dont le choix avait été évidemment dicté par des considérations politiques (il fallait conjurer le défaitisme engendré par les difficultés militaires d'Athènes), mais qui devint en fait pour les sculpteurs prétexte à de brillantes variations sur le motif de la figure féminine drapée en mouvement. Les plaques conservées, où l'on peut distinguer plusieurs manières différentes, montrent toutes le souci de définir une nouvelle relation du vêtement au corps, qu'il ne s'agit plus d'envelopper et de structurer par les lignes du drapé, mais au contraire de dévoiler, et dont les formes, si étroitement moulées par l'étoffe que l'on a pu en comparer l'effet à celui d'une « draperie mouillée », s'offrent complaisamment aux regards.

Toutefois, cette sensualité raffinée, qui annonce directement le développement du nu féminin dans l'art du ive s., s'accompagne de recherches décoratives qui confinent déjà au maniérisme : le drapé superpose en quelque sorte à la structure du corps un réseau d'arabesques dont la nécessité semble parfois surtout ornementale. Les plus belles de ces figures — notamment celle qui d'un mouvement violent entraîne un taureau récalcitrant vers le lieu du sacrifice, ou celle qui se penche gracieusement pour rajuster sa sandale — réalisent pourtant entre ces tendances opposées — calligraphie abstraite et sensibilité naturaliste — un si merveilleux équilibre, et la facture en est d'une telle qualité que l'on a cherché depuis longtemps à y reconnaître la main de sculpteurs importants : Agoracrite, qui avait créé pour le sanctuaire de Rhamnonte une statue de Némésis et dont nous savons qu'il était avec Alcamène l'un des disciples préférés de Phidias, pourrait être l'un d'eux. Mais on prononce aussi le nom de Callimaque, artiste sans doute plus jeune, dont les Anciens vantaient l'élégance et la subtilité dans le travail du marbre, et qui avait peut-être participé à la décoration de l'*Érechthéion* (la frise, faite de figures de marbre appliquées sur un fond de calcaire bleu, en est malheureusement mal conservée). Quoi qu'il en soit, le style caractéristique de la *Niké* rajustant sa sandale se retrouve dans une création importante de la statuaire, une Aphrodite connue par plusieurs répliques et sous le nom romain de *Venus Genetrix*. Le parti de la draperie mouillée y est systématique, et la tunique transparente, seulement parcourue de longs plis pincés qui, accompagnant et soulignant les formes sous-jacentes, ont donné à la silhouette une sorte de fluidité musicale, ne laisse plus rien ignorer du corps qu'elle est censée recouvrir. Étape décisive dans l'évolution d'un art qui se consacre de plus en plus à la glorification du corps féminin (dans une antithèse frappante avec l'idéal athlétique du début du siècle) et dont le type de la Victoire, synthèse ambiguë des thèmes de la femme et de la guerre (que l'on retrouve d'ailleurs dans le couple divin d'Arès et d'Aphrodite), résume bien les préoccupations profondes. Les fouilles d'Olympie nous ont rendu les restes cruellement mutilés, mais encore impressionnants, d'une statue de *Niké* dédiée par les Messéniens, v. 420, « sur le butin pris à leurs ennemis » indique l'inscription de la base, qui porte aussi la signature du sculpteur, Paeonios de Mendé. Saisie en plein vol, les ailes largement déployées, le manteau gonflé par le vent comme une voile, cette grandiose figure, sculptée dans un seul bloc de marbre, qui se dressait devant le temple sur un pilier triangulaire haut de 9 m, n'était pas seulement un prodige d'audace technique ; elle établissait d'un coup une relation nouvelle entre la statue et l'espace, conçu comme un élément concret offrant une certaine résistance, exerçant une certaine action sur un corps qui s'y déplace. Et si le traitement du chiton, plaqué par le vent sur le buste, le ventre et les cuisses, dont il souligne les vigoureuses rondeurs, et flottant sur les côtés en dessinant d'amples ondulations, rapproche évidemment le style de Paeonios de celui des sculpteurs de la balustrade du temple d'Athéna Niké, cette exigence naturaliste devait donner à la construction de la statue une logique supérieure, que la disparition des ailes déployées nous empêche aujourd'hui de bien apprécier, mais qui la mettait à l'abri de tout maniérisme.

La frise du *Temple d'Apollon Épikourios* (« Secourable »), construit vers la même époque à Bassæ, dans le cadre sauvage des montagnes d'Arcadie, offre en revanche un curieux mélange de violence pathétique et de préciosité décorative. Ses relations avec le style riche attique sont difficiles à déterminer précisément : en

tout cas l'architecte de ce périptère dorique était, semble-t-il, Ictinos lui-même, le maître du Parthénon, et dans l'ordonnance intérieure, ionique, apparaissait pour la première fois le chapiteau « corinthien » à feuilles d'acanthe, dont les Anciens attribuaient l'invention à Callimaque. La frise sculptée, qui surmontait l'ordre intérieur, traitait en haut relief les deux thèmes bien connus de la centauromachie et de l'amazonomachie : combats acharnés, pas plus violents que ceux du fronton ouest d'Olympie, mais qui expriment avec une sensibilité nouvelle tout le désordre de la guerre et le désespoir pathétique de l'individu plongé dans une mêlée dont aucun dieu n'est plus là pour garantir, par sa souveraine présence, la justice immanente. Apollon, certes, intervenait, comme le *deus ex machina* des tragédies d'Euripide, monté sur un char avec à côtés de sa sœur Artémis. Mais la scène où un Centaure, le buste violemment tiré en arrière par le Lapithe qui se rue sur lui avec rage, arrache en même temps le vêtement d'une femme tombée aux pieds de la statue du dieu (représentée comme une idole archaïsante) à laquelle elle s'agrippe désespérément, tandis que sa compagne ouvre les bras dans un geste de détresse empathique, offre l'image plus réelle d'un monde où l'homme est seul face à l'injustice et à la violence. La composition, heurtée et tendue, souvent compacte, utilise de manière presque picturale les possibilités du style riche : les musculatures contractées des torses masculins forment un clair contraste avec la rondeur lisse des corps féminins, que la draperie mouillée met en évidence, et se détachent sur un flot de draperies, tombées à terre ou claquant au vent, qui déploient dans les vides de la composition de grandes ondulations décoratives. Quelle que soit la puissance d'évocation de cette frise aux accents prophétiques (on ne retrouvera qu'à l'époque hellénistique une telle liberté dans le traitement de la violence), il faut bien dire que ces drapés ornementaux ouvraient la voie à toute une série de poncifs, dont on pourra d'ailleurs suivre le développement jusqu'à l'époque romaine.

LA FORMATION
D'UN NOUVEAU CLASSICISME

C'est en Attique toutefois que le formalisme gratuit qui menaçait de l'intérieur le style riche va se manifester de la manière la plus claire. Les reliefs, connus par des reproductions néoattiques du Iᵉʳ s. av. J.-C., d'un monument « chorégique » (c'est-à-dire dédié à l'occasion d'une victoire aux concours théâtraux) de la fin du Vᵉ s., représentant des Ménades en proie au délire dionysiaque, portent à son comble la dissociation entre corps et vêtement : celui-ci n'est plus qu'un voile transparent dont le drapé s'organise de manière purement calligraphique, comme un cadre ornemental. Dans la ronde-bosse, une statue de l'agora d'Athènes nous montre à quels excès (où le baroque européen finissant retombera avec le style rococo) pouvait aboutir ce parti esthétique, qui ne tarde pas d'ailleurs à provoquer une réaction salutaire. La série des stèles funéraires, qui va connaître en Attique à partir des dernières années du Vᵉ s. un nouveau développement, offre quelques chefs-d'œuvre qui retrouvent la simplicité et l'intensité psychologique des créations d'Alcamène : sur la *Stèle d'Hégésô* (Athènes, M. N.), que l'on peut dater des environs de 400, une esclave présente à la jeune défunte son coffret à bijoux, dont celle-ci a tiré un collier qu'elle considère avec toute la mélancolie d'un dernier regard sur les joies terrestres. Une impression de tristesse poignante naît du dialogue muet qui s'établit entre les personnages, liés par une composition lumineuse et sobre, où les lignes du drapé soulignent discrètement et accompagnent l'inflexion des corps.

Illustré aussi par les lécythes à fond blanc, vases funéraires décorés dans une technique fragile mais raffinée — dessin polychrome sur une couverte blanche —, que l'on déposait près du corps ou au pied de la stèle et dont les plus beaux — ceux du Peintre d'Achille notamment, à peu près contemporain d'Alcamène — peuvent nous donner une idée sans doute assez exacte de la grande peinture disparue, ce thème de l'adieu au mort sera l'un des favoris de l'art funéraire du IVᵉ s. Il est généralement traité dans un esprit intime et familier, qui répond bien aux préoccupations individualistes de l'époque et qui est à l'origine de l'un des principaux courants du second Classicisme. Ainsi, la *Stèle d'Ampharétè* (Athènes, M. N.), qui offre, peu avant 400, le tableau touchant d'une jeune mère et de son petit enfant, préfigure le groupe créé trente ans plus tard, sur commande officielle des Athéniens, par Céphisodote, le père de Praxitèle, pour célébrer la paix retrouvée : Eirênê, personnification divine de la Paix, portait sur son bras l'enfant Ploutos, incarnation de la Richesse, en le regardant tendrement. Allégorie édifiante et optimiste, d'où a bien évidemment disparu la tonalité mélancolique qui caractérisait la stèle, et qui illustre la profondeur du changement intervenu dans les mentalités : divinités abstraites, mais conditions concrètes du bonheur des hommes, *Eirênê et Ploutos* prennent tout naturellement dans l'imagination d'un artiste du IVᵉ s. l'apparence familière d'une mère jouant avec son enfant. En même temps, il est clair que ce courant intimiste et psychologique, qui remonte sans doute, nous l'avons vu, à Alcamène, se situe en réaction contre l'exubérance décorative et la sensualité du style riche, cherchant à retrouver, d'une certaine manière, la rigueur et la sévérité du premier Classicisme. Avec son lourd péplum, dont le drapé rigide et sobre laisse à peine deviner les formes du corps, la statue de Céphisodote pourrait même passer pour un pastiche des péplophores du milieu du Vᵉ s. si l'attitude, en réalité souple et même non-chalante, et la relation qu'elle établit entre la femme et l'enfant ne lui donnaient une signification tout autre.

Toutefois, cette réaction contre les excès du style riche se manifeste aussi sous des formes moins radicales. La *Stèle de Dexiléos* (Athènes, musée du Céramique), jeune cavalier athénien mort au combat près de Corinthe en 394, est un document important, à la fois par sa date précise et par son style, qui discipline la grandiloquence ornementale de la frise de Bassæ en l'intégrant à une structure rigoureuse, immédiatement lisible : elle fait du groupe du cavalier vainqueur terrassant, de son cheval cabré, un adversaire tombé à terre un tout indissociable, dont la cohérence et l'équilibre expliquent qu'il soit resté jusqu'à la fin de l'Antiquité une sorte de schéma type, que nous retrouverons dans la plupart des représentations de batailles. Mais c'est l'œuvre de Timothéos, contemporain de Céphisodote, qui illustre le mieux cet approfondissement du style riche par la recherche d'une logique interne et d'une liaison organique entre le corps en mouvement et le drapé qui l'entoure. Les frontons et les acrotères du *Temple d'Asclépios* à Épidaure (Athènes, M. N.), construit vers 375 et dont il fut sans doute le maître d'œuvre, développent les virtualités naturalistes qui étaient, nous l'avons vu, déjà perceptibles dans la *Niké de Paeonios* et réalisent une synthèse heureuse de l'équilibre et de la violence, de l'élégance et de la vie. Malheureusement très fragmentaires, les figures conservées des frontons n'ont pas permis jusqu'à présent (elles sont toujours en cours d'étude) de reconstitutions sûres : à l'est, la *Prise de Troie*, à l'ouest, une *Amazonomachie* développaient des scènes d'une brutalité comparable à celle de la frise de Bassæ, mais avec un souci nouveau de composition linéaire où le drapé, enveloppant les corps de longues courbes sinueuses, jouait un rôle essentiel. Une magnifique *Amazone* à cheval, qui donne du schéma de la *Stèle de Dexiléos* une version plus subtile, montre comment le graphisme du vêtement, en accompagnant la torsion et la courbure du buste penché en avant, participe à la définition du mouvement dans l'espace. Et cette utilisation du drapé, qui lui donne une sorte d'évidence naturelle, est encore plus frappante dans les acrotères, particulièrement celui de l'ouest, une figure féminine ailée tenant un oiseau, nouvelle représentation de la Victoire en vol, dont le torse, parcouru d'un long mouvement hélicoïdal, semble s'élever irrésistiblement dans les airs. Une statue indépendante, trouvée dans le sanctuaire (peut-être la déesse Hygie), présente le même style, et on l'a justement rapprochée d'un type statuaire connu par plusieurs copies romaines — Léda, demi-nue, soulevant son manteau pour protéger le cygne qui s'est blotti

contre elle —, qui pourrait être l'une des créations majeures de Timothéos. Il y a dans cette figure de femme angoissée, dont le bras levé, le regard tourné vers les cieux menaçants expriment à la fois la supplication et le défi, une réelle grandeur pathétique et une maîtrise de l'espace en profondeur que seules dépasseront les créations de Lysippe. Elle suffirait à justifier la célébrité d'un maître que nous retrouverons vingt ans plus tard, à la fin de sa carrière sans doute, aux côtés de Scopas dans l'équipe de sculpteurs appelés à Halicarnasse pour la décoration du Mausolée.

Désormais, de toute façon, la voie est ouverte pour une génération d'artistes qui sauront à la fois se libérer des contraintes de la tradition et faire, chacun dans son style — et nous verrons qu'ils sont fort différents —, la synthèse des expériences passées. Pourtant, leur activité ne saurait être comprise indépendamment du vaste mouvement créateur qui anime l'architecture du temps et favorise le développement d'un véritable urbanisme.

Le renouvellement de l'architecture

TEMPLES ET TOMBEAUX

Dès la fin du ve s., l'architecture aussi témoignait à sa manière du nouvel état des esprits : réalisations moins ambitieuses, mais à certains égards plus raffinées que celles de l'âge précédent, les deux temples ioniques de l'Acropole d'Athènes préludaient aux recherches subtiles qui seront celles des architectes du ive s. Et les préoccupations décoratives qui s'y exprimaient s'accordaient bien, nous l'avons vu, avec l'évolution contemporaine de la sculpture.

Les édifices construits à Épidaure à partir des environs de 380 en l'honneur d'Asclépios, dieu guérisseur dont le culte connaît à cette époque un développement significatif, se situent dans la même tradition d'élégance et de raffinement. Plus encore que le temple, un périptère dorique de dimensions relativement modestes et de proportions ramassées, avec 6 colonnes en façade, 11 sur les côtés et une cella sans colonnade intérieure ni opisthodome, dont la décoration plastique mentionnée plus haut et la statue chryséléphantine qui se dressait dans le naos faisaient surtout l'intérêt, c'est un bâtiment circulaire, dont la fonction reste d'ailleurs obscure, la *Tholos*, qui suscita l'admiration des Anciens. Pausanias, le grand voyageur du IIe s. apr. J.-C., l'attribue à un certain Polyclète (qu'on appelle « le Jeune », pour le distinguer du sculpteur), qui aurait été aussi, comme nous verrons, l'architecte du théâtre. Les comptes de la construction permettent de la situer après 360, postérieurement en tout cas à celle d'un autre édifice de plan analogue, qui semble lui avoir servi de modèle : la *Tholos de Delphes,* à laquelle son architecte, Théodoros de Phocée, avait consacré un traité théorique. Les ruines de cet édifice, construit vers 380 dans le petit sanctuaire d'Athéna à Marmaria, ont fait l'objet d'une reconstitution partielle qui nous permet d'apprécier encore aujourd'hui l'élégance du péristyle dorique, étonnamment svelte de proportions, auquel répondait à l'intérieur de la cella circulaire une colonnade corinthienne, ainsi que le raffinement de la décoration, qui comprenait deux séries de métopes sculptées et jouait sur l'opposition du marbre pentélique et du calcaire bleu d'Éleusis. La *Tholos d'Épidaure,* dont le diamètre atteignait presque 23 m, était comme une version agrandie de celle de Delphes, mais le rapport entre le nombre des colonnes intérieures et extérieures (14/26 au lieu de 10/20 à Delphes) y était plus complexe et l'ornementation, qui restait purement architecturale, encore plus recherchée : la cella était dallée de losanges blancs et noirs, les caissons du plafond décorés de fleurs, et surtout l'ordre intérieur donnait au chapiteau corinthien sa forme classique, telle qu'elle se maintiendra sans changements fondamentaux jusqu'à l'époque romaine, celle d'une double corbeille de feuilles d'acanthe où se retrouvait, enrichi, le jaillissement végétal du vieux chapiteau éolique.

Dans les grands sanctuaires, l'activité semble à cette époque essentiellement tournée vers des tâches de reconstruction.

À Delphes, dans des conditions rendues difficiles par une série de « guerres sacrées », on rebâtit, à peu près sur le même plan, le *Temple d'Apollon,* détruit par un séisme en 373 ; il ne sera inauguré qu'en 330. Mais c'est surtout en Asie Mineure, grâce à la paix intervenue entre la Perse et les cités grecques, que l'on assiste à une véritable renaissance architecturale : la réalisation la plus grandiose du milieu du siècle est le nouvel *Artémision* d'Éphèse (le temple archaïque avait été incendié en 357 par un fou mégalomane nommé Hérostrate), que les Anciens placèrent au nombre des Sept Merveilles du monde : la splendeur de l'édifice égalait certainement et même dépassait celle de son prédécesseur, dont il reprenait presque exactement le plan diptère, avec des colonnes à tambours sculptés, à l'exécution desquels nous savons que Scopas avait collaboré. Il n'a laissé que des ruines misérables, mais nous pouvons au moins l'imaginer à travers les vestiges imposants qui ont subsisté d'une autre reconstruction : celle du *Temple de Didymes,* saccagé par les Perses en 494 et rebâti sans doute à partir de 330, après le passage libérateur d'Alexandre. Le nouveau temple reprenait lui aussi à peu près le plan de l'ancien, mais donnait au dispositif intérieur — de hauts murs aveugles, rythmés seulement par d'immenses pilastres, bordaient la cour où s'élevait le *naïskos,* demeure proprement dite du dieu — une monumentalité sans précédent. Du pronaos, où les fidèles attendaient la réponse de l'oracle, un grandiose escalier, sans doute réservé aux prêtres, descendait vers le lieu de la consultation, donnant à celle-ci l'ampleur d'une cérémonie théâtrale. La décoration architecturale, qui inclut de nombreux éléments plastiques, est d'une grande richesse, mais doit être due pour une bonne part à l'époque hellénistique, car la construction de cet énorme édifice ne fut pas achevée avant le Ier s.

La manifestation la plus originale de ce gigantisme architectural où les Ioniens retrouvent, après une longue éclipse, la grandeur de l'âge archaïque, reste toutefois le fameux *Mausolée d'Halicarnasse,* qui fut également placé au nombre des Sept Merveilles. On a pu dire qu'il représentait pour le second Classicisme ce qu'avait été le Parthénon pour la génération de Phidias. Mais l'entreprise, qui rassembla en effet les meilleurs artistes de l'époque, ne symbolisait plus la grandeur d'une cité : elle exprimait essentiellement l'orgueil d'un homme. Mausole, satrape hellénisé de Carie, encore théoriquement vassal du Grand Roi, mais forte personnalité à laquelle la désagrégation latente de l'Empire perse garantissait une indépendance presque complète, avait abandonné sa résidence de l'intérieur et adopté comme nouvelle capitale une ville grecque de la côte, Halicarnasse : c'est là qu'il conçut, des années sûrement avant sa mort, survenue en 353, le projet d'un tombeau magnifique où il serait vénéré comme un héros fondateur. Sans doute largement commencée de son vivant, et poursuivie par sa veuve Artémise, qui mourut à son tour en 351, la construction ne fut achevée qu'après cette date, à l'initiative des artistes eux-mêmes, deux architectes, Pythéos et Satyros, et quatre sculpteurs, sur lesquels nous reviendrons. Le *Mausoleion* (littéralement « monument de Mausole ») a été, heureusement, décrit par Pline l'Ancien, car le passage des croisés, qui employèrent les blocs ou les plaques sculptées à bâtir une forteresse à l'entrée du port, n'en a pas laissé pierre sur pierre. Et en dépit de fouilles récentes sur le site qui ont permis d'en préciser l'image, son architecture reste mal connue. Elle reprenait en l'amplifiant la structure, traditionnelle en Orient, du pilier funéraire et du temple-tombeau, avec trois éléments superposés : un soubassement quadrangulaire, d'environ 30 m de côté, à l'intérieur duquel se trouvait probablement la chambre funéraire et que couronnait une frise sculptée ; une sorte de cella entourée de 36 colonnes ioniques ; enfin, une pyramide à degrés, au sommet de laquelle apparaissaient en gloire, sur un quadrige de marbre, Mausole et Artémise. On a peine, à vrai dire, à imaginer l'effet que produisait cette colossale masse de marbre, haute d'une cinquantaine de mètres, se détachant à flanc de colline, au milieu de la ville, dans le cadre majestueux de la baie d'Halicarnasse. Mais il est certain que, par son caractère composite, par l'étrange association, à des structures anatoliennes et égyptiennes, de formes grecques dont la fonction tend à devenir essentiellement ornementale, le Mausolée reflétait une considérable évolution du goût et nous introduit dans un monde qui est déjà celui de l'art hellénistique.

UNE ARCHITECTURE FONCTIONNELLE

Ce n'est pas toutefois, malgré cette exception remarquable, dans l'architecture religieuse que s'opère le renouvellement le plus spectaculaire. Amorcé dès le ve s., le développement d'une architecture utilitaire, qui se préoccupe plus du bien-être des citoyens que de la gloire de la cité et de ses dieux, s'accélère au ive s., tandis que sont posés de manière de plus en plus systématique, à la faveur de réalisations concrètes, les problèmes d'aménagement urbain.

La forme la plus originale créée dans cette ambiance nouvelle par les architectes du second Classicisme est sans doute le théâtre. Célébrées depuis le début du ve s. à l'occasion des fêtes de Dionysos, les représentations dramatiques s'étaient longtemps contentées d'installations temporaires : autour d'une aire circulaire, l'*orchestra*, destinée aux évolutions du chœur, on dressait, à l'intention des acteurs, une sorte de baraquement, la *skènè*, précédé d'une estrade, et peut-être des gradins de bois pour les spectateurs, assis à flanc de colline. L'histoire des premières tentatives pour donner à ces installations, grâce à la construction en pierre, un caractère permanent est mal connue : ce n'est sans doute pas avant le début du ive s., et progressivement, que durent s'imposer le plan régulier et la structure à la fois harmonieuse et fonctionnelle dont le théâtre d'Épidaure offre, vers le milieu du siècle, la parfaite réalisation. Considéré par Pausanias, qui l'attribue à Polyclète le Jeune, l'architecte de la *Tholos*, comme le plus beau du genre, ce vaste édifice en calcaire, large de près de 120 m, ne fait qu'aménager en lui imposant un plan rationnel une concavité naturelle : autour de l'orchestra circulaire se déploient comme un grandiose éventail des zones de gradins concentriques auxquelles donne accès un système d'escaliers rayonnants, articulé sur deux couloirs horizontaux. Forme simple, d'une logique indépassable, qui mettait tous les spectateurs « à égalité » devant le spectacle et qui, par l'unité quasi organique qu'elle confère à leur rassemblement, nous apparaît comme une sorte de projection architecturale de la cité démocratique elle-même, mais qui dut être pour les architectes l'occasion de recherches subtiles, pour la première fois plus fonctionnelles qu'esthétiques. On s'émerveille encore aujourd'hui de l'acoustique du *Théâtre d'Épidaure*, et il est certain que tout ici était soigneusement calculé pour le confort visuel et auditif des quelque 15 000 spectateurs qui pouvaient y prendre place.

Les mêmes préoccupations de bien-être individuel et d'efficacité collective s'expriment, plus directement encore, dans le soin grandissant apporté à la construction des habitations privées et à leur insertion dans un ensemble urbain cohérent. Jusqu'au ve s., les villes grecques semblent avoir été un simple agglomérat de maisons petites, dépourvues de tout confort, dont les plans irréguliers s'adaptaient tant bien que mal à l'espace disponible entre des rues étroites et tortueuses. Tel devait être l'aspect d'une cité aussi puissante et prospère que Milet, lorsqu'elle fut complètement détruite par les Perses en 494. Mais cette catastrophe même permit à un groupe d'ingénieurs et d'architectes, parmi lesquels émerge la personnalité d'Hippodamos, urbaniste-philosophe, d'élaborer pour la première fois un plan de ville rationnel : le plan en damier, dont on sait quelle sera jusqu'à notre époque la brillante fortune. Paradoxalement, ce n'est pas à Milet — où ce plan, mis en place v. le milieu du ve s., ne sera réalisé qu'à l'époque hellénistique — que la conception « hippodamienne » fut d'abord mise en application, mais à Athènes, où l'on décida, après les guerres médiques, l'aménagement d'un port adapté aux nouvelles ambitions maritimes de la cité : le plan du Pirée, dont la mise en œuvre ne commença que sous Périclès, fut semble-t-il tracé par Hippodamos lui-même. La présence de la ville moderne, qui limite étroitement les recherches, ne nous permet d'en restituer que les grandes lignes, mais la découverte d'un certain nombre de bornes inscrites autorise à affirmer qu'on avait procédé à ce que les urbanistes d'aujourd'hui appellent un zonage du site, définissant à la fois les limites et la fonction des grands secteurs d'occupation et répartissant les travaux d'aménagement et de construction selon un programme échelonné. De cet urbanisme fonctionnel, si étonnamment « moderne » et en même temps si caractéristique d'une tendance à l'abstraction, à la construction *a priori*, que les Grecs avaient manifestée dans tous les domaines de l'art depuis l'époque géométrique, nous possédons heureusement un autre témoignage beaucoup mieux conservé : la cité d'Olynthe, en Chalcidique, ravagée par les Perses en 479, mais qui avait pris dans la seconde moitié du siècle une brusque extension, dut être reconstruite et considérablement agrandie vers 430, avant d'être détruite et abandonnée au milieu du ive s. Libre de toute occupation moderne, le site a pu être fouillé de manière systématique et le plan de la ville nouvelle, située sur une plateforme d'environ 600 m sur 350, apparaît dans toute sa netteté rigoureuse : cinq grandes avenues longitudinales, recoupées très exactement à angle droit par des rues transversales, dessinent des îlots réguliers dont les dimensions constituaient le module du plan. Chaque îlot comportait deux rangées de cinq maisons, de superficie identique. L'aménagement intérieur, qui pouvait varier, groupait autour d'une cour dallée, dont l'emplacement ménageait aux appartements, donnant sur un portique, une exposition au sud, des pièces aux fonctions déterminées : atelier ou magasin ouvrant sur la rue, salle de réception, chambres, bloc « utilitaire » comprenant cuisine et bains. La disposition régulière de ces maisons simples mais confortables et tout de même spacieuses, puisque la superficie moyenne, à laquelle il faut ajouter celle de l'étage qui couvrait au moins une partie du bâtiment, atteint presque 300 m², traduit, quelle que fût la liberté laissée à la décoration et aux aménagements intérieurs, un esprit remarquablement égalitaire, qui se reflétait aussi, en un sens, dans un grand espace architectural collectif comme le théâtre.

Heureusement adapté, dans le cas d'Olynthe, à la configuration du paysage, ce plan orthogonal, par la primauté absolue qu'il donnait à l'idée sur la forme, recelait toutefois des dangers que les architectes grecs ne surent pas toujours éviter : la reconstruction, vers 350, de la petite cité ionienne de Priène sur une colline rocheuse dominant l'embouchure du Méandre illustre bien les excès auxquels pouvait mener une conception aussi abstraite et volontariste. Le plan « hippodamien », aussi peu que possible approprié à un paysage escarpé, a cependant été appliqué ici avec une rigidité imperturbable, de sorte que les rues se transforment en escaliers sur une bonne partie de leur longueur. Les ruines de Priène montrent toutefois les avantages de la division orthogonale au moins pour l'organisation du centre urbain et la distribution de l'espace entre les différentes fonctions, religieuses, politiques et économiques. L'urbanisme royal de l'époque hellénistique en fera son profit, en y ajoutant, à Alexandrie notamment, une recherche de la magnificence héritée de l'esprit décoratif et monumental du Mausolée.

Les sculpteurs de la seconde génération classique

LE MAUSOLÉE

C'est à celui-ci en tout cas que va nous ramener l'histoire de la sculpture. Nous savons en effet par Pline qu'outre Timothéos, qui devait être alors vers la fin de sa carrière, le grand atelier constitué par Mausole comprenait deux des principaux maîtres de l'époque, Scopas et Léocharès, ainsi qu'un artiste plus jeune, Bryaxis, promis à un brillant avenir, à Alexandrie justement, où il devait créer vers la fin du siècle une célèbre statue de Sarapis, et que les deux architectes avaient assumé eux-mêmes une partie du décor sculpté : Pythéos en particulier était l'auteur du quadrige triomphal qui couronnait l'édifice. Au demeurant, il est probable que bien d'autres sculpteurs de moindre renom collaborèrent comme praticiens à l'exécution, et le témoignage de Vitruve, qui, par erreur sans doute, mentionne aussi Praxitèle, reflète simplement l'immense prestige d'une réalisation qui dans l'esprit des Anciens semblait résumer l'œuvre de toute une génération.

Le programme en était complexe et l'état de conservation du monument, dont les fragments épars n'ont été que très partiellement retrouvés au cours des recherches menées depuis le XIXe s., n'autorise que des restitutions conjecturales. Le matériel sculpté, dont l'essentiel est au British Museum, comprend, outre des fragments de trois frises, une série de statues colossales, qui représentaient sans doute les membres de la famille de Mausole, ainsi que de grandes scènes animées (notamment une chasse et un sacrifice) traitées en ronde bosse à la manière de compositions tympanales. Mais ni la place exacte de ces différents éléments sur l'édifice ni leur répartition entre les quatre sculpteurs principaux ne peuvent être déterminées avec certitude. La mieux conservée des statues, une figure virile drapée, à la physionomie énergique, portant la barbe courte et les cheveux flottant sur les épaules à la mode barbare, a longtemps passé, à tort sans doute, pour représenter le dynaste lui-même. On s'accorde aujourd'hui à y voir plutôt un de ses ancêtres, mais l'attribution de ce chef-d'œuvre, dont le puissant naturalisme annonce de manière prophétique les portraits du IIIe s., au plus jeune sculpteur de l'équipe, Bryaxis, ne repose guère que sur des arguments de vraisemblance. C'est à lui aussi, pour les mêmes raisons, que l'on fait généralement crédit des scènes les plus tourmentées de la frise principale — une *Amazonomachie* —, et en effet le contraste est frappant avec le style ornemental, la composition soigneusement étudiée d'une autre série, que l'on propose logiquement d'attribuer au vieux Timothéos : certaines envolées de draperies, dont les courbes harmonieuses viennent opportunément prolonger le dessin d'une croupe chevaline ou équilibrer la rondeur d'une bouclier, semblent bien en tout cas nous renvoyer comme un dernier écho de la tradition du style riche.

LÉOCHARÈS

La personnalité de Léocharès, sculpteur athénien qui fut, si l'on en croit les témoignages antiques, l'un des artistes les plus prisés de son temps, commence, grâce à des études récentes, à sortir de l'ombre où la postérité l'avait injustement laissée. C'était essentiellement un bronzier, mais il avait pratiqué au moins une fois, pour un groupe dédié vers le milieu du siècle à Olympie et représentant Philippe de Macédoine entouré de sa famille, la technique chryséléphantine. Et nous savons que, vers 320, il avait collaboré à Delphes avec Lysippe à un groupe en bronze commémorant la chasse au lion d'Alexandre et de son lieutenant Kratéros. Il semble en fait qu'il ait eu tout au long de sa carrière des liens étroits avec la cour royale de Macédoine : une belle tête en marbre d'Alexandre jeune, trouvée à l'Acropole d'Athènes, nous en transmet peut-être le reflet direct, puisqu'il s'agit apparemment d'une œuvre originale. Ce portrait, qui contraste fortement avec celui que Lysippe, une dizaine d'années plus tard, fera du même modèle, offre un mélange d'idéalisation et de sensualité calme qui paraît avoir caractérisé le style de Léocharès : le visage au front dégagé, aux grands yeux assez enfoncés sous les arcades sourcilières, mais au regard clair et droit, à la bouche pulpeuse, mais élégamment dessinée, présente en tout cas des affinités évidentes avec ceux de l'*Apollon du Belvédère*, type célèbre connu par des copies romaines (Vatican), et d'une belle statue en marbre de *Déméter assise*, trouvée à Cnide, qui paraît bien être un original grec, ainsi qu'avec divers documents d'Halicarnasse. Plusieurs plaques de l'*Amazonomachie* montrent, avec un traitement à la fois souple et puissant du drapé, une semblable stylisation des visages, et la parenté d'une superbe *Tête d'Apollon* (Athènes, musée de l'Acropole), provenant sans doute de l'un des groupes

en ronde bosse, avec le type du Belvédère est si directe qu'il est tentant d'y voir une œuvre du même maître. Auteur également d'un *Zeus debout,* en majesté, dont une statue de Cyrène nous conserve peut-être le type, et d'un *Enlèvement de Ganymède,* Léocharès apparaît en fin de compte surtout comme un grand créateur de figures divines, dont la noblesse vraiment olympienne fait revivre en plein IVe s. la tradition de Phidias et dont il adoucit la sévérité par une recherche de l'élégance et une sensualité discrète bien caractéristiques du second Classicisme.

SCOPAS

D'un tout autre tempérament paraît avoir été Scopas de Paros, le plus illustre des artistes dont la tradition antique associait le nom à la décoration du Mausolée. Avant tout marbrier, mais architecte en même temps que sculpteur, il avait selon Pausanias conçu les plans du *Temple d'Athéna Aléa* à Tégée, un grand périptère dorique dont l'ordre intérieur était corinthien, et il est à peu près certain que les métopes et les frontons étaient également son œuvre. Difficiles à dater précisément (la construction du temple, peut-être commencée avant celle du Mausolée, ne fut sans doute achevée qu'après 350), ces sculptures (Athènes, M. N.), en dépit de l'état misérable où elles nous sont parvenues, constituent donc le point de départ le plus solide dont nous disposions pour connaître son style. Les frontons, comme à Épidaure déjà, rompaient avec la tradition ancienne des apparitions divines au profit d'une narration purement épique : à l'est, le combat d'Achille et de Télèphe dans la vallée du Caïque ; à l'ouest, la chasse du sanglier de Calydon. De ces vastes compositions, seuls ont subsisté quelques fragments mutilés, parmi lesquels quatre têtes de guerriers qui permettent heureusement d'en mesurer la puissante originalité. De structure massive, presque cubique, avec des yeux profondément enfoncés sous des arcades sourcilières débordantes, elles sont animées d'expressions pathétiques qui laissent deviner la violence des situations où les personnages étaient impliqués. Ces regards suppliants, ces fronts crispés, ces bouches tordues par la douleur ou l'angoisse sont d'une si audacieuse nouveauté (et ils resteront en fait sans équivalents dans la sculpture grecque jusqu'à la grande frise de Pergame) qu'ils peuvent être considérés, pour l'identification d'autres œuvres de Scopas, comme un repère très sûr. Ainsi, on ne saurait guère attribuer à une autre main l'original d'une statuette de Dresde représentant une *Ménade* en proie au délire dionysiaque : le torse à demi dénudé par le désordre du vêtement, cambré dans un mouvement convulsif, la tête massive, rejetée en arrière, à l'expression hagarde, conservent même dans cette version réduite, par la sensualité brutale et passionnée qui s'en dégage, un étonnant pouvoir d'évocation. D'autres œuvres du maître ont pu être identifiées, à travers des copies il est vrai de qualité plus courante, mais il n'en est aucune de plus impressionnante. Même les reliefs du Mausolée, où l'on a proposé de reconnaître son style à cause, précisément, de la ressemblance directe d'une des Amazones avec la *Ménade* de Dresde, donnent le sentiment d'un art moins audacieux, moins visionnaire. Mais rien ne prouve en fait que les plaques de frise en question soient de la main même de Scopas : à Halicarnasse comme sur tous les grands chantiers de sculpture monumentale, les maîtres d'œuvre durent confier la majeure partie de l'exécution à des praticiens, ce qui en expliquerait le caractère parfois appliqué et plutôt conservateur. D'une façon générale d'ailleurs, l'*Amazonomachie* du Mausolée, quelle que soit la force de certaines scènes et si raffinée qu'en soit la composition, apparaît plutôt comme l'aboutissement d'une grande tradition que comme une œuvre réellement novatrice. On ne trouve en tout cas dans ces groupes de combattants affrontés se détachant sur un fond neutre selon des schémas essentiellement graphiques ni l'expressionnisme passionné qui devait animer les frontons de Tégée ni le sens de la composition en profondeur dont témoigneront à la fin du siècle, dans la suite des recherches de Lysippe, les reliefs du *Sarcophage d'Alexandre*. En fin de compte, ce sont donc surtout les fragments de Tégée et la *Ménade* qui nous laissent entrevoir la puissance de ce génie tourmenté et prophétique, très éloigné du classicisme épuré d'un Léocharès, mais encore davantage de la sensibilité raffinée, voire précieuse, qui caractérise l'autre grand sculpteur du temps, le plus illustre peut-être du second Classicisme, Praxitèle.

PRAXITÈLE

Célébré dans l'Antiquité, surtout à l'époque impériale, comme l'exemple même de la perfection en art, celui-ci, Athénien de naissance et de formation, était à peu près sûrement le fils de Céphisodote, et il est clair qu'à certains égards son œuvre prolonge la tradition intimiste et psychologique que nous avons vue se développer en Attique après Alcamène : l'une de ses dernières créations, le fameux *Hermès* d'Olympie (longtemps tenu pour un original, alors qu'il n'est peut-être qu'une bonne reproduction d'époque hellénistique), retrouve de manière frappante, dans le face-à-face du jeune dieu et de l'enfant Dionysos qu'il tient sur le bras, le schéma et même l'atmosphère du groupe d'Eirênê et de Ploutos créé par son père une quarantaine d'années auparavant. Mais la délicatesse du modelé musculaire, la souplesse nonchalante de l'attitude fortement hanchée, dont l'équilibre suppose l'appui latéral du pilier auquel s'accoude le personnage, nous introduisent évidemment dans un monde tout autre. C'est par cette double recherche d'une pondération instable, qui donne à la statue comme la fragilité d'un instantané, et d'une sensualité gracieuse, épidermique, en complète rupture avec la tradition athlétique du Ve s., que Praxitèle est profondément novateur, et c'est elle qui explique sa durable influence. Grâce au succès extraordinaire qu'elle connut auprès des copistes romains, son œuvre, essentiellement consacrée à la ronde-bosse en marbre, nous est relativement bien connue : ses sujets de prédilection étaient — choix significatif en lui-même — les figures d'éphèbes et de jeunes Satyres, et les divinités juvéniles, comme Éros, Aphrodite, Apollon, Artémis, Hermès ou Dionysos.

Parmi les créations les plus appréciées de

Praxitèle, deux sont particulièrement caractéristiques de cette inspiration : le *Satyre au repos* (dont on possède près de 70 répliques) et l'*Apollon Sauroctone*, étrange dieu adolescent, aux formes graciles, presque féminines, occupé à guetter un lézard qui grimpe le long d'un arbre, version édulcorée, voire précieuse, de la vieille légende delphique du meurtre de Python.

Mais le chef-d'œuvre de l'artiste, dont les copies nombreuses, fâcheusement médiocres, ne nous permettent que d'entrevoir aujourd'hui la beauté, était sans doute la très célèbre *Aphrodite de Cnide :* pour la première fois complètement nue, la déesse apparaissait comme surprise au moment de descendre dans son bain, le torse légèrement penché en avant, la main droite esquissant un geste de pudeur, tandis que de l'autre elle posait négligemment son vêtement sur un grand vase placé à côté d'elle. Presque trop humaines d'apparence, mais exclusivement absorbées dans la contemplation de leur propre existence, ces figures, à la différence de celles de Scopas et de Léocharès, qui établissaient, par leur tension pathétique ou par leur majesté distante, une sorte de lien avec le spectateur, demeurent en fait curieusement coupées du monde réel. En ce sens, elles procèdent d'un art encore purement idéaliste, et leur auteur Praxitèle apparaît, plus qu'aucun de ses contemporains, comme le dernier des grands sculpteurs classiques de la Grèce.

Bibliographie sommaire

BIEBER (M.), *The History of the Greek and Roman Theater*, Princeton, 2ᵉ éd., 1961. CHARBONNEAUX (J.), MARTIN (R.), VILLARD (F.), *Grèce classique*, L'Univers des Formes, Gallimard, 2ᵉ éd., 1983. SCHEDOLF (K.), *la Grèce classique*, Albin Michel, Paris, 1967. STEWART (A. F.), *Skopas of Paris*, Park Ridge, 1977.

L'ART
HELLÉNISTIQUE
(IIIᵉ-Iᵉʳ s.)

L'USAGE DES HISTORIENS QUI EST DE FAIRE COMMENCER l'époque « hellénistique » en 323, à la mort d'Alexandre, ne s'applique évidemment pas sans réserve aux évolutions artistiques. Certains phénomènes se développent dès le milieu du IVᵉ s., d'autres n'apparaissent pas avant le courant du IIIᵉ. Mais le fait est que les bouleversements politiques et sociaux provoqués par le morcellement de l'immense empire qui avait réalisé un moment l'unité de l'hellénisme et étendu son rayonnement à l'ensemble du monde connu ne pouvaient tarder à modifier en profondeur les conditions mêmes de la création artistique. L'art hellénistique est dans ses manifestations les plus spectaculaires un art royal, inspiré à la fois par le goût raffiné des cours princières et les préoccupations de prestige des souverains. C'est aussi par bien des aspects un art cosmopolite, qui s'enrichit sans cesse de l'apport des cultures étrangères, orientales en particulier, dont le contact avec la civilisation grecque est favorisé par la constitution de vastes royaumes, comme l'Égypte des Ptolémées ou la Syrie des Séleucides. Et tout se passe d'ailleurs comme si peu à peu le « centre de gravité » de cette civilisation se déplaçait vers l'Orient. Maintenues quelque temps encore au premier plan par le dynamisme des souverains macédoniens, les vieilles cités de Grèce propre, dont l'indépendance n'est d'ailleurs plus que formelle, s'effaceront dès le début du IIIᵉ s. au profit des nouvelles monarchies orientales : à côté d'Alexandrie, la somptueuse capitale des Lagides, c'est Pergame qui apparaîtra au IIᵉ s. comme le principal foyer de la création intellectuelle et artistique, avec une splendeur inégalée depuis l'Athènes de Périclès.

Il reste que le point de départ de cette brillante évolution, dont les Modernes ont mis longtemps à comprendre qu'elle était plus un renouvellement et un enrichissement qu'une décadence, se situe à la cour de Pella, où se développe dès le milieu du IVᵉ s., autour de Philippe, puis d'Alexandre, une exceptionnelle activité, dominée par Lysippe.

La naissance
d'un réalisme grec

LYSIPPE

Originaire de Sicyone, cité célèbre non seulement par des ateliers de bronziers dont la tradition remontait à l'époque archaïque, mais depuis le ve s. sans doute par une brillante école de peinture, Lysippe semble avoir été pourtant une sorte d'autodidacte : simple artisan fondeur, il ne se serait mis, selon ses biographes anciens, que relativement tard à la statuaire, encouragé par un mot du peintre Eupompos. Comme il demandait au vieux maître de quel artiste il avait suivi l'exemple, celui-ci s'était contenté de lui montrer la foule, en lui conseillant d'imiter, plutôt qu'un artiste, la nature elle-même. Anecdote significative, quelle qu'en soit l'authenticité, à la fois d'une évolution de la théorie artistique et de l'idée que se faisaient les Anciens du rôle historique de Lysippe. C'est en tout cas à son propos que semble avoir été pour la première fois posé de manière explicite le problème des rapports de l'œuvre d'art avec son modèle, en d'autres termes le problème de ce que l'on a appelé plus tard le « réalisme ». On louait en effet la « vérité » des créations de Lysippe, leur caractère « vivant » et sa minutie dans la traduction du moindre détail, notamment pour la représentation de la chevelure. N'avait-il pas lui-même, selon Pline, coutume de dire que, « à la différence des prédécesseurs, qui représentaient les hommes *tels qu'ils sont,* il les représentait *tels qu'ils paraissent être* » ? Prise de conscience toute nouvelle d'une contradiction quasi insoluble entre la vocation de l'art à exprimer l'essence des choses et sa prétention à en imiter l'apparence, dont les conséquences sur l'évolution de la sculpture et de la peinture grecques allaient être déterminantes.

La vie et la carrière de Lysippe, dont Pline fixe le moment le plus brillant autour de 325, semblent avoir été fort longues, puisque sa signature apparaît sur la base d'une statue dédiée à Delphes v. 365 et que le groupe de la *Chasse d'Alexandre,* exécuté en collaboration avec Léocharès, y atteste encore son activité en 318. De son abondante production (on lui attribuait plus de cent œuvres), exclusivement consacrée à la statuaire de bronze, rien n'a subsisté et, sans doute en raison de la complexité spatiale des compositions lysippiques, peu de copies en marbre paraissent en avoir été faites à l'époque romaine, où pourtant sa gloire fut immense. L'un de ses chefs-d'œuvre — une statue d'athlète nettoyant son corps, à l'aide du strigile, une sorte de racloir spécial (c'est ce que signifie le nom d'*Apoxyomène,* sous lequel l'œuvre est restée célèbre), de l'huile dont il s'était enduit avant l'épreuve — avait été transféré à Rome, où il suscita longtemps l'admiration du plus large public. Un marbre du Vatican nous en conserve heureusement le type et nous permet de prendre la mesure de ce que l'on a appelé parfois, sans exagération, la « révolution lysippique ». Avec l'*Apoxyomène* apparaît en effet une conception toute nouvelle de l'aplomb de la statue et de sa relation à l'espace environnant : le poids du corps repose bien toujours, comme chez le *Doryphore,* sur l'une des deux jambes, mais l'autre est seulement déportée de côté, la pointe du pied légèrement fléchie se préparant à un changement d'équilibre, qu'annonce l'inclinaison de la tête, et donnant à la pose, qui évoque un pas de danse, la souplesse et l'instabilité de la vie même. Surtout, la position des bras, tendus en avant du torse et le masquant en partie, établit pour la première fois la statue dans un espace à trois dimensions. Et le résultat est qu'au lieu d'être conçue, comme l'étaient encore les figures praxitéliennes, en fonction d'une présentation frontale, elle devient un volume complexe, dont l'œil ne peut appréhender la composition qu'en adoptant de multiples points de vue. Il suffit de tourner lentement autour de l'*Apoxyomène* pour sentir se dissoudre les notions de « face » et de « profil » : la statue grecque a désormais pleinement pris possession de l'espace réel. Mais cette conquête décisive du naturalisme, qui porte en germe toute l'évolution ultérieure de la plastique et sans laquelle en particulier la statuaire de groupe, où s'illustrera au siècle suivant l'école pergaménienne, n'aurait pas été possible, ne s'identifie pas pour autant avec une pure imitation de la réalité. Aussi attentif que Polyclète, en qui d'ailleurs il reconnaissait son maître, à la construction *a priori* d'un système de proportions, Lysippe était resté célèbre aux yeux des Anciens pour avoir substitué au « canon » polyclétéen (où la tête occupe 1/7 de la hauteur totale) des formes plus élancées, fondées sur le rapport de 1 à 8. C'est du reste celui que l'on trouve dans la statue du pugiliste *Agias*, dédiée à Delphes v. 330 par un notable thessalien au sein d'un groupe représentant sa propre famille : moins audacieuse que l'*Apoxyomène*, l'œuvre reproduisait sans doute un bronze plus ancien, dont la base, signée de Lysippe, a été trouvée à Pharsale, et nous transmettrait de son art, à un stade moins avancé, le reflet le plus direct. La tête, petite, avec un front bas, des yeux rapprochés, une bouche mince et étroite, s'écarte du type de la beauté « classique » qu'illustraient encore les dieux de Praxitèle et de Léocharès, mais n'en paraît pas moins répondre à un type délibérément choisi : les mêmes caractères se retrouvent non seulement sur l'*Apoxyomène*, mais, ce qui est encore plus significatif, sur le portrait d'Alexandre, dont il sera question plus loin.

L'œuvre de Lysippe apparaît donc comme caractérisée par la recherche d'un subtil équilibre entre stylisation et naturalisme. Toutefois, ce dernier ne se limite pas à une appropriation de l'espace ; il conduit à une mise en situation temporelle qui ouvre à la statuaire des perspectives nouvelles. Les athlètes, les dieux et les héros de la sculpture classique n'avaient pas d'âge déterminé, et, sauf exception, leur attitude ou leur geste n'étaient pas insérés dans un temps réel. Même l'*Apollon* adolescent de Praxitèle prenait, grâce à la référence au mythe delphique, une valeur d'éternité. Les personnages de Lysippe, surtout semble-t-il à la fin de sa carrière, apparaissent au contraire comme des êtres réels, marqués par l'âge et par l'action, saisie dans l'instant, où ils sont impliqués : son

Hermès, jeune messager divin, est d'abord un coureur essoufflé qui vient de s'asseoir sur un rocher pour se reposer un moment ; son Éros, un enfant qui met toute sa force à bander l'arc appuyé sur sa cuisse ; son Héraklès (connu par le type célèbre de l'*Hercule Farnèse*), un colosse un peu las, lourdement appuyé sur sa massue et dont la musculature boursouflée de lutteur, le visage déjà marqué, absorbé dans une sombre méditation, composent du héros bienfaiteur une image presque romantique.

Cette volonté de caractérisation individuelle devait naturellement porter Lysippe à s'intéresser à un genre dont les premiers essais remontaient sans doute, nous l'avons vu, au style sévère, mais qui n'avait commencé qu'au IVe s. à prendre sa vraie signification : le portrait. Auteur d'une célèbre effigie de Platon, un sculpteur athénien, Silanion, avait montré la voie ; mais c'est le *Socrate* de Lysippe, où la laideur physique, décrite sans complaisance, du sage à la face de Silène faisait par un saisissant contraste ressortir l'élévation morale et la concentration de la pensée, qui inaugure vraiment la longue série hellénistique des portraits de philosophes. Et l'on peut considérer que celle des effigies royales trouve son origine dans la fameuse statue d'*Alexandre à la lance*, créée sans doute v. 330 par le Sicyonien devenu sculpteur officiel de la cour de Macédoine et dont un buste du Louvre, l'*Hermès Azara*, nous conserve la tête. Les traits individuels — menton fort, pommettes saillantes, nez aquilin, chevelure ondulée rejetée en arrière et séparée au milieu du front par des mèches divergentes — y sont mis en évidence, mais intégrés à une reconstruction idéale qui vise avant tout à la création d'un type, celui du conquérant inspiré. Paradoxalement, c'est peut-être dans le portrait que le naturalisme lysippéen montre le plus clairement ses limites : celles d'un art qui, tout soucieux qu'il se voulût de peindre l'apparence, ne se résigna jamais à oublier l'essence, cherchant toujours à saisir, derrière la réalité immédiate, la vérité permanente des êtres et des choses.

PEINTURE

Il serait essentiel de savoir comment cette découverte par l'art grec d'une certaine forme de réalisme, que nous percevons surtout à travers l'œuvre de Lysippe, se manifestait dans la peinture, mode d'expression naturellement mieux adapté que la sculpture à la traduction des apparences sensibles. Mais la documentation est pauvre et les quelques peintures murales de Pompéi, où l'on s'accorde à reconnaître des copies de chefs-d'œuvre grecs, nous permettent seulement d'entrevoir chez les peintres de la seconde moitié du IVᵉ s. une attention grandissante aux effets de couleur et de lumière ainsi qu'aux superpositions de plans et de perspectives.

À une génération de peintres sans doute directement inspirés par l'univers de la plastique, comme Euphranor, qui était aussi sculpteur, ou Nicias, qui fut le collaborateur attitré de Praxitèle, succèdent des artistes plus soucieux, semble-t-il, d'illusion picturale : autour de Pamphilos, l'« école de Sicyone » groupe des disciples qui deviendront célèbres, comme Pausias et surtout Apelle, qui fut à l'égal de Lysippe le portraitiste officiel d'Alexandre. Rien n'a subsisté de leur œuvre, mais c'est à l'ambiance de la cour macédonienne que nous renvoie justement l'un des documents les plus considérables que nous possédions sur la peinture de cette époque : la grande mosaïque de la *Maison du Faune* à Pompéi figurant la *Bataille d'Issos*, directement copiée sans doute d'après une composition murale de la fin du IVᵉ s. Si l'original, comme on l'a supposé avec vraisemblance, est bien le tableau commandé par le roi Cassandre pour le palais de Pella au peintre Philoxénos d'Érétrie, il ne serait pas antérieur à 315 et peut avoir inspiré directement les sculpteurs du fameux *Sarcophage d'Alexandre* (Istanbul, Musée archéologique), qui fut en réalité celui du dernier roi de Sidon, mort probablement en 311. Non seulement certains détails des scènes de bataille et de chasse qui en ornent les côtés ressemblent à de véritables « citations » de la bataille reproduite à Pompéi, mais la complexité des compositions (leur

profondeur exigeait des sculpteurs une surprenante virtuosité), qui d'ailleurs ne se rattache à aucune tradition proprement plastique, pourrait bien refléter la fascination exercée sur les sculpteurs de reliefs par ces nouvelles expériences picturales. Telle qu'elle nous apparaît à travers la copie sans doute très fidèle de Pompéi, la *Bataille d'Alexandre* est en tout cas un impressionnant chef-d'œuvre, dont le mouvement tumultueux, la composition compacte qui se développe en profondeur grâce à d'audacieux raccourcis, le rythme haché par les obliques que dessinent sur le ciel bas les longues lances macédoniennes préfigurent étrangement les célèbres batailles de Paolo Uccello. Et la caractérisation à la fois physique et psychologique des personnages — des deux protagonistes, Alexandre et Darios, mais aussi de chaque soldat perse ou macédonien — est d'une précision et d'une richesse dont la sculpture n'offre à vrai dire pas d'équivalent. La physionomie d'Alexandre notamment, si elle comporte les mêmes traits fondamentaux, apparaît comme plus accentuée, plus directement personnelle que chez Lysippe : sans doute les portraits peints par Apelle allaient-ils eux-mêmes plus loin que celui-ci sur la voie du réalisme. Tout ce que l'on peut dire est que la peinture connaît à cette époque un développement exceptionnel, dont les mosaïques de Pella, en dépit de leur qualité, ne transmettent sans doute que le reflet atténué, mais qu'illustrent directement les fresques découvertes dans les tombes royales de Vergina. L'étude de ces documents originaux, dont le style renvoie à ceux, déjà connus, de la tombe à façade dorique de Lefkadia, mais dont la technique est parfois presque impressionniste, promet de jeter une lumière nouvelle sur le rôle joué par la peinture dans cette naissance d'un réalisme grec.

LA POSTÉRITÉ DE LYSIPPE ET DE PRAXITÈLE

Il reste que c'est surtout la sculpture qui nous permet d'en suivre les étapes : directement perceptible dans la gesticulation complexe des combattants et des chasseurs du *Sarcophage d'Alexandre* aussi bien que dans les poses un peu trop recherchées des figures du magnifique cratère de bronze trouvé dans une tombe de Derveni en Macédoine, l'influence de Lysippe semble avoir été longtemps prédominante. Un chef-d'œuvre comme le *Portrait de Démosthène*, dédié par les Athéniens en 280 à la mémoire du grand homme d'État, développe les potentialités contenues dans le réalisme psychologique de ses dernières œuvres, et la colossale *Tyché*, personnification de la Fortune, créée au début du IIIe s. à Antioche par un de ses élèves, Eutychidès, illustre bien par sa construction à la fois pyramidale et tournante le parti que pouvait tirer la statuaire monumentale de la conception lysippéenne de l'espace. Mais il faut tenir compte aussi d'une autre tradition : toute une série d'Aphrodites, nues ou demi-nues, comme l'original de la *Vénus Médicis* ou la fameuse *Vénus de Milo*, maintiendra jusqu'au IIe s., et au-delà, les types praxitéliens, dont l'influence explique aussi la persistance, jusqu'à l'académisme, d'une tendance à l'idéalisation des visages qui annonce le néoclassicisme du début de l'époque impériale. Et c'est encore l'esprit de Praxitèle qui revit dans l'univers sensuel et familier de la sculpture « de genre », statuettes de jeunes femmes drapées, d'enfants, d'Amours ou de faunes dont on ornait les habitations privées et dont les gracieuses figurines de terre cuite fabriquées à Tanagra popularisèrent les types. Aspect certes mineur de l'art hellénistique, mais en tout cas, au même titre que les panneaux de mosaïque richement colorés qui décoraient les maisons de Délos, documentation irremplaçable sur les croyances, les préoccupations et les goûts quotidiens d'une société dont l'évolution de l'architecture permet de mesurer par ailleurs les profondes transformations.

Le développement d'une architecture de la ville

Nous avons vu comment s'était affirmée, au cours du IVe s., une conception globale de la ville qui visait à créer des ensembles rationnels, où la forme et la situation de chaque partie fussent déterminées par rapport au tout. Mais cet urbanisme fonctionnel, qui mettait — ou au moins entendait mettre — l'architecture au service de l'homme et à sa mesure, dut attendre en fait l'époque hellénistique pour trouver, sur les lieux mêmes où en était née l'idée, à Milet, sa plus complète réalisation. Construite sur une presqu'île orientée au N.-E., longue de près de 2 km, la ville, s'adaptant aux lignes du terrain, s'articulait, autour d'une colline encadrée par deux baies profondes où s'abritaient les ports, en trois grands secteurs d'habitation. Au centre, la région la plus basse accueillait les édifices publics et les aménagements commerciaux et administratifs, disposés sur les deux branches d'une équerre dont l'agora constituait l'angle et les deux zones portuaires les extrémités. Marchés, sanctuaires, lieux de réunions politiques et équipements collectifs, comme les fontaines et les gymnases, assuraient ainsi la cohésion de la cité tout en s'intégrant à chacune des zones résidentielles. Seul le théâtre, dont la masse imposante domine encore le site, occupait, au flanc sud de la colline, un emplacement écarté, dicté par la configuration du terrain. D'une logique un peu sèche quand on en considère seulement le plan, cette répartition des masses architecturales donnait lieu sur le terrain à la composition d'un véritable paysage urbain, exploitant pleinement les possibilités rythmiques et décoratives d'une forme ancienne, dont le développement est un des faits majeurs de l'architecture hellénistique, le portique. Avenues, places, façades de monuments, de propylées et de fontaines offraient au regard d'innombrables colonnes, immense dentelle de pierre dont le clair-obscur allégeait les contours et assouplissait les alignements trop rigoureux. Les fouilles de Milet ont heureusement fourni assez d'éléments pour permettre la réalisation, au Pergamon Museum de Berlin-Est, de reconstitutions et de maquettes : celles-ci peuvent seules donner une idée de la sobre splendeur de ce décor urbain, qui jouait essentiellement sur des oppositions de volumes et des enchaînements de perspectives et auquel l'emploi systématique de l'ordre dorique conférait une unité remarquable. Nous percevons là, pour la première fois, une esthétique de l'espace urbain qui va donner à certaines formes architecturales (portiques, propylées, fontaines) un nouvel essor et à laquelle les villes d'Orient comme Antioche, Pergé, Éphèse ou Palmyre devront, à l'époque impériale, leurs vastes avenues bordées de portiques.

DÉLOS

Quelle que soit l'ampleur de son succès, notamment auprès des fondateurs de villes nouvelles dans les royaumes constitués par les héritiers d'Alexandre, il s'en faut pourtant que ce plan orthogonal s'impose à toutes les villes hellénistiques : l'une des mieux connues, *Délos*, offre au contraire un éclatant exemple d'improvisation individuelle et de développement anarchique. Tantôt luxueuses, avec une cour à péristyle et une riche décoration de stucs et de mosaïques, tantôt simples et même pauvres, s'adaptant tant bien que mal, autour de rues qui ne sont souvent que des ruelles, aux exigences d'un terrain accidenté, les maisons déliennes fournissent en tout cas sur l'habitat grec de l'époque une documentation riche et vivante et permettent de corriger l'impression de rationalité assez étouffante qui émanait des ruines d'Olynthe. Toutes dissemblables, et de plans très irréguliers, empiétant à l'occasion par un escalier extérieur sur des rues déjà étroites, elles devaient composer un paysage urbain fort pittoresque, dont on prendra sans doute une idée assez juste en se promenant aujourd'hui dans les villages des Cyclades, à Ios, à Mykonos ou à Paros. On peut considérer toutefois qu'il y avait là plutôt une survivance des habitudes archaïques qu'une réaction consciente contre l'urbanisme de type « hippodamien ». Délos reste en effet un cas relativement isolé et ce sont en règle générale les conceptions milésiennes qui inspirent les nouvelles fondations.

ALEXANDRIE

La plus brillante d'entre elles, Alexandrie, dont le plan avait été tracé, avec

Alexandre lui-même, par l'architecte Deinocratès de Rhodes, en donnait toutefois, semble-t-il, une interprétation originale, adaptée à des conditions politiques et idéologiques profondément différentes. La structure théoriquement égalitaire et « collectiviste » (à l'image de la cité grecque) du plan orthogonal devait être mise avant tout, dans cette ville royale, au service d'une volonté de prestige et de magnificence. Les résultats des fouilles entreprises dans la ville moderne ont été décevants, mais nous savons par les textes anciens que l'avenue principale était large de 100 pieds (env. 30 m) et il est probable que les rues ordinaires elles-mêmes devaient être comparables aux grandes artères de Priène ou de Milet. On peut donc penser que cet extraordinaire élargissement des espaces urbains allait de pair avec un traitement grandiose des masses architecturales : les édifices publics, l'agora, le palais royal, plus tard le Musée et la Bibliothèque qui firent d'Alexandrie l'une des métropoles intellectuelles du monde hellénistique, alternant avec des jardins et des places, les installations portuaires enfin, dominées par la colossale silhouette du Phare (du nom de l'îlot où il se dressait, *Pharos*), que les Anciens placèrent au nombre des Sept Merveilles, composaient sans doute un décor monumental somptueux et coloré, que les descriptions du poète Théocrite, témoin des fêtes données au IIIe s. par les Ptolémées, nous permettent au moins d'imaginer. L'originalité d'Alexandrie et les raisons de son immense prestige doivent donc sans doute être d'abord cherchées dans l'adaptation d'une tradition proprement grecque, celle du « fonctionnalisme » ionien, aux dimensions nouvelles d'un monde que l'idéologie royale portait naturellement à s'inspirer d'exemples orientaux : c'était, si l'on veut, la rencontre, dans un pays accoutumé par tradition millénaire à l'architecture colossale, de la géométrie milésienne avec l'esprit d'Halicarnasse.

PERGAME

C'est au contraire en rupture complète avec l'urbanisme milésien que se situe l'œuvre des architectes de Pergame, qui apparaît d'ailleurs, dès la seconde moitié du IIIᵉ s., comme la grande rivale de la capitale ptolémaïque sur les plans politique et culturel. Fondé au début du IIIᵉ s., à partir d'une simple forteresse qui, du haut d'un éperon rocheux, dominait de près de 300 m la vallée du Caïque et où l'un des héritiers d'Alexandre, Lysimaque, avait installé son trésor de guerre, qu'un officier énergique et peu scrupuleux, Philétairos, s'était approprié, le royaume de Pergame allait devenir en moins d'un siècle une des premières puissances du monde antique. Après une période troublée, marquée surtout par une intense activité militaire et diplomatique, au cours de laquelle ils consolident et étendent leur pouvoir, les Attalides, successeurs de Philétairos, entreprennent vers la fin du siècle de donner à leur capitale une splendeur architecturale et un prestige intellectuel à la mesure de son importance politique. Ce sera l'œuvre d'Attale Iᵉʳ (241-197 av. J.-C.), à qui sa victoire décisive sur les Galates, des envahisseurs celtes qui terrorisaient l'Asie Mineure, permit de se poser en champion de l'hellénisme contre la barbarie et, grâce à une habile politique d'alliance avec Rome, de jouer dans les affaires de la Grèce un rôle brillant, mais surtout celle de son successeur, Eumène II (197-159 av. J.-C.). Maître d'un royaume dont la puissance n'était plus contestée et qui disposait d'immenses richesses, ce souverain put non seulement agrandir considérablement la ville, mais concevoir et réaliser sur son acropole un programme de constructions qui n'était guère comparable, par l'ampleur et les ambitions, qu'aux projets de Périclès sur l'Acropole d'Athènes.

Le paradoxe est que ce programme, qui fut sans doute pour l'essentiel l'œuvre d'un seul homme (les Anciens n'avaient pas retenu le nom des architectes de Pergame et il est probable que leur rôle se borna à exécuter des plans conçus par le roi lui-même) et dont la réalisation ne fut retardée par aucune difficulté majeure, n'en apparaisse pas moins, à certains égards, comme le triomphe du pragmatisme. Certes, l'ensemble constitue, en plan comme en élévation (la maquette que l'état des ruines a permis de réaliser nous en donne une image concrète), un tout remarquablement cohérent. Mais il n'est pas certain pour autant que nous ayons affaire à un plan préétabli, à un programme arrêté en une fois par Eumène et ses conseillers. Au contraire, les différentes terrasses de l'acropole semblent avoir été construites indépendamment, chacune s'adaptant au fur et à mesure à l'environnement déjà créé par les autres, et sans que des liaisons organiques et fonctionnelles aient été initialement prévues entre elles. C'est que l'unité du dispositif monumental ne procède pas ici d'une conception abstraite, définie *a priori* : elle n'est autre que celle du paysage lui-même. Si le plan de l'acropole de Pergame ressemble au déploiement d'un vaste éventail, si la vue que l'on découvre encore aujourd'hui de la plaine évoque un escalier dont les degrés gigantesques graviraient la montagne en enveloppant l'hémicycle du théâtre, c'est que l'architecture n'a ici pour fonction que de révéler les lignes soulignant les structures du relief et d'en exploiter les virtualités. Ainsi, la dépression naturelle qui creuse le flanc ouest de la colline commande l'emplacement du théâtre, auquel cette ouverture sur la plaine donne une majesté sans égale, et la déclivité du plateau supérieur est scandée, sur un arc de cercle orienté nord-sud, par une cascade de terrasses rayonnantes, dont la plus basse s'articule, au niveau de la scène du théâtre, sur un immense portique, long de plus de 220 m, base grandiose qui, par les hauts contreforts en saillie de son mur de soutènement, enracine puissamment tout l'ensemble dans la montagne. Plutôt que de « paysage architectural », il faudrait parler ici d'une véritable « architecture du paysage », car c'est la nature elle-même qui est pour ainsi dire « mise en scène » : l'orientation et le plan des terrasses comme le tracé des rues et de l'enceinte urbaine trahissent le souci de parvenir à une forme cohérente en modifiant le moins possible le relief préexistant. Démarche à première vue exactement opposée à celle des constructeurs de Priène, qui sur un site semblablement escarpé avaient imposé « de force » un plan jugé rationnel, mais qui, en dépit des apparences, n'est peut-être pas beaucoup moins idéaliste. Car il ne s'agit pas seulement d'utiliser le relief, il faut aussi, et peut-être surtout, en révéler par l'analyse la structure profonde afin de lui donner, par une intervention limitée mais décisive, sa forme idéale. En sorte que, si l'on peut parler de « réalisme » architectural, c'est dans le même sens, au fond, que pour la sculpture : le projet de Lysippe choisissant dans la physionomie d'Alexandre les traits les plus caractéristiques pour composer l'image immortelle d'un jeune demi-dieu conquérant est-il très éloigné de celui des bâtisseurs de Pergame, qui entreprirent de donner aux traits fondamentaux d'un paysage une sorte d'évidence éternelle ?

Mais une telle conception, qui privilégiait évidemment les effets d'ensemble, ne pouvait accorder au *monument* la place qu'il avait eue jusque-là dans l'architecture grecque : il est frappant de constater que les temples de Pergame semblent tous conçus pour s'intégrer autant que possible à leur environnement architectural. À l'exception du *Temple de Trajan*, construit à l'époque romaine sur la terrasse supérieure et qui ne nous concerne pas ici, ils sont en général de dimensions modestes, situés en bordure d'une place ou dans le prolongement d'un portique et rarement mis en valeur pour eux-mêmes. Le vieux *Temple d'Athéna*, qui à l'origine se dressait sans doute seul sur la terrasse médiane, fut englobé par Eumène II dans une cour à portiques où sa colonnade se fondait harmonieusement, mais qui lui ôtait presque toute individualité architecturale. Car la forme pergaménienne par excellence est naturellement le portique, dont l'architecture linéaire accompagne et souligne les structures du paysage. La *stoa*, qui peut comporter deux ou même trois étages, fournit aux terrasses une bordure monumentale, dont les fondations vont chercher leur point d'appui le long de la pente, tantôt corrigeant l'impression de lourdeur que pourraient donner l'ampleur et l'accumulation des lignes horizontales en prolongeant par de puissants contreforts, comme à l'acropole ou au sanctuaire de Déméter, les axes verticaux de la colonnade, tantôt favorisant, comme dans le vaste complexe des gymnases de la « ville basse », l'articulation des différents niveaux. À part le *Grand Autel de Zeus*, qui affectait lui-même la forme d'une cour à colonnade, il n'était pas à Pergame de monument isolé qui pût rivaliser avec ces grands portiques, et ce sont eux qui devaient constituer l'essentiel du décor architectural.

Au demeurant, c'est à travers cette forme privilégiée que nous sentons le plus clairement quel fut le rayonnement de l'architecture pergaménienne : protecteurs attitrés des cités grecques, les Attalides, avant de fournir des modèles aux grands ensembles monumentaux de la Rome républicaine et impériale, inspirèrent et financèrent en effet un peu partout des travaux d'aménagement et d'embellissement qui, exécutés par des équipes venues de Pergame, en assurèrent la diffusion. Au cours du IIᵉ s., on voit ainsi s'élever, non seulement en Asie Mineure et dans les îles, notamment à Rhodes et à Kos, mais aussi dans le sanctuaire de Delphes et à Athènes, des portiques de type pergaménien. La grande *Stoa d'Eumène*, sur le flanc sud de l'Acropole, et surtout les deux portiques de l'agora modifièrent profondément l'aspect de ce dernier site en lui donnant une unité monumentale dont la dispersion anarchique des édifices l'avait jusque-là privé. La *Stoa d'Attale II*, offerte aux Athéniens v. 150 av. J.-C., a pu être à la suite des fouilles intégralement reconstruite par les archéologues américains et nous permet d'apprécier encore aujourd'hui, avec la beauté des volumes intérieurs, l'agrément de ces espaces à la fois protégés et ouverts qui furent l'un des cadres privilégiés de la vie quotidienne à l'époque hellénistique. Et l'œuvre des Pergaméniens à Athènes donne la mesure du prestige acquis en moins d'un siècle par cette dynastie de parvenus inspirés qui de la forteresse de Lysimaque avaient su faire l'un des plus brillants foyers d'art et de culture — les textes anciens et surtout, nous allons le voir, la sculpture en témoignent — de toute l'histoire de la civilisation grecque.

La sculpture
pergaménienne

L'épanouissement d'une plastique monumentale n'est à vrai dire que l'un des aspects, pour nous le plus perceptible, de l'intense activité intellectuelle qui se développe à la cour de Pergame dès le règne d'Attale Ier et à propos de laquelle on a pu évoquer la Florence des Médicis. Savants et poètes, érudits, architectes, peintres et sculpteurs y sont très tôt sans doute attirés par la munificence du prince, dont l'une des premières initiatives avait été la fondation d'une *Bibliothèque*, rivale déclarée de celle d'Alexandrie et dont les Ptolémées ne devaient d'ailleurs pas tarder à prendre ombrage. À la fois conservatoire des valeurs classiques — une adaptation de l'*Athéna Parthénos* de Phidias se dressait dans la salle principale, et nous savons par exemple qu'Attale II fit copier pour ses collections les fresques de Polygnote — et laboratoire d'expériences nouvelles, cette bibliothèque explique en particulier l'ambiance d'érudition poétique et mythologique, voire de réflexion philosophique, où baignent les créations de la sculpture pergaménienne et qu'illustre bien la personnalité complexe d'Antigonos de Carystos, à la fois sculpteur et critique d'art, qui paraît avoir été l'un des artistes favoris d'Attale Ier. C'est lui en tout cas qui, avec trois autres sculpteurs, avait conçu le monument dédié par le roi après 238 pour célébrer sa victoire sur les Galates.

L'EX-VOTO D'ATTALE Ier

De ce groupe en bronze, qui se dressait dans le sanctuaire d'Athéna sur une grande base circulaire, la composition n'a pu être reconstituée que de manière approximative, en combinant plusieurs copies partielles. Un groupe en marbre connu sous le nom de *Gaulois Ludovisi* (Rome, M. N.) reproduit sans doute l'élément central : debout, dressé dans un suprême effort, le guerrier barbare, retenant le corps inanimé de sa femme qu'il vient de tuer pour lui épargner la servitude, se transperce la gorge de son épée.

Autour de lui, tombés les armes à la main, plusieurs de ses compagnons agonisaient : l'admirable *Gaulois mourant* (Rome, musée du Capitole) nous conserve très probablement l'un d'eux. Si incertaine qu'en soit la disposition, ces deux éléments montrent assez quelles étaient la complexité structurelle et l'intensité pathétique de l'ex-voto d'Attale Ier. Fait remarquable, le vainqueur n'y apparaissait pas, sa gloire trouvant un reflet suffisant dans le désespoir même et dans l'héroïsme des vaincus. Car ce qui rend ce monument si impressionnant, c'est que le triomphe du roi, c'est-à-dire du Grec sur le Barbare, y apparaît comme une sorte de nécessité immanente, qui relève plus de l'ordre universel que de la valeur des combattants : aussi cette célébration de victoire peut-elle prendre sans paradoxe la forme d'un hommage implicite aux vertus de l'adversaire — courage, fierté, indomptable amour de la liberté —, dont on a le sentiment qu'il est regardé moins comme un ennemi que comme la victime d'un destin cruel. D'où une étrange solidarité avec les vaincus, typique d'une génération nourrie de réflexion morale et d'interrogations religieuses et qui fera aussi toute l'ambiguïté du rapport entre dieux et Géants dans la frise de l'*Autel de Zeus*.

Mais la nouveauté de l'œuvre tenait aussi et surtout à la complexité de sa composition, qui pour la première fois déployait dans un espace multidimensionnel une vision instantanée. Ainsi, l'aplomb du *Groupe Ludovisi* ne fait plus appel à l'équilibre statique de la sculpture classique, mais à une dynamique de forces contraires, matérialisées par les éléments de la composition : au mouvement de pesanteur et de mort qu'imprime déjà à l'ensemble le cadavre de la femme s'oppose, pour quelques fractions de seconde encore, la tension ascendante du torse de l'homme, qui, tournant la tête pour un dernier regard de défi, semble s'arracher au sol dans un puissant mouvement de spirale tout en accomplissant lui-même le geste qui, l'instant d'après, le fera s'écrouler sans vie sur le corps de sa compagne. Jamais encore l'équilibre d'une statue grecque n'avait comme ici contenu en quelque sorte sa propre destruction, jamais il n'avait exploité aussi radicalement les virtualités pathétiques inhérentes à cette suspension quasi magique du temps que constitue la sculpture. Moins spectaculaire, et peut-être aussi moins grandiloquente, l'agonie du *Gaulois mourant* du Capitole relève pourtant de la même esthétique : le flanc transpercé, l'homme est tombé sur la cuisse droite, la jambe repliée, le poids du corps appuyé sur un bras, tandis que le buste affaissé, la tête inclinée s'abandonnent déjà à un engourdissement mortel. Et si le style, notamment par un traitement plus nerveux, plus crûment naturaliste, de la musculature, se distingue de celui du *Groupe Ludovisi*, c'est sans doute que plusieurs mains, nous le savons par Pline, ont collaboré à l'exécution du monument.

Une aussi magistrale création ne s'explique d'ailleurs que si l'on admet l'existence à Pergame, dès le milieu du IIIe s., d'une véritable « école » de sculpture : d'autres œuvres, également copiées à l'époque romaine, peuvent nous aider à en comprendre la genèse. Ainsi, l'héritage de Lysippe est manifeste dans la composition en profondeur de deux groupes parallèles, sans doute plus anciens, qui représentaient Ménélas emportant du champ de bataille le corps de Patrocle (Florence, Musée archéologique) et Achille soutenant le cadavre de Penthésilée : l'antithèse de la mort et de la vie, de l'immobilité et du mouvement y apparaît déjà comme le principe générateur, mais dans le cadre d'une iconographie traditionnelle dont le maintien reflète la culture homérisante de la cour des Attalides. On n'y trouve encore ni la complexité spatiale d'un ensemble conçu pour être vu de tous les côtés ni la caractérisation ethnique et psychologique par laquelle le monument des Galates, en dépit de sa signification surtout symbolique, préfigure un genre qui ne trouvera que dans l'art romain son terrain d'élection, la sculpture historique.

Ce chef-d'œuvre semble donc occuper une position clé dans l'histoire de la statuaire pergaménienne, même si d'autres documents montrent qu'elle sut aller encore plus loin dans cette recherche d'un réalisme symbolique. La vieille légende du satyre Marsyas, condamné par Apollon, qu'il avait osé défier, à périr écorché, avait fait souvent l'objet de représentations figurées, mais, jusqu'au IVe s., on en oubliait la sanglante conclusion pour ne retenir que l'épisode, semi-burlesque, du concours musical. Or, diverses répliques permettent de reconstituer un groupe qui pour la première fois représentait, d'une manière particulièrement précise, le dénouement lui-même. Face à Marsyas, encore vivant mais pendu par les bras au tronc d'un arbre comme à l'étal d'un boucher, un esclave scythe accroupi, les yeux levés, aiguisait son couteau sur une pierre. Les deux figures étaient peut-être indépendantes, la cohésion du groupe statuaire étant ici assurée par le lien immatériel, mais fatal, qui enchaînait le bourreau et la victime. On a, à propos de cette scène, parlé d'un goût de la cruauté, dont nous verrons que la *Gigantomachie* du *Grand Autel* fournirait d'autres exemples. Mais l'observation apparemment froide, à laquelle se livrent en effet les sculpteurs pergaméniens, de la cruauté et de la souffrance n'est sans doute que l'expression d'une pitié supérieure, et il est difficile de ne pas y sentir parfois comme une sorte de protestation muette contre l'injustice et la violence inscrites dans l'ordre universel. À l'étrange sympathie que leur inspirait l'héroïsme malheureux des Galates répond ici une compassion horrifiée non seulement pour l'agonie d'un vieillard supplicié, mais peut-être même pour l'abjecte obéissance de l'esclave à une mission dont la cruauté le dépasse, car elle procède de la volonté d'un dieu. Et derrière l'absence d'Apollon, dont seul un acte barbare perpétré sur un être désarmé proclame ici la puissance, se profile en fait une impitoyable présence : celle des Olympiens répriment sans merci, sur la frise du *Grand Autel,* la révolte des Géants, les Fils de la Terre.

LE GRAND AUTEL DE ZEUS

Le sommet incontestable de cet art pergaménien qui par son originalité et l'ampleur de ses conceptions éclipse pratiquement tous les autres courants de la sculpture hellénistique est en effet la grandiose *Gigantomachie* dont Eumène II avait choisi de décorer les quatre côtés d'un autel monumental dédié à Zeus et à Athéna, v. 180, sur une vaste terrasse située en contrebas du vieux sanctuaire de la déesse. De plan presque carré (env. 36 m × 34 m), l'édifice reprenait une forme attestée en Ionie dès l'époque archaïque, mais en lui donnant des proportions colossales et une richesse décorative sans précédent : au-dessus d'un socle à cinq degrés se déroulait une frise sculptée, haute de plus de 2 m, surmontée d'un double portique ionique ; au milieu, une cour surélevée, à laquelle donnait accès, à l'ouest, du côté de la vallée, un majestueux escalier large de 20 m, contenait l'autel proprement dit. On s'est interrogé à juste titre sur la valeur réellement religieuse d'un tel édifice : même si un lien théorique le rattachait au temple d'Athéna, il devait apparaître en effet comme chargé avant tout d'une signification politique. Monument élevé par Eumène à la gloire de sa dynastie, il transposait, par une démarche depuis longtemps familière à l'art grec, la guerre des Attalides sur le plan de la mythologie symbolique. Assimilée au triomphe des Olympiens sur les Géants révoltés, la victoire des rois de Pergame sur les Barbares devenait comme le fondement et la garantie de l'ordre universel : en ce sens, il n'est pas de monument hellénistique dont l'esprit annonce plus directement l'art romain impérial. Mais cette vision cosmique ne s'en situait pas moins résolument dans une tradition grecque : la référence à l'Acropole de Périclès paraît avoir été constante chez les Attalides, qui rêvèrent sans doute de faire de leur capitale une sorte de nouvelle Athènes. Il y avait loin toutefois de la présence souveraine et apaisante des dieux recevant, sur la frise des Panathénées, l'hommage du peuple athénien à ce conflit acharné où ils défendaient, avec leur propre pouvoir, l'équilibre même du monde : exactement la distance entre une démocratie sûre d'elle-même comme de l'idéologie qui fondait sa puissance et une dynastie d'usurpateurs qui avaient su, grâce à leur génie personnel et au prix de luttes difficiles, s'imposer comme le dernier rempart de l'hellénisme. Le *Grand Autel* de Pergame, en tant qu'expression symbolique d'une situation historique globale, suggère plus encore que le *Mausolée* la référence au *Parthénon*.

De ce « Parthénon hellénistique », il est toutefois curieux que les témoignages anciens ne nous fassent pas connaître le Phidias. Plusieurs signatures, gravées sur la plinthe inférieure de la frise, nous apprennent seulement qu'une fois de plus des artistes étaient venus de toutes les régions du monde grec pour travailler dans un grand atelier collectif. Mais on peut difficilement croire que la conception d'ensemble ne fut pas l'œuvre d'un seul homme. Quelles que soient en effet les inégalités d'exécution que l'on a pu y relever, l'extraordinaire mêlée qui se déroulait sur les 120 m de la frise, dont la plus grande partie a été retrouvée lors des fouilles effectuées à la fin du XIXᵉ s., a toute l'unité puissante et contrastée d'une vision épique (Berlin-Est, Pergamon Museum). Il n'est pas question d'entrer ici dans le détail de ce récit, qui faisait appel à toutes les ressources d'une érudition mythologique raffinée : la lutte des douze dieux de l'Olympe assiégés par les Géants, race monstrueuse mais mortelle, issue de la Terre, y prenait les dimensions d'un conflit cosmique, où se trouvaient impliquées toutes les puissances de l'univers. À l'est, la façade principale était consacrée aux exploits des Olympiens eux-mêmes, assistés au sud par les divinités de l'Air et de la Lumière, au nord par celles de l'Eau et de la Nuit, qui partageaient aussi le côté ouest avec Dionysos et son thiase. Les groupes les mieux conservés, notamment ceux de Zeus et d'Athéna, dont la composition s'inspire sans doute du fronton ouest du Parthénon, montrent comment les sculpteurs de Pergame, sans renoncer aux schémas traditionnels du combat, avaient su les renouveler à la fois par une intense dramatisation des attitudes et par ce que l'on pourrait appeler un « réalisme fantastique ». Car les Géants, race mythique jusque-là peu caractérisée, étaient pour la première fois présentés concrètement comme des monstres : leurs ailes déployées, leurs torses aux musculatures noueuses, surmontés parfois d'une tête bestiale, prolongés le plus souvent par des jambes en forme de serpents, dont les têtes sifflantes participent au combat et dont les puissants enroulements rythment la composition générale et en assurent la cohésion, donnent au fond du tableau la consistance et la profondeur inquiétante d'un monde en gestation, qu'envahirait progressivement une ténébreuse animalité. Race d'autant plus étrange qu'elle n'est pas homogène et à laquelle son apparence parfois très humaine nous avertit de ne pas accorder une signification trop simplement négative. Car si la *Gigantomachie* de Pergame affirme évidemment la supériorité des dieux, elle ne se fait pas faute d'en souligner le prix, qui est la souffrance et la mort des vaincus. Tityos, le visage brûlé par la torche de Léto, hurle de douleur, Aphrodite piétine de sa sandale brodée la tête d'un Géant blessé, Athéna saisit aux cheveux Alkyoneus, qui tourne vers le ciel un regard pathétique. Et la superbe figure de la Nuit s'apprêtant, d'un grand balancement du bras, à assommer son adversaire déjà tombé à terre résume bien toute l'implacable sérénité de cette légion divine, qui forme avec l'énergie désespérée ou les expressions suppliantes, terriblement humaines, des Géants un saisissant contraste. Devant cette répression à la fois nécessaire et impitoyable, on sent ici la même interrogation angoissée que devant le suicide des Galates ou le supplice de l'infortunée Marsyas.

Avec cette grandiose méditation sur l'ordre et le désordre du monde, qui apportait aux questions posées trois siècles plus tôt par Eschyle et Sophocle comme par les frontons d'Olympie la réponse pessimiste d'un humanisme généreux mais lucide, est-il excessif de penser que tout était dit, et que l'art grec ne pouvait plus que se survivre à lui-même ? L'histoire de la sculpture hellénistique se confond presque, à partir du IIe s., avec la diffusion de l'influence pergaménienne : c'est à elle que l'on devra encore quelques chefs-d'œuvre, comme la célèbre *Victoire de Samothrace* (Louvre) ou les créations de l'« école rhodienne », notamment le groupe de *Laocoon* (Vatican), d'un pathétique exacerbé qui annonce la sculpture baroque, et les scènes homériques de la Grotte de Sperlonga. Mais il est significatif qu'après cela le phénomène le plus marquant soit, au Ier s., le développement d'une peinture et d'une sculpture « néoattiques », où l'art grec s'épuise en une vaine restauration des formes du Classicisme, qui devra attendre l'époque impériale pour déboucher enfin, avec l'art augustéen, sur une synthèse originale.

Bibliographie sommaire

BIEBERT (M.), *The Sculpture of the Hellenistic Age*, 2e éd., New York, Columbia University Press, 1967. CHARBONNEAUX (J.), MARTIN (R.), VILLARD (F.), *Grèce hellénistique*, L'Univers des Formes, Gallimard, Paris, 1970. MARTIN (M.), *l'Urbanisme de la Grèce antique*, Picard, 2e éd., 1974. WEBSTER (T. L. B.), *le Monde hellénistique*, Albin Michel, Paris, 1969.

L'ART DE LA PERSE ACHÉMÉNIDE

Véronique Schiltz

ON CONSIDÈRE GÉNÉRALEMENT L'ART DE LA PERSE ACHÉMÉNIDE comme le dernier des grands arts de l'Orient ancien, celui qui, héritier des plus vieilles traditions de l'Asie antérieure, clôt l'ensemble de ce chapitre avant que la vague de l'hellénisme et l'expansion romaine ne viennent bouleverser profondément les données du vieux monde et affirmer, au moins provisoirement, la victoire culturelle de l'Occident.

Pourtant, s'il est effectivement un point final, cet art de nouveaux venus qui s'élabore en quelques décennies après l'accession au trône de Cyrus en 559 av. J.-C. est aussi la première manifestation d'un phénomène sans précédent dans l'histoire du monde, celui d'un art impérial délibérément pacifique et supranational qui est moins le produit d'une politique concertée que l'instrument de sa réalisation.

Pour la première fois, en effet, une dynastie entreprend de conquérir le monde par la diplomatie plutôt que par la force brutale. Loin d'anéantir les peuples vaincus au fur et à mesure de ses conquêtes, elle respecte leur identité, capte leurs ressources à son profit et se coule dans le moule qu'ils proposent. Ainsi, dans le domaine religieux, proclamant haut l'autorité suprême du dieu iranien Ahura-Mazdâ, le souverain achéménide n'en est pas moins fils de Rê en Égypte, élu de Mardouk à Babylone, protecteur des Juifs, mais aussi des propriétés d'Apollon sur les rives du Méandre.

En même temps, dans les pays soumis, les Achéménides imposent, ou plutôt surimposent un ordre, une vision du monde, une idéologie du pouvoir extrêmement rigides et contraignants. Dans cette entreprise gigantesque, l'architecture et les arts plastiques jouent un rôle fondamental. Un langage nouveau s'élabore, que réclame une forme nouvelle de domination. Au roi des rois, il faut un art des arts, éclectique dans ses sources, peut-être, mais sans ambiguïté dans ce qu'il proclame, bref, un art de propagande. En ce sens, l'art achéménide contribue à produire la notion d'empire bien plus qu'il n'en est le reflet.

De cet immense et fragile édifice qui regroupa, deux siècles durant, l'Égypte et la quasi-totalité de l'Orient, la clé de voûte est la figure souveraine du Grand Roi. Pour la première fois dans l'histoire, la religion, apparemment, n'occupe plus la première place. Le nombre des monuments ou des motifs qu'elle inspire directement est, en effet, remarquablement restreint. « Ils estiment mauvais d'élever des statues, des temples et des autels » notait déjà Hérodote. Le fait est que les sanctuaires clairement repérables comme tels sont, pour l'archéologue, exceptionnels, absentes les statues de culte et, hormis *Ahura-Mazdâ et son disque ailé*, rares les images divines. Pourtant, on ne saurait comprendre le sens profond de l'œuvre entreprise sans prendre en considération le substrat religieux sur lequel elle s'appuie et qui fonde, en particulier, l'idéologie royale.

Image terrestre d'Ahura-Mazdâ, le « seigneur sage », dieu majeur du panthéon iranien, le roi est son représentant parmi les hommes, son relais ici-bas, en quelque sorte. Tout part de lui et converge vers lui. Il est la tête des peuples et le centre de l'empire et par conséquent la capitale est là où il se trouve. Ce qu'il fait, d'innombrables inscriptions en témoignent explicitement, il s'en glorifie personnellement devant le dieu. Par lui s'accomplit la victoire de la Vérité et des forces du Bien qui, dans le cadre du dualisme iranien, est le but suprême. En ce sens, toutes les réalisations achéménides peuvent être considérées comme autant d'actes religieux puisque, directement soumis au religieux, le politique participe de la grande œuvre de rénovation.

Cette conception appartient au plus vieux fonds de la religion mazdéenne. Certes, l'apparition de Zoroastre, à coup sûr dans l'est de l'Iran et sans doute au siècle précédant la royauté achéménide, avait suscité une réforme de nature révolutionnaire. S'opposant à la violence et aux sociétés guerrières pour défendre la classe moins favorisée des éleveurs, elle avait trouvé un écho tout particulier dans le peuple, mais aussi chez les Mèdes et leurs mages, pour qui elle servit de catalyseur à la résistance, lors de l'accession au pouvoir, avec Darius, de la branche purement perse de la dynastie. On comprend, dans ces conditions, que les souverains achéménides, malgré leur politique de tolérance, se soient opposés à la réforme. Aucune trace de zoroastrisme dans leur art et dans leurs inscriptions. Il faut attendre l'avènement de la dynastie sassanide dans le dernier quart du III\ :sup:`e` s. av. J.-C., pour que celui-ci, fait accompli dans le peuple, soit adopté comme religion d'État.

Les origines :
Cyrus et les fondements
d'un art nouveau

Le plateau iranien sur lequel se sont infiltrés les nouveaux venus constitue une entité que son altitude et son climat délimitent assez bien. À l'ouest, il domine le vieux monde agraire de la Mésopota-

mie, très anciennement urbanisé et auquel est liée, géographiquement et historiquement, la région de l'Élam et de Suse, au sud du plateau. Au nord, de part et d'autre de la Caspienne, un système complexe de reliefs et, au nord-ouest, la barrière perméable du Caucase le mettent au contact du vaste monde des steppes eurasiatiques. De là viennent les Iraniens, apportant avec eux une autre langue, d'autres croyances, des traditions et un mode de vie radicalement différents de ceux du vieil Orient. Leur trace, on l'a vu, est archéologiquement repérable sur le plateau bien avant l'époque achéménide.

Très vite, ils se séparent en deux groupes. Les Perses, qui semblent mettre assez longtemps à se fixer, s'installent loin vers le sud, au cœur du plateau, d'où ils s'étendent rapidement aux dépens d'un Élam affaibli par les attaques assyriennes. Longtemps soumis aux Mèdes, ce sont pourtant eux qui font franchir aux Iraniens la barre de l'histoire en adaptant à leur langue l'écriture cunéiforme, première manifestation de leur génie pour adopter et adapter à leurs besoins une idée étrangère. Les Mèdes, eux, se constituent peu à peu en État dans le nord-ouest du plateau à partir d'un émiettement de principautés et de tribus que cimente la lutte contre les grandes puissances en présence, Assyrie et Ourartou. À la fin du VII\ :sup:`e` s., leur force redoutable contraint les Scythes à repasser le Caucase et fait tomber Ninive avant de contribuer à porter le coup fatal à l'Ourartou.

Lorsque, dans un souci de bonne entente avec les Perses, ses vassaux, le Mède Astyage, monté sur le trône en 585, donne en mariage sa propre fille au roi perse Cambyse I\ :sup:`er`, se doute-t-il des conséquences de cette union ? C'est d'elle, en effet, que naît Cyrus II, de sang doublement royal, perse par son père, mède par sa mère et qui fusionne en sa personne ces deux branches du peuple iranien qu'il s'apprête à réunir sous une seule couronne. Héritier, en 559, de la royauté perse, il se révolte bientôt contre la suzeraineté de son grand-père le Mède en s'alliant à Nabonide, le dernier roi de Babylone. La prise d'Ecbatane, en 550, marque la fin d'un État mède indépendant. Cyrus est désormais le maître, et son premier souci est d'agrandir encore cet empire unifié. L'entreprise qui s'ensuit a pour l'art des conséquences déterminantes en mettant le roi en contact direct avec des civilisations dont il retiendra les leçons. Dès 546 av. J.-C., Cyrus se dirige vers l'ouest, traverse la Lydie, s'empare de Sardes et s'avance en Ionie jusqu'à l'Égée et aux cités grecques de la côte. Entrant ainsi dans l'orbe de l'empire, celles-ci deviennent l'enjeu d'un conflit qui va secouer le monde antique. Puis il se tourne vers la Mésopotamie et c'est Babylone qui, en 539, devient, sans lutte, sa possession. Un peu plus tard, c'est le tour de la Syrie, puis des Phéniciens, dont il accepte, en tout cas, l'allégeance. Seule sa mort, sur la frontière orientale d'un empire qu'il avait su accroître de l'Afghānistān et du Pākistān, l'empêchera d'entreprendre vers l'Égypte une expédition que son fils Cambyse, chargé des préparatifs, réalisera.

Au jeune empire il faut une capitale. Certes, il y a Ecbatane, qui a été épargnée. Notre connaissance archéologique de cette ville, que les Mèdes avaient fondée dès la fin du VIIe s. et que recouvre aujourd'hui la moderne Hamadhān, est à peu près inexistante. La description que nous en donne Hérodote relève largement de la légende, mais son nom antique, Hagmatana, le « lieu de réunion », dit assez quel a été son rôle pour les tribus confédérées. Même s'il bâtit sa capitale ailleurs, Cyrus ne la renie pas et ses successeurs après lui continueront de faire d'Ecbatane une résidence royale d'été ainsi qu'un lieu de dépôt d'archives pour l'empire.

PASARGADES

La première capitale achéménide s'élève, si l'on en croit Strabon, sur les lieux mêmes de la victoire de Cyrus sur les Mèdes. En fait, le choix de son emplacement manifeste surtout le désir de recentrer l'empire en déplaçant son centre de gravité vers la région perse du Fars, au centre du plateau. On a retrouvé là les restes d'une vaste terrasse de 230 m de long adossée à une colline et que retient, sur trois côtés, un mur de soutènement d'une douzaine de mètres de haut. L'existence, au pied du mur, d'une base à trois degrés à la manière des temples ioniens, la taille des pierres au ciseau dentelé, leur mode d'assemblage par des crampons en queue d'aronde coulés dans du plomb, le traitement en bossage du parement et l'existence de marques de carriers spécifiques qui empruntent parfois leurs formes à l'alphabet grec, tout cela constitue autant d'indices d'une forte influence grecque et l'on s'accorde aujourd'hui à penser que des équipes d'ouvriers grecs sont venues travailler à Pasargades au début de la seconde moitié du VIe s., quittant peut-être pour cela le chantier du temple d'Artémis à Éphèse.

Où Cyrus avait-il pris l'idée de cette terrasse ? Avait-il été impressionné par la vue de l'acropole royale de Sardes ? Ou, plus vraisemblablement, reprenait-il ainsi une forme d'architecture connue sur le plateau dès l'époque de Sialk et attestée au VIIe s. avec la résidence perse de Masdjed-e Soleymān ? Quoi qu'il en soit, les vestiges de constructions qu'elle porte sont sensiblement plus tardifs. À la différence de ce que fera Darius à Persépolis, ce n'est pas sur une terrasse qu'en définitive Cyrus construisit son palais.

Celui-ci se trouve plus bas, dans un site aujourd'hui aussi désolé que le reste de ce plateau d'altitude que dominent, au loin, des reliefs enneigés. Mais il n'en était pas de même dans l'Antiquité. Avant d'être un ensemble architectural, Pasargades était un enclos, un vaste espace ceint de murs dont les bâtiments, très dispersés, n'occupaient qu'une faible partie. Les fouilles ont mis en évidence l'existence de bassins, de canaux d'irrigation et de deux petits pavillons qui donnent une idée assez précise du premier de ces « paradis » iraniens dont le nom local, transmis par les Grecs, est devenu pour nous synonyme de « jardin des élus ». Xénophon nous montre Cyrus le Jeune faisant à un général spartiate les honneurs de son parc de Sardes, à la plantation duquel il avait personnellement mis la main : « Les arbres étaient magnifiques, régulièrement plantés en rangées alignées, tout était ordonné suivant une belle disposition géométrique, beaucoup d'odeurs suaves les accompagnaient dans leur promenade. » Seul endroit où, selon l'étiquette, le souverain peut se promener à pied, le jardin est aussi une manifestation de nature religieuse, un acte de participation, par l'intermédiaire du cycle végétal, à l'œuvre de rénovation.

Cette importance du jardin fournit une des clés de l'art achéménide, art de gens récemment sédentarisés, qui porte à bien des égards la trace du temps de leurs errances. Rêve de nomade qui ne connaît que des étendues arides et venteuses, espaces sans limites où l'eau et la verdure sont rares, où la proie qu'on poursuit vous échappe, le jardin propose son monde clos, sa nature domestiquée, l'ombre de ses arbres, la proximité d'une eau toujours offerte. Il est aussi, pour les souverains, réserve de chasse d'où les bêtes ne peuvent fuir.

C'est à la manière dont se relève, soutenu par des piquets, le pan de la tente noire des nomades autant qu'à l'exemple des colonnades grecques d'Ionie que les grands portiques qui flanquent les édifices majeurs de Pasargades s'ouvrent sur ce jardin. Au reste, son nom ne signifie-t-il pas le « camp des Perses » ? Pour accéder au palais, on franchissait une porte monumentale flanquée, à l'assyrienne, de taureaux énormes et qu'on traversait dans le sens de la longueur entre deux rangées de colonnes. Au-delà, un pont de bois posé sur des colonnes de pierre enjambait un petit cours d'eau. Deux bâtiments aux orientations différentes jouxtaient le centre du jardin. Au fond, le palais P, ou palais résidentiel, de côté, le palais S, ou palais d'audience. Bien différente de l'architecture de brique aux formes massives de tradition mésopotamienne, leur construction fait largement appel à la pierre, tant pour les linteaux et les chambranles des ouvertures que pour les dallages et les colonnes. Très nombreuses, celles-ci dressent sur des bases faites d'un dé et d'un tore cannelé, comme en Ionie, leurs hauts fûts lisses de calcaire blanc. Des chapiteaux en pierre sombre en forme de protomés animaux soutiennent les toits plats. On connaissait déjà dans le nord-ouest de l'Iran et en Ourartou le principe

du hall à colonnes, de la salle hypostyle. Mais à Pasargades, elle devient le noyau central d'une vaste construction à portiques qui s'ouvre sur le jardin sur deux (palais P) ou sur quatre (palais S) côtés, proposant tout un jeu d'ombres et de lumière que multiplient les orientations.

Porte monumentale, salle d'audience, palais résidentiel, ainsi sont posés les trois éléments constitutifs du palais achéménide, que l'on retrouvera à Persépolis.

Le décor sculpté trouve sa place là où la pierre s'est rendue indispensable : dans l'encadrement des portes et leur passage. L'élément le mieux conservé est la *Stèle du génie ailé* qui ornait l'une des portes latérales des propylées monumentaux. Les dessins des voyageurs du XIXᵉ s. en ont transmis l'inscription, aujourd'hui disparue, qui mentionne le nom de « Cyrus, le roi, l'Achéménide » dans les trois langues de l'empire : vieux-perse, néobabylonien et néoélamite. Le personnage, ailé à la manière des génies bénisseurs assyriens, est doté d'une barbe à l'assyrienne et d'une coiffure égyptienne probablement empruntée par l'intermédiaire du monde syro-phénicien. Il est vêtu d'une longue robe à frange et galon de rosettes élamite. Cette image, qui puise dans le répertoire iconographique de l'ensemble de l'Orient les éléments les plus parlants, illustre bien le caractère cosmopolite de l'art achéménide dès ses débuts.

Toujours à Pasargades, au nord du palais, a subsisté un pan d'une haute tour de pierre tout à fait analogue à celle qui se dresse à Naqsh-i Roustem et qui pose les mêmes problèmes quant à sa fonction.

Plus loin, à environ 1 km à l'ouest de la terrasse, se trouvent les restes d'une enceinte sacrée avec deux autels du Feu monolithes, en pierre calcaire.

En 529, Cyrus trouve la mort en guerroyant contre les Massagètes, sur les marches orientales de son empire. À la différence des sépultures rupestres attestées antérieurement sur le plateau, son tombeau se dresse, isolé, au sud du palais, au sein d'un enclos qui fut autrefois un jardin. Bâti en gros blocs réguliers de calcaire blanc dont les joints sont « à vif », c'est un petit édifice de plan rectangulaire, aux volumes sobres, qui s'élève à plus de

Bas-relief rupestre de Darius, *vainqueur des rois imposteurs,*
sur la falaise de Béhistoun (Kurdistan). VIe s. av. J.-C.

Persépolis, *vue générale.*

Escalier est de l'apadāna à Persépolis :
les gardes susiens. VIe-V^e *s. av. J.-C. Pierre.*

53

Détail de la frise des archers *de la garde royale du palais de Darius à Suse. Ve s. av. J.-C. Panneaux en briques émaillées. 1,83 × 0,68 × 0,08 m. Paris, musée du Louvre.*

Bouquetin ailé,
anse de vase
en argent
incrusté d'or.
Vᵉ s. av. J.-C. Paris,
musée du Louvre.

Sceau-cylindre
achéménide,
sur lequel est inscrit
le nom de Darius.
521-486 av. J.-C.
Londres, British Museum.

Nécropole de Naqsh-i Roustem ; *tombes royales achéménides. VIe-Ve s. av. J.-C. ; en dessous, bas-reliefs sassanides des IIIe-IVe s. apr. J.-C.*

Ornement terminal *en forme de tête de rapace,*
provenant d'Oulskiaoul, Kouban. VIe-Ve s. av. J.-C.
Bronze. H. 26 cm. L. 18,9 cm.
Leningrad, musée de l'Ermitage.

Tapis de selle, *provenant de Pazyryk (Altaï). IVe-IIIe s. av. J.-C.
Feutre, crin de cheval, cuir, feuilles d'or.
Leningrad, musée de l'Ermitage.*

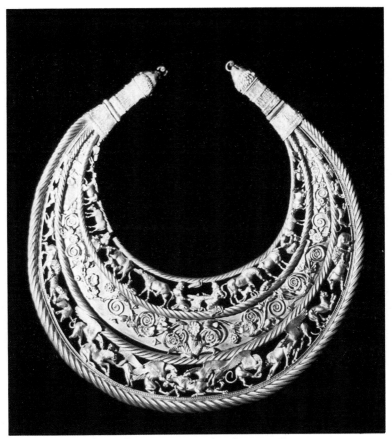

Pectoral en or *provenant de Tolstaïa mogila.*
IVᵉ s. av. J.-C. Diam. 30,6 cm.
Leningrad, musée de l'Ermitage.

Plaque de bouclier *en forme de panthère, provenant de Kelermès.*
Fin du VII*e-début du* VI*e s. av. J.-C. Or, incrustations d'émail et d'ambre.*
L. 32,6 cm. H. 11 cm. Leningrad, musée de l'Ermitage.

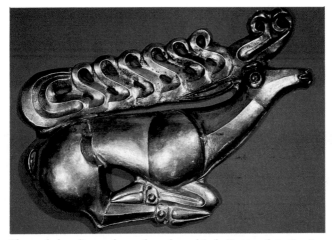

Plaque de bouclier *en forme de cerf couché, de Kostromskaïa Stanitsa.
Fin du VIIᵉ-début du VIᵉ s. av. J.-C. L. 31,7 cm. H. 19 cm.
Leningrad, musée de l'Ermitage.*

Miroir en argent
*de style ionien,
provenant
de Kelermès.
Fin du VIIᵉ-début
du VIᵉ s. av. J.-C.
Envers plaqué
d'une feuille d'or.
Diam. 17,3 cm.
Leningrad,
musée de l'Ermitage.*

Plaque de bouclier *en forme de cerf couché en or, provenant de Koul-Oba.*
Travail grec du IVᵉ s. av. J.-C. L. 31,5 cm.
Leningrad, musée de l'Ermitage.

Tête de cerf sculptée, *provenant de Pazyryk (Altaï). IVe-IIIe s. av. J.-C. Bois et cuir. Leningrad, musée de l'Ermitage.*

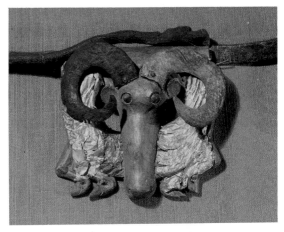

Char funèbre en bois, *provenant de Pazyryk (Altaï). Leningrad, musée de l'Ermitage.*

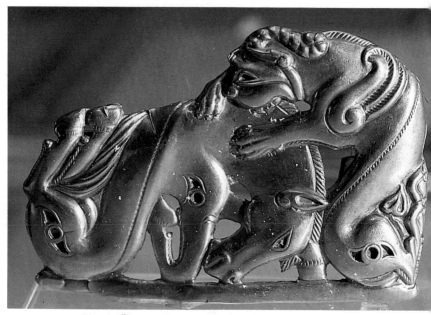

Lion-Griffon *terrassant un cheval. Style animalier scytho-sibérien.*
V^e-IVe s. av. J.-C. Or. L. 19,3 cm.
Leningrad, musée de l'Ermitage.

10 m de haut sur un socle de six degrés inégaux qui vont en décroissant vers le haut. Les murs épais supportent un toit à double pente, fait de dalles de pierre, qui dessine un fronton orné d'une rosace à 24 rayons de type ionien ou lydien. Cette forme de couverture, ordinaire en Ionie, peut aussi bien avoir été empruntée à l'exemple de Sialk ou de l'Ourartou. Au sommet des murs court une corniche à double moulure en talon renversé qu'on retrouve ornant l'embrasure de la porte basse qui donne accès à la chambre sépulcrale et qui est, à l'évidence, d'origine ionienne.

On peut ainsi, à chacun des éléments, techniques ou esthétiques, qui constituent l'art de Pasargades, trouver des précédents, grecs, anatoliens, iraniens ou autres. Mais leur synthèse a élaboré, en deux décennies, une forme originale, qui est, à l'image de l'empire, composite en même temps qu'elle cherche à imposer un modèle nouveau. D'ailleurs, Pasargades gardera, tout au long de l'histoire de la dynastie, un statut de capitale, non pas administrative ni même symbolique, mais bien plutôt sentimentale, comme le berceau de la légitimité achéménide.

Darius et ses successeurs. Les capitales de l'empire

Dans le domaine des arts, aucune entreprise d'envergure ne marqua le règne, au reste assez bref, de Cambyse II (530-522), si ce n'est la conquête de l'Égypte, qui fut l'occasion d'un contact direct avec les traditions artistiques de la vallée du Nil. Cyrus avait jeté les bases de l'empire en lui donnant une capitale à l'image de sa diversité et de ses ambitions. Mais c'est à Darius qu'il revint de lui donner sa plus grande extension, de l'Indus à l'Égée, de la Caspienne à l'Égypte. Deux échecs toutefois, mais de taille, limitèrent les visées des Perses : la campagne manquée contre les Scythes et les deux défaites infligées à Marathon, puis à Salamine, par le grand ennemi et rival grec.

Substituant à l'autorité personnelle et féodale de Cyrus un pouvoir administratif, économique, militaire, délégué à des satrapes, eux-mêmes étroitement surveillés, Darius organise l'empire et le dote de rouages capables d'assurer, près de deux siècles durant, son fonctionnement.

Soucieux d'efficacité, il réorganisa les voies de communication existantes et en créa de nouvelles. La célèbre Voie Royale décrite par Hérodote reliait Suse à Sardes, facilitant, au-delà, l'accès au golfe Persique et à la mer Égée. Ces 2 400 km de route gardée, entretenue, aménagée aux passages difficiles, dotée de relais où attendaient des chevaux frais permettaient de faire parvenir un message en moins d'une semaine, alors qu'il fallait 90 jours à une caravane pour faire le trajet. Une importante voie maritime fut inaugurée, qui deviendra un jour le canal de Suez. Dans une inscription, Darius en explique le sens : « J'ai prescrit de creuser ce canal depuis le fleuve nommé Nil qui coule en Égypte jusqu'à la mer qui part de Perse (en fait la mer Rouge). Alors ce canal fut creusé comme je l'avais prescrit et des navires allèrent d'Égypte en Perse par ce canal ainsi que je l'avais désiré. »

BÉHISTOUN

L'accession au trône de Darius, prince de la branche collatérale, purement perse, de la dynastie achéménide, ne s'était pas faite sans mal, comme en témoignent l'inscription et l'image gravées face au ciel et à l'éternité sur la haute falaise de *Béhistoun (Bisutun)*, en un point stratégique de la route reliant la plaine au plateau, Babylone à Ecbatane. On y voit le roi debout, bras droit dressé, visage tourné vers Ahura-Mazdâ, dont le disque ailé domine la scène au centre. Coiffé de la tiare crénelée, il a le pied gauche posé sur le corps étendu d'un ennemi terrassé tandis que devant lui se tient une file de neuf prisonniers, enchaînés les mains derrière le dos. Deux gardes, auprès du roi, portent ses armes, l'arc et la lance, instruments de sa victoire et symboles de son pouvoir. Le texte, qui déroule sur quatorze colonnes ses trois versions vieux-perse, néobabylonien et néoélamite, est celui qui a permis à sir Rawlinson le déchiffrement du cunéiforme, en 1837. Il est aussi explicite que l'image est clairement lisible. L'un et l'autre disent la victoire sur l'imposteur Gaumata, qui prétendait au trône en se faisant passer pour le frère de Cambyse ; la légitimité de Darius, neuvième de la lignée perse des Achéménides ; les rébellions matées au début de son règne ; la grandeur de l'œuvre accompli sous la protection d'Ahura-Mazdâ. On a retrouvé en Égypte une des copies en araméen qui assuraient la diffusion de cette proclamation, illisible du pied de cette falaise de 60 m de haut. Quant à l'image, le schéma n'en est pas nouveau. Dès le IIIe millénaire, la *Stèle de Narām-Sin,* par exemple, qui justement avait été apportée à Suse au XIIe s. av. J.-C. par un conquérant élamite, montrait le souverain écrasant du pied son adversaire. Mais jamais il n'avait été traité de manière aussi spectaculaire et à si grande échelle, jamais il n'avait été soumis à une organisation aussi rationnelle, aussi parlante de l'espace. À Béhistoun, la triangulation entre le roi, ses hommes d'armes, le dieu et les vaincus, la hiérarchie des tailles, les attitudes proclament la configuration des forces en présence aussi clairement que le texte affirme la légitimité du souverain, sa gloire et son pouvoir. Mais ce type de relief directement lié à un événement historique et qui évoque sans ambages une victoire obtenue par la force sur des ennemis humiliés reste exceptionnel. Après lui, l'art achéménide s'en tient à une image idéale du roi et de l'empire, en dehors des catégories temporelles et circonstancielles.

BABYLONE ET SUSE

Au moment où il fait graver le rocher de Béhistoun (520-517), Darius, qui avait d'abord séjourné à Babylone, décide de faire de Suse sa résidence. Mésopotamie, Élam, le roi restait dans le droit fil des traditions orientales. À Babylone, les fouilles ont mis en évidence les restes d'un palais contemporain de son règne, à moins qu'il ne soit un peu postérieur. Il est bâti sur une terrasse avec une salle hypostyle précédée d'un portique, et son décor semble avoir été, comme à Suse, de briques émaillées. Mais Babylone n'en devint pas pour autant une ville perse, ni même persisée.

Pour faire de Suse sa capitale permanente, Darius choisit une butte anciennement occupée de la vieille cité élamite, un tell sur lequel il installe son palais comme sur une terrasse. La construction fait un large usage de la brique, traditionnelle en ces lieux. Une porte monumentale flanquée de deux immenses statues du roi, dont l'une semble avoir été sculptée en Égypte, marquait l'entrée du palais. Toute la partie sud s'organise en suite de salles autour d'un système de cours, à la manière babylonienne. Mais au nord, la salle d'audience est bien perse. C'est une salle de grandes dimensions soutenue par six rangées de six colonnes, flanquée de portiques sur trois côtés. Les colonnes, cannelées, supportaient des chapiteaux à double protomé de taureau. Le plat des échines accolées et le dessus des têtes inclinées permettaient l'entrecroisement des longues poutres de cèdre du plafond. Carrées à l'intérieur, les bases des colonnes étaient campaniformes sous les portiques. Ainsi se trouve fixée à Suse, dans un palais par ailleurs de tradition tout à fait mésopotamienne, la forme qui est, par excellence, celle de l'architecture achéménide : la vaste salle carrée soutenue par de hautes colonnes de pierre, bordée de portiques sur trois côtés et dont une inscription nous donne le nom, *apadāna.*

C'est à une vieille technique babylonienne, celle de la brique émaillée polychrome, que le décor du palais fait appel. Lions, lions-griffons, taureaux ailés, sphinx affrontés déploient sur les murs leurs silhouettes rehaussées de vert, de jaune, de blanc et de bleu dans un cadre de palmettes et de rosaces. Mais à ce répertoire traditionnel s'ajoute un thème bien iranien, la garde personnelle du roi, ces immortels qui, après avoir appuyé son accession au trône, assuraient sa sécurité. La célèbre *Frise des archers,* aujourd'hui au Louvre, montre ces Susiens barbus au visage basané, vêtus de longues robes brodées, le carquois sur le dos, tenant des deux mains la lance dont la verticale obsédante rythme leur marche.

Un long texte trouvé dans le palais rend compte explicitement du caractère cosmopolite de l'œuvre réalisée par Darius.

« Ce palais que j'ai construit à Suse, son ornementation fut apportée de loin. La terre fut creusée jusqu'au roc. Quand la fouille fut faite — quarante coudées en profondeur en certains endroits et vingt en d'autres —, le caillou y fut jeté. C'est sur cette base que le palais fut construit. Les briques furent modelées et cuites au soleil par les Babyloniens. Les poutres de cèdre ont été apportées d'une montagne appelée Liban. Le peuple assyrien les apporta à Babylone. De Babylone, les Cariens et les Ioniens les apportèrent à Suse. Le bois appelé yaka fut apporté du Gāndhāra et de Carmanie. L'or fut apporté de Sardes, de la Bactriane et fut travaillé ici. La pierre magnifique appelée lapis-lazuli et la cornaline furent travaillées ici, mais furent apportées de Sogdiane. La précieuse turquoise fut apportée de la Chorasmie et travaillée sur place. L'argent et l'ébène furent apportés de l'Égypte. Le décor des murs fut apporté de l'Ionie. L'ivoire, travaillé ici, fut apporté de l'Éthiopie, du Sind et de l'Arachosie. Les colonnes de pierre, qui furent travaillées ici, furent apportées d'un village appelé Abiradu, en Élam. Les tailleurs de pierre furent des Ioniens et des Sardes. Les orfèvres qui travaillèrent l'or furent des Mèdes et des Égyptiens. Les hommes qui travaillèrent les briques cuites, ceux-là furent des Babyloniens. Les hommes qui ornèrent les murs furent des Mèdes et des Égyptiens. »

Cette charte de Suse vaut tout aussi bien pour la capitale des capitales, Persépolis.

PERSÉPOLIS

Malgré le prestige de Babylone, l'existence d'Ecbatane la Mède, de la dynastique Pasargades et de Suse, où il a choisi de résider, Darius souhaite donner à l'empire une nouvelle capitale, à la mesure exacte de ses ambitions. Il l'installe dans une vallée ouverte, facilement accessible, en plein cœur du pays perse. Supranationale et surtout hautement symbolique, Persépolis ne se substitue pas aux autres cités royales, elle les coiffe et s'impose avec toute la puissance d'un monument qui tire sa force de son apparente gratuité. Le peu d'usure des lieux, l'absence des signes d'une occupation permanente et surtout le décor sculpté qui donne son sens à l'ensemble en témoignent : Persépolis est la capitale éphémère d'une cérémonie qui, chaque printemps, faisait converger les forces vives de l'empire vers la personne du Grand Roi. C'était la fête du Now Ruz, le Nouvel An iranien, anniversaire de la création et de l'investiture céleste du souverain. Ce jour-là, les peuples soumis venaient apporter leurs offrandes et faire acte d'allégeance. Mais les sujets qui, sur la pierre des reliefs, défilent, ou supportent le trône royal, sont moins le reflet de la cérémonie qu'ils n'en fournissent le modèle idéal. Par-delà une manifestation qui cimentait l'empire en même temps qu'elle exaltait le sentiment national, le pouvoir, incarné dans le roi, se donnait à lire tel qu'il voulait être. L'art de Persépolis marque donc un sommet au-delà duquel plus rien n'était concevable. Capitale non d'un souverain mais de la fonction royale, elle exprime la quintessence de l'art achéménide.

Entrepris dès 518 par Darius et confiés à la surveillance de Xerxès, les travaux seront, pour l'essentiel, accomplis à la fin du règne de celui-ci. La vaste terrasse sur laquelle s'élève le palais fut d'emblée dotée d'un réseau de canalisations qui dénote un plan préétabli. On sait peu de chose de la plaine, où s'étendaient sans doute une ville et des jardins. Un large escalier à double volée symétrique aboutissait face à une porte monumentale flanquée de taureaux ailés androcéphales. Son nom de *Porte de tous les pays*, attesté par une inscription, est significatif. Une ouverture, sur la droite, donnait accès à l'*apadāna*, tandis que l'autre, en face, se prolongeait par une avenue qui permettait de gagner, à travers une seconde porte qui resta inachevée, la salle aux cent colonnes.

Mise en valeur par l'espace de la cour, l'*apadāna* dressait ses portiques et ses tours d'angle sur une plate-forme à laquelle deux escaliers à double rampe, au nord et à l'est, donnaient accès. L'arrivant devait se sentir écrasé par l'ampleur jamais vue des volumes, la hauteur aérienne des fines colonnes aux chapiteaux à double protomé de taureau. Cet effet de forêt de fûts était encore accentué dans la *Salle aux cent colonnes*, plus basse que l'apadāna et dotée d'un seul portique. Les deux édifices étaient reliés par un petit bâtiment, le *Tripylon*, qui permettait en outre l'accès au sud de la terrasse. Là Darius puis Xerxès édifièrent des palais destinés aux banquets. Du *Palais de Darios* (Tatchara) ont subsisté les embrasures en pierre des portes et des fenêtres, surmontées d'une triple gorge à l'égyptienne soulignée d'une rangée de perles et de pirouettes tout à fait grecques. Le *Palais de Xerxès*, un peu plus loin, est beaucoup plus vaste. Il semble au reste que le fils de Darius ait systématiquement accentué l'ampleur du projet de son père, allant jusqu'aux limites extrêmes du colossal, tant il est vrai qu'il est plus difficile encore de ne pas céder au vertige et à la démesure lorsque l'on hérite d'un pouvoir que l'on n'a pas conquis.

Tout le sud-est de la terrasse est occupé par un vaste ensemble de salles à colonnes disposées autour de deux cours à la manière mésopotamienne. Finalement utilisée comme magasin après avoir été plusieurs fois modifiée, cette « trésorerie » englobe les restes d'un palais initialement conçu par Darius.

À cette architecture grandiose qui avait su réaliser la synthèse d'apports divers s'ajoutait la magnificence d'un décor dont les restes squelettiques et gris qui se dressent sur la terrasse ne donnent plus aucune idée. Couleurs et matières se conjuguaient avec les oppositions de pierre blanche et noire, la variété des bois de charpente et d'huisserie, les sols enduits de rouge, les plafonds peints, les portes plaquées de bronze, d'argent ou même d'or et, outre le mobilier, une profusion de tapis, tentures, tissus de prix et passementeries que suggère, notamment, l'image du baldaquin royal sur les reliefs.

LE DÉCOR SCULPTÉ

Présent partout où la pierre lui fournit un support, le décor sculpté frappe par son abondance et l'homogénéité de son style. Mais en réalité, ce grand hymne au roi et à l'empire se réduit à un nombre restreint de thèmes. Sur les escaliers, on trouve des processions. Dans les palais, des serviteurs apportent les éléments du banquet auquel se rendent Perses et Mèdes, par petits groupes détendus où nains et géants se côtoient puisque, par les vertus de l'isocéphalie, les têtes sont au même niveau alors même que les pieds se trouvent sur des marches différentes. À l'apadāna, en revanche, un rythme solennel et la plus grande dignité président à la cérémonie qui fait converger vers le panneau central à la fois le défilé des nationaux qui sont au centre du pouvoir et celui des peuples étrangers soumis apportant leur contribution. Par deux fois, d'un escalier à l'autre, la même scène, inversée, se répète, si bien que l'ensemble enveloppe l'édifice des deux moitiés d'un tout. D'un côté, trois rangées de gardes susiens, lance en main, précèdent des notables perses en longue robe et coiffure tuyautée, des Mèdes en pantalon, tunique et bonnet rond accompagnés des chars et des chevaux des écuries royales. De l'autre, vingt-trois délégations s'avancent, que ponctue la silhouette conique de cyprès. Au contraire des Grecs, qui, au même moment, s'attachent à découvrir dans la nudité des corps l'essence même de l'homme, unique et universel, les sculpteurs anonymes de Persépolis nient la notion de personne. Corps et visages s'effacent pour n'être plus que le support des signes d'un rang social et d'une appartenance ethnique que le vêtement, la coiffure, la nature des objets portés permettent d'identifier. En tête, les Mèdes, partout ailleurs soigneusement proclamés égaux aux Perses et en fait constamment, insidieusement relégués au second plan, comme ici, où ils sont les premiers, peut-être, mais des autres, des non-Perses, extérieurs au pouvoir. Puis les Élamites, conduisant une lionne, unique créature femelle dans ce monde dévolu au masculin. Puis les autres, Babyloniens, Lydiens, Scythes au bonnet pointu, Arabes en fine tunique, menant un dromadaire. Et fermant la marche, comme pour traduire un éloignement ethnique autant que géographique, les Éthiopiens, dont le nez camus, les lèvres épaisses et les cheveux laineux disent, pour une fois, l'appartenance.

Sur les hautes dalles des embrasures apparaît le roi. Il trône, ou bien s'avance suivi des porteurs de parasol et de chassemouches. Les portes latérales de la *Salle aux cent colonnes* montrent à quatre reprises la scène, classique en Orient, du héros combattant un lion, un taureau ou un monstre composite. Mais ici — comme c'est le cas pour le seul autre affrontement dans ce palais strictement pacifique, le lion terrassant un taureau des encoignures de l'apadāna —, le motif se vide de son sens traditionnellement religieux ou cosmique pour prendre le caractère d'une allégorie politique. Avec sa barbe carrée et sa longue robe perse, le héros victorieux est l'avatar du roi. C'est lui encore qui, au sud de la salle, siège sur un trône que soulèvent quatorze représentants des peuples de l'empire. Tout en reprenant la tradition iconographique des atlantes porteurs de trône assyriens, l'image délivre sans ambiguïté son message politique : elle assoit, en quelque sorte, le pouvoir. Les embrasures nord, plus hautes, montrent cinq rangées de dix gardes alternativement mèdes et perses, que surmonte une scène d'audience royale.

Un *Relief d'audience* très analogue a été retrouvé dans la « trésorerie », où il semble avoir été relégué lorsque Xerxès, qui y apparaît aux côtés de son père, devint Grand Roi à son tour. Au centre siège sur trône Darius, avec son fils debout près de lui. La présence d'une estrade et surtout leur grande stature font qu'ils dominent la scène. Devant eux, un Mède s'incline, main sur la bouche en signe de respect, et le vide qui, au-dessus de deux brûleparfum, le sépare des souverains crée entre eux un océan de vénération. Son bâton de commandement répète, en l'accentuant, l'inclinaison du sceptre royal, dont il semble capter l'autorité en même temps qu'il s'y soumet. De l'autre côté, un serviteur tient un linge, un autre Mède porte les armes richement ciselées du roi, épée, hache, arc, insignes du pouvoir. Quatre gardes perses encadrent les montants d'un baldaquin aujourd'hui disparu, que sur-

montait à coup sûr l'image d'Ahura-Mazdâ. La disposition des personnages, les attitudes, les gestes, tout est lourdement significatif. Ainsi, les mains, quand elles ne sont pas occupées, manifestent leur non-emploi par la disposition de chaque main sur le poignet ou l'autre bras, doigts étendus. On peut certes analyser les sources, le style de cette image, lire l'héritage assyrien dans les barbes des souverains, discerner l'empreinte grecque dans le plissé des robes, mais l'essentiel n'est pas là. Ce qui compte, c'est la clarté, la lisibilité d'un art qui sait exactement ce qu'il dit et ne veut pas en dire plus, un art fonctionnel, adapté à son propos, d'autant plus à l'aise dans le carcan des conventions et des formules ressassées que son souci n'est nullement plastique ou esthétique. Pour un art totalitaire, toute innovation est hérésie, tout changement est révolution. L'imagination est toujours subversive pour le pouvoir absolu.

Il est tentant d'imaginer qu'à l'origine ce relief exemplaire avait sa place au centre du décor de l'apadāna, dont il constituait le moment culminant : le Mède reçu introduisait ainsi l'ensemble des cortèges auprès du roi en majesté, mais, comme la présence conjointe du prince héritier montrait trop précisément qu'il s'agissait de Darius, Xerxès fit ôter le relief à la mort de son père.

NAQSH-I ROUSTEM NÉCROPOLE ROYALE DES ACHÉMÉNIDES

Sans doute, est-ce Darius lui-même qui décida du lieu de sa sépulture, aménagée en pleine falaise à 6 km au nord de Persépolis, dans un site impressionnant vénéré de longue date, comme l'attestent des vestiges de relief de style élamite, et où les Sassanides laisseront, à leur tour, leur marque sur le roc. À la différence de Cyrus, le roi revient à la tradition des tombes rupestres à façade architecturée pratiquée sur le plateau par les Mèdes et les Perses et illustrée par des exemples comme ceux de Kizkapan ou de Da-u dukhtar, et tous ses successeurs après lui semblent s'y être tenus.

Les tombes royales dessinent au milieu

de la paroi rocheuse quatre immenses croix de près de 23 m de haut. Celle de Darius, la seule à être identifiée à coup sûr par une inscription, a servi de modèle aux trois autres ainsi qu'aux deux qui ont été taillées dans le roc au-dessus de Persépolis. La partie inférieure de la croix présente une simple surface soigneusement aplanie. Le bras horizontal dessine, en une bande de 18 m × 8 m, l'image d'une façade de palais avec un portique à quatre colonnes coiffées de chapiteaux en double protomé de taureau qui supportent une architrave à triple listel et une corniche ornée, à la grecque, de modillons. La porte qui, au centre, donne accès au tombeau est encadrée de rosaces et surmontée d'une gorge à l'égyptienne comme celles qui ornent les embrasures du palais de Darius à Persépolis. Le bras supérieur de la croix montre le roi debout face à un autel du Feu sur une estrade que supportent des représentants de trente peuples de l'empire répartis en deux rangées. Sa main gauche est posée sur l'arc, la droite est levée en direction du disque ailé dont surgit un buste qui est peut-être, suivant une hypothèse récente, celui de son ancêtre divinisé plutôt que celui d'Ahura-Mazdâ. Un peu plus loin figure le symbole lunaire. Des dignitaires mèdes et perses encadrent la scène sur les côtés. La simplicité de l'aménagement intérieur de la tombe contraste avec la magnificence de la façade. Aucun décor, apparemment, mais de simples caveaux ouvrant sur un vestibule parallèle à la paroi, sous un plafond taillé en double pente.

Au pied de la falaise se dresse une haute tour carrée identique à celle, ruinée, de Pasargades. Ses trois rangées de fenêtres aveugles sont décoratives : l'intérieur forme une salle unique à laquelle un grand escalier donnait accès sur le côté nord. La fonction de ce bâtiment reste très discutée. Temple ? Salle funéraire ? Dépôt d'archives comme l'indique une inscription sassanide ? La forme architecturale, par contre, dérive, à n'en pas douter, de prototypes ourartéens.

Les deux petits autels du Feu qu'on trouve un peu plus loin ont été érigés après l'époque achéménide.

La tradition selon laquelle la courti-sane Thaïs, désireuse de venger les Grecs, avait embrasé le palais où Alexandre fêtait ses victoires n'est sans doute qu'une légende tardive. Il n'en reste pas moins établi qu'en 330, lorsque Darius III vaincu s'enfuit vers Ecbatane, Alexandre, au lieu de le poursuivre, marche sur Persépolis. Double réaction lourde de sens : l'un allait chercher refuge dans la vieille cité mède des origines, l'autre, en visant la capitale de l'empire, montrait clairement que ce qu'il convenait d'abattre, c'était d'abord le symbole, autrement plus redoutable que la personne même du Grand Roi.

Les arts mineurs

L'importance de l'architecture et du décor sculpté éclipse quelque peu le reste. Pourtant, l'empire s'exprime également à travers les sceaux et la monnaie et le faste des arts somptuaires.

Les Perses usèrent de la monnaie grecque et lydienne, mais Darius, en frappant la darique d'or montrant le roi archer coiffé de la tiare crénelée, inaugura un monnayage proprement achéménide.

À la tradition mésopotamienne, la glyptique emprunte le sceau-cylindre. Il déroule dans un espace sans profondeur des compositions volontiers symétriques où l'image royale est de règle, comme sur celui de Darius. On y voit le roi en char tirant le lion à l'arc. L'image du disque ailé coiffe la scène encadrée de deux palmiers et flanquée d'une inscription trilingue qui donne le nom de Darius. Mais on trouve également des sceaux en cachet, ronds ou ovales. Particulièrement fréquents dans l'ouest de l'empire, ils se multiplient à partir du IVe s., montrant des scènes de combat, de chasse, des animaux fantastiques et des images religieuses, notamment celle de la déesse Anâhitâ. Le style dénote une forte influence grecque, à tel point qu'on parle d'intailles gréco-perses sans que cela implique à coup sûr l'intervention d'une main grecque.

Préférant résolument le relief à la ronde-bosse, l'art achéménide fait néanmoins une place à la petite plastique :

statuettes en pierre, calcaire ou lapis-lazuli, et surtout en or et argent comme les figurines qu'a livrées le *Trésor de l'Oxus*. L'abondance, sur les reliefs, des torques, bracelets et autres bijoux, mais aussi des armes et de la vaisselle ciselée en témoigne : les Perses partageaient avec leurs cousins nomades de la steppe la passion du métal précieux, volontiers rehaussé d'incrustations polychromes. Certaines de ces somptueuses pièces d'orfèvrerie sont parvenues jusqu'à nous. Par une sorte de retour aux sources, ou plutôt de fidélité aux origines, les Perses ont exprimé là leur goût pour le monde animal : bracelets aux extrémités en forme de lions ailés et cornus, rhytons en tête de bélier ou de lion au mufle plissé, anses élégantes où des bouquetins déploient leur silhouette arquée. Là transparaît sans doute la part la plus authentiquement originale de leur génie.

Éclectique dans ses sources mais novateur dans la synthèse qu'il en fait, impressionnant par son adaptation d'un langage artistique à un projet politique, l'art achéménide exerce un incontestable pouvoir de séduction.

Les Parthes et les Sassanides

Certes, la conquête d'Alexandre entraîne, dans tout l'Orient, une hellénisation dont l'empreinte, en Iran, demeurera profonde bien après la brève domination séleucide. Mais les leçons des Achéménides ne tombent pas pour autant dans l'oubli. Les Parthes héritent largement de leurs traditions artistiques. Quant aux Sassanides, ils les revendiquent explicitement comme modèles. L'histoire de ces arts où se mêlent courants grecs et iraniens, celle de leur influence, qui atteint l'Inde et la Chine d'un côté et de l'autre l'Occident, leur transmission à l'Islâm débordent largement notre propos et nous entraîneraient très loin du plateau iranien. Il ne saurait être question ici de faire plus que de donner quelques fils conducteurs. Près d'un millénaire, en effet, sépare la chute de l'empire achémé-nide du raz de marée islamique qui va donner à l'Iran sa physionomie moderne. Siècles troublés qui voient l'affrontement des Parthes contre Rome, celui des Sassanides contre Rome et Byzance, mais aussi leurs relations étroites et souvent conflictuelles avec leurs voisins orientaux.

Nomades iraniens venus des steppes d'Asie centrale, les Parthes manifestent leur présence d'abord au nord-est du plateau, en Parthyène (Nisa), en Margiane (Merv), puis s'avancent jusqu'à l'Euphrate, imposant leur territoire entre le domaine séleucide et le royaume gréco-bactrien, l'Empire romain et celui des Kouchans. De leur passé nomade, leur art conserve les traditions. Leurs villes ont la forme circulaire d'un camp, comme à Ctésiphon, la capitale, qu'ils installent en 140 av. J.-C. face à Séleucie du Tigre, sur l'autre rive du fleuve. L'*îwân*, grande salle voûtée à la façade ouverte sur une cour, dérive de l'apadâna, mais semble y réactiver le souvenir vivace de la tente dont un pan se relève. À la manière achéménide, Mithridate, qui se veut à la fois « roi des rois » et « philhellène », fait exécuter au bas de la falaise de Bisutun une scène qui le montre recevant l'obédience de quatre dignitaires. Mais, signe des temps, les inscriptions, cette fois-ci, sont en grec. Cependant, dans la peinture ou le relief, ce sont les scènes de chasse et de combat qui ont la faveur de ces cavaliers belliqueux experts à la poursuite des animaux.

Avec l'accession au trône en 224 av. J.-C. d'Ardeshir, descendant du mage Sassan, c'est une vieille lignée du Fârs, au cœur du plateau, qui impose pour longtemps un retour aux traditions nationales perses des Achéménides. Le zoroastrisme devient religion d'État. Le pouvoir, centralisé, gravite autour du souverain. Outre le nouveau palais de Ctésiphon et l'immense voûte de la salle du trône en îwân qui en occupe l'imposante façade, Chapour Ier, revenant à ses origines, fait surgir à Bichapour, au cœur de la Perside, une ville et son palais dont la coupole surmonte quatre îwâns et qu'ornent à foison pavements de mosaïques, peintures, reliefs. L'image du roi, partout, se multiplie. À Firouzabad, Ardeshir Ier sculpte dans le roc sa victoire sur le Parthe Artaban V et son investiture divine. À Naqsh-i Roustem, roi et dieu à cheval se font face en un schéma symétrique que reprendra Behram Ier à Bichapour. À Naqsh-i Roustem encore, Chapour Ier triomphe de l'empereur romain Valérien, qu'il fait prisonnier, Behram II se fait représenter entouré de tous les siens, Narseh reçoit d'Anahita l'investiture, Hormizd II désarçonne son adversaire. Ce choix, par les premiers Sassanides, de ce haut lieu achéménide pour y imprimer leur marque est révélateur. À la fin du IVe s., le centre de cet art rupestre se déplace vers l'est, le long de la route de la soie, sur la falaise et dans la grotte de Taq-è Bostan. Là apparaissent, avec des chasses royales dans des « paradis » foisonnants d'animaux et d'éléments végétaux, une manière plus graphique et une vision sans doute influencée par des courants venus de l'Inde bouddhique, et même de la Chine. L'effigie royale est le thème majeur de l'art monétaire et de la glyptique. Il se retrouve dans les arts somptuaires, dont la très haute qualité et la grande diffusion ont fait la fortune de l'art sassanide : céramique, verre, émail, mais surtout plats et coupes, carafes et aiguières mariant l'argent et l'or, l'or et les pierres précieuses comme dans la célèbre *Coupe de Khosroès*. Y apparaît aussi tout un bestiaire, réel ou fantastique, et cette image du mythique *simurgh*, tout à la fois oiseau, griffon et fauve, que les tissus reproduisent si volontiers.

Car loin d'être, sur la route de la soie, de simples intermédiaires, les Sassanides apprirent à tisser les précieuses étoffes, et, avec elles, les motifs de leur art se répandirent fort loin, d'une part accompagnant de saintes reliques dans les trésors des cathédrales de la chrétienté, d'autre part pénétrant en Chine et même au Japon. Ainsi présent, l'art sassanide semblait concrétiser sa propre fonction : celle de relais entre Orient et Occident, entre les temps antiques et le Moyen Âge.

Bibliographie sommaire

Akurgal (E.), *Orient et Occident*, Albin Michel, Paris, 1969. Ghirshman (R.), *Perse*, Gallimard, L'Univers des Formes, Paris, 1963. Porada (E.), *Iran ancien*, Albin Michel, Paris, 1963. Stronach (M.), *Pasargadae*, Clarendon Press, Oxford, 1978. Van Den Berghe (L.), *Archéologie de l'Iran ancien*, Brill, Leyde, 1975. Walser (G.) *Persépolis*, Office du Livre, Fribourg, 1980.

L'ART DES STEPPES

Véronique Schiltz

Durant près d'un millénaire, sur un territoire qui, du Danube à la Chine, touche à la majeure partie du continent eurasiatique, un art a existé qui fait de l'animal l'objet privilégié, sinon unique, de sa représentation. Lovés, enroulés, affrontés, s'étirant ou se contractant au gré de la forme qui les porte, proliférant parfois en êtres monstrueux, parfois réduits à un œil rond, un bec acéré, une patte griffue, ou encore enchevêtrés en un grouillement confus d'échines musclées, les animaux de l'art des steppes sont reconnaissables entre tous. Contemporains des images familières des dieux, des héros et des hommes mis en scène par l'art grec et romain, ce bestiaire de cerfs sans Artémis, d'aigles sans Jupiter, de lions et de sangliers qu'aucun Hercule ne vient dompter constitue comme un pendant animalier, un contrepoids barbare et nordique à l'art humanisé de l'Antiquité classique.

Nomades et sédentaires, les deux mondes bien souvent s'affrontent, leurs esthétiques s'opposent et pourtant ils n'ont jamais cessé d'être au contact l'un de l'autre, et nous vivons de leur double héritage.

Or, cet art qui a nourri l'imagerie de l'Occident médiéval et n'a jamais cessé de se survivre dans les lettrines des manuscrits, sur les chapiteaux de nos églises, nous en avons, pendant des siècles, perdu la source. Il restait le grand méconnu de nos histoires de l'art. Tout juste s'il apparaissait de manière oblique dans l'ombre des grands empires, Grèce, Iran, Chine, par le biais d'une orfèvrerie découverte au voisinage des colonies grecques de la mer Noire mais dont il fallait bien admettre qu'elle n'était pas purement hellénique, par le truchement de nomades aux bonnets pointus porteurs, sur les reliefs de Persépolis, de somptueux présents, ou dans des aspects animaliers de l'art des Han qui ne s'expliquent que par l'influence de ces Barbares du Nord contre lesquels avait été érigée la Muraille.

Hérodote lui-même, qui le premier tenta de cerner l'origine et l'histoire de ses contemporains scythes, de rendre compte de leurs croyances, de leurs mœurs, de leurs pratiques guerrières et funéraires, ne souffle mot de leurs images. Il se borne à un constat négatif : « L'usage n'est pas, chez eux, d'élever des statues de culte, des autels ni des temples... » Autant dire, pour un Grec, pas d'art digne de ce nom.

Pourtant, alors même que les images scythes étaient tombées dans l'oubli, l'image du Scythe traversait les siècles d'Eschyle à Hippocrate, d'Ovide à Voltaire. Il était l'incarnation de la différence, nomade sans villes ni murailles, porte-maison ignorant semailles et labours, trayeur de jument, buveur de vin pur, cavalier centaure et archer sagittaire, capable de sacrifier à son roi chevaux et palefreniers, échansons et concubines en des funérailles fastueuses et cruelles.

La découverte de l'art des steppes

Par un paradoxe sans doute moins absurde qu'il n'y paraît, c'est de tous les tsars le plus civilisateur que l'on trouve à l'origine de la découverte de l'art des steppes. En 1715, à l'occasion de la naissance du tsarévitch, Pierre le Grand reçoit de Sibérie un somptueux présent : des plaques d'or massif parfois rehaussé de pierres de couleur et porteuses d'étranges figures de monstres et d'animaux. L'empereur ébloui ordonne la collecte de ces objets. Le gouverneur fait du zèle, les envois se succèdent, constituant le noyau de la célèbre collection sibérienne, aujourd'hui à l'Ermitage. Mais, en Sibérie, saisis par la fièvre de l'or, les habitants, par villages entiers, partent dans la steppe avec leurs pelles et leurs pioches pour fouiller les tombes. Seuls les objets de prix les intéressent, l'or surtout, qu'ils n'hésitent pas à refondre aussitôt. Du coup, en moins de vingt ans, le filon se tarit et les premières expéditions scientifiques ne pourront guère que repérer des sépultures éventrées et recueillir quelques rares témoignages. Au reste, pour ces savants du XVIIIe s., ces trouvailles ne font que s'ajouter à la liste des curiosités que, dans l'esprit de l'Encyclopédie, ils recensent et décrivent, facilitant ainsi l'appropriation spatiale, en surface, d'un territoire sibérien qu'il s'agit d'intégrer à l'Empire.

L'appropriation temporelle, en profondeur, du passé scytho-sibérien va se faire par un tout autre biais, avec la conquête du littoral de la mer Noire, du Kouban et de la Crimée. C'est la Grèce qui va servir de relais. Au moment où l'Occident s'enchante d'avoir découvert Pompéi et exalte le modèle antique, la Russie jubile de se découvrir un passé gréco-romain qui l'enracine, elle aussi, dans la culture classique.

Ce sont les fouilles de Koul-Oba, près de Kertch, menées sur l'initiative du Franc-Comtois Paul du Brux, qui inaugurent en 1830 l'ère archéologique en Russie. Dans l'abondance des objets d'or qui ne le cèdent en rien aux trouvailles sibériennes, plusieurs objets enflamment les imaginations. Le vase, d'abord, qui rend un visage, un costume, des attitudes vivantes à ces Scythes mystérieux tandis que l'image d'Athéna sur les pendentifs en médaillon atteste de leurs liens avec la quintessence de la culture classique. On note par ailleurs la présence obsédante du motif animalier, et, par une sorte de choc en retour, l'intérêt se porte à nouveau vers la Sibérie. Au fur et à mesure des fouilles, des similitudes étonnantes apparaissent dans les sépultures et leur mobilier, armes, éléments de harnachement et surtout ces images d'animaux partout multipliées qui mettent en évidence la communauté de culture de cet immense territoire. Dans le même temps, les découvertes faites ailleurs permettent de mieux cerner les apports étrangers et de faire apparaître ce qui, dans cet art, est parfaitement original, irréductible à l'Orient ou à la Grèce.

Cette émergence d'un art « scytho-sibérien » et la prise de conscience de l'unité, d'un bout à l'autre des steppes russes, d'une civilisation créatrice et vigoureuse ont une conséquence inattendue : en ces années troublées du début de notre siècle, une frange de l'intelligentsia russe proclame son « scythisme », exaltant cette part barbare comme une force neuve, capable d'ébranler le vieux monde. Le peintre Bourliouk, cherchant un antidote à l'académisme, revendique pour l'art scythe le rôle décapant, fécondant joué par l'art nègre aux origines du Cubisme.

Après 1917, on entre dans l'ère d'une archéologie scientifique, attentive à la structure des tombes, établissant la typologie des objets les plus modestes. Ces études n'en sont pas moins jalonnées de découvertes remarquables, comme celle des tombes gelées de l'Altaï ou, tout récemment, la fouille de Tolstaïa mogila (Kiev, musée des Trésors historiques d'Ukraine), qui ramenait au jour le célèbre *Pectoral* et permettait enfin l'étude systématique d'un tumulus royal. Moins spectaculaires mais d'une conséquence sans doute plus grande pour l'histoire de l'art des steppes sont les trouvailles qui, à l'heure actuelle, s'accumulent en Asie centrale et au-delà, en plein cœur du continent asiatique, comme par exemple celle, à Arjan, d'une image très ancienne de félin enroulé qui pourrait être le prototype d'un des motifs les plus caractéristiques de l'art scythe, ou encore le recensement, au cœur de l'Asie, des étranges « pierres à cerfs ». Ce sont autant de pistes nouvelles qui amènent les spécialistes à reconsidérer entièrement leur approche d'un art qui est d'abord celui d'un milieu.

Les conditions d'un art nomade

Du Danube aux confins de la Mongolie, la bande des steppes eurasiatiques constitue un espace relativement homogène : des étendues herbeuses où les arbres sont rares, un climat rude, une faune avide à chercher sa nourriture et de trop rares points d'eau ; les conditions sont difficiles, surtout à l'est de la steppe, et font de la vie de tous, hommes et bêtes, un perpétuel combat. Ceux qui vivent là au Ier millénaire av. J.-C., Scythes, Sauromates, Saces, tribus de l'Altaï et de la Sibérie, ne connaissent pas l'écriture, mais ils ont en commun la langue et appartiennent tous à la même famille des peuples iraniens.

À côté de quelques communautés villageoises d'agriculteurs, tous partagent un même mode de vie. Pasteurs et cavaliers, les gens des steppes transportent familles et biens sur des chariots tendus de feutre, cherchant, parfois quotidiennement, la nourriture de leur troupeau, transhumant avec les saisons. Parfois, ils migrent sans retour, le plus souvent vers les terres plus riches de l'ouest, ou bien ils entreprennent des expéditions lointaines, commerciales ou guerrières, pour des mois ou pour des années. Par ailleurs, comme l'atteste l'étude ethnologique des traditions et du vocabulaire des Mongols, pour un nomade, le sédentaire, qu'il soit Scythe laboureur ou roi des Perses, n'est jamais qu'un « demeuré ».

Cet art de nomades, antiques par surcroît, déroute en rendant inopérantes nos catégories et nos méthodes habituelles de recherche, qui nous font voir la culture en termes de racines, de floraison, d'épanouissement en un lieu fixe, urbain de préférence, où l'art se donne à voir en monuments. Chez les nomades, architecture, peinture, sculpture n'ont pas lieu d'être. Ne reste que ce que notre vanité de sédentaires nous fait qualifier d'arts mineurs.

En outre, la vie nomade prive l'archéologue de ses repères habituels. Pas d'habitat pour inscrire dans la durée les signes d'une installation humaine, nulle part l'histoire ne s'accumule en strates superposées, comme en ces tells orientaux où le *temps* se lit de bas en haut ; seule la mort le fige, comme seule accroche le regard, sur l'immensité plane ou mollement ondulée de la steppe, la silhouette bossue des kourganes, ces tertres qui marquent l'emplacement des tombes. Les tombes royales n'étaient-elles pas d'ailleurs pour les Scythes eux-mêmes le point d'ancrage matérialisant symboliquement leur territoire ? Cela ressort clairement du défi lancé par leur roi à Darios, qui les accuse de se dérober au combat : « Trouvez les tombeaux de nos pères, essayez de les bouleverser, et vous saurez alors si nous vous livrerons bataille. » Pour l'archéologue en tout cas, la maîtrise du champ des études scythes passe d'abord par les tombes.

Les objets qui en sont issus et leurs images obéissent également à des lois propres. L'économie de la vie nomade, plus que toute autre, ignore la gratuité. Le support impose sa contrainte, obligeant l'ornement à se plier à sa forme fonctionnelle, voire à être cette forme. En outre, cet art n'est bien perçu que dans le mouvement : immobilisé, il subit une déperdition de sens. Telle boucle de harnais au motif tourbillonnant devient, en se figeant, illisible. Tel étendard aux multiples motifs imbriqués ne présente qu'un profil appauvri, comme se taisent ses grelots et clochettes. On ne comprend plus le sens des longues franges de crin des tapis de selle qui ne vivent que lorsqu'elles viennent battre les flancs du cheval au galop. Bref, espace et mouvement sont des dimensions qui priment les autres, et notamment le temps. Toute approche de l'art des steppes qui se voudrait trop étroitement chronologique ne pourrait que le dénaturer. Il faut pourtant bien tenter de discerner des étapes, de rendre compte d'un surgissement. Il semble légitime, pour cela, de partir de l'art scythe au sens étroit du terme, tel que l'illustrent les trouvailles des steppes du Kouban, du nord de la mer Noire et de la région du Dniepr. Outre un matériel archéologique abondant, nous disposons en effet pour lui du recours au témoignage des peuples voisins : annales assyriennes, textes grecs, inscriptions perses.

Le poids de l'Orient

Bien des obscurités subsistent aux origines de l'histoire des Scythes. Leur nom apparaît au début du VIIe s. av. J.-C. dans les sources assyriennes. Avaient-ils franchi le Caucase en venant de l'est ou arrivaient-ils d'Ukraine ? Sans doute est-il plus sage de poser le problème en termes de formation d'une culture et de son art sans chercher à trancher la question, toujours complexe, de l'origine d'un peuple. À partir de la fin du VIIe s. et au début du VIe s. av. J.-C. se multiplient les signes incontestables d'une culture scythe constituée, avec ses éléments spécifiques, notamment la fameuse triade : armement, harnachement et style animalier. Sur le territoire occidental des steppes, rien auparavant n'en laisse pressentir l'éclosion. Pas plus dans les « tombes à charpentes » de la culture Sroubnaïa que chez les Cimmériens, qui pratiquent un décor géométrique ignorant la figuration. Tout se passe comme si l'art scythe surgissait soudainement, à la fois au nord du Caucase et dans la région du Dniepr, et apparaissait à la fin du VIIe s. av. J.-C. sûr de ses thèmes et de ses moyens.

Dans ces années décisives qui séparent la première mention historique des Scythes de la manifestation archéologiquement attestée de leur art, deux événements, s'ils ne suffisent pas à rendre compte de la genèse de l'art scythe et encore moins de celle de l'ensemble de l'art des steppes, ont été d'une extrême importance : le séjour des Scythes en Asie antérieure et les premières manifestations, encore timides, de l'intérêt croissant des Grecs pour ces rives de la mer Noire où ils vont installer comptoirs et cités. Il s'agit là de deux événements dont la conséquence est une : baigner l'art scythe, à ses débuts, dans une atmosphère orientalisante qui, en ce VIIe s. av. J.-C., est celle de l'ensemble du monde méditerranéen.

Avec les Scythes, les Assyriens voisins cherchent à composer et les laissent établir, dans le pays de Manna au nord-ouest du plateau iranien, un véritable royaume. Il va durer 28 ans (653-625) et constituer pour les Scythes une sorte de camp de base à partir duquel ils tentent d'aller plus loin, vers la Syrie, la Palestine et jusqu'aux frontières de l'Égypte. Puis, chassés par la poussée mède, ils repassent le Caucase. Pourtant, certains restent sur place au-delà de 625 av. J.-C. Outre des marques de destruction et la présence, en de nombreux points de l'Asie antérieure, de pointes de flèche caractéristiques, il reste de leur séjour un éclatant témoignage. C'est le *Trésor de Ziwiyé*, fortuitement découvert en 1947 au sud-est du lac d'Ourmia, dans le pays de Manna. Il s'agit en fait d'une tombe que l'on date généralement aujourd'hui du dernier quart du VIIe s. av. J.-C. Son mobilier est au carrefour d'influences et de traditions artistiques diverses, mais certains objets font apparaître des motifs sans précédent dans le monde oriental et qu'on retrouve dans la steppe. Sur un revêtement de ceinture en or, des cerfs aux pattes repliées, à la ramure flottant sur l'échine, occupent un réseau d'accolades qui est, lui, de tradition ourartéenne. Un bandeau d'or bordé de têtes de rapace réduites au motif œil-bec figure de petits félins au dos rond, les pattes et la queue en crochet, l'œil et l'oreille incrustés de pâte bleue. La pièce la plus significative est un *Pectoral* en or dont la forme, en croissant, est attestée en Ourartou. Son décor montre les files de créatures hybrides de part et d'autre d'un arbre de vie, de type ouartéen. L'influence assyrienne sur la composition et les images est manifeste, mais se mêle de traits syro-phéniciens, tandis qu'aux extrémités du pectoral viennent se lover quatre petits félins tout à fait scythes et autant de lièvres.

Or, cet art mêlé, qu'explique un terreau oriental gorgé d'anciennes et multiples traditions, se retrouve au nord du Caucase, dans les premiers kourganes du

Kouban, et beaucoup plus loin vers le Dniepr, au cœur du territoire scythe. À côté de pièces à l'évidence importées — ou rapportées — d'Orient, des images de style composite reflètent le poids de l'influence orientale.

Sur les deux épées de Kelermès et de Melgounov défilent des créatures hybrides empruntées au monde assyrien par l'intermédiaire de l'Ourartou. On y retrouve l'image familière de l'arbre de vie flanqué de génies ailés. Mais sur l'attache apparaît un cerf scythe et le motif œil-bec répété en feston.

Originalité
d'un art animalier

Malgré les influences extérieures, la part irréductible de l'art scythe n'apparaît jamais plus clairement que dans deux objets qui font figure d'emblème : le *Cerf de Kostromskaïa* (Leningrad, musée de l'Ermitage) et la *Panthère de Kelermès (id.)*. Il s'agit de plaques de bouclier en or massif travaillées au repoussé. Les corps sont traités en grandes surfaces lisses qu'articulent des arêtes vives, suggérant puissamment les volumes, faisant saillir les muscles de la croupe et de l'épaule, modelant l'encolure en une technique qui n'est pas celle du travail de l'or mais celle, familière aux nomades, du bois, de la corne ou de l'os, dont le couteau fait voler les copeaux. Le goût de la couleur apparaît dans les incrustations d'ambre qui soulignent l'oreille de la panthère ou dans l'émail qui donne vie à son œil.

Dans les deux cas, les qualités propres à chaque animal ont été exaltées. Tout, dans le cerf, traduit l'idée de vitesse : encolure étirée, museau effilé, pattes groupées sous le ventre, ramure rabattue sur l'échine en une série suggestive de S évidés. L'œil et l'oreille sont comme orientés vers l'arrière. C'est à l'évidence un animal pourchassé dont le salut dépend de la rapidité d'une fuite éperdue. La panthère au contraire est immobile. Pattes fléchies ramenées sous la croupe, cou ployé, elle est en arrêt et flaire la trace, la narine dilatée, l'œil rond et l'oreille aux

aguets vers l'avant. Sa gueule laisse voir une langue haletante et des crocs acérés. C'est la pose d'un animal prêt à se détendre en un formidable bond pour fondre sur sa proie. Cette agressivité est renforcée par la présence, à l'extrémité des pattes et sur la queue, du motif répété du félin enroulé, museau contre la croupe, pattes en anneau occupant le centre du cercle ainsi formé. C'est là un bel exemple d'un procédé, familier à l'art scythe, qui consiste à renforcer l'image d'un animal d'un ou de plusieurs motifs empruntés au reste du répertoire animalier. Ici, les petits félins enroulés ne sont pas de simples ornements, ils constituent pattes et queues de la panthère et font d'elle une panthère « panthérante », une panthère à la puissance panthère.

La littérature archéologique ne sait trop comment désigner toute une catégorie d'objets, en bronze le plus souvent, abondamment représentée dans les tombes. S'agit-il d'étendards ou d'extrémités de timon ? Dans un cas au moins, ils venaient coiffer les montants de la couche funèbre. Tous ont un caractère éminemment visuel : plaques découpées en silhouette ajourée. Beaucoup sont de surcroît sonores, porteurs de clochettes ou constitués d'un grelot que surmonte une tête de rapace ou l'image d'un cerf.

Celui d'Oulski (Leningrad, musée de l'Ermitage) est particulièrement représentatif. Il figure une tête de rapace dont le bec s'enroule à la verticale et d'où pendaient trois clochettes. La crête est suggérée par trois petites têtes réduites au motif œil-bec. À la base, un œil, peut-être humain, s'ouvre largement. Au centre, un bouquetin retourne sa tête sur la croupe. Au-dessus de lui s'enroule, autour d'un trou, la volute d'un bec surmonté d'un œil qu'on peut tout aussi bien lire comme étant celui du rapace principal. Ainsi se trouve renforcé le caractère prédateur de l'oiseau.

La *Plaque de harnais* en bronze de Koulakovsky, conservée à l'Ermitage, se prête, elle aussi, au jeu des lectures multiples. Un carnassier s'y enroule, peut-être un loup dont les pattes s'achèvent en des griffes acérées que l'on peut lire comme autant de becs ou encore comme les andouillers ornant la tête de cervidé qui vient s'insérer à l'intérieur du cercle. Une image de mouflon renforce l'articulation de l'épaule tandis que le motif œil-bec se répète sur la cuisse, la queue et le bout de la corne cannelée du mouflon. L'objet ne se comprend pleinement que lu dans le mouvement.

Le bestiaire scythe, on le voit, est très sélectif. Le cerf y occupe de loin la première place. Viennent ensuite les félins, panthère surtout, puis les rapaces, les créatures hybrides, le loup, le sanglier, d'autres encore, moins nombreux. Tous ont des qualités remarquables qui assurent leur survie : rapidité du cerf, agressivité de la panthère, férocité du loup, massivité du sanglier. Pour chacun, l'image souligne, isole, hypertrophie l'organe ou la partie du corps qui se fait l'instrument de sa suprématie. Pratiquant la distorsion des formes, tronquant, dilatant, recomposant des créatures monstrueuses quand il ne les emprunte pas déjà codifiées à l'Orient ou à l'art grec, l'art scythe est pourtant aussi peu fantastique que possible. Loin de rechercher l'effet d'étrangeté et la rupture avec l'ordre naturel, il obéit à une loi stricte, celle de l'efficacité. Convaincu que, par un transfert magique, les qualités de l'animal représenté se communiquent à son porteur, il puise dans le vocabulaire de la nature pour mieux en concentrer les pouvoirs. Le Scythe ressent, envers les animaux, une sorte de connivence : eux et lui appartiennent à un même monde, sont soumis aux mêmes lois. Ils peuvent jouer pour lui le rôle d'intercesseur, voire de substitut, comme c'est le cas dans la pratique chamanique. Et si, pour les Scythes, le cerf est l'emblème majeur, c'est sans doute parce que, plus que tout autre, il est l'animal de la mobilité, qui vit, comme eux, en hardes hiérarchisées se déplaçant au gré de l'herbe et de l'eau.

En s'exprimant ainsi à travers les éléments d'un bestiaire, l'art scythe se constitue en langage où chaque détail a un sens et dont les signes, loin d'être des ornements dépourvus de signification, jouent le rôle de pictogrammes. Ses procédés se substituent à ceux d'une écriture que la société scythe ne connaît pas. Pratiquant

constamment la métaphore, il utilise aussi bien la métonymie, en suggérant l'aigle par son bec, que l'anacoluthe, lorsque s'achève une queue en tête d'oiseau. La répétition de l'andouiller en S sur la ramure des cerfs est une allitération visuelle et, quand il figure la crête d'un rapace par une succession d'œils-becs, il crée l'effet de redondance d'un pléonasme expressif, analogue aux aspects incantatoires du langage magique. Disloquant la syntaxe, provoquant le foisonnement de l'image et du signe, il fait éclater la simple représentation comme la poésie fait éclater le langage quotidien.

Ce moyen d'expression nouveau est celui d'une société nouvelle, celle de nomades pour lesquels compte avant tout l'idéologie du combat et pour qui les valeurs suprêmes sont les qualités grâce auxquelles on peut l'emporter sur son adversaire. Ce n'est pas un hasard si le style animalier affecte d'abord presque exclusivement l'attirail du guerrier, ses armes, le harnachement de son cheval. De plus, s'il touche l'ensemble des Scythes et apparaît dans l'os ou la corne de tombes modestes, dans celles des chefs il se multiplie, concentré sur les insignes du pouvoir, se faisant le garant d'une autorité fermement hiérarchisée.

Ce langage spécifique d'une société nomade et guerrière se maintiendra avec elle tout le temps et partout où elle conserve sa structure, mais, là où les circonstances historiques l'amènent à se modifier, l'art, lui aussi, subit de profondes altérations.

Hellénisation
de l'art scythe

Que les Grecs aient été très tôt attirés par ces terres nordiques, c'est ce que montre la localisation dans le Pont de très anciennes légendes. Mais d'après les données de l'archéologie, ce n'est guère qu'au VIIe s. et surtout au VIe s. av. J.-C. que s'établissent des relations régulières et qu'apparaissent les premières installations. L'initiative en revient aux Milésiens, qui apportent avec eux les traditions de la Grèce d'Asie. Ils fondent sur le littoral, à l'embouchure des fleuves qui constituent pour eux les voies naturelles de pénétration vers l'intérieur, des cités dont la plus importante est Olbia, aux bouches du Dniepr et du Boug. La carte de répartition des trouvailles d'objets importés en témoigne, le commerce grec ne touche guère que la côte. Et pourtant, l'influence de l'art grec est sensible, celle, surtout, de la céramique, qui diffuse images et motifs. Par ailleurs, très tôt, des artisans grecs ont mis leur savoir-faire au service de la clientèle scythe.

Ainsi, sur le *Miroir de Kelermès* (Leningrad, musée de l'Ermitage), griffons, lions affrontés, sphinx accroupis ou flanquant une colonne éolique, taureau terrassé par un lion appartiennent à un répertoire connu, celui de l'Archaïsme grec tel qu'il apparaît sur les vases. Et la haute figure ailée qui semble les régenter n'est autre que la dame des Fauves, maîtresse des animaux, Cybèle asiatique ou Artémis grecque. Pourtant, si un œil grec déchiffre parfaitement cette écriture, il ne peut en comprendre le sens, car cet alphabet familier transcrit un monde d'idées qui lui sont étrangères, un monde chamanique où des messagers animaux, volontiers ailés, assurent la correspondance entre le visible et l'invisible sous l'autorité suprême de l'esprit de la nature. Sans doute lié à des pratiques divinatoires, le miroir, attribut du pouvoir et non pas simple objet de toilette, a été décoré après coup par un Grec selon des instructions précises visant à en renforcer l'efficacité, qu'il a traduites au mieux dans son propre langage. Dans ce contexte iconographique, la présence d'un petit félin typiquement scythe blotti sous le sphinx dressés apparaît comme une citation. D'ailleurs, ses proportions allongées, la ligne soulignant le ventre, la queue en panache et non pas en anneau trahissent une main étrangère.

Un changement s'amorce dès le ve s. av. J.-C. quand aux Milésiens éprouvés par les guerres médiques succèdent les Athéniens, qui, sur les bords de la mer Noire, substituent l'esprit attique à l'esprit ionien et aussi, à une colonisation de type commercial, une entreprise beaucoup plus systématique. Au ve s. av. J.-C., les

cités grecques voisines du détroit de Kertch se regroupent autour de Panticapée pour former le royaume du Bosphore, qui attire dans sa mouvance les tribus environnantes, Scythes du Dniepr, Sindes et Méotes du Kouban. Les traces d'une hellénisation accrue sont évidentes. Ainsi, les bractées, ces petites plaques en or que l'on cousait par dizaines au vêtement, s'inspirent de plus en plus clairement de modèles grecs. Dans un des kourganes des « Sept-Frères », on a trouvé une bractée en forme de chouette qui reproduit exactement l'emblème de la drachme athénienne. Apparaît également dans la même série un protomé de sanglier ailé qu'on trouve sur des monnaies d'Asie Mineure et une image de coq qui évoque fortement les monnaies siciliennes d'Himère.

Mais c'est le ive s. av. J.-C. qui va connaître les plus grandes transformations. Athènes ne survit alors que grâce au blé du Bosphore, et cette énorme demande enrichit considérablement l'aristocratie locale. Les importations grecques se multiplient, vaisselle de luxe, pièces d'orfèvrerie, tandis que les ateliers locaux cherchent à répondre au mieux au goût de cette nouvelle clientèle, séduite par l'hellénisme tout en restant largement barbare dans ses goûts et ses rites. Un art nouveau s'élabore, qui n'est plus ni grec ni scythe, mais helléno-scythe ou « mixhellène ». La *Tombe de Koul-Oba* en est une belle illustration avec son architecture en encorbellement de pierres qui, sous le tertre traditionnel, traduit déjà l'influence grecque. Le mort était, selon le rite barbare, accompagné dans la tombe par sa compagne, un serviteur, un cheval, de la nourriture dans un chaudron scythe, mais aussi du vin dans une amphore portant l'estampille de Thasos. Ses armes combinent l'arc, le fouet-nagaïka et l'acinace (épée courte) avec un casque et des cnémides tout à fait grecs. L'abondance du métal précieux, la richesse de la parure dénotent un goût barbare, mais les décors sont hellénisés. L'image de l'homme y est partout présente, sur le célèbre *Vase* qui illustre la légende de l'origine des Scythes, sur le *Torque* qui s'achève avec deux cavaliers rehaussés d'émail, sur les *Appliques* qui montrent des archers, ou encore deux hommes accomplissant le rite, décrit par Hérodote, de la fraternisation et dont les profils accolés semblent ne plus faire qu'un large visage vu de face (Leningrad, musée de l'Ermitage). Sur deux pendentifs en médaillon apparaissent les images inversées d'une Athéna qui n'est autre que la Parthénos telle que Phidias l'avait conçue. Seule une plaque de bouclier semble rester fidèle à la plus pure tradition scythe, mais ce cerf empâté, surchargé d'animaux en surimpression, a beau posséder un troisième sabot imposé par la découverte de la profondeur, il est comme immobilisé par une esthétique du rationnel, plus soucieuse de l'apparence que de la vérité, et il ne sait plus fuir.

Ce phénomène d'hellénisation à outrance touche aussi l'intérieur des terres. On le voit avec les objets provenant des grands kourganes du Dniepr : Tchertomlyk, Solokha, Gaïmanova et surtout Tolstaïa mogila, dont la fouille systématique, en 1971, a enfin révélé la structure précise d'un kourgane royal. La tombe centrale, celle d'un homme, avait été pillée et ne nous a rendu le fameux pectoral et l'épée plaquée d'or que par le miracle d'un éboulement providentiel. Mais une autre, en bordure du tumulus, a révélé la sépulture intacte d'une femme richement parée, de son enfant et de leurs serviteurs. Deux fosses contenaient les restes des six chevaux harnachés et de leurs trois palefreniers.

En nous restituant dans son contexte un tel ensemble d'objets, la fouille permet d'en mieux comprendre bien d'autres et de dégager plus clairement l'esprit de cet art du IVe s. av. J.-C. Pièce unique, le *Pectoral* est en fait un quadruple torque qui figure deux Scythes s'affairant autour d'une tunique, au milieu de leur troupeau. Au-dessous se développent des rinceaux fleuris et des combats d'animaux d'une âpre beauté. On retrouve là un principe de décor constant, l'association de trois éléments : des scènes figurées, où l'homme apparaît, souvent accompagné du cheval ; des animaux sauvages ; un motif végétal. Les scènes humaines peuvent être l'illustration d'épisodes de légendes scythes ou encore être empruntées telles quelles au répertoire grec. Dans tous les cas, elles

narrent, commentent, doublent un récit : l'art scythe a cessé d'être un langage à lui tout seul. Même l'allusion animalière a perdu ses vertus, elle demeure, mais par habitude et vidée de son contenu, comme un élément décoratif au même titre que palmettes, lotus ou rinceaux, au mieux comme un blason dont le sens s'efface. L'important n'est plus que l'œil soit perçant, l'échine prompte à la détente ; ce qui compte désormais, ce sont les qualités décoratives de l'ensemble. À cet égard, les deux tendances contraires du dernier art scythe, vers la stylisation ou vers le naturalisme, s'opposent moins qu'il n'y paraît. L'une et l'autre traduisent le même désintérêt pour l'efficacité de l'image et la diluent par excès de géométrie ou excès de précision.

Sur le *Peigne de Solokha* (Leningrad, musée de l'Ermitage), le thème animalier se réduit aux lions couchés qui assurent la transition entre les dents, lesquelles sont autant de colonnes, et la scène de combat qui les coiffe à la manière d'un fronton. Ils ne sont plus que les « échines » assurant la transition entre la verticale et l'horizontale au sein d'une œuvre véritablement architecturale. Un phénomène analogue se manifeste sur une des plus récentes trouvailles scythes, la *Plaque de Vergina*. Découverte en 1977 lors des célèbres fouilles du tumulus royal de Macédoine, elle revêtait un *goryte* (étui pour l'arc et les flèches) très proche, par sa forme et l'organisation de son décor, de celui de Tchertomlyk, dont on connaît trois autres exemplaires frappés d'après la même matrice. Or, la pièce de Vergina a son équivalent exact, à des milliers de kilomètres, avec une *Plaque* en argent doré très mal conservée provenant de Karagodeouachkh, dans le Kouban, qui présente les restes d'un décor absolument identique. Le motif animalier s'y réduit à une frise répétitive d'oiseaux prenant leur vol, de style grec. La présence, dans une tombe macédonienne, de cet objet scythe est au reste remarquable et témoigne des contacts, largement attestés par ailleurs, entre les Scythes et leurs voisins occidentaux, Thraces et Macédoniens, puis Celtes et Germains.

La diffusion de l'art scythe vers l'ouest,

bien avant la grande époque de la poussée sarmate est illustrée par les trouvailles faites en Bulgarie, en Hongrie et en Allemagne orientale, à Vettersfelde, où une plaque d'or en forme de poisson représente un combat d'animaux, tandis que la queue figure un aigle en vol flanqué de deux têtes de bélier.

Mais, pour comprendre l'ampleur de l'art des steppes et mieux en cerner les origines, c'est vers l'est qu'il faut se tourner.

L'art des nomades de l'Asie

Voisins immédiats des Scythes, les Sauromates occupaient les steppes entre Oural et Caspienne. L'art animalier n'apparaît guère chez eux avant le ve s. av. J.-C. Les tribus sauromates du Don et de la Volga ont des cultures proches de celles du nord du Caucase et de la mer Noire, celles de l'Oural présentent des affinités très grandes avec le monde sace d'Asie centrale. Plus perméables à des influences dont ils se font le vecteur que véritablement créateurs, les Sauromates ont constitué un trait d'union important entre les Scythes de l'Ouest et les Saces du Kazakhstan.

Leur art comporte peu d'or, mais des bronzes, et surtout, en quantité, des objets d'os et de corne. Les fauves y prédominent, le loup et l'ours surtout, et aussi la panthère. Fortement stylisés, ils montrent une gueule pleine de crocs aux incisives menaçantes qui en accentuent la férocité.

Les tribus saces nomadisaient dans le vaste espace qui va de la Caspienne au sud de l'Altaï et jusqu'aux contreforts du Pamir. Voisins immédiats des Perses, ce sont les Sakas mentionnés par les inscriptions achéménides qui apparaissent sur les reliefs de Persépolis. La découverte archéologique de leur culture, toute récente, est d'un grand intérêt pour l'histoire de l'art des steppes. Elle montre l'existence chez eux, dès le viie s. av. J.-C., d'un art animalier original qui semble ne rien devoir à l'Orient et qui est contemporain des découvertes réalisées en territoire scythe, voire antérieur. Les nécropoles d'Ouïgarak et de Tagisken, sur le cours

inférieur du Syr-Daria, ont livré de nombreuses images d'animaux sur les armes et le harnachement, en bronze et, plus rarement, en or. Ce sont toujours des animaux réels : l'art sace répugne aux monstres hybrides, et les affrontements sont exceptionnels. Les motifs les plus fréquents représentent des rapaces, souvent réduits à leur tête, des félins enroulés et des loups. Un trait local typique est la tête de chameau, parfaitement reconnaissable avec sa gueule bosselée fendue d'une large bouche, l'œil rond à la lourde paupière sous une arcade sourcilière très saillante.

Beaucoup plus à l'est, à Tchilikta, dans le Kazakhstan oriental, une tombe du viie s. av. J.-C. recelait un carquois orné d'appliques en or en forme de cerfs aux yeux et aux oreilles incrustés de turquoises tout à fait semblables à ceux de Žiwiyé et des premiers kourganes scythes.

Dans l'Altaï, le pillage presque immédiat des tombes, tout en les dépouillant des objets les plus précieux, bijoux, armes, objets de métal, a paradoxalement sauvegardé le reste. L'eau de pluie qui s'est infiltrée à la suite des voleurs a gelé et la masse du kourgane, en faisant écran au soleil, a transformé les sépultures en glacières. Tissus, fourrures, bois, cuir, et même les chairs et les cheveux des cadavres se sont parfaitement conservés. Les liens avec l'Iran achéménide sont attestés, notamment, par la présence d'un tapis de laine noué, rouge, orné d'une procession de cavaliers, de griffons, de daims paissant. Une pièce de soie grège brodée vient, elle, de Chine, mais un usage barbare l'a transformée en chabraque bordée de feutre d'où pendent six grosses touffes de poil de yack. La présence conjointe, dans ces tombes de Pazyryk, d'objets iraniens et chinois atteste que l'Altaï a été, avant la route de la soie, qui passe plus au sud, un axe d'échanges entre l'Extrême-Orient et l'Occident.

Cela n'en a pas moins été aussi le foyer d'un art animalier au faciès original qui fait appel à la combinaison des matières les plus disparates, bois et or, feutre et crin, argile et cuir, et qui se plaît aux contrastes de couleurs vives. Une *Couverture de selle* (Leningrad, musée de l'Ermitage) en feutre rouge répète l'image, appliquée en bleu et jaune, d'un griffon terrassant un bouquetin en torsion. De part et d'autre, des têtes cornues de tigres laissent échapper le museau d'un mouflon souligné d'or et de cuir. Ses cornes arrondies sont bordées de fourrure, que prolongent de longues mèches de crin roux. Un petit *Cerf (id.)* en bois sculpté, à l'immense ramure de cuir, devait donner l'illusion de l'or massif lorsque la mince feuille d'or qui l'habillait était intacte. Un autre exemple de sculpture, molle cette fois-ci, est offert par quatre cygnes en feutre blanc, noir et rouge, bourré de foin.

Partout le motif animalier se multiplie, brodé sur les caftans de mouton retourné ou de zibeline, ornant les pieds de petites tables démontables, appliqué en cuir sur la vaisselle de bois ou d'argile. Mais nulle part il n'est plus surprenant qu'avec le tatouage qui couvrait le corps d'un homme de tout un bestiaire fantastique : cerfs à la ramure habitée de têtes d'oiseau, félin ailé, mouflons, poisson et, à l'emplacement exact du cœur, la tête d'un lion-griffon dont l'échine tournait autour du torse jusqu'à l'omoplate.

Plus au nord, en plein cœur de l'Asie, les bronzes de Minoussinsk illustrent une brillante civilisation du métal qui affectionne les animaux debout. Dans la région de Touva, à Arjan, un immense kourgane à la curieuse structure rayonnante a livré une grande plaque ronde de bronze en forme de panthère roulée en boule. Si la date suggérée du VIIIe s. av. J.-C. devait être retenue, nous aurions là l'exemple, de beaucoup le plus précoce, d'un motif que tous s'accordent à considérer comme propre à l'art des steppes.

Un autre genre d'objets nous fournit une piste asiatique. Il s'agit de ce qu'on appelle les « pierres à cerf ». On en a récemment repéré des dizaines dans les steppes de Mongolie, en Transbaïkalie et dans l'Altaï. Elles se dressent à proximité des tombes et peuvent atteindre jusqu'à trois mètres. Grossièrement équarries, elles figurent un guerrier dont le visage est délimité par l'anneau d'un torque, tandis qu'à sa ceinture pendent des armes, arc, épée, hache. La pierre est enveloppée

sur toutes ses faces d'images multipliées de cerfs, l'encolure tendue, la ramure flottante, dans une attitude qui est celle du cerf scythe. Bien attestées au milieu du Ier millénaire av. J.-C., ces images — au reste fort difficiles à dater — semblent surgir plusieurs siècles avant et s'inscrivent dans une tradition rupestre encore beaucoup plus ancienne. Sont-elles les ancêtres des images scythes ? À l'heure actuelle, il est encore hasardeux de l'affirmer et plus encore de faire de la Mongolie la terre d'origine de l'ensemble de l'art des steppes. Mais la coïncidence, troublante, mérite d'être notée.

Ainsi, on trouve au fin fond de l'Asie l'écho, et peut-être une des sources, d'un art que les invasions vont porter à l'autre bout du continent, grâce aux Sarmates.

L'art des Sarmates

Issus d'une confédération de tribus sauromates, les Sarmates franchissent le Don et s'installent à partir du IIIe s. av. J.-C. dans les steppes du Dniepr et de la mer Noire. Les Scythes refluent vers le sud et se replient sur un territoire limité, en Crimée, autour de l'embouchure du Dniepr et dans la Dobroudja jusqu'au Danube. Ils y forment un petit État, la Scythia minor des Latins, dont la capitale, Néapolis, en Crimée, est une ville hellénisée. C'en est fini du grand art scythe. Les Sarmates prennent la relève, apportant de l'est avec eux un goût intact pour la parure, l'or, l'argent et un répertoire animalier vigoureux tout droit issu de la plus authentique tradition asiatique. Les ateliers du Bosphore mettent au service d'un style animalier ainsi ressourcé tout le raffinement de leur savoir-faire. L'art qui en naît, et que domine le travail du métal, va régner quatre siècles durant sur une aire qui va du Don en Transylvanie et dans le nord du Caucase avant d'atteindre l'Occident.

Les éléments de harnachement reviennent à l'honneur, les phalères en particulier, grandes plaques rondes ou parfois ovales, en or ou en argent, ornées d'images animales ou plus rarement humaines.

Mais la plus large place est faite aux bijoux. Des centaines de bractées et de superbes pièces d'orfèvrerie ont été trouvées dans le tumulus de Khokhlatch, près de Novotcherkassk, sur le cours inférieur du Don. Ce tumulus recouvrait la sépulture d'une femme, peut-être la reine de la tribu des Aorses, venus de l'est au Ier s. av. J.-C. Un *Torque* est orné d'une double frise de griffons dont l'œil, l'oreille, l'épaule et la croupe sont incrustés de pierres de couleur. Un *Diadème* en or rehaussé d'améthystes et de grenats porte à son bord supérieur un motif de cerfs flanquant un arbre dans la grande tradition de la steppe orientale, tandis qu'une gemme en calcédoine fait surgir un buste féminin de facture hellénistique. Sur deux *Flacons à parfum* et un étui allongé, le motif animalier se perd en un grouillement de formes sinueuses que rythment les alvéoles des incrustations. En revanche, sur un *Vase* en or à la panse de ligne très pure, seul apparaît un cerf en ronde bosse qui constitue l'anse.

Empruntée aux peuples à robe ou péplum, la fibule prend une importance particulière et se charge d'ornements. Les techniques du filigrane, du travail ajouré, du champlevé, du cloisonné sont portées à leur plus haut point de perfection. La polychromie est de règle, avec une préférence marquée pour l'opposition du rouge et de l'or. La parenté est manifeste entre certaines des grandes plaques de la Collection sibérienne (Leningrad, musée de l'Ermitage) et les pièces sarmates telles qu'on les trouve loin vers l'ouest, en Bulgarie, en Roumanie, en Hongrie.

Lorsqu'au IVe s. de notre ère apparaissent ces terribles Huns, venus du fin fond de l'Asie mettre fin à l'empire iranien des steppes, les Sarmates, fuyant, apportent à un Occident fasciné leurs ors, leurs grenats, leur goût des vives couleurs, des entrelacs, des formes qui bourgeonnent, leur bestiaire griffu, musclé, ailé, cornu, tout un héritage qui ne cesse d'aller de l'avant, de la Gaule mérovingienne à l'Espagne romane, de la Scandinavie viking au monde anglo-saxon, jusqu'en Irlande et aux Shetland, continuant, sans fin, sa vie nomade.

Bibliographie sommaire

Artamonov (M.), *les Trésors d'art des Scythes*, Gründ, Paris, 1968. Charrière (G.), *l'Art barbare scythe*, Cercle d'Art, Paris, 1971. Grousset (R.), *l'Empire des steppes*, Payot, Paris, 1969. Jettmar (K.), *l'Art des steppes*, Albin Michel, Paris, 1965. Phillips (E. D.), *les Nomades de la steppe*, Sequoia, Paris-Bruxelles, 1966. Catalogue de l'exposition « Or des Scythes », Musées nationaux, Paris, 1975.

L'ART ÉTRUSQUE

Jean-René Jannot

LES ÉTRUSQUES ONT FASCINÉ DES GÉNÉRATIONS ENTIÈRES. L'obscurité de leurs origines, leur langue « indéchiffrable », le charme énigmatique de leur peinture, l'étrangeté des rites connus ou supposés, les légendes entretenues depuis l'Antiquité, le caractère funéraire des vestiges les plus connus, tout cela a fait naître le mythe d'un « secret » étrusque. Que l'Étrurie ait été une terre d'augures et d'haruspices, qu'un millénarisme fataliste ait pesé sur son histoire, que les « prodiges » soient complaisamment évoqués par les historiens antiques et il n'en a pas fallu davantage pour que cette civilisation, qui a donné naissance à la Rome archaïque et porté l'hellénisme à l'Occident méditerranéen, se pare du charme douteux du mystère.

L'étruscologie n'a rien de réellement mystérieux, seules les énormes lacunes de notre documentation expliquent la relative pauvreté de nos connaissances. Toute la littérature étrusque, les archives, les grands livres religieux ont été systématiquement détruits, les villes souvent rasées et transplantées sur l'ordre du conquérant romain, les restes eux-mêmes ont subi depuis cinq siècles un incessant pillage. Dans ces conditions, notre documentation est partielle, donc partiale, et de très sérieux problèmes demeurent. Mais les fouilles fournissent chaque année de nouveaux documents, la place des Étrusques dans le monde antique se précise et on voit une « histoire italique » se dessiner lentement où l'Étrurie a une place majeure.

L'histoire de l'art des Étrusques commence avec leur propre histoire, au milieu du VIIIᵉ s. av. J.-C., et ne s'achève qu'à l'aube du Iᵉʳ s. av. J.-C., dans les remous de la « guerre sociale ». Nous distinguerons de manière commode quatre périodes :

— la **période de formation,** où l'héritage protohistorique se mêle aux apports orientaux (du milieu du VIIIᵉ au début du VIᵉ s.) ;

— l'**archaïsme,** période brillante et séduisante qui coïncide avec l'apogée et qui connaît les premiers revers (du début du VIᵉ au milieu du Vᵉ s.) ;

— les **expériences classiques,** pendant l'ère du repli (jusqu'au milieu du IVᵉ s.) ;

— l'**époque tardive** enfin (IIIᵉ et IIᵉ s.), qui voit les cités perdre leur indépendance et pendant laquelle les productions artistiques dérivent de modèles hellénistiques.

La période de formation

La traditionnelle querelle sur l'origine des Étrusques semble aujourd'hui heureusement éteinte. Les partisans de la provenance orientale (et plus précisément lydienne), d'accord avec la plupart des sources antiques et d'abord avec Hérodote, et les tenants de l'autochtonie, s'appuyant sur Denys d'Halicarnasse, admettent maintenant que la civilisation étrusque est née du contact entre des autochtones, qui avaient développé la culture que nous nommons *villanovienne*, et des immigrants, surtout orientaux. Les uns estiment que l'apport oriental est loin d'être massif (même s'il est essentiel) et les autres se contentent d'évoquer une autochtonie « relative ». Les débuts du VIIIe s. marquent en Occident l'installation des premiers colons grecs, sans doute attirés par le fer de l'Étrurie maritime. Presque aussitôt, la culture villanovienne des régions côtières s'enrichit et, à partir de 740, les villes semblent se développer. Puis, c'est l'intérieur qui se transforme, mais de manière plus conservatrice. À l'aube du VIIe s. apparaissent les premières inscriptions et il ne fait aucun doute qu'on peut alors parler d'une civilisation étrusque. Les échanges deviennent nombreux, soit directement avec les Grecs, soit, plus fréquemment, grâce aux peuples phénico-puniques, qui relaient tous les courants commerciaux méditerranéens.

LES OBJETS QUOTIDIENS

Peut-on parler déjà d'un art ? La production artisanale subvient dans un premier temps aux besoins élémentaires et c'est seulement à l'aube du VIIe s. que des biens de luxe, des objets recherchés apparaissent. Deux courants majeurs traversent toute cette période : celui qui vient de l'héritage villanovien et qui se prolonge dans les zones de l'intérieur plus longtemps que sur la côte, puis celui, irrésistible, qui répand de Vetulonia à Préneste un art, au charme exotique, tout imprégné d'influences orientales. L'Étrurie, qui a participé très activement à la révolution technique du premier âge du fer, produit à la fin de l'époque villanovienne (2e moitié du VIIIe s.) des objets qui diffèrent peu de ce que connaît le reste de l'Europe méridionale. La céramique, sans doute produite par les femmes dans le cadre domestique, est très conservatrice, n'utilisant pratiquement que le décor incisé, mais souvent extrêmement élégante : spirales, oiseaux stylisés, zones de hachures et de rosettes se développent sur des vases de belle argile brunâtre aux formes pleines, imitant parfois des silhouettes animales. La métallurgie en revanche, travail de spécialiste, évolue beaucoup plus vite et fournit des produits variés : urnes, situles, vases à boire, réceptacles cinéraires au couvercle hé-

rissé de figurines dansant ou chassant, broches, fibules, fermoirs de ceinturons. Certains de ces objets donnent alors naissance à des imitations en terre cuite : il en est ainsi de certaines urnes cinéraires à décor plastique dont le couvercle porte des figurines représentant un banquet funéraire. Cette production de tradition villanovienne ne se différencie qualitativement que de manière très lente et témoigne d'un état social peu évolué.

UN ARTISANAT DE LUXE

Or, vers le dernier quart du VIIIe s. apparaissent de nouveaux objets : vases grecs venus d'Eubée, mais surtout chaudrons hérissés de têtes de griffons venus d'Anatolie, supports coniques assyriens que l'on trouve à Préneste, à Véies et à Vetulonia, ivoires de la Syrie du Nord, coupes et situles phéniciennes de bronze ou d'argent repoussé. Tarquinia et Vetulonia, Cerveteri et Préneste voient se creuser des tombes princières et seigneuriales qui contrastent fortement avec les sépultures pauvres, où l'on dépose toujours un mobilier de tradition villanovienne. Les objets de luxe et de prestige, qui en Grèce ornent les sanctuaires de Delphes ou d'Olympie, sont en Étrurie, comme à Salamine de Chypre, à Gordion ou à Nimroud, déposés dans les tombes des princes locaux. Pourtant, à peine arrivés, ces biens de prestige servent aussitôt de modèles dans des ateliers qui se créent pour les imiter. Il est vraisemblable que l'on y trouve des artisans orientaux qui apportent avec eux non pas un style, mais un langage éclectique où se mêlent tous les éléments du monde oriental et que pour cette raison nous nommons « orientalisant ». Alors commence en terre étrusque une production souvent luxueuse dans laquelle s'investissent les immenses profits du commerce et des péages.

D'emblée, les ivoires atteignent un niveau très élevé ; à Marsiliana d'Albegna, à Cerveteri, à Préneste, on a déposé dans les tombes des coffrets, des pyxides cylindriques rappelant les ivoires de Nimroud, des situles de hautes coupes dont le corps est soutenu par de petites figurines féminines d'esprit syrien. Une statuette autrefois dorée retrouvée à Marsiliana d'Albegna représente une femme nue qui évoque typologiquement la déesse des Eaux de Mari, mais qui a été sculptée en Étrurie. À Préneste, de longs bras d'ivoire ont été entièrement couverts de bandeaux décoratifs représentant des frises d'animaux ; ce devaient être des manches d'éventails. Ces ivoires, travaillés localement, viennent d'Asie et d'Afrique centrale par des routes commerciales très actives. C'est par ces mêmes routes que viennent les œufs d'autruche qu'on décore en Étrurie de motifs identiques et qu'on dépose dans les tombes : objet inerte qui promet le réveil de la vie.

Le goût pour les objets précieux pousse à un admirable développement de l'orfèvrerie. Peut-être les modèles ou les artisans sont-ils venus de la colonie grecque d'Ischia, où Strabon nous signale des ateliers d'orfèvres, mais les ateliers étrusques dépassent en virtuosité toutes les productions antérieures. Le filigrane et surtout la granulation, techniques d'une incroyable difficulté, sont d'usage courant ; le « circolo » des ors à Vetulonia, la *Tombe Regolini Galassi* de Cerveteri, les grandes *Tombes* de Préneste nous livrent broches, fibules, bracelets et armilles, pectoraux et bractées. Les motifs minuscules mêlent avec habileté formes géométriques aux figures animales, parfois même au décor épigraphique. Parmi ces objets de luxe, les étoffes devaient tenir une grande place : tapisseries, broderies, tissages multicolores, tapis ont à jamais disparu. Il n'en reste que le pâle souvenir que perpétuent les imitations peintes aux parois des tombes : les *Tombes* « della capanna », « della anatre », « degli animali dipinti » à Cerveteri, la *Tombe Campana* de Véies, la *Tombe* « orientalisante » de Chiusi, aujourd'hui perdue et dont nous n'avons pas même un dessin. S'il faut raisonner sur ces pauvres restes, nous devons restituer un décor luxuriant aux couleurs vives, avec des entrelacs de plantes stylisées et des animaux influencés sans doute par l'art syrien aux formes étirées.

LA MAISON ET LA TOMBE

C'est encore au domaine funéraire qu'il nous faudra nous reporter pour imaginer les maisons des vivants, les habitations des morts en étant le reflet. Les tombes, d'abord couvertes de fausses coupoles, finissent par présenter un toit de cabane, puis une couverture à deux pentes. Les chambres se multiplient, s'organisant autour d'une pièce principale. Ces tombes seigneuriales, représentant les habitations des riches défunts, contrastent avec les pauvres cabanes maintenant rectangulaires, dont les modèles de terre cuite servent d'urnes cinéraires aux moins riches et dont la forme se trouve confirmée par les fouilles de Roselle et un peu plus tard par celles d'Acquarossa.

C'est pour cette même classe sociale peu fortunée que d'habiles artisans inventent une céramique qui imite le bronze noir : le *bucchero*. C'est, par excellence, la production du vi[e] s. D'abord très fine, puis de plus en plus épaisse, elle s'orne initialement d'un décor pointillé en éventail, puis de scènes incisées inspirées par le répertoire oriental ; on y voit souvent des files d'animaux réels ou fantastiques, parmi lesquels un lion mangeur d'hommes. Le bucchero épais est une spécialité de l'intérieur et s'orne, comme devaient l'être les vases et braseros de bronze qu'il imite, de figures en relief, surmoulées.

À la fin du viie s., l'Étrurie, en imitant les produits qu'elle importait, les maisons qu'elle construisait, les objets précieux où elle investissait sa fortune, s'est dotée de techniques artisanales avancées, d'un langage esthétique composite, en continuelle évolution. Les contacts avec le monde grec vont pouvoir engendrer un admirable développement.

L'archaïsme

Vers la fin du viie s., les rapports entre le monde grec et l'Étrurie s'intensifient en volume et en qualité. À l'aube du vi[e] s., les villes côtières deviennent les protagonistes du grand développement méditerranéen. Dans les cinquante années qui suivent, les cités de l'intérieur accèdent à leur tour à cet espace en voie de création. Partout, sur un modèle proche de celui de la cité-État grecque, se développent des villes, d'abord conduites par des rois ou des tyrans, les « lucumons », mais qui évoluent vers un régime aristocratique où les magistratures sont gérées par une oligarchie plus ou moins ouverte.

Le monde étrusque déborde alors les étroites limites des pays du Tibre et de l'Arno : au sud, il fonde Capoue et de nombreuses petites cités ; sur le Silaris s'établit le contact direct avec les Grecs ; au nord, les vallées de l'Apennin conduisent bientôt vers la vallée du Pô, et les terres étrusques s'étendent jusqu'à la vallée de l'Adige et à celle de l'Adda. Felsina, aujourd'hui Bologne, est la ville principale de cette Étrurie padane, mais le très actif port de Spina et, dans une moindre mesure, celui d'Adria sont étrusques. Les territoires de Mantoue, de Parme, de Melpum même (qui sera plus tard Milan) sont sous l'autorité des Étrusques. C'est à ce même moment que les habitants de Cerveteri se lancent en direction de la Corse (la bataille d'Aleria contre les Grecs a lieu v. 535) et s'établissent sur la côte orientale. Enfin, à l'extrême fin du VIe s. conduit les Étrusques à la conquête de l'Ombrie, et Pérouse devient alors une de leurs cités.

Le fait le plus important est pourtant la domination exercée sur Rome pendant tout le VIe s. et peut-être même jusque v. 474. Les rois et les tyrans sont originaires de Tarquinia ou de Vulci, le « protecteur » *Porsenna* est roi de Chiusi.

Les revers des années 510 à Rome, les échecs plus graves de 474 à la bataille navale de Cumes n'entament que la puissance politique et sans doute économique des cités étrusques. L'élan artistique et culturel persiste encore un temps, et l'art archaïque ne fléchit, mais alors de manière très brutale, que vers le milieu du Ve s.

ARCHITECTURE

Avec le VIe s. se multiplient à Cerveteri, à Vulci, à Cortone les grands *tumuli* à chambres multiples. Très vite l'élargissement de l'aristocratie conduit à la multiplication des sépultures, qui se veulent des images des demeures des vivants. Une, puis deux, puis trois chambres, puis un vestibule les desservant se disposent à l'extrémité du couloir qui y conduit. Le plafond à double pente ou à caissons rappelle celui des maisons, les portes s'ornent des mêmes moulures, les tombes elles-mêmes se disposent le long de rues perpendiculaires, qui, à Cerveteri et à Orvieto, reproduisent les rues de la cité.

Les premiers temples que nous connaissions se dressent alors à Rome *(Temple de Jupiter capitolin ; Temples* jumeaux de *San Omobono)*, à Véies *(Temple de Portonaccio)*, à Pyrgi, au sommet de l'*Acropole d'Orvieto*, à Tarquinia (sur le site de l'ara della Regina). Ce sont de grandes constructions où le bois est largement employé ; colonnes de la partie antérieure, architraves, fermes, pannes soutiennent un toit à deux pentes fortement débordant. Comme en Grèce d'Occident, des plaques de terre cuite moulées et peintes décorent et protègent ces poutres, mais les frontons sont ici ouverts comme dans la cabane primitive, et la poutre faîtière, le *columen*, se hérisse de hauts acrotères, statues de dieux isolées ou même groupées comme dans les temples romains du *Capitole* ou du *Forum boarium.* L'évidente parenté décorative de ces constructions étrusques avec les temples de la Grèce d'Asie (en particulier de Lárissa sur l'Hermos) ne peut masquer la complète originalité des formes architecturales. L'architecte Vitruve, à l'époque d'Auguste, nous décrit ce qu'est le « temple toscan » : il se dresse sur un haut podium, on y accède par un escalier frontal, toute la partie antérieure est un profond portique tandis que la partie postérieure est aveugle et comprend souvent trois « celle » côte à côte ; le plan en sera repris par nombre de temples romains. Chaque cité étrusque édifie alors ces temples prestigieux dont il ne reste le plus souvent que le podium, quelques plaques décorées et des collections d'antéfixes aux visages de Ménades et de Silènes.

SCULPTURE

C'est en rapport étroit avec cette floraison architecturale que semble se définir la grande sculpture. Certes, il existe des statues autonomes, nous les évoquerons, mais ce sont les grandes figures des temples qui depuis toujours forcent l'admiration. Dès ses débuts, la sculpture manifeste un sens monumental éclatant (v. 575). Le *Prêtre assis de Murlo* (Florence, Musée archéologique) se dressait au faîte du temple en compagnie d'au moins douze autres figures ; le modelage est sans doute encore fruste, mais admirablement efficace. Vers 540, le style s'est affiné, le mouvement s'exprime avec fougue, et la tendresse avec subtilité dans un grand acrotère de Cerveteri où l'Aurore enlève Képhalos. Au même moment, à Rome, au pied de l'Aventin, des artistes formés aux techniques de la Grèce d'Orient modèlent le *Groupe d'Athéna et d'Héraclès*. Mais c'est à Véies qu'apparaissent les véritables chefs-d'œuvre : l'atelier de Vulca, qui avait décoré le temple romain de Jupiter capitolin, exécute v. 500 les merveilleux acrotères du *Temple de Portonaccio ;* c'est d'abord une statue d'une grande originalité représentant *Leto portant Apollon* puis, dans un style plus nerveux encore, la *Lutte d'Apollon et d'Héraclès* à propos de la biche de Cerynie (Rome, Villa Giulia). Hermès et sans doute Artémis assistent à la scène. L'originalité de cette statuaire est éclatante : le vocabulaire des formes est d'origine attique, l'accent doit quelque chose à la Campanie grecque, mais l'esprit est original, le mouvement, l'élan, la construction même sont uniques. Le génie de Vulca exprime, par la tension de la composition, le sourire des lèvres et la cruauté du regard, l'inquiétude et l'attrait du sacré.

Les autres statues destinées à des lieux de culte sont rares ; pourtant, il faut admirer la fameuse *Porteuse d'offrandes* de la « grotte d'Isis » à Vulci (British Museum) [v. 570], où se mêlent en une synthèse originale de multiples influences, œuvre d'une parfaite unité formelle. Beaucoup plus tard, un *Apollon* de Volterra taillé dans un marbre d'Étrurie atteste, v. 490, des relations avec l'art grec ; à peine inférieur à des productions attiques comme la *Tête Jacobsen* de Copenhague, cet Apollon étrusque suit de très près ses modèles grecs.

La sculpture funéraire, en revanche, montre à l'égard de la Grèce une remarquable indépendance. À l'aube du VIe s., les statues de la Pietrera à Vetulonia agrandissent encore maladroitement des modèles syro-phéniciens de petite dimension, mais à Cerveteri, à la *Tombe des 5 sièges,* v. 600, des figures d'ancêtres en terre cuite, représentés assis, manifestent un sens plastique évident et une indépendance croissante à l'égard des modèles orientaux ou corinthiens. À Vulci, v. 580, un *Centaure,* gardien de tombe, affirme les principes de la grande plastique funéraire : le volume, la présence, la maîtrise de l'espace, l'impression de force sont obtenus par la synthèse d'apports multiples, assimilés en un langage original.

La cité intérieure de Chiusi est plus originale encore. Modifiant avec une folle imagination le vieil ossuaire de tradition villanovienne, elle avait, vers la fin du VIIe s., tenté une représentation individualisée du défunt : l'*Ossuaire Gualandi* montrait une femme richement vêtue, entourée, protégée par deux cercles concentriques de pleureuses et défendue par des têtes de griffons, comme l'étaient les grands chaudrons importés d'Anatolie. C'est tout un courant d'art rural, avec sa spontanéité, sa naïveté et sa vivacité d'expression qui allait saisir cette occasion d'échapper aux modèles et aux contraintes : les panses des vases d'*impasto* reçoivent des bras, les couvercles deviennent des visages ici graves, là pathétiques ou volontaires. Faut-il y voir l'origine du portrait ? Hélas, les dernières figures modelées de ces *vases-canopes* perdent petit à petit leurs caractères individuels et vont lentement, vers la fin du VIe s., répéter les stéréotypes de la sculpture grecque. De là procéderont, sur le modèle des statues assises ioniennes, une longue suite de représentations funéraires de personnages trônant : le corps creux est un réceptacle cinéraire dont la tête est le couvercle. L'aspect est imposant, l'expression grave, le regard perdu : figures immobiles du monde des morts.

C'est à l'opposé de cette froideur que se situent les modeleurs de Cerveteri. Sarcophages et urnes cinéraires s'ornent, à partir des années 540-530, de délicates et charmantes figures de banqueteurs qui esquissent le sourire que l'on dit « archaïque ». Les yeux légèrement bridés, en amandes, le visage ovoïde au menton fin, le nez délicat, le goût des belles surfaces aux passages assouplis, la simplification des formes, les gestes amples et graves donnent à ces couples de banqueteurs, celui de la Villa Giulia à Rome, le plus ancien, et plus encore celui du Louvre, qui date des années 510, une dignité et un charme fort éloignés de la joie bruyante des banquets grecs. Il n'existe pas de modèles grecs de ces scènes, l'artiste de Cerveteri a transposé de manière géniale le schéma du *symposium* grec, souvent réduit à n'être qu'une scène de genre, et a exprimé dans sa gravité sereine l'espoir de survie d'un couple.

La petite plastique de bronze parvient plus difficilement au niveau de l'œuvre d'art. Les figurines de bronze répètent encore pendant longtemps des schémas dédalisants et orientalisants, mais un extraordinaire sens décoratif se manifeste souvent, qui fait échapper l'objet à sa condition d'imitation pour en faire une véritable création : les *Supports de Brolio*, (v. 560, Florence, Musée archéologique), représentant des guerriers et des femmes vêtues dont l'élongation maniériste et la torsion du cou sont d'une telle élégance qu'elles font oublier la totale absence de recherches anatomiques. Les innombrables petites *Korés* au corps plat et aux gestes stéréotypés ont un charme qui tient précisément à ces déformations surprenantes, à ces épaules trop larges, à ce corps devenu une lame, à ces gestes trop raides, à cette concision qui les élève au niveau du signe et nous fait complètement oublier que certaines de leurs sœurs ne sont que de maladroites imitations des korés de la fin du VIe s. On en pourrait dire autant de ces figurines de danseurs porteurs de candélabres dont la gaieté et l'élan, l'élégance presque calligraphique montrent que vers la fin de la période archaïque les artisans étrusques ne s'intéressent qu'à une expression spontanée, éclectique et presque anarchique.

LA PEINTURE ARCHAÏQUE

La peinture étrusque est la seule de ce temps à nous être réellement connue :
mais seuls, ou à peu près, les décors funéraires sont parvenus jusqu'à nous. Sans doute la technique de peinture des parois était-elle déjà connue dans les tombes de l'époque orientalisante, mais ce n'était qu'une peinture d'imitation évoquant tentures et draperies.

Il faut attendre les années 560 pour voir la peinture conquérir son indépendance. Ce sont d'abord, et seulement semble-t-il en Étrurie méridionale, des plaques peintes : *Plaques Boccanera* (Londres, British Museum), puis, v. 540, *Plaques Campana* (Louvre) ; les premières montrent des monstres et des animaux gardiens, les secondes composent des scènes funéraires où il faut sans doute reconnaître le rapt de l'âme, un sacrifice, un cortège d'offrandes et deux vieillards pensifs assis face à face en un schéma qui sera fréquent sur les bas-reliefs de Chiusi. Les couleurs ne présentent pas encore une grande richesse chromatique, les figures sont cernées d'un ferme trait noir, et les plans ne se superposent que fort peu, et avec une grande timidité.

La grande peinture commence véritablement à Tarquinia. Vers 530, la *Tombe des taureaux*, maladroite, pleine d'hésitations, d'incertitudes et de repentirs, met en scène le mythe grec (ici l'embuscade qu'Achille dresse à Troïlos), mais elle développe ses vertus décoratives et exploite sans doute davantage le caractère symbolique de l'image que sa dimension mythique. Sous la frise figurée apparaît un bois sacré aux arbres consacrés par des bandelettes, des couronnes ; c'est le paysage lui-même qui fait son entrée dans la représentation, nous montrant que les peintres des tombes tentent de reproduire ce plateau ouvert sur la mer où sont creusées les demeures d'éternité.

Les maladresses de la *Tombe des taureaux* ont été bien vite infléchies ; à la *Tombe de la chasse et de la pêche* (530) se développent avec liberté et spontanéité des thèmes de plein air : ici encore un bois sacré, mais peuplé cette fois de danseurs et de musiciens ; ici encore un paysage, mais marin cette fois, tout agité du saut des dauphins et du vol des oiseaux ; ici passe une barque pleine de pêcheurs, là un jeune garçon plonge d'une falaise. La figure en est certes moins belle que celle de la *Tombe du plongeur*, à Paestum, mais la nature y est vue avec cette joie élémentaire que traduisent à merveille les couleurs fraîches, le dessin alerte, le mouvement tourbillonnant de la vie. Il est difficile de trouver des modèles à cette peinture étonnante : peut-être faut-il évoquer l'atelier des *Hydries* de Cerveteri, où travaillent ensemble artisans grecs et ouvriers étrusques, mais le sens paysagiste et anecdotique, l'attrait des couleurs, le goût du mouvement n'ont guère d'équivalent que dans le monde crétois, un millénaire plus tôt. L'homme n'est pas ici l'objet unique, isolé, souverain, qui donne son sens aux recherches plastiques grecques ; il apparaît comme un élément du monde hors duquel il ne semble pas exister. On pense aux « petits maîtres » et à l'art de Samos.

À partir de cette date, les peintres de Tarquinia ne cessent de produire : *Tombe des augures* (530), où deux hommes saluent gravement la porte de la tombe, tandis que se déroulent les jeux funéraires en l'honneur du défunt ; *Tombe des lionnes* (520), où se perpétue, sous un édifice temporaire, le banquet funéraire, tandis que danseurs et danseuses exécutent autour de l'urne cinéraire les chorégraphies hiératiques ou trépidantes qui apaisent ou réveillent ; *Tombe des jongleurs* (520), où un dessin admirablement ferme évoque avec bonheur danses et jeux d'adresse ; *Tombe des olympiades* (peu apr. 520), où le mouvement s'empare de la frise tout entière. N'oublions pas la *Tombe* (presque détruite) *des inscriptions* (530), dont il est malaisé aujourd'hui d'apprécier la qualité, mais dont la rigueur graphique et le rythme presque musical témoignent d'un extrême raffinement.

C'est peut-être à ce moment courant qu'il faut rattacher la *Tombe du baron* (peu apr. 520), où l'élégance le dispute à la gravité, la *Tombe de la souris (topolino)*, la *Tombe des bacchantes* et peut-être la *Tombe Cardarelli*, toutes de la fin du siècle. Ces tombes sont décorées de frises au rythme aéré, aux coloris discrets, au dessin ferme qui interprète librement l'héritage de l'Ionie. Un autre maître, à la sensibilité déjà ouverte aux influences attiques, peint, semble-t-il vers le tournant du siècle, la *Tombe du vieillard* et la *Tombe des vases peints*, attentif à varier le rythme de ses compositions et à équilibrer les mouvements contraires.

L'archaïsme tardif

À partir de 520, un thème domine : le banquet funéraire. Il occupe généralement la paroi du fond de la tombe et il arrive que cette scène déborde sur les parois latérales. Au-delà se déroulent régulièrement des danses de plein air : entre des arbres, d'où pendent bandelettes ou couronnes, des hommes et des femmes, au son de la cithare et du double hautbois, exécutent des pas sautés, des retournements et des gestes de bras qui se répondent symétriquement. Il semble très probable que ces danses aient eu une fonction rituelle, sans doute revitalisante. Certes, les peintres disposaient de modèles représentant des banqueteurs, ne serait-ce que dans les figurines de terre cuite de Tarente ; par contre, ces danses très animées et cependant très dignes n'ont pas d'équivalent en Grèce et l'on mesure bien, à en analyser la transcription, l'effort d'observation, d'invention et de synthèse qui donna naissance à ces figures vives et nerveuses.

Entre 490 et 460, un climat d'élégance, de rigueur et de mesure domine la production picturale de Tarquinia. On retrouve dans toutes les tombes de cette période un vocabulaire formel commun qui est la synthèse d'apports multiples : ioniens et surtout attiques. À partir de ce moment, les modèles attiques véhiculés par la céramique à figures rouges importée en masse sont immédiatement assimilés, utilisés, intégrés à un langage unitaire, simplifiés, renforcés, rendus plus efficaces, adaptés aux thèmes picturaux et à la dimension de la grande peinture décorative. Ne retenons que quelques exemples majeurs : la *Tombe du triclinium* (musée de Tarquinia) (v. 480) est probablement la plus connue ; la composition est parfaitement traditionnelle : au fond, l'habituelle scène de banquet funéraire et, sur les parois, les scènes de danses en plein air, mais le dessin est d'un grand raffinement, et le goût du mouvement se donne libre cours dans la peinture animée des danseurs ; le goût pour un pittoresque plein de mesure est également sensible dans la représentation des bosquets et des oiseaux. Le peintre de la *Tombe du triclinium* a assimilé les manières d'Oltos et d'Euphronios, du Peintre de Kléophradès et de Brygos, peut-être surtout de Phintias, mais, devant l'ampleur du mouvement, on songe à telle coupe, à tel skyphos de Macron, ce qui revient à dire que le délai entre la création des meilleurs ateliers attiques et l'assimilation par les artistes de Tarquinia est presque nul ! Qu'on ne s'y trompe pas : il ne s'agit pas de plagiat, mais de réélaboration picturale à partir de découvertes graphiques. On attribue souvent à un artiste grec les peintures de la *Tombe des biges* (pour laquelle nous préférons le nom de *Tombe Stackelberg*, v. 480) ; mais, si la présence d'une grande frise à fond sombre, de composition très traditionnelle, surmontée d'une petite frise à fond clair représentant des jeux funéraires, évoque les zones superposées des hydries attiques utilisant à la fois les figures noires pour l'épaule et les figures rouges pour la panse, si les scènes de jeux ont pu sembler très grecques (alors que certains détails sont irréductiblement étrusques), ce ne sont pas là à notre avis des arguments décisifs. Le peintre de cette tombe est seulement un artiste attentif aux conquêtes du dessin grec et s'essayant aux représentations des visages de face et des membres en raccourci. Un peu plus tard, c'est sans doute le peintre de la *Tombe du triclinium* qui, en un style plus libre et avec un souci de représenter l'espace, décore la *Tombe du lit funèbre* et s'essaye à la traduction du modelé. C'est vraisemblablement un autre artiste, mais appartenant au même milieu, qui vers 460 peint l'admirable *Tombe de la scrofanera*. Mais cette production de grands artistes est aussitôt imitée par de laborieux artisans qui, comme celui de la *Tombe des léopards*, peuvent avoir un charme naïf et rural, ou même comme celui de la *Tombe Francesca Giustiniani*,

en être hélas dépourvus. Ces schémas dégénèrent en poncifs qui se répéteront dans de nombreuses tombes pendant tout le reste du siècle.

Si Tarquinia apparaît comme la capitale de la peinture funéraire, Chiusi n'a plus que deux tombes très mutilées, celle *du singe* (v. 490), au dessin pittoresque et plein de verve, et celle, plus médiocre, *del Colle* (480). Le chef-d'œuvre, la *Tombe de la Ciaia*, dont la qualité devait égaler la *Tombe du triclinium*, est connu par une aquarelle du XIXe s.

BAS-RELIEFS, CÉRAMIQUES ET IVOIRES

Mais ce qui, à Tarquinia, s'exprime en peinture, se traduit, le plus souvent à Chiusi, par un décor en très faible relief sur des urnes, des bases creuses à fonction d'ossuaires, des « cippes ». Sans doute, le bas-relief a-t-il connu ailleurs un développement important ; on songe aux grandes *Plaques de Tarquinia* (à partir de 550), où des animaux d'inspiration orientale occupent des panneaux décoratifs avec leurs silhouettes un peu brutales. Les premiers reliefs de Chiusi n'en diffèrent guère techniquement, mais la présence d'une pierre locale à grain fin, facile à travailler, pousse au raffinement. À partir de 520, on suit, sur quelque 250 reliefs, le mouvement continu qui, en 50 ans, conduit jusqu'à des œuvres d'excellente qualité. L'évolution suit celle du dessin des vases attiques, et le vocabulaire des formes s'élabore à partir des œuvres de Psiax, d'Euphronios, d'Euthymidès et du Peintre de Kléophradès. Ces très bas-reliefs étaient peints et ils évoquent, avec toutefois un accent étrusque plus éclectique, l'art des bases et des stèles attiques. Les danses, les banquets, les scènes de jeux, les rites funéraires sont abondamment illustrés comme ils l'étaient dans les tombes tarquiniennes.

À côté de cette production, la céramique semble bien médiocre. Si l'on excepte les belles *Hydries* de Cerveteri, dont l'atelier est sans doute animé par un artisan grec immigré et qui, dans le dernier tiers du VIe s., traduisent avec une verve étonnante le mythe grec, souvent, dans ses variantes occidentales, la production céramique étrusque est alors sans originalité. Les imitations de vases corinthiens, les fausses figures noires, les figures rouges surpeintes forment l'essentiel de la production. Seuls les vases dits « pontiques » sortent nettement du lot ; ils proviennent sans doute de Vulci et attestent un goût marqué pour l'usage de couleurs multiples, presque bigarrées. Le mythe y est comme banalisé, mais très souvent présent dans des variantes rares. Le peintre de Micali mêle les traits ioniens à ceux du dessin attique et, comme ses prédécesseurs, comme le peintre de la *Tombe de la chasse et de la pêche*, il se plaît à évoquer la nature, toute bruissante d'oiseaux, toute peuplée d'arbres et d'animaux. Enfin, la Campanie étrusque produit une céramique très honorable.

Il ne faudrait pas oublier les délicieux ivoires de Vulci, de Tarquinia et de Chiusi qui évoquent en miniature les reliefs de cette dernière cité, ni les miroirs de bronze au dos desquels, avec une rigueur extrême, les graveurs étrusques figurent des groupes d'inspiration mythologique admirablement composés. Cet art mineur se prolongera longtemps et donnera des chefs-d'œuvre.

Dans le premier tiers du ve s., l'art étrusque semble donc avoir échappé aux tentations du plagiat et on le voit élaborer, pour la joie d'une société aristocratique et raffinée, un langage délicat, qui, pour se référer aux modèles grecs, n'en est jamais prisonnier. Aux marges de l'hellénisme, il affirme la réussite et l'originalité d'une civilisation épanouie.

Les expériences classiques

Les difficultés romaines, dès la fin du VIe s., annonçaient la crise à venir, mais la Campanie étrusque est très prospère à l'aube du ve s., et, vers le nord, Marzabotto, Casalecchio, Felsina, Spina témoignent de l'activité de l'Étrurie padane. Les Étrusques commercent dans la Méditerranée orientale (on les y peindra sous les traits de pirates), mais aussi au nord des Alpes ; ils jouent des rivalités entre cités

grecques et s'appuient sur les Puniques. C'est l'échec de cette politique qui s'amorce après la défaite navale de *Cumes* (474). L'Étrurie semble alors se réfugier dans un isolement frileux ; les cités se replient, l'évolution sociale, que semblait annoncer l'ouverture de la classe aristocratique, ralentit jusqu'à s'arrêter. Les revers maritimes ne sont qu'un symptôme, l'apparition d'un nouvel équilibre méditerranéen, le rôle d'Athènes et celui de Syracuse, les ambitions adriatiques, la poussée gauloise, la montée de Rome sont des causes autrement profondes de ce repli étrusque.

Cette période coïncide avec l'éclosion en Grèce du génie classique. Les liens fructueux avec l'Attique semblent se desserrer et, tandis que les expériences artistiques des débuts du style sévère éveillaient immédiatement des échos dans la production étrusque, les conquêtes du Classicisme n'engendrent que de timides réponses.

Prenons l'exemple de la peinture funéraire : nous avons évoqué cette permanence des schémas de l'Archaïsme tardif, nous les voyons se répéter avec une monotonie croissante jusqu'à ce qu'ils soient exsangues. À Tarquinia, la *Tombe de la pulcella*, qui n'ignore pas les premiers apports classiques, ne les assimile pas à son vocabulaire traditionnel. La *Tombe de la nave*, vers le troisième tiers du siècle, la *Tombe du guerrier*, à l'aube du IVe s., ont toujours recours, au moins partiellement, à un langage tardo-archaïque, dépourvu désormais de tout élan. Le dessin devient mou, les drapés inconsistants, les mouvements figés ; en vain y cherche-t-on l'émotion que procuraient les œuvres du début du siècle.

La sculpture de ces temps incertains est beaucoup plus attachante. Certes, on y chercherait vainement des réussites géniales, mais le reflet lointain des expériences plastiques grecques n'est pas dépourvu d'âme.

La poutre majeure du grand *Temple de Pyrgi* (détruit par les Syracusains en 384) s'orne, v. 450, d'une scène confuse illustrant la légende thébaine, guerriers emmêlés sous l'œil d'Athéna et de Zeus (Rome, Villa Giulia). À Satricum, dans le premier tiers du siècle, s'était exercée l'influence de la sculpture d'Égine ; nous la retrouvons à Pyrgi, mais dans une composition spatiale d'origine attique qui s'accorde mal avec l'impassibilité des visages. Par contre, les statues assises de Chiusi et surtout les belles figures de terre cuite des temples d'Orvieto *(Vigna grande, San Leonardo, Belvedere)* reflètent, avec, il est vrai, un retard de près de 40 ans, la sereine grandeur des œuvres de Phidias. Attardons-nous un instant sur tel visage de femme dont la chevelure, l'équilibre des traits, la noblesse du port de tête montrent la vigueur d'un classicisme étrusque. L'influence s'en perpétue dans le Latium, à Lavinium.

N'ayons garde d'oublier que la plupart des œuvres de haute qualité étaient de bronze, et qu'elles ont disparu. L'un des rares témoins de cette grande plastique est la fameuse *Chimère d'Arezzo* (Florence, musée archéologique), qu'il faut résolument dater du premier tiers du IVᵉ s. et dont la perfection nous incite à être prudents en évoquant les autres œuvres de l'époque.

L'époque tardive

À partir de 350 environ, l'indépendance de l'Étrurie s'effrite progressivement. Véies était tombée en 391, Volsinii tombera la dernière, en 265, sous les coups de Rome. Mais les Étrusques demeurent et, alors que disparaît leur existence politique, un nouveau souffle artistique traverse le pays, vivifie l'art naissant de Rome et, du fronton des temples aux objets les plus familiers, crée un langage spontané, vivant, inimitable.

La grande sculpture manifeste deux tendances majeures. La décoration en terre cuite des temples (Talamone, v. 180 ; Civita Alba, v. 120) dépend d'abord de modèles tarentins, puis du maniérisme baroque de l'Asie Mineure après les batailles de Magnésie et de Pydna (168). À l'opposé, toute une série de portraits « honorifiques », grandes statues de bronze parmi lesquelles les plus connues sont le *Brutus* capitolin (v. 300) et le fameux *Arringatore* (v. 110), montrent le double souci d'une ressemblance très précise et d'une simplification « héroïque ». On y chercherait en vain une trace du pathétique grec contemporain.

La peinture reflète les mêmes préoccupations, l'importance sociale du défunt dicte une partie de l'iconographie ; *Larth Velcha* préside au banquet de la *Tombe des boucliers* (v. 350) et *Velia Velcha* à celui de la première *Tombe de l'ogre*. Il s'agit maintenant de véritables portraits et non plus de ces figures abstraites qui peuplaient les peintures archaïques. La fatuité de l'un, l'inquiétude contenue de l'autre sont des traits de caractère mis en évidence par des moyens graphiques, ici spontanés, là raffinés. Les figures de trois quarts sont fréquentes à la *Tombe de l'ogre,* l'estompage produit à la *Tombe des boucliers* un sentiment atterré dans le regret fixe de la mère de *Larth Velcha,* les effets d'ombres, de volume sont la preuve d'une grande invention picturale.

Si le peintre de la *Tombe Golini* à Orvieto (v. 350) donne avec une franche naïveté dans le pittoresque quotidien, il fait pourtant des essais de perspective ; mais à la *Tombe François* de Vulci, les volumes sont comme modelés, arrondis ; nous sommes vers la fin du IVᵉ s. et le peintre suit, autant qu'il le peut, un modèle grec sans pour autant en appliquer la technique aux personnages étrusques qu'il doit insérer dans sa mégalographie. Il faudra attendre la *Tombe du typhon,* à l'aube du premier siècle, pour que les techniques du modelé soient définitivement acquises.

La céramique si banale des périodes précédentes devient soudain d'une étonnante qualité : le groupe de *Turmuca,* v. 350, et les premières productions du groupe *Clusium-Volterra,* vers 330, manifestent un sens de la composition, un goût du décor, une aptitude à traduire l'espace tout nouveaux. Les mêmes céramistes jouent déjà du noir, du brun, du jaune et du blanc, ils ajouteront bientôt le carmin à cette riche polychromie. Cette même qualité graphique culmine enfin dans le travail des graveurs de miroirs et surtout de *cistes.* La plus célèbre, la fameuse *Ciste Ficoroni* (conservée à la Villa Giulia de

Rome), exécutée à Rome v. 300 par un atelier campanien, illustre un épisode de l'expédition des Argonautes. Le dessin est admirable, l'incision d'une rigoureuse fermeté, mais ce n'est là que la réduction d'une célèbre mégalographie de Grande-Grèce, peut-être de Tarente, dont la reproduction alors à la mode se retrouve sur des vases et des reliefs.

Si, quittant les objets de luxe, nous nous tournons vers les produits de l'artisanat funéraire, sarcophages de Tarquinia ou urnes d'albâtre de Volterra, nous trouverons encore cette permanence des modèles de l'Italie méridionale. Tout se passe comme si, incapable de construire ses propres thèmes, l'Étrurie s'appliquait alors à transcrire dans un langage raffiné les images venues d'ailleurs.

Mais n'est-ce pas ce qu'elle a toujours fait ?

Tout au long de cet aperçu, nous avons vu les Étrusques élaborer à partir des images qu'ils recevaient des interprétations nouvelles, forger à partir des techniques qu'ils rencontraient une esthétique propre où la spontanéité l'emportait le plus souvent sur l'étude, le mouvement sur l'équilibre, où le fugitif trouvait à s'exprimer, où transparaissait l'individu, où s'exprimait toujours, fût-ce par une maladresse ou une déformation, une parcelle d'âme. Ce n'est certes pas leur seul apport, mais c'est le seul qui soit irremplaçable.

Bibliographie sommaire

BIANCHI BANDINELLI (R.), GIULIANO (A.), *les Étrusques et l'Italie avant Rome*, L'Univers des Formes, Gallimard, Paris, 1973. BLOCH (R.), *Art des Étrusques*, Bibliothèque des arts, Paris, 1965. CRISTOFANI (M.), *L'Arte degli Etruschi*, Einaudi, Turin, 1978. HEURGON (J.), *la Vie quotidienne chez les Étrusques*, Hachette, Paris, 1961. HUS (A.), *les Étrusques*, Picard, Paris, 1980. PALLOTTINO (M.), *la Peinture étrusque*, Skira, Genève, 1952.

L'ART
ROMAIN
Jean-Paul Morel

PEU DE CULTURES ARTISTIQUES ONT ÉTÉ AUSSI SOUVENT REMISES EN QUESTION que celle de Rome. Tantôt portée au pinacle comme un exemple de vigueur et de rigueur dans lequel des pouvoirs forts et ambitieux — le siècle de Louis XIV, l'Empire napoléonien, l'Italie mussolinienne — cherchaient le modèle d'un classicisme conquérant, tantôt rabaissée au rang d'avatar marginal de l'art grec, entachée de propagande et d'utilitarisme, elle ne s'est pas toujours vu reconnaître une essence analogue à celle de tant d'autres périodes de l'art. Faux problème, sous cette forme doublement excessive qui oublie quelle part l'art romain a réservée aussi à la rêverie et à la tendresse, à l'angoisse et à la spiritualité. Vrai problème, en revanche, pour qui est sensible à l'indéniable spécificité de cet art et en cherche les raisons. Une réflexion renouvelée, à laquelle l'Italien Ranuccio Bianchi Bandinelli a plus que tout autre attaché son nom, sachant trouver à cet égard une approche plus pondérée, et sans doute plus juste. Si l'on veut bien renoncer aux jugements de valeur superficiels, si l'on se souvient que l'art romain, certes uni à l'art grec par tant de liens de dépendance, se nourrit aussi d'autres racines non moins profondes, si l'on admet que peu de productions artistiques ont été aussi étroitement insérées dans la société de leur temps, alors on tiendra peut-être le fil d'Ariane qui nous guidera dans ce monde infiniment plus varié qu'il n'y paraît de prime abord. Affirmer que les explications historiques et sociologiques doivent ici prolonger, relayer ou infléchir les appréciations subjectives, c'est suggérer que l'art de Rome n'égale peut-être pas, quant au raffinement esthétique, celui d'autres civilisations, mais c'est aussi percevoir ce qui fait son originalité irréductible. Les Romains eux-mêmes ne concevaient pas les choses autrement, et l'un des plus grands d'entre eux, Virgile, a su en quelques vers célèbres reconnaître à d'autres peuples la prééminence dans le domaine des arts plastiques et exprimer ce qui était à ses yeux le véritable art de Rome : le gouvernement des hommes et des nations.

Lorsque Georges Dumézil montre comment les Romains se singularisaient parmi les Indo-Européens en transcrivant dans des légendes à fond historique ce que les Grecs, les Germains, les Celtes exprimaient par des récits mythologiques, il nous donne une autre clef de l'art romain. Non que la mythologie en soit absente, mais elle reste subordonnée à l'histoire. La célébration, la commémoration, la narration, mises au service de la collectivité, des dirigeants ou des particuliers, sont des soucis dominants dans l'art officiel comme dans l'art privé. Ce n'est pas un hasard si les arts que l'on considère volontiers comme les plus typiquement romains sont l'architecture, le portrait, le relief historique. L'artiste reste soumis au commanditaire, dont la demande et les exigences suscitent et infléchissent son œuvre ; et c'est au second, non au premier, que celle-ci est pour ainsi dire attribuée. Nous parlons du *Doryphore* de Polyclète, mais du *Monument de Paul Émile ;* du *Parthénon* d'Ictinos et Callicratès, mais de la *Colonne de Trajan*. Inversement, par une sorte de réaction ou de compensation, d'amples domaines de l'art romain semblent échapper à cet ancrage historique, et le relief pittoresque coexiste avec le relief commémoratif, comme la peinture d'imagination avec la peinture triomphale.

Enfin, l'art romain est l'art d'une ville qui progressivement s'est muée en empire. Il a emprunté aux différentes tendances de l'art italique, puis de l'art hellénistique, et par la suite aux peuples si dissemblables que Rome, de siècle en siècle, regroupait sous son pouvoir, des modèles dont l'incroyable diversité en a fait un des arts les plus éclectiques qui soient. Quoi d'étonnant à cette complexité, si nous songeons à l'étendue de l'empire à son apogée — de l'Irak à l'Écosse, de la Roumanie au Maroc, des Pays-Bas à la Haute-Égypte — et à sa durée — quelque mille ans entre les Tarquins et la fin de l'empire d'Occident ? À ses origines, Rome est un canton de l'Italie parmi d'autres, dont l'art, avec ses particularités propres, est comparable à celui des tribus voisines. À son apogée, c'est une mosaïque de peuples dont chacun interprète à sa façon les modèles que l'*Urbs* lui suggère ou lui impose, dont chacun sait aussi, à l'occasion, préserver ou diffuser ses propres traditions. De province de l'art italique, l'art romain est devenu un art universel.

Comment l'art romain s'est formé d'apports multiples à mesure que Rome croissait, comment, sa maturité atteinte, il a laissé subsister côte à côte, et parfois harmonieusement fondu, les aspirations contrastées de l'âme antique, comment il s'est répandu et diversifié dans un empire démesuré (voir la carte de Rome sous l'Empire p. 169 et la carte du monde romain p. 178), c'est ce que nous décrirons à grands traits. Les liens mêmes que nous avons signalés entre l'histoire et l'art de Rome nous imposeront notre plan, qui sera chronologique :

la République
de César à Auguste
le premier siècle de notre ère
le deuxième siècle de notre ère
le Bas-Empire.

LA RÉPUBLIQUE

Les premiers siècles

LA TRADITION PLACE EN 753 AVANT NOTRE ÈRE la fondation de Rome. C'est effectivement de cette époque que datent quelques fonds de cabanes du Palatin qui nous présentent la future maîtresse du monde comme un village de bergers, auquel sa position géographique privilégiée vaudra très tôt de recevoir des produits grecs et d'attirer la convoitise de puissants voisins. Deux siècles après sa fondation, Rome est déjà — sous des rois étrusques, largement pénétrés d'influences helléniques — une des principales villes d'Italie. De cette « grande Rome des Tarquins » et de la période qui lui succède immédiatement, trois témoignages attestent la grandeur et le raffinement. Sur le Capitole se dresse à la fin du VIᵉ s. un temple dédié à la triade dite précisément « capitoline », où Junon et Minerve entourent Jupiter : temple « toscan », c'est-à-dire à la mode étrusque, avec son haut podium, ses proportions trapues, ses colonnes espacées, son mur postérieur aveugle, son couronnement de bois et de terre cuite. Les dimensions de sa base de tuf, partiellement visible sous le musée des Conservateurs — environ 62 mètres sur 57 —, en font le plus grand temple de ce type que nous connaissions. Des maîtres étrusques l'ornent de statues d'argile, dont le fameux *Apollon* trouvé à Véies (Rome, Villa Giulia) — patrie de l'un d'eux, Vulca — permet d'imaginer la grâce inquiétante. Un peu auparavant, dans le courant du VIᵉ s., des terres cuites architecturales trouvées notamment dans la zone sacrée de Sant'Omobono, près du Tibre et du quartier commercial de cette Rome ouverte aux apports d'outre-mer, avaient familiarisé la ville avec des modèles empruntés à l'art ionien, comme une tête féminine casquée (d'Athéna-Minerve ?), sœur, par sa finesse d'exécution et par son sourire, des *korai* helléniques. Un peu plus tard peut-être (début du Vᵉ s.), la *Louve du Capitole* (Rome, palais des

Tête d'Hermès,
*provenant du temple
de Portonaccio à Véies.
V. 490 av. J.-C.
Terre cuite. H. 41 cm.
Rome, Villa Giulia.*

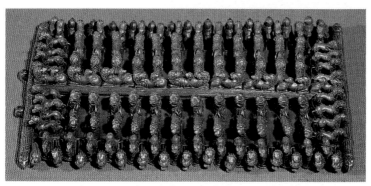

Fermoir de ceinture *orné de figurines d'animaux, provenant de
la Tombe Bernardini à Palestrina. V. 640 av. J.-C.
Feuille d'or montée sur bronze. L. 2,43 m. H. 6,1 cm. Rome, Villa Giulia.*

Rue de la nécropole étrusque
de Crocefisso del Tufo à Orvieto.
Ve s. av. J.-C.

Urne funéraire *à décor géométrique.*
V. le VIIIe s. av. J.-C.,
époque « villanovienne ». Terre cuite.
Rome, Villa Giulia.

66

Sarcophage dit « des époux », *provenant de la nécropole de Caere.*
V. 150 av. J.-C. Terre cuite. L. 1,90 m. H. 1,14 m.
Paris, musée du Louvre.

Danseur et
danseuse,
*détail de
la fresque de
la Tombe du
triclinium
à Tarquinia.
480 av. J.-C.
Musée de
Tarquinia.*

69

La Louve du Capitole.
Ve s. av. J.-C.
Bronze.
H. 75 cm. L. 1,14 m.
Les jumeaux furent
ajoutés à
la Renaissance. Rome,
palais des Conservateurs.

L'ART ROMAIN

Temple de
la Fortune virile
(façade) du Forum
Boarium à Rome.

Les préparatifs pour un sacrifice. *IIe s. av. J.-C. Bas-relief en marbre. Paris, musée du Louvre.*

Bustes de Caton
et de Porcia.
*Ier s. av. J.-C. Marbre.
Rome, musée du
Vatican.*

La vie sur le Nil, *détail d'une mosaïque provenant du sanctuaire de la Fortune
de Palestrina. V. Ier s. av. J.-C. Palestrina, palais Barberini.*

Salle des masques *de la Maison d'Auguste, sur le Palatin.*
Fresque du 1er s. av. J.-C.

Danse orgiaque d'une bacchante *et scène de flagellation.*
Détail d'une scène d'initiation.
Fresque de la Villa des Mystères à Pompéi.
1ᵉʳ s. av. J.-C.

Mausolée des Iulii,
à *Glanum*
(Saint-Rémy-de-Provence).
Début du 1er s. av. J.-C.
H. 19,30 m.
Le relief de la base
représente
une amazonomachie.

La Gemma Augustea,
ou camée d'Auguste.
Début du 1er s. apr. J.-C.
Onyx. L. 23 cm. H. 19 cm.
Vienne,
Kunsthistorisches Museum.

Le Colisée, *vue extérieure. Construit entre 70 et 90 apr. J.-C.*
Pierre calcaire. H. 48,5 m. Rome.

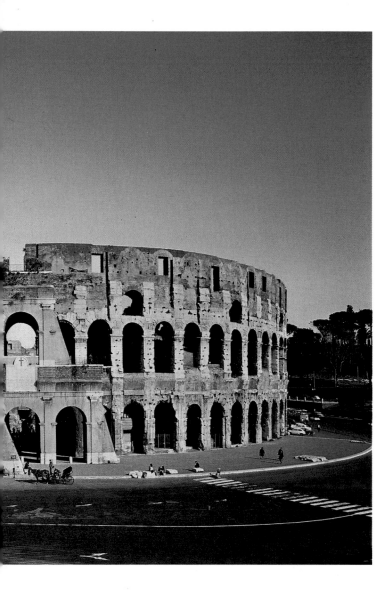

Hercule reconnaît son fils Télèphe allaité par une biche.
Peinture provenant de la basilique d'Herculanum. Naples, Musée national.

Ci-contre :
Forum et marché de Trajan.
V. 111 à 114 apr. J.-C.
Rome.

Portrait de femme.
*Peinture sur bois
provenant du Fayoum.
Florence, Musée archéologique.*

Portraits sur verre doré,
*médaillon de la croix
de Galla Placidia.
Brescia, Musée chrétien.*

Conservateurs) témoigne du degré de force et de précision atteint par la grande statuaire en bronze. L'animal farouche, le fauve haletant au pelage calligraphiquement stylisé, solidement campé sur ses pattes puissantes et que nous devons imaginer sans les enfants jumeaux dont l'a agrémenté la Renaissance est devenu à nos yeux un des symboles de cette Rome naissante, et comme son totem.

Les siècles médians de la République

Une période d'incertitude suit le départ des rois étrusques (date traditionnelle, 509). Rome forge alors, par des luttes sans merci contre les peuples qui l'entourent, les bases de sa domination future, mais elle produit peu d'œuvres d'art qui nous soient parvenues. En revanche, le IVe s., surtout en sa seconde moitié, et le IIIe s. en ses premières décennies voient fleurir en Italie centrale, comme du reste dans tout le monde méditerranéen, une culture artistique brillante et multiforme qui marque le jaillissement de l'effervescence hellénistique. Dans cette koinè — cette communauté artistique —, Rome a longtemps fait figure de province marginale, dépourvue de force créatrice, vouée tout entière aux luttes qui l'opposent à des voisins aussi acharnés qu'elle à défendre leur espace vital, comme les Samnites. Mais nous savons maintenant, grâce à un réexamen des nombreux documents disponibles, que Rome joue en ce domaine aussi un rôle prépondérant et parfois même un rôle moteur, comme aurait suffi à le suggérer la simple vraisemblance historique. Ses conquêtes elles-mêmes, l'expansionnisme économique qu'elle manifeste alors pour la première fois, la circulation accrue des modèles sur les rives de la Méditerranée se traduisent dans le domaine artistique par un foisonnement de nouveautés, les unes proprement romaines, les autres inspirées par la Grèce, mais portant toujours, même en ce cas, le cachet de l'« interprétation » romaine.

ARCHITECTURE

C'est l'architecture religieuse qui laisse le plus nettement percevoir cette originalité italique dans l'adaptation des modèles grecs. En particulier, quatre temples exhumés au cœur de la Rome actuelle, sur le Largo Argentina, résument la typologie des édifices sacrés tels que les conçevra presque constamment l'architecture romaine. Les temples grecs traditionnels élèvent sur un emmarchement relativement bas, qui court sur les quatre côtés de l'édifice, une forêt de colonnes dont est entièrement ceint le *naos* central, ouvert sur l'arrière et sur l'avant. Le temple romain, en revanche, se dresse sur un haut podium mouluré dont un escalier ne dessert que la partie antérieure ; les colonnes ne garnissent que le devant de l'édifice ou, parfois, ses faces latérales, où il arrive qu'elles se réduisent à des demi-colonnes plaquées suggérant à qui les considère en enfilade l'impression d'une véritable colonnade ; il est exceptionnel qu'elles fassent retour derrière l'édifice ; même en ce cas, la *cella*, demeure du dieu, ne s'ouvre que vers le devant. Le temple grec peut en somme être contemplé presque indifféremment de toutes parts ; l'approche privilégiée, voire parfois obligatoire, du temple romain est frontale, à tel point qu'il peut être enchâssé le cas échéant dans d'autres édifices ou dans des portiques qui réduisent ou condamnent son accès latéral et exaltent sa façade. Un des temples du Largo Argentina semble pourtant échapper à ces règles et se présente comme une rotonde entièrement cernée de colonnes, à la grecque. Mais le haut podium sur lequel il est juché corrige d'emblée cette première impression, et un mur reliera ultérieurement ses colonnes, qu'il transformera en demi-colonnes, rendant ainsi le temple plus conforme à la norme romaine.

Surélévation, frontalité, axialité (souvent accentuée, dans les siècles suivants, par la présence d'une abside au fond de la cella) : telles sont les caractéristiques presque constantes du temple romain. Ce sont celles mêmes que l'on retrouvera dans maintes églises baroques de Rome, tant sont tenaces les traditions architecturales de la Ville éternelle.

Les matériaux restent très traditionnels ; ce sont ceux mêmes que procure le sol du Latium : le tuf, le bois, l'argile. Le marbre est encore inconnu, et on n'utilise guère ce travertin qui deviendra par la suite une des pierres les plus typiques de Rome. C'est transposé dans le tuf local que le décor architectural de type grec fait une apparition timide et marginale sur le *Sarcophage de Lucius Cornelius Scipion Barbatus* (Rome, musée du Vatican), consul en 298. Orné d'une frise dorique à triglyphes et métopes surmontée d'une corniche ionique à denticules, ce monument insigne révèle dans la classe dominante une indéniable volonté de rupture avec la tradition centro-italique.

Rome voit naître au IVe s. quelques-unes de ces réalisations utilitaires où son génie s'illustrera en tant d'occasions. La cité, qu'avait durement éprouvée l'invasion gauloise de 390, s'entoure d'un immense rempart en blocs de tuf, dont ses onze kilomètres de longueur font alors un des plus imposants de la Méditerranée. Connu sous le nom aussi traditionnel qu'erroné d'« enceinte de Servius Tullius » — un des rois de la période étrusque —, il ne reprend qu'en partie le tracé d'un rempart du VIe s. Appius Claudius Caecus construit le premier aqueduc et trace en 312 la voie Appienne. Dès lors, le réseau des aqueducs et des routes ne cessera de s'étoffer autour de Rome, la désignant comme la ville par excellence et comme le centre du monde.

Ayant connu depuis sa naissance un développement progressif et anarchique, ayant dû réparer en hâte les séquelles de la « catastrophe gauloise », Rome fait figure en ces siècles de ville occupée convulsivement plutôt que posément tracée, comme l'observe Tite-Live. En revanche, les colonies qu'elle commence alors à fonder dans l'Italie centrale — Ostie, Paestum, Minturnes, Cosa, d'autres encore — reflètent une forme d'urbanisme qui marquera à jamais tant de villes d'Europe et d'ailleurs. Deux grands axes orthogonaux, le *cardo* et le *decumanus*, orientent un réseau de rues à angle droit. Au cœur du dispositif, le Forum, centre religieux, politique, judiciaire, économi-

que, accueille de façon ordonnée les espaces et les bâtiments dévolus aux principaux cultes, aux élections et aux assemblées, à l'administration, à la justice, aux tractations commerciales. Le plan régulier que le développement ininterrompu et le relief tourmenté de Rome n'avaient pas favorisé est réalisé dans toute sa rigueur lorsqu'une fondation *ex nihilo* et un terrain à peu près plan le permettent. Ce modèle de ville s'implante désormais à travers toute l'Italie en attendant de franchir les mers, affirmant, sur des sites judicieusement choisis, la nouvelle suprématie de Rome.

SCULPTURE

Dans la sculpture règne la terre cuite (et parfois le bois, comme nous l'apprennent des textes). Les sanctuaires de l'Italie centrale se peuplent d'une foule d'ex-voto où des statues, des bustes, des têtes par milliers reflètent dans leur infinie variété la diversité des cultures locales, des clients, des talents, des influences. Il n'en reste pas moins que beaucoup de ces œuvres se signalent par une aisance, une solidité de construction, un soin du détail qui ne se perdent que vers la fin du IIIe s. : l'abâtardissement des formes qui survient alors est un des signes les plus tangibles du fossé qui commence à se creuser entre le « grand art » et l'art populaire.

Sur cet ensemble de productions fortement expressives ou savoureusement naïves, fruit de tendances autochtones enrichies d'influences grecques, se détachent quelques œuvres exceptionnelles comme la *Tête Fortnum*, trouvée à Rome sur l'Esquilin, où le modèle des portraits d'Alexandre est interprété dans la terre cuite, matériau italique, mais en un style qui laisse deviner la présence à Rome d'un artiste venu de Grèce ; ou comme les grands et ambitieux *Bustes de Déméter et Koré* trouvés à Ariccia, reflets de la statuaire de la Sicile et de la Grande-Grèce (Rome, M. N.).

Le début du IIIe s. nous a aussi laissé un extraordinaire portrait de bronze, le *Brutus capitolin* (Rome, musée du Capitole). Cette œuvre saisissante, où une énergie indomptable se lit dans le regard intense, dans la mâchoire volontaire, dans les traits têtus, dans la barbe et la chevelure sans apprêt, représente avec une admirable pénétration psychologique l'un de ces « vieux Romains » dont le fondateur légendaire de la république est resté l'archétype. Si l'idéologie romaine et la solide construction des portraits italiques prédominent dans le *Brutus,* un épisode montre par ailleurs combien la statuaire de Rome est sensible aussi aux suggestions helléniques : à l'époque même où les Athéniens, en 280-279, érigent sur leur agora une statue de Démosthène, symbole de la conviction intellectuelle mise au service d'une grande cause politique, les Romains dressent sur leur forum des statues d'Alcibiade et de Pythagore, « le plus valeureux et le plus sage des Grecs » (Pline).

PEINTURE

Il nous reste peu de vestiges de la peinture romaine « médio-républicaine », mais dès lors se distinguent nettement les deux tendances entre lesquelles ne cessera de se partager cet art : l'une scrupuleusement documentaire, tournée vers la commémoration de faits historiques, l'autre ouverte sur la fantaisie, le rêve, l'évasion. À la fin du IVe s. et au début du IIIe, Tarente produit une série de *Vases,* dits « de Gnathia », où sur le fond noir du vernis se détachent, en rehauts blancs soulignés de jaune et de rouge, des scènes de théâtre, des figures mythologiques, des personnages éthérés, des motifs végétaux. Cette céramique élégante trouve son pendant à Rome, probablement sous l'impulsion d'artisans tarentins émigrés, dans les *pocola deorum,* ou « coupes des dieux », plats ou bols ornés selon la même technique de motifs analogues — et notamment de petits Amours dans des poses gracieuses —, souvent accompagnés d'une dédicace à quelque divinité romaine. L'un d'eux se distingue du lot par la figuration pittoresque et précise d'une éléphante de guerre suivie de son petit et portant, outre son cornac, une tour où deux soldats brandissent leurs armes. Croquis, saisi sur le vif, d'un de ces éléphants que Pyrrhus

employa alors dans ses campagnes d'Italie ? Reprise d'un motif connu par ailleurs dans l'artisanat d'art hellénistique ? On ne le sait. Mais c'est à coup sûr à la première des tendances que nous avons précédemment distinguées, et à une intention documentaire et commémorative, que répond un fragment de fresque trouvé dans une tombe à chambre de la nécropole romaine de l'Esquilin : misérable reste, mais combien représentatif, du grand courant de la peinture dite « triomphale » parce qu'elle relate les exploits des chefs de guerre romains et qu'on lui rattache ces tableaux exhibés lors des triomphes, où le peuple pouvait découvrir les héros, les péripéties et le cadre topographique des victoires. Sur plusieurs registres superposés, des guerriers romains et samnites combattent, veillent aux remparts, concluent des pactes. Ce modeste vestige d'un genre pictural qui a presque complètement disparu contient en germe les principales caractéristiques de ces peintures destinées à informer et à édifier les foules, récit continu (plusieurs épisodes sont représentés ensemble, et le même protagoniste peut y apparaître plusieurs fois), proportions hiérarchiques (l'échelle des personnages est fonction de leur importance), disposition paratactique (les figures sont alignées côte à côte), vue « à vol d'oiseau » (les groupes ou les lieux sont aperçus d'en haut), précision des détails, identification des protagonistes au moyen d'inscriptions : trois siècles et demi plus tard, beaucoup de ces traits réapparaissent dans un passage du *Satiricon* où Pétrone décrit les fresques biographiques et commémoratives dont Trimalcion a orné sa demeure. C'est déjà une peinture relativement savante que ce fragment de l'Esquilin, animé çà et là de « lumières ». Quant au degré de raffinement qu'a pu alors atteindre le dessin, nous le devinons par le décor de la plus célèbre des cistes dite « de Préneste », la *Ciste Ficoroni* (Rome, Villa Giulia), faite à Rome même par un Italien, Novios Plautios, qui y a gravé avec une maîtrise admirable un épisode du cycle des Argonautes.

Les deux premières guerres puniques et la période qui les sépare (264-201), d'une façon plus générale les trois derniers quarts du IIIe s. voient le déclin de cette civilisation à la fois savante et populaire, élégante et robuste, où quelques grandes œuvres surgissaient du terreau d'une production artisanale de grande qualité, attestant une pénétration en profondeur des stimulations helléniques. Les ravages des guerres menées par Rome en Italie méridionale contre Pyrrhus d'Épire (281-275), la prise de Tarente par les Romains (272) tarissent la source des influences qui se répandaient depuis le sud de l'Italie. C'en sera fait alors de la dépendance étroite de l'Italie centrale par rapport à la Grande-Grèce quant à la formation de la culture. Mais c'en sera fait aussi de beaucoup des formes artistiques par lesquelles certaines régions de l'Italie affirmaient leurs capacités et leur originalité. C'est au cours de la seconde moitié du IIIe s. que disparaissent les reliefs en pierre tendre de Tarente, les cistes et les miroirs gravés étrusques, que dégénèrent les tombes peintes de Tarquinia, les nécropoles rupestres de l'Étrurie interne, ou les bustes en calcaire de Préneste. Rome même, lors de cette période, se replie quelque peu sur elle-même. Si elle s'empare en 264, dans la ville étrusque de Volsinii, de 2 000 statues (dont certaines garniront dans la zone sacrée de Sant'Omobono des *donaria* dont les vestiges ont été retrouvés), ses contacts culturels avec le monde grec sont alors très réduits. On perçoit dans la création artistique comme une pause, ou un désarroi. Et c'est avec raison que Bianchi Bandinelli place au milieu du IIIe s. le phénomène que Pline (qui le date en 296) appelle la « mort de l'art ».

De la victoire sur Carthage à l'époque syllanienne

La conclusion victorieuse de la deuxième guerre punique (218-201) libère Rome du souci d'assurer sa sécurité immédiate et la lance hors d'Italie dans une politique d'expansion qui ne se démentira plus pendant trois siècles. D'emblée, ces conquêtes provoquent un véritable bouleversement culturel. *Devicta Asia* (la victoire romaine de Magnésie sur l'État hellénistique séleucide d'Asie Mineure, en 189), *Graecia capta* (la conquête de la Grèce, culminant en 146 avec la prise de Corinthe) apparaîtront plus tard aux yeux de Pline, d'Horace comme des événements qui ont radicalement modifié les modes de vie et les pratiques artistiques des Romains. Depuis la prise de Syracuse, en 211, jusqu'au sac de Corinthe, en 146, mais aussi par la suite en Asie, en Orient, en Égypte, un flot ininterrompu de numéraire et de butins déferle sur Rome. La ville reçoit par bateaux entiers des œuvres d'art pillées ou, parfois, achetées (un de ces navires, coulé v. 100 avec sa charge de statues, de vases de marbre, de chapiteaux, de colonnes, de bronzes ouvragés, a été retrouvé dans les eaux tunisiennes, à Mahdia). La maîtrise de la Méditerranée livre à Rome de nouvelles ressources en matériaux précieux, or, argent, mais aussi marbres. Attirés par les commandes dont l'*Urbs* devient la principale dispensatrice, des artistes grecs ou hellénisés de toutes provenances, dont les patries subissent une irrémédiable décadence, convergent vers l'Italie centrale. Les occasions et les modèles se multiplient où l'art romain puisera l'éclectisme qui est une de ses caractéristiques majeures. On a peine à imaginer la fascination, tantôt incompétente, tantôt pleine de discernement, qui s'empare des nouveaux vainqueurs et dont les campagnes d'Italie à l'époque de la Renaissance nous donnent peut-être une idée approximative.

Le fossé se creuse alors entre un art aristocratique et « urbain » et un art populaire et « provincial » appauvri. Par rapport à celui de la période précédente, l'art du IIe s. apparaît empreint d'élitisme. C'est l'art de la *nobilitas*, de cercles éclairés comme celui des Scipions, d'*imperatores* remplis de dédain pour des traditions autochtones qui, cependant, ne cesseront jamais de resurgir çà et là, jusqu'à se fondre plus tard avec les nouveaux apports en une synthèse originale. Le nouvel art de l'élite s'affirme également — en opposition avec l'art décoratif de bon niveau, lui aussi imprégné d'hellénisme, qui avait caractérisé l'époque précédente. Il privilégie parmi les modèles divers que lui offre le monde hellénistique celui qui, par son caractère savant, académique, formellement impeccable, répond le mieux aux exigences idéologiques des nouveaux maîtres de Rome : l'art néoattique. En le faisant sien, en y trouvant les moyens de sa propre célébration, la nobilitas marque nettement le fossé qu'elle entend creuser entre elle-même et le menu peuple, attaché aux tendances spontanées de l'expression italique. Parallèlement se trouve privilégié, parmi les matériaux de l'architecture et de la sculpture, celui qui jusqu'alors était resté le moins italien : le marbre.

ARCHITECTURE

Concomitance significative : c'est en 146 avant notre ère — l'année même de la prise de Corinthe, de la destruction de Carthage, qui ouvrent définitivement aux Romains le monde méditerranéen — qu'est érigé à Rome, par l'architecte Hermodore de Salamine (un Chypriote), le premier temple en marbre, celui de Jupiter Stator. Il s'élève dans le champ de Mars, zone périphérique, proche du fleuve, jusqu'alors à peu près vacante et réservée aux exercices militaires, qui va devenir comme la vitrine et le terrain d'essai des nouveaux modèles architecturaux introduits depuis les rives de l'Égée sur celles du Tibre par une caste d'« hommes triomphaux » désireux de faire étalage de leur fortune ou, plus profondément, de hisser leur patrie au niveau culturel d'une Grèce qui — on l'a assez dit après Horace — a conquis ses vainqueurs. De la partie méridionale du champ de Mars, la région du Circus Flaminius (l'actuel « ghetto »), ils font comme un quartier hellénistique de Rome, avec des temples isolés qui sont parfois des copies conformes de temples grecs, pour reprendre une expression de Strabon, mais aussi, innovation plus significative encore, avec des ensembles architecturaux où les temples sont entourés de portiques, véritables *temenoi* (enclos) à la grecque. L'ordre corinthien se répand, des entablements de pierre supplantent les poutres de bois italiques.

D'autres quartiers bénéficient de ces innovations. Dans la zone portuaire du Forum Boarium, un négociant en huile, représentant typique d'une nouvelle bourgeoisie que le commerce enrichit, dédie à la fin du IIe s. à Hercule, protecteur des affaires, une *tholos* en marbre du Pentélique qui est un des temples les plus grecs de Rome (ce prétendu « temple de Vesta » subsiste dans toute son élégance, coiffé aujourd'hui d'un toit conique de tuiles qui a remplacé la coupole originelle) : mais à ses côtés, et construit vers la même époque, le prétendu temple « de la Fortune virile » (dédié en fait à Portunus), qui forme avec lui un ensemble pittoresque, est, malgré ses colonnes ioniques, construit selon un schéma pseudo-périptère italique, avec ces matériaux typiquement romains que sont le tuf et le travertin. Sur le vieux Forum apparaît un nouveau modèle d'édifice dont l'origine, si controversée qu'elle soit, de toute évidence doit beaucoup à une inspiration hellénique : la basilique. Avec leurs rangées parallèles de colonnes délimitant des nefs, les basiliques Porcia, Aemilia et Sempronia (entre 184 et 169) sont à l'origine d'une longue lignée d'édifices analogues, ancêtres des basiliques chrétiennes.

Parallèlement à ces monuments, dont la plupart sont en grand appareil, naît une nouvelle technique de construction qui révolutionne l'architecture : l'*opus caementicium,* ou maçonnerie de moellons et de mortier coulée et tassée dans un coffrage de planches que l'on peut enlever une fois que ce blocage est sec et forme comme un monolithe. Si la surface du mur doit être visible, on en dispose les pierres, qui restent irrégulières, de façon plus plane et plus serrée : il s'agit alors de l'*opus incertum,* dont le degré de finition peut lui-même varier. Pour certains types d'édifices, cette architecture « moulée » ne tarde pas à conquérir la faveur des constructeurs romains, car elle s'accommode d'une main-d'œuvre moins qualifiée et moins coûteuse que le grand appareil régulier, permet une rapidité accrue d'exécution et, surtout, autorise les grandes portées et les audaces techniques qui se développeront aux siècles suivants. Elle marque une rupture totale avec les modèles helléniques et un progrès décisif par rapport aux constructions italiques traditionnelles en pierres sèches, en appareil polygonal ou en grand appareil.

L'*opus caementicium* est employé d'abord pour un remarquable bâtiment qui jouxte un nouveau port créé sur le Tibre au sud de l'Aventin : la *Porticus Aemilia* (à partir de 193), immense entrepôt de 487 mètres de long sur 60 mètres de large, composé de 50 nefs parallèles larges de 8,50 mètres, dont les voûtes retombaient sur 294 piliers. Il est en effet normal que l'explosion du commerce maritime de Rome qui intervient après la seconde guerre punique se soit reflétée dans ce type de réalisations utilitaires. Mais, à la fin du IIe s., et au début du siècle suivant, l'architecture sacrée, pourtant volontiers traditionaliste, tire parti à son tour de la nouvelle technique de construction. On voit alors s'élever autour de Rome d'impressionnants sanctuaires qui, longtemps attribués à l'époque syllanienne (88-79), lui sont en réalité antérieurs en grande partie. Celui de la *Fortuna Primigenia*, à Palestrina, marque encore le paysage de cette petite ville du Latium. À partir d'un socle en gros blocs polygonaux, une longue suite de murs de soutènement, d'escaliers, de rampes, de galeries, de portiques, de terrasses, d'hémicycles gravit par six paliers successifs une colline qu'elle remodèle et porte en son sommet une tholos où se dressait la statue en marbre de la Fortune. Plus encore que les fameux sanctuaires d'Esculape à Cos ou d'Athéna Lindia à Rhodes — types de ces complexes hellénistiques qui ont pu influencer les constructeurs latins —, le sanctuaire de Palestrina manifeste la volonté de l'architecte d'adapter sa création à un site naturel privilégié tout en le dominant. Il en va de même des sanctuaires d'Hercule à Tivoli et de Jupiter Anxur à Terracine, l'un et l'autre hardiment ancrés sur des escarpements rocheux sur lesquels les temples sont comme exaltés. L'*opus caementicium* prédomine dans ces vastes ensembles d'une géniale complexité, et les colonnades, les entablements, souvent privés désormais de leur fonction portante, sont pour ainsi dire plaqués sur cette ossature.

Alors peut se développer une nouvelle architecture où des demi-colonnes sommées d'un entablement factice n'ont plus qu'une fonction décorative et rythment une façade où des arcs en plein cintre exercent la fonction portante. On sait quelle fortune rencontrera de nouveau à partir de la Renaissance cet ordre à arcs et plates-bandes, innovation capitale de l'architecture romaine. Il est parfois réalisé en grand appareil, comme dans le dépôt d'archives de la ville, le *Tabularium*, édifié en 78 : sa haute façade de tuf, ainsi scandée, s'élève devant le Capitole et domine le Forum, auquel elle donne un arrière-plan solennel.

En cette époque où l'on polémique volontiers sur les ravages nouveaux de la *luxuria,* ce luxe sans retenue où les constructions comme les statues deviennent l'enjeu de luttes d'influence politiques et idéologiques, les Romains n'adoptent ouvertement les suggestions hellénistiques que pour autant qu'elles n'offensent pas la conception traditionnelle de la morale publique. Dès le IIe s. apparaissent en Campanie ces maisons à péristyle que les négociants italiens avaient pu connaître et apprécier dans un centre de commerce et de contacts comme Délos, des établissements de bains, des théâtres. Mais Rome se contente encore de théâtres provisoires en bois. Et un théâtre en pierre, le premier, que le censeur Caius Cassius entreprend d'y construire en 154, est démoli sur l'ordre du consul Publius Cornelius Scipion Nasica, qui y voit une innovation contraire à l'austérité des mœurs. De même — nous l'avons indiqué à propos du temple « de la Fortune virile » —, c'est généralement sur les schémas habituels des temples italiques que sont greffés des motifs décoratifs grecs, eux-mêmes souvent interprétés et combinés aux modénatures traditionnelles. Bref, les emprunts à la Grèce sont sélectifs, et Rome ne retient des apports helléniques que ce qui lui convient.

STATUAIRE

La statuaire offre une problématique analogue. Les hauts personnages qui ont connu la Grèce et l'Orient peuvent bien commander à des sculpteurs grecs des statues « achilléennes » où ils sont figurés nus, en pied, dans une pose « héroïque », et faire travailler à leur service des dynasties entières d'artistes néoattiques, qui peuplent aussi les sanctuaires de Rome de majestueuses effigies divines : ils n'abjurent pas pour autant le goût italique pour le portrait réaliste, qu'ils imposent à ces sculpteurs. D'où des statues étrangement composites, portant sur un corps juvénile et « héroïsé » une tête marquée par les stigmates de l'âge ou la tension d'une énergie naturelle ou factice (Septime Sévère n'agira pas autrement, trois siècles plus tard, lorsqu'une statue trouvée à Chypre unira à un corps nu d'éphèbe son portrait au faciès typique, à la barbe et à la chevelure abondamment bouclées à la mode du temps ; ni tous ces bourgeois romains qui se feront représenter en Mars ou en Vénus tout en exigeant que leurs traits soient scrupuleusement reproduits). Pas plus qu'en architecture ils n'acceptent des innovations que leurs traditions ou leur morale réprouvent, les Romains ne franchissent encore dans leurs effigies le pas qui les conduirait à l'idéalisation. Celle-ci n'apparaît alors que sur quelques portraits de Romains éminents qui sont en fait des portraits grecs : ainsi ceux de Flamininus, vainqueur de la Macédoine, sur des monnaies d'or frappées en Grèce ou dans une célèbre statue de bronze longtemps considérée comme celle d'un prince hellénistique. Mais la statue romaine par excellence, ou plus généralement italique, est au IIe s. le *togatus* posant avec gravité dans sa toge étroitement drapée, dont l'effigie peuple les colonies et les municipes de l'Italie centrale. Cette sculpture « municipale » reste fidèle aux matériaux traditionnels, pierre ou terre cuite. Le bronze est réservé à quelques portraits exceptionnels, comme ces têtes des Abruzzes (San Giovanni Scipioni) ou de la Toscane (Fiesole), dignes émules, quoique avec moins de tension farouche, du *Brutus capitolin*. Trouvé en Ombrie, le fameux *Arringatore* (v. 100, Florence, musée archéologique) est saisi dans un geste emprunté à une vie publique fondée sur l'éloquence et la persuasion.

BAS-RELIEF

On assiste au cours de ce IIe s., si fertile en changements suggérés par la Grèce mais canalisés et infléchis par Rome, à la naissance de ce qui restera un art majeur du monde romain : le bas-relief narratif et commémoratif. Deux courants différents — reliefs de marbre, faits en Grèce, et reliefs de terre cuite, faits en Italie — vont confluer et se fondre pour engendrer le relief romain en marbre. En 168, le général romain Paul Émile vainc à Pydna le roi de Macédoine Persée. Peu après, il détourne pour sa propre glorification un pilier de marbre dont son rival avait entrepris l'érection à Delphes. Le matériau, les sculpteurs en sont grecs. Mais une frise figurant une bataille où les Macédoniens, reconnaissables à leur armement, sont les vaincus et une inscription en latin à la gloire de l'*imperator* ne laissent aucun doute : le nouveau commandataire de ce monument dressé dans un site grec par excellence en a fait un monument romain, le premier de son genre.

À la même époque, en Italie, le relief ne recourt encore qu'à la terre cuite. L'étonnante *Frise de Civitalba,* dans les Marches, célèbre une victoire romaine sur les Celtes par l'évocation du châtiment divin des pilleurs gaulois du sanctuaire delphique en 279, dans un style fougueux qui doit beaucoup à l'art de Pergame. À Rome même, les fragments d'un fronton trouvés dans la Via di San Gregorio représentent selon des schémas beaucoup plus classiques un sacrifice à plusieurs divinités. Et ce n'est qu'à la fin du IIe s. qu'est exécuté le plus ancien bas-relief romain en marbre qui nous soit conservé, l'*Autel de Domitius Ahenobarbus* — aujourd'hui partagé entre le Louvre et la Glyptothèque de Munich —, en fait, plutôt une base allongée pour un groupe de statues provenant d'un des nouveaux temples du champ de Mars, probablement dédié à Mars.

Sur trois de ses côtés court le cortège marin de Neptune et Amphitrite, où divinités, Néréides, Tritons, monstres composites, entremêlent leurs lignes souples et sinueuses. La quatrième face représente un cens, ce recensement quinquennal des citoyens aptes à servir sous les armes. Alignés non sans quelque raideur, fonctionnaires en toge, soldats à l'équipement scrupuleusement reproduit, animaux promis au sacrifice entourent un autel où le censeur honore le dieu Mars en présence de celui-ci : cet épisode emprunte à l'art « triomphal » beaucoup des traits — récit continu, disposition paratactique, proportions hiérarchiques, souci du détail précis — que nous avons signalés à propos du fragment de fresque de l'Esquilin.

La grâce académique d'une scène imaginaire, la rigueur exacte d'un compte rendu administratif : on ne saurait imaginer opposition plus marquée qu'entre les deux aspects de ce monument. Et pourtant, on a pu démontrer qu'un seul artiste, un Athénien probablement, avait sculpté l'ensemble des reliefs. Se jouant de la résistance du marbre lorsqu'il façonnait des motifs qui lui étaient familiers (et que l'on retrouve fréquemment dans l'art décoratif des bassins ou des vases de marbre dont les ateliers néoattiques s'étaient fait une spécialité), il s'est plié avec plus de gêne aux exigences nouvelles de son commanditaire romain, c'est-à-dire à la figuration précise des divers moments, administratif, militaire, religieux, de la cérémonie complexe qu'était le cens — à moins qu'il ne pût réutiliser pour certains détails des schémas qu'il connaissait bien (un groupe de deux *togati* rappelle les personnages des stèles funéraires attiques tardives). « Ici commence l'art d'Occident » a pu écrire Jean Charbonneaux. Cette soumission de l'artiste aux intentions de son client pourra bien devenir plus discrète lorsque les sculpteurs se seront familiarisés avec le répertoire des symboles, des gestes et des accessoires romains, elle n'en demeurera pas moins l'un des traits marquants de l'art de Rome. Comme l'*Autel de Domitius Ahenobarbus,* comme déjà la peinture autour de 300 av. J.-C., cet art s'orientera tour à tour, selon les œuvres, les techniques ou les époques, vers deux pôles opposés : une fantaisie élégante ouverte à l'imaginaire et une narration minutieuse des hauts faits des hommes illustres et des menus succès des petites gens.

PEINTURE ET MOSAÏQUE

Le IIe s. et les premières décennies du Ier s. ne sont pas une grande époque de la peinture romaine. Celle-ci se cantonne le plus souvent dans ce que l'on a appelé le *premier style pompéien,* ou *style à incrustations* — du latin *crustae,* qui désigne un placage en marbre. De fait, la peinture pariétale imite alors, par des panneaux de couleurs variées souvent séparés par de légères incisions ou des lignes en creux plus accentué, un mur de marbre, avec son rythme traditionnel : au-dessus d'une plinthe de hauteur variable s'élèvent des plaques disposées verticalement, les orthostates, puis une série d'assises horizontales ; une frise et une corniche, parfois travaillées en relief dans le stuc, couronnent le tout. Au début du Ier s., toutefois, ces surfaces géométriques commencent à se compliquer et à suggérer des colonnes se projetant en avant de la paroi, comme dans la *Maison des griffons,* sur le Palatin : ainsi s'amorce le second style pompéien, qui, comme nous le verrons, caractérise brillamment la période suivante.

La mosaïque, à cette époque, est plus florissante que la peinture, mais, paradoxalement, elle l'est dans la mesure où elle s'attache à reproduire les procédés et parfois les thèmes picturaux d'un passé plus ou moins récent. Dans la *Maison du faune* à Pompéi, un salon était décoré d'une grande mosaïque (auj. au musée de Naples) relatant un épisode de la bataille d'Issos, où Alexandre mit en déroute les troupes de Darius. Elle unit dans un mouvement impressionnant la ruée du conquérant macédonien et la fuite égarée du roi des rois autour de ses fidèles dévoués jusqu'au sacrifice de leur personne ; un arbre dépouillé résume un paysage et à l'arrière-plan les lances serrées de la phalange zèbrent le ciel vide. Au sanctuaire de Palestrina, un autre grand pavement représente la crue du Nil, depuis les montagnes de l'Afrique profonde peuplées d'animaux étranges jusqu'aux temples pharaoniques de l'Égypte et aux palais et aux tonnelles d'Alexandrie. Étonnant raccourci de tout un monde, où l'exactitude ethnographique, renforcée par des légendes en grec, le dispute à l'insolite, et la bonhomie au grandiose. Ces mosaïques, et d'autres plus modestes, ne sont en réalité que des tableaux exécutés en pierre si l'on considère l'extrême petitesse des cubes qui tend à faire oublier la technique employée, la palette infiniment raffinée et nuancée des coloris, les subtils effets de lumière. Manifestement inspirée des chefs-d'œuvre de la grande peinture hellénistique, la mosaïque n'a pas encore trouvé sa voie et conquis l'autonomie qui en fera un des arts les plus originaux de Rome.

En revanche, d'autres formes d'art — l'architecture, la statuaire, le relief — ont déjà laissé percevoir non seulement l'ampleur des influences reçues, mais aussi leurs limites : influences acceptées telles quelles, voire sollicitées, par une nobilitas qu'anime un désir orgueilleux de se démarquer du peuple, dans les édifices ou les statues qu'elle commande ; influences repoussées si elles heurtent la coutume dans certains domaines sensibles ; influences enfin, le plus souvent, adaptées et orientées selon les goûts et les tendances indélébiles des nouveaux maîtres du monde méditerranéen. Dans le creuset où un intense bouillonnement politique et culturel brasse tant de traditions invétérées et de curiosités récentes s'élabore, en ces années décisives, ce que l'on peut d'ores et déjà appeler l'art romain.

Bibliographie générale

ANDREAE (B.), *l'Art de l'ancienne Rome*, Mazenod, Paris, 1973. BIANCHI BANDINELLI R.), *Rome, le centre du pouvoir*, L'Univers des Formes, Gallimard, Paris, 1969. BIANCHI BANDINELLI (R.), *Rome, la fin de l'art antique*, L'Univers des Formes, Gallimard, Paris, 1970. BIANCHI BANDINELLI (R.), TORELLI (M.), *Etruria, Roma*, L'arte dell'antichità classica, vol. 2, Éd. UTET, Turin, 1976. BORDA (M.), *La Pittura romana*, Società Editrice Libraria, Milan, 1958. CHARBONNEAUX (J.), *l'Art au siècle d'Auguste*, La Guilde du livre, Lausanne-Paris-Bruxelles-New York, 1948. COARELLI (F.), *Roma*, Grandi monumenti, Mondadori, Milan, 1971. CREMA (L.), *L'Architettura romana*, Enciclopedia Classica, sezione III, vol. XII, tome I. Società Editrice Internazionale, Turin, 1959. FROVA (A.), *L'Arte di Roma e del mondo romano*, Storia universale dell'arte, II, 2. Éd. UTET, Turin, 1961. GARCÍA Y BELLIDO (A.),

Arte romano, Enciclopedia Clásica, N° 1, 2ᵉ éd., Madrid, 1972. GRIMAL (P.), *la Civilisation romaine*, Arthaud, Paris, 1967. GROS (P.), *Architecture et société à Rome et en Italie centroméridionale aux deux derniers siècles de la République*, vol. 156, Latomus, Bruxelles, 1978. HANFMANN (G.), *Chefs-d'œuvre de l'art romain*. Sequoia, Bruxelles, 1965. KÄHLER (H.), *Rome et son empire*, Albin Michel, Paris, 1963. KRAUS (T.), *Das römische Weltreich*, Propyläen Kunstgeschichte, Band 2, Propyläen Verlag, Berlin, 1967. MAIURI (A.), *la Peinture romaine*, Skira, Genève-Paris-New York, 1953. PICARD (G.), *l'Art romain*, P. U. F., Paris, 1962. PICARD (G.), *l'Art étrusque et l'art romain*, Massin, Paris, 1964. PICARD (G.), *Empire romain*, Architecture universelle, Office du Livre, Fribourg, 1964. PICARD (G.), *Rome*, Archaeologia Mundi, Nagel, Genève, 1969. NÉRAUDAU (J.), *l'Art romain*, « Que sais-je ? », P. U. F., Paris, 1978. STENICO (A.), *la Peinture étrusque, la peinture romaine*, Éditions du Pont Royal (Del Duca-Laffont), Amsterdam-Paris, 1962. WHEELER (M.), *Roman Art and Architecture*, Thames and Hudson, Londres, 2ᵉ éd., 1969. ZSCHIETZSCHMANN (W.), *Étrusques, Rome*, Petite Bibliothèque Payot, vol. 6, Paris, 1963.

DE CÉSAR À AUGUSTE

LES PAGES PRÉCÉDENTES NOUS ONT CONDUITS à la fin de cette période dite « syllanienne » qui, en termes d'histoire de l'art, déborde les limites strictes (88-79 av. J.-C.) de la dictature de Sylla. Lorsqu'il abdique, ce dernier a déjà pu percer à jour l'ambition, et su pressentir le destin, d'un jeune homme qui ne tardera pas à revêtir sa première magistrature : Jules César. Dès lors commence, à travers d'infinies péripéties, l'ascension de celui qui bouleversera le régime politique de Rome. Rivalités acharnées et sanglantes luttes civiles vont tourmenter ce siècle, depuis les années postsyllaniennes jusqu'à la domination de César, depuis le second triumvirat, qui suit la mort du dictateur, en 44, jusqu'à la bataille d'Actium, en 31. Date clef que celle-là, qui voit Octave, petit-neveu et héritier de César, triompher de son rival, Marc Antoine et de Cléopâtre, reine d'Égypte. Cette victoire, qui est aussi celle de l'Occident sur l'Orient, marque traditionnellement le terme de la période hellénistique. Elle liquide les derniers vestiges d'indépendance du monde grec et ébranle sa prépondérance culturelle. Par ailleurs, elle accélère le processus politique qui en quelques années conduira à ce que nous appelons l'Empire (c'est en 27 av. J.-C. qu'Octave prend le nouveau nom d'Auguste).

Les principales institutions républicaines peuvent bien être sauvegardées en apparence, d'autres grands personnages — Pompée, Cicéron, Marc Antoine — peuvent bien occuper quelque temps le devant de la scène : il reste que deux hommes d'État impriment profondément leur marque sur ce siècle. Désormais, plus que jamais auparavant, c'est l'impulsion donnée par un individu qui oriente l'art de Rome.

Cette date de 31 av. J.-C., si importante en soi, si éclatante comme symbole, séparera la période césarienne et proto-augustéenne de la période augustéenne proprement dite, qui, en dépit d'échos ultérieurs, prend fin à la mort de l'empereur, en 14 apr. J.-C.

De la République à l'Empire

URBANISME ET ARCHITECTURE

L'époque de César n'apporte pas de grandes innovations techniques en architecture : les principaux modes de construction sont dorénavant connus, quoique l'on observe un usage encore exceptionnel de la brique et une certaine timidité dans l'emploi des voûtes et des coupoles. Ce qui alors est nouveau, c'est une volonté presque haussmannienne d'imposer à l'*Urbs* d'amples remaniements. Certes, les grands bâtisseurs du IIe s. ont, nous l'avons vu, annoncé cette tendance, notamment au champ de Mars. Mais ils ont échelonné leurs initiatives au long des décennies et agi en ordre dispersé. César, lui, élabore un projet d'ensemble pour l'expansion de Rome. Afin de dégager des terrains à bâtir, il envisage même de dévier le cours du Tibre jusqu'au pied du Vatican. S'il n'a pas le temps de réaliser ce projet inouï, du moins transforme-t-il le cœur même de la ville par une entreprise qui n'a pas de précédent : la construction d'un nouveau Forum, qui portera son nom.

Le vieux Forum romain s'était, au long des siècles, encombré sans ordre de constructions disparates, de monuments, de statues. Si le manque d'espace perdait son importance au moment où se défaisaient des institutions fondées sur les assemblées populaires, un tel centre devenait en revanche indigne de la nouvelle capitale du monde. Aussi César, avec le produit des butins des Gaules, acquiert-il à prix d'or des terrains dans une zone contiguë à l'ancien Forum. Il y dessine le *Forum Iulium*, grande place rectangulaire bordée sur ses deux côtés longs de portiques, sous l'un desquels s'ouvrent une série de boutiques. Au centre se dresse la statue équestre du fondateur. Au fond de la place s'élève un grand temple de marbre dédié à son ancêtre mythique, *Venus Genitrix*, mère de cet Énée dont il se proclamait le descendant. Ce temple est le premier à comporter une abside, élément sacralisant qui accentue l'axialité propre aux sanctuaires romains et dont on sait la fortune future dans l'architecture religieuse de l'Occident. César dote ainsi Rome, pour la première fois, d'une place à disposition unitaire et monumentale. Il esquisse le schéma d'ensemble qui pendant un siècle et demi va inspirer ses successeurs, en fixe l'orientation et lui donne d'emblée une ampleur jusqu'alors inusitée. Il entreprend aussi au vieux Forum d'importants travaux, qu'il appartiendra à Auguste de mener à terme.

C'est à Pompée, le futur rival malheureux de César, qu'il revient d'élever sur le champ de Mars une des réalisations les plus neuves et les plus grandioses de l'époque, un vaste ensemble conçu autour d'un *Théâtre* gigantesque, qu'il inaugure en 55. Jusqu'alors, rappelons-le, Rome s'était contentée, malgré la popularité et la fréquence des spectacles scéniques, de théâtres provisoires en bois, et une tentative pour la doter, au IIe s., d'un théâtre fixe avait échoué devant la résistance des milieux traditionalistes. Pompée lui-même recourt à une sorte de subterfuge pour faire accepter son innovation : au sommet du théâtre, il édifie un temple à Venus Victrix, dont l'édifice scénique est censé ne constituer en quelque sorte qu'une annexe — solution suggérée, mais avec un tout autre rapport entre temple et gradins, par les grands sanctuaires du Latium tels que ceux de Palestrina ou de Tivoli.

Le *Théâtre de Pompée* présente déjà les caractères qui rendent les théâtres romains si différents des théâtres grecs : *cavea* à façade externe en hémicycle, édifiée sur des structures radiales (et non pas aménagée à flanc de colline), orchestre semi-circulaire, haut mur de scène que rythmeront par la suite de profondes exèdres et un jeu complexe de colonnes. Le sommet des gradins rejoint celui du mur de scène, et ferme ainsi la grande conque entièrement artificielle qui se dresse orgueilleusement, dédaignant les facilités qu'offrirait un terrain en pente. Derrière la scène s'étend un grand portique quadrangulaire planté de jardins et agrémenté de fontaines. Théâtre et portique sont ornés de statues colossales, en partie antiques, en partie commandées à des artistes classicisants, successeurs de ceux que nous avons vus travailler à Rome au IIe s. Elles évoquent le culte de Vénus, le monde du théâtre, les nations conquises : exemple, s'il en fut, de programme décoratif inspiré par les dévotions, les goûts et les exploits d'un *imperator*, et réalisé avec tout l'éclectisme d'un Romain de ce temps. Tel est ce *Théâtre de Pompée* dont la forme modèle encore, autour de la Via di Grotta Pinta, tout un quartier de la vieille Rome. S'il reprend un plan déjà connu en Campanie, où les théâtres fixes s'étaient imposés depuis un siècle — par exemple à Pompéi —, il le transfigure par une élévation autrement complexe, qui fera des émules dans tout l'Empire.

ART DU PORTRAIT DANS LA STATUAIRE

Le deuxième tiers du Ier s. av. J.-C. est pour l'art du portrait une période d'intense maturation. Certes, il n'est pas nouveau, et nous avons signalé que cet art combine habitudes italiques et apports helléniques. Mais, plus qu'avant, la fusion des tendances l'emporte sur leur juxtaposition.

Polybe, historien grec qui vécut à Rome au IIe s. av. J.-C., décrit avec admiration la façon dont les grandes familles romaines honoraient leurs ancêtres. Elles conservaient chez elles leurs portraits en forme de masques, les associant en quelque sorte aux deuils de la *gens* en les faisant porter, lors des funérailles, par des figurants revêtus du costume d'apparat qui correspondait à celui que chacun avait eu de son vivant, selon son rang. Aucun spectacle, ajoute Polybe, ne pouvait être plus exaltant et plus exemplaire pour des jeunes gens aspirant à la gloire. Ce culte des *imagines maiorum* — des portraits des ancêtres — est illustré par la *Statue Barberini* (Rome, palais des Conservateurs), *togatus* portant les têtes sculptées de deux de ses aïeux.

Ces masques, probablement moulés dans la cire sur les défunts, ont-ils exercé quelque influence sur les portraits ? La question est débattue, mais on peut affirmer en tout cas qu'ils correspondaient à une tendance vériste qui, traduite dans la terre cuite, la pierre ou le marbre, nous a valu des têtes saisissantes aux traits tirés, au rictus tourmenté, ravagées par l'âge, sillonnées de rides impitoyables. Le désir de suggérer par les stigmates de toute une vie, nobles ou douloureux, ce que fut l'existence d'un homme, de rendre, en l'accentuant au besoin, ce que chaque physionomie a de plus individuel, y compris dans ses défauts, continue à régner en maître dans les portraits des bourgeois de Rome et de l'Italie. Au long des voies qui rayonnent autour de l'Urbs s'alignent dans les nécropoles des stèles funéraires où des familles entières sont comme figées en buste dans une pose solennelle. La disposition, l'attitude, le vêtement, les inscriptions, éventuellement les accessoires, révèlent la place de chacun dans la *familia*, son rang social, son métier. Œuvres de série, mais combien révélatrices d'une classe alors en pleine ascension et qui se montre telle qu'elle se voit, avec fierté mais sans complaisance.

Cette sculpture bourgeoise produit aussi quelques œuvres hors du commun, en terre cuite, matériau que les Italiens maîtrisaient avec talent, ou en pierre, comme cette *Stèle de la Via Statilia* (Rome, palais des Conservateurs) où, serré dans sa toge, le mari s'efforce à la dignité quelque peu renfrognée du vieux Romain, aux côtés de sa femme coquettement coiffée et voilée, dont l'attitude un peu affectée doit beaucoup aux modèles hellénistiques. Mais c'est en marbre qu'est sculpté le magnifique groupe de deux époux en buste dit *Caton et Porcia* (Vatican). Les visages simples, aux traits à la fois usés et adoucis par les épreuves d'une vie, le jeu des mains, posées sur une épaule du conjoint ou enlacées avec une force paisible, illustrent de la façon la plus émouvante, la moins rhétorique l'attachement aux valeurs traditionnelles : la *severitas*, cette façon de prendre au sérieux les devoirs de l'existence, la *fides*, cet engagement total qui lie les époux.

Les hauts personnages puisent à d'autres sources les motifs de leur iconographie. Nous avions vu un Flamininus, au IIe s., représenté en Grèce comme l'aurait été un prince hellénistique, alors que les magistrats et les officiers romains, les négociants italiens qui fréquentaient les rives de l'Égée continuaient en général à exiger que leur visage fût reproduit avec le réalisme sans concession qu'appréciait l'esprit italique. Les décennies centrales du Ier s. sont marquées par une évolution très nette. Rome s'accoutume au portrait hellénistique, qui, tout en reproduisant avec exactitude les traits de l'individu, évite d'en accentuer les défauts, sous couleur de mieux les rendre, et s'attache à traduire, non sans emphase parfois, les aspirations intellectuelles et les tendances psychologiques. Les portraits de César et de Pompée font ressortir avec une évidence implacable le contraste entre deux destins, entre deux hommes dont on se dit que l'un ne pouvait que vaincre l'autre. Un célèbre *Buste* de Pompée donne à l'imperator, sous une mèche en coup de vent qui rappelle le dynamisme des portraits d'Alexandre, un visage contrasté, aux traits à la fois vulgaires et imposants, où règnent finesse et bonhomie, mais aussi

un soupçon de vanité. Les portraits de César laissent en revanche percer l'intelligence souveraine, la maîtrise de soi, la volonté froide et impérieuse, avec une sorte d'acuité qui éclate, en particulier, dans le *César* de Pise (Camposanto).

Les mêmes recherches psychologiques, toujours sous-tendues par un réalisme estompé, animent les portraits d'un Cicéron, au front vaste et soucieux, penseur assumant avec résolution et tourment ses responsabilités d'homme d'État ; d'un Caton d'Utique, dont un *Buste* de bronze trouvé à Volubilis nous livre la figure altière et désabusée, devenue pour l'opposition républicaine un symbole du stoïcisme poussé jusqu'au sacrifice de soi ; ou d'un Marc Antoine, qu'un extraordinaire buste de basalte, sculpté en Égypte, saisit dans toute sa vigueur et toute sa morgue.

Les portraits se multiplient aussi sur les monnaies. Très inspiré par la propagande « gentilice » (des familles nobles), l'art monétaire du dernier siècle de la République trahit une volonté constante d'évoquer la *gravitas* toute romaine des grands ancêtres ou, plus rarement, des grands contemporains, par des images sèches, austères, où le burin suggère avec une maladresse presque affectée, par des profils anguleux et des chevelures hérissées, des caractères rigoureux et inflexibles.

ART DU RELIEF

Pour illustrer les diverses facettes de l'art du relief dans les décennies qui précèdent l'avènement d'Auguste, nous choisirons deux œuvres d'importance fort inégale. À Civita Castellana, une base cylindrique de marbre porte sur son pourtour des figures de divinités et de héros, Mars, Vénus, Vulcain, une Victoire, Énée peut-être ; dans leur sécheresse élégante et leur attitude statique, les silhouettes longilignes reflètent ce qu'a de meilleur la tendance artistique à laquelle ressortissent aussi, dans les municipes d'Italie, maintes statues de *togati*. Sur le Forum romain, la *Basilique Émilienne*, plusieurs fois restaurée au cours du Ier s. av. J.-C., était intérieurement décorée d'une frise longue de près de deux cents mètres, dont nous conservons d'importants fragments. Ceux-ci offrent un répertoire assez complet des tendances du relief à Rome à l'époque césarienne (ou syllanienne, comme le voudraient certains). Ici, un combat singulier oppose dans un cadre d'arbres et de rochers deux guerriers musculeux, saisis dans les postures violentes d'un hellénisme pathétique ; là est traité avec une gaucherie fougueuse et indifférente aux proportions l'un des épisodes les plus fameux des origines de Rome, l'enlèvement des Sabines ; plus loin, c'est le châtiment de la traîtresse Tarpeia, que les Sabins écrasent sous leurs boucliers amoncelés, dont la jeune fille émerge à moitié dans une pose frontale et figée (où l'on a cru reconnaître le très antique schéma iconographique des idoles en cloche minoennes), en présence d'un roi Tatius très classicisant. Ailleurs — et ce n'est pas la partie la moins intéressante —, la frise représente la construction d'une ville, Rome peut-être ; un maçon en tenue de travail ployé sous le faix d'un bloc qu'un autre s'apprête à mettre en place, un visage fortement individualisé, le rendu exact du grand appareil de la muraille, tout cela s'insère dans la double tradition de l'art populaire et de la peinture triomphale. De fait, le sujet aussi bien que le style ont leurs pendants exacts dans une fresque attribuable au grand courant de la peinture triomphale trouvée dans une tombe de l'Esquilin et qui, vers la même époque, figure des maçons s'affairant à la construction d'un mur avec autant de justesse dans le dessin que de goût dans les coloris, autant de souci du détail concret que de sens des attitudes justes.

PEINTURE

Ce sont pourtant d'autres tendances qui prédominent dans la peinture de cette période, une des plus grandes assurément de la peinture romaine, sinon de la peinture universelle. C'est le règne sans partage de ce que l'on appelle le « deuxième style » pompéien. Nous avons vu, au début du Ier s. av. J.-C., ce style naître d'une évolution du style « à incrustations », par projection simulée de fausses colonnes au-devant de la paroi.

Peu après apparaissent deux innovations fondamentales. D'une part, vers 70, l'« ouverture » de la paroi : aux colonnes en trompe-l'œil s'ajoutent de fausses percées qui laissent voir un au-delà du mur (à Pompéi, une chambre de la *Villa des Mystères* offre comme une anthologie de ces artifices, où le traitement minutieux des détails architecturaux entretient une illusion que tempèrent à peine quelques incertitudes de la perspective). Peu après, d'autre part, l'apparition de personnages et de scènes figurées constitue un progrès capital, riche en virtualités.

Le deuxième style, comme les styles qui lui succèdent immédiatement, présente la particularité de structurer entièrement chaque paroi, conçue comme un tout, selon un principe doublement triparti. En hauteur, une zone inférieure peu articulée et une zone supérieure riche en motifs décoratifs et en ouvertures en trompe-l'œil encadrent une zone médiane où se concentrent les figurations principales. Horizontalement, un pavillon central en forte saillie, dont l'ouverture laisse apercevoir des paysages ou des fuites de colonnes, est flanqué de deux ailes en saillie moins prononcée, également ouvertes sur des lointains. De fausses colonnes, plus épaisses que celles qui scandent la paroi, semblent se projeter dans la pièce ; masques, guirlandes, vases, êtres fantastiques agrémentent ces compositions très rythmées qui de toute évidence doivent beaucoup aux décors de théâtre. Mais si le schéma fondamental reste celui que nous venons de décrire, le deuxième style n'est pas figé pour autant. Vers le milieu du siècle, il passe d'une certaine retenue à une fantaisie plus affirmée, avant d'évoluer à nouveau vers un trompe-l'œil tempéré, qui voit la paroi se « refermer », sauf dans sa partie haute, et qui conduira au troisième style. Il n'en reste pas moins dans son ensemble un art d'évasion, de rêve, qui fait éclater les demeures étroites et projette l'œil et l'âme dans d'autres mondes, au long de perspectives sans fin. Ces paysages sont feints, en tant qu'ils simulent sur des murs compacts des lointains qui invitent au départ. Mais à bien voir, ces perspectives sont aussi celles-là mêmes qu'offrait au regard l'architecture contemporaine des maisons et des villas, avec leurs enfilades d'*atria* à colonnes, de péristyles et de portiques, leurs pavillons en avancée, leurs ouvertures symétriques.

Outre les tableaux, de grands ensembles picturaux font la gloire du deuxième style. À Oplontis (Torre Annunziata), une vaste villa en offre une anthologie aux teintes extraordinairement vives, qui voisine avec des fresques du troisième style. Sur le Palatin, la *Maison de Livie* et celle d'Auguste — toutes deux demeures de l'empereur — présentent côte à côte des parois fortement structurées, parfois ornées de masques inquiétants, et une longue frise monochrome jaune où, en un style admirable de vivacité et de fraîcheur, des scènes rituelles ou familières se succèdent sur un fond d'édifices sacrés et de paysages exotiques. Avec leurs figures d'une grandeur presque naturelle, de fascinantes mégalographies, inspirées de la peinture du premier hellénisme, sont scandées par les rythmes discrets d'un deuxième style assagi : la suggestion d'une architecture s'y réduit à des pilastres à l'arrière-plan des scènes figurées, qui peuvent alors se développer sans contrainte. Dans une *Villa* de Boscoreale, des personnages princiers de la cour de Macédoine sont immobilisés dans des attitudes solennelles et rêveuses. À la *Villa des Mystères* de Pompéi, une frise grandiose se détache sur le fond somptueux du fameux rouge « pompéien ». Elle assemble autour du couple divin de Dionysos et Ariane, sur les quatre murs d'une vaste pièce, des rites paisibles, les comparses malicieux ou fiévreux du cortège bacchique, et une scène violente, exaltée et troublante d'initiation sacrée, sous le regard pensif d'une dame noblement parée : la maîtresse de maison, croit-on, peut-être une prêtresse de ce culte aux mystères duquel le visiteur est entouré, et comme saisi. À Prima Porta, près de Rome, dans une villa de l'impératrice Livie, un jardin enchanté transfigure les murs d'un ample salon. Derrière une simple clôture en trompe-l'œil qui suggère la profondeur, un fouillis d'arbustes se détache sur le ciel d'un bleu intense ; dans leur feuillage léger, miracle de précision et d'effet décoratif tout à la

fois, fleurs, fruits et oiseaux composent une symphonie de touches chatoyantes et joyeuses. À Rome, une fresque de l'Esquilin illustre des épisodes de l'Odyssée. Dans des paysages mi-bucoliques, mi-marins, aux teintes vaporeuses ou plombées, Ulysse et ses compagnons affrontent les périls de leur errance ; parmi des roches hostiles, sous une lueur blafarde, le héros, descendu aux Enfers consulter Tirésias, apaise d'un sacrifice sanglant les ombres désolées qui se pressent autour de lui. Les personnages, presque minuscules, s'agitent ou rêvent, luttent ou s'enfuient, au sein d'une nature idyllique ou grandiose, éclairée d'une lumière paisible ou orageuse. Il est peu de peintres qui aient su situer un récit légendaire dans un cadre si riche en résonances pittoresques, poétiques ou inquiétantes.

Le siècle d'Auguste

Si l'on peut parler de « siècle d'Auguste », c'est que rarement l'art s'est trouvé aussi influencé par l'idéologie d'un seul homme, et par la destinée dont il rêvait pour Rome. Devenu par la victoire d'Actium le maître incontesté du monde méditerranéen, Octave (appelé Auguste à partir de 27 av. J.-C.) associe à l'œuvre rénovatrice qui marque son long règne les artistes et les écrivains qui acceptent d'y participer avec conviction : historiens, poètes ou plasticiens. L'art augustéen est un art de restauration matérielle et morale, après les troubles et les ravages d'interminables guerres civiles ; c'est un art classicisant, attaché aux valeurs d'ordre, de pondération, de perfection ; c'est un art unitaire, dans lequel les commandes officielles et l'artisanat recherchent la même qualité, s'inspirent des mêmes motifs ; c'est un art dynastique, qui aide le nouveau pouvoir à se consolider en célébrant le souvenir de César et en exaltant la cohésion d'une famille où l'empereur choisira son successeur ; c'est enfin un art qui revendique tout un passé national, en soulignant la parenté charnelle ou spirituelle d'Auguste avec la longue lignée des héros qui, depuis Énée, ont contribué à faire Rome.

URBANISME ET ARCHITECTURE

Dans les *Res gestae*, compte rendu autobiographique de son action, Auguste relate les faits saillants de son inlassable activité de bâtisseur : c'est ainsi qu'il affirme avoir restauré à Rome quatre-vingt-deux temples au cours d'un seul consulat. Et l'on sait qu'il se glorifiait d'avoir laissé en marbre une ville qu'il avait trouvée en brique. Faisons la part de l'exagération : il reste que son règne voit débuter l'exploitation intensive des carrières de marbre de Luni — l'actuelle Carrare. Ainsi, l'Italie acquiert une quasi-autonomie pour un matériau qu'elle utilisait de plus en plus couramment, mais que jusqu'alors elle devait faire venir d'outre-mer. Techniquement, le siècle d'Auguste est l'époque d'une hardiesse accrue dans la construction d'amples coupoles (notamment dans les édifices thermaux), et l'âge d'or d'un mode de construction apparu au milieu du Ier s. av. J.-C., l'appareil réticulé *(opus reticulatum)*. Cette variante de l'appareil de maçonnerie est une sorte de gageure, puisque de petits blocs de pierre à surface carrée, posés sur une pointe, y forment un damier oblique dont la cohésion, faute d'assises horizontales, ne repose que sur la qualité du mortier.

Rome subit de profondes modifications administratives et architecturales. Un nouveau découpage de la cité en régions et en quartiers règle désormais des activités aussi diverses que la lutte contre les incendies et la célébration du culte impérial. Dans le domaine de l'urbanisme, Auguste poursuit et amplifie l'œuvre commencée par César, notamment au vieux Forum romain, qui prend alors l'aspect qui sera le sien pour longtemps. De part et d'autre de la place se font face les deux imposantes *Basiliques Julienne et Émilienne*. Vers l'est, la perspective est fermée par le *Temple de César* divinisé, encadré par un *Arc de triomphe* érigé par Auguste après Actium (et bientôt remplacé par un *Arc « parthique »* plus complexe) et par un portique élevé en

l'honneur des deux petits-fils de l'empereur, Caius César et Lucius César. Près de là est totalement rénové le très ancien *Temple des Dioscures*, allusion aux nouveaux Castor et Pollux, Tibère (beau-fils d'Auguste) et son frère Drusus. L'autre extrémité du Forum offre au regard le *Temple de la Concorde*, reconstruit pour célébrer la fin des luttes civiles, les nouveaux Rostres (tribune aux harangues) et la nouvelle curie (siège du Sénat), ou *Curia Iulia*. Ainsi, le vieux Forum se trouve ceint en quelques décennies de monuments élevés par la *gens Iulia* et destinés à sa célébration : exemple frappant d'une architecture et d'un urbanisme dont chaque élément est fonction d'un projet politique et dynastique.

Comme César, Auguste double son œuvre au Forum romain par l'édification d'un nouveau forum — le second des forums impériaux —, ensemble profondément unitaire malgré les quarante années qu'a requises son achèvement (42-2 av. J.-C.). Ce *Forum d'Auguste* a pour élément axial et dominant un temple imposant dédié à Mars, le dieu vengeur des mânes de César, octostyle corinthien dont la vaste abside, après celle du temple du *Forum Iulium*, confirme le rôle que joue désormais cette structure dans les sanctuaires romains. Deux portiques l'encadrent, ornés de motifs classicisants tels que des caryatides et qui s'incurvent en leur milieu en exèdres semi-circulaires. Un imposant mur de tuf, toujours en place, isole cette place du quartier populaire de Subure. De même qu'il avait gravé sur son arc de triomphe les « fastes » de la ville, liste de ses consuls et de ses triomphateurs et comme la mémoire de Rome au long de cinq siècles, Auguste célèbre dans son *Forum*, grâce aux statues et aux *elogia*, les héros qui d'Énée à Romulus ont fait naître la patrie romaine et les grands hommes qui l'ont rendue puissante.

Secondé par Agrippa, l'empereur aménage l'ensemble du champ de Mars, demeuré en grande partie marécageux et malsain et qui se couvre de jardins, de pièces d'eaux, de monuments dont certains — l'*Ara Pacis*, le mausolée d'Auguste — seront évoqués ultérieurement. Il y crée une gigantesque horloge solaire dont les vestiges ont été récemment retrouvés : le cadran de cet *Horologium Augusti* est une place dallée scandée par des lignes et des inscriptions de bronze ; son aiguille est un imposant obélisque apporté d'Égypte. Près d'un temple à Apollon qu'il fait restaurer et pourvoir d'une riche décoration sculptée, il élève un nouveau théâtre, qu'il dédie à Marcellus, son neveu et successeur désigné, dont la mort prématurée a inspiré à Virgile des vers bouleversants. On y trouve la première application de la succession verticale des trois ordres — dorique (ou toscan), ionique et corinthien —, qui aura la fortune que l'on sait. Aujourd'hui couronnée par le pittoresque palais Orsini, sa haute façade convexe rythmée par quarante et une arcades domine encore l'extrémité méridionale du champ de Mars. Si l'empereur, nous l'avons vu, garde sur le Palatin la demeure modeste qui avait été la sienne avant son accession au pouvoir suprême, il la place sous la protection de son dieu favori, Apollon, auquel il dédie sur la colline un second temple entouré de portiques. Les terres cuites architecturales qui le décorent sont par leurs motifs archaïsants, leur modelé rigoureux, leurs coloris délicats, leur symétrie héraldique des exemplaires remarquables des plaques dites « Campana » et, dans un genre mineur, des œuvres typiques du classicisme augustéen.

L'Italie, les provinces participent à cette fièvre de construction. Elles se couvrent de monuments dont beaucoup célèbrent la famille impériale ou les victoires de Rome, comme le *Temple d'Auguste et de Livie* à Vienne, ou la *Maison Carrée* à Nîmes : ce sanctuaire, dédié dans les premières années de notre ère à la mémoire de Caius César et Lucius César, petits-fils d'Auguste et « princes de la jeunesse », a transmis jusqu'à nous la majesté sereine de l'architecture augustéenne. L'*Arc de triomphe de Suse* (Piémont), aux lignes d'une légèreté et d'un dépouillement admirables, les *Arcs de Cavaillon et de Glanum,* avec leur décoration sculptée aussi exubérante que délicate, attestent avec l'*Arc d'Auguste* du Forum romain le développement et la diversification d'un type monumental qui atteint alors sa maturité. Aux confins de l'Italie et de la Gaule, le *Trophée de la Turbie* célèbre la victoire de l'empereur sur les tribus des Alpes.

L'architecture utilitaire révèle, dans sa grandeur et sa beauté, le souci de perfection unitaire qui est celui des Romains dans leur art de bâtir, qu'il s'agisse d'enceintes urbaines dont les tours de brique à plan polygonal forment des prismes élancés d'une sévère élégance, comme à Spello et à Turin, et dont les portes monumentales superposent solennellement plusieurs ordres d'arcades ou de fenêtres, comme à Aoste et à Autun ; ou, aux *Thermes de Baies,* impressionnante succession de terrasses bâties dominant le panorama du golfe de Naples, de l'énorme coupole à *oculus* central dite « *Temple de Mercure* », qui annonce avec plus d'un siècle d'avance le *Panthéon d'Hadrien ;* qu'il s'agisse, enfin, d'un aqueduc comme le *Pont du Gard,* où le rythme majestueux des arcades en grand appareil, à peine rompu par les subtiles dissymétries qu'impose la configuration du site, transfigure l'horizon vide d'un vallon désertique en un hymne de pierre puissant et définitif.

ARCHITECTURE FUNÉRAIRE

L'État devenant, dans tout l'Empire, en la personne du souverain, le principal maître d'œuvre, l'architecture funéraire est avec celle des demeures, et plus qu'elle encore, le refuge de la fantaisie individuelle, comme elle commençait à l'être vers le milieu du siècle. Sur la voie Appienne, le grandiose *Tombeau* cylindrique *de Caecilia Metella* voisine avec les simples tombes des bourgeois de Rome, ornées en façade de leurs frustes rangées de portraits. Des monuments à élévation complexe combinent de la façon la plus imaginative divers éléments d'inspiration hellénistique : à Glanum, le *Mausolée des Iulii* superpose à un dé de maçonnerie portant un riche décor un arc tétrapyle et une *tholos* où se dressent les statues des défunts ; les sépulcres de Sarsina, en Ombrie, élèvent sur une façade à colonnes de hautes pyramides à profil concave sommées d'une urne ou d'un fleuron de pierre. Quand un Cestius se fait bâtir un tombeau à l'égyptienne, une haute pyramide revêtue de marbre dont la silhouette domine encore à Rome les environs de la Porta Ostiense, Vergilius Eurysaces, un riche boulanger, choisit d'édifier son sépulcre avec une série d'éléments cylindriques qui rappellent ces pétrins mécaniques qui ont contribué à sa fortune. Alors que les petites gens, comme les affranchis de la maison impériale, sont ensevelis dans les niches innombrables et égalitaires des columbariums, Auguste dresse pour lui-même, ses proches, ses descendants un gigantesque tombeau ; ce tambour de pierre et de maçonnerie de trois cents pieds de diamètre, à la structure interne aussi complexe que l'extérieur s'annonce massif, supporte un tertre planté d'arbres et surmonté de la statue cuirassée de l'empereur. Son nom même de « *mausolée* » donne à croire qu'Auguste se rattache ainsi, plutôt qu'aux *tumuli* étrusques et italiques, à la tradition des tombes dynastiques d'Asie Mineure, qu'il entend transférer à Rome.

STATUAIRE ET PORTRAIT

C'est encore la propagande dynastique du nouveau régime qu'il faut évoquer à propos de la sculpture, qui en est l'instrument privilégié. Et l'air de famille que la consanguinité parfois, ou le style d'une époque, mais souvent, aussi, le désir de suggérer des liens de parenté ou de fidélité, donne aux visages des proches de l'empereur en rend éventuellement l'identification difficile.

Les portraits d'Auguste rendent admirablement l'évolution du personnage et de son règne. Une *Tête d'Octave* (v. 35-30) nous montre un jeune homme affamé de pouvoir, au visage aigu, à l'expression tendue, à la fois tourmentée et froidement résolue. Quelques années plus tard, l'*Auguste de Fondi* (Naples, M. N.), imprégné d'hellénisme, unit à une vigueur énergique un romantisme mélancolique. Au déclin de son existence, la statue de la Via Labicana (Rome, M. N.) figure l'empereur en grand pontife, la tête couverte, pour un sacrifice, d'un pan de son ample toge.

Sur le visage calme et un peu las, empreint de cette beauté sereine que Suétone prête à Auguste, se lisent les épreuves subies et surmontées. Plus difficile à situer est la statue cuirassée trouvée dans la *Villa de Livie*, et dite « de *Prima Porta* » (Vatican), que certains estiment posthume. Le canon polyclétéen du Doryphore y est repris pour un Auguste cuirassé, au geste ample, aux traits à la fois impérieux et apaisés, d'où l'emprise du temps est comme effacée.

Sur les portraits des proches de l'empereur se lisent une fierté sans dédain, un calme sans froideur — sauf parfois chez les femmes : Octavie, sœur d'Auguste, ou Livie, son épouse. Une belle *Tête d'Agrippa* (Louvre), gendre et collaborateur du souverain, exprime par la robustesse du visage, par la tension des traits, par le regard résolu sous les sourcils froncés, la fermeté de cet homme de décision et d'action, tandis que le portrait d'un très jeune prince (Louvre) concilie certains procédés de la sculpture populaire (comme les oreilles « rabattues »), la fierté dynastique et le regard étonné et innocent, le modelé délicat de cette enfance dont les Romains ont toujours su rendre admirablement les particularités physiques et psychologiques.

ART DU RELIEF

« *Lorsque je regagnai Rome depuis l'Espagne et la Gaule après avoir réglé au mieux les affaires de ces provinces, sous le consulat de Tiberius Néron et de Publius Quintilius (en 13 av. J.-C.), le Sénat décida de consacrer en l'honneur de mon retour un autel de la Paix Auguste dans le champ de Mars* » écrit l'empereur dans ses *Res gestae*.

Cette *Ara Pacis Augustae*, aujourd'hui reconstituée près de son emplacement originel, est le monument le plus révélateur des tendances diverses qui inspirent sous Auguste les bas-reliefs officiels. Une enceinte de marbre de onze mètres sur dix, dont l'intérieur reproduit les palissades de bois et les lourdes guirlandes de feuillages et de fruits de l'enclos qui précéda le monument définitif, entoure un autel où une petite frise figure un défilé cérémoniel de Vestales, de desservants du culte et de victimes animales, dans un style dont l'élégance n'exclut pas certains échos de l'art « plébéien ». C'est surtout le décor extérieur de l'enceinte qui retiendra notre attention. Dans la partie inférieure, de somptueux rinceaux d'acanthes jaillis de touffes exubérantes déroulent leurs entrelacs avec un sens raffiné du rendu à la fois naturaliste et ornemental, de la symétrie et de la variation ; des cygnes, oiseaux d'Apollon, s'y ébattent. La zone supérieure est réservée à des reliefs plus ambitieux. De part et d'autre des deux entrées opposées de l'enceinte, les origines mythiques et la grandeur de Rome sont évoquées par quatre panneaux dont deux nous sont parvenus à peu près intacts. Ici, Énée sacrifie aux pénates de Lavinium, dans un paysage de collines rocheuses et boisées où se détache sa noble stature absorbée par le rite. Là, les allégories des eaux douces et marines entourent une majestueuse figure féminine portant deux enfants dans son giron, parmi des animaux paissant ou paisiblement couchés et une profusion de fleurs et de fruits : allégorie de la Terre nourricière ? de l'Italie, *fertilis frugum pecorisque Tellus* (terre fertile en moissons et en troupeaux), depuis les mers méridionales jusqu'aux lacs du Nord ? Symbole, à coup sûr, de la volonté d'Auguste de rendre à un pays déchiré et appauvri la paix et la prospérité.

Sur les deux côtés longs de l'enceinte, deux grandes frises saisissent le cortège impérial durant la halte d'une procession. Portrait de groupe plutôt que groupe de portraits, a-t-on pu dire, tant est évidente la volonté de rassembler autour de l'empereur les corps civils et religieux de l'État et la famille impériale dans sa totalité, selon l'ordre de succession au trône. Disposés sur deux plans en profondeur, les personnages remplissent entièrement le cadre assigné au relief, sans nulle ébauche de cadre topographique. L'apparente monotonie des hautes figures drapées et couronnées, la gravité de la cérémonie se tempèrent en seconde analyse de notations tendres ou malicieuses : le regard appuyé qu'échangent deux jeunes époux qui bavardent — Drusus et Antonia Minor —, invités au silence par une de leurs proches ; un petit enfant — Germanicus — comme empesé dans son habit de fête ; une fillette couvant d'un regard amusé son jeune frère qui a solidement saisi, pour se rassurer, le manteau militaire de l'adulte qui le précède. Rien de plus solennel, mais aussi de moins guindé, que ce cortège où l'empereur, centre et raison d'être de la cérémonie, n'est cependant, mêlé à la foule, entouré de licteurs et de prêtres, qu'un *primus inter pares*, désigné à l'attention par le jeu des regards. Telle est l'*Ara Pacis*, résumé de la sculpture augustéenne, où se combinent avec bonheur les courants les plus divers — pergaméniens, alexandrins, néoattiques, populaires —, où l'allégorie et la narration coexistent sans disparate.

La cuirasse de la statue d'*Auguste de Prima Porta* s'orne d'une riche symbolique sculptée. Les évocations du Ciel, de la Terre nourricière, de l'Orient, de provinces conquises, ainsi qu'Apollon et Diane, dieux favoris de l'empereur, y entourent la figuration de la rencontre au cours de laquelle Tibère, délégué par Auguste, se fit remettre par le roi des Parthes, en 20 av. J.-C., les enseignes jadis perdues lors de la défaite de Crassus à Carrhes, en 53, obtenant ainsi réparation d'une des pires humiliations du peuple romain. Ces reliefs secs et comme métalliques se greffent curieusement sur la musculature feinte de la cuirasse « anatomique », elle-même inattendue sur cette statue polyclétéenne dont la tête, par ailleurs, est un portrait : peu d'œuvres témoignent à ce point de l'éclectisme de l'art romain et de la liberté avec laquelle il s'élabore à partir de tant de modèles, de tant d'adaptations.

Une sculpture raffinée, techniquement impeccable, traduisant avec aisance dans le marbre des motifs naturalistes ou allégoriques ; des reliefs plus gauches, plus narratifs, plus propres à souligner la hiérarchie des êtres et des actions : nous avions déjà observé cette dualité dans l'*Autel de Domitius Ahenobarbus*. Elle caractérise jusqu'à l'art augustéen, si unitaire soit-il en apparence (et nous en avons signalé le reflet dans l'*Ara Pacis* elle-même). Quand tant d'« autels funéraires » — ces dés de marbre où est déposée l'urne cinéraire — se couvrent de motifs délicats rendus avec une virtuosité parfois un peu sèche mais toujours gracieuse — branchages, rinceaux, guirlandes, vases, oiseaux... —, le boulanger Eurysaces fait représenter sur son bizarre tombeau, avec une méticulosité scrupuleuse et un réalisme gauche et pittoresque, toutes les phases de la fabrication du pain. Mais plus symptomatique encore de ce dualisme est l'*Arc* de Suse. Des sculpteurs provinciaux ornent ce monument à l'architecture si élégante d'une frise dont le caractère « populaire » éclate dans la maladresse du travail, la disposition paratactique des personnages, les proportions hiérarchiques. Et le porc démesuré que l'on y mène au sacrifice, symbole de la somptuosité de l'offrande, amplifie la tendance que laissait aussi deviner, en dépit d'un contexte et d'un style radicalement différents, le majestueux taureau du suovétaurile sur l'*Autel de Domitius Ahenobarbus*.

ART ROMANO-PROVENÇAL

À Saint-Rémy-de-Provence, l'antique Glanum, c'est encore à une tout autre école que ressortissent quatre grands panneaux sculptés sur le *Mausolée des Iulii*. L'un d'eux représente un combat de cavalerie où la fougue de la mêlée et les raccourcis hardis des montures cabrées rappellent la peinture hellénistique (et l'on pense à telle fresque d'une tombe d'Alexandrie, ou à la grande mosaïque pompéienne de la *Bataille d'Issos*). Un second relief est étrangement composite. Un âpre combat opposant Grecs et Amazones est séparé par une Victoire tropaeophore d'un groupe immobile d'hommes et de femmes drapés qui écoutent un petit personnage ailé lire le récit de quelque exploit, en présence d'un dieu-fleuve majestueusement étendu. Une bataille entre Grecs et Troyens autour du cadavre de Patrocle et un relief combinant la Chasse du sanglier de Calydon et le Massacre des Niobides complètent cet ensemble, qui, avec l'abondante décoration répandue sur le mausolée, à la fois élégante et savoureuse, est typique de ce que l'on a appelé

l'art romano-provençal : un art plus influencé que ne l'est celui de l'Italie centrale à la même époque (dans les années qui suivent immédiatement Actium) par les courants esthétiques d'un hellénisme baroque — non sans quelques échos de l'art étrusque tardif —, plus tourné vers la virtuosité des effets de foule et des raccourcis. L'habileté du sculpteur s'y double du recours au procédé graphique du sillon de contour, qui ne s'imposera à Rome que bien plus tard et qui permet de dégager certains motifs du fond de ce que l'on peut presque appeler un tableau sans leur conférer aucun relief.

PEINTURE

En peinture, le second triumvirat annonçait un retour progressif du deuxième style vers des parois plus « fermées », et cette évolution se poursuit, nous l'avons vu, au début du règne d'Auguste. Le troisième style, qui apparaît à Rome vers 15 av. J.-C., accentue cette tendance et la porte à son paroxysme. Le trompe-l'œil architectural s'atténue et les colonnes, trop grêles désormais pour faire illusion, prennent, semées de nœuds et de bourgeons, un aspect vaguement végétal, ou se réduisent à des tiges élégamment structurées (d'où le nom de « style candélabre » que reçoit parfois cette peinture). Les ouvertures feintes disparaissent ou sont cantonnées dans la partie supérieure du mur. Scindée par des éléments verticaux, la paroi forme une série de panneaux pleins, aux teintes fortement contrastées (le rouge vif, le vert, le blanc, le noir prédominent), sur lesquels se détachent des simulacres de tableaux qui semblent suspendus à la paroi, posés sur des colonnettes ou portés par des figures humaines ou fantaisistes ; à moins encore que des personnages gracieux ne paraissent flotter ou voler, isolés, sur le vide de ces panneaux unis. À la charnière des deuxième et troisième styles, la décoration peinte de la villa antique de la Farnesina, complétée par des stucs délicats, se déploie dans toute la perfection d'un dessin impeccable, d'une grâce exquise et parfois un peu mièvre, d'un éclectisme qui marie un classicisme rigoureux à une extravagance de bon ton, d'une architecture feinte qui hésite entre un trompe-l'œil infaillible et une discrète métamorphose végétale. Le goût classicisant de l'époque transparaît dans la thématique et le style des pseudo-tableaux, fortement inspirés des lécythes attiques à fond blanc, tandis que l'annexion de l'Égypte provoque une vague d'égyptomanie qui multiplie dans le troisième style les motifs venus des rives du Nil, comme dans la salle isiaque, l'« Aula isiaca », d'un édifice du Palatin. Mais certaines scènes peintes d'une exceptionnelle qualité font fi de ces schémas : ainsi les *Noces Aldobrandines* (Vatican), où la gravité des attitudes, l'intensité des regards, la mélancolie des couleurs en demi-teinte traduisent l'angoisse devant le mystère de l'hyménée.

S'il faut opposer par deux exemples ténus, mais combien représentatifs, les deux styles qui successivement voient le jour au 1er s. av. J.-C., contemplons deux paons figurés dans deux pièces différentes de la *Villa d'Oplontis*. L'un, sur une fresque du deuxième style, donne par un trompe-l'œil rigoureux l'impression d'être réellement perché là, devant une longue perspective de robustes colonnes, sur cette balustrade que dissimule en partie sa queue somptueusement ocellée ; l'autre, dans un décor du troisième style, suggère la tridimensionnalité, sans conviction, par une ombre portée schématique, mais se réduit en définitive à une tache de couleur violente, sans épaisseur, posée au-dessus d'un tableautin impressionniste sur le fond jaune uni d'une paroi que de grêles tiges blanches découpent en panneaux plats.

ARTS MINEURS

C'est le propre des époques de renouveau volontariste et centralisateur que d'entraîner l'artisanat artistique dans le sillage de l'art. De fait, les arts « mineurs » de l'époque augustéenne participent aux recherches classicisantes, au goût de l'élégance et à la quête de la perfection formelle que nous ont révélés des techniques plus ambitieuses. Il en est ainsi du stuc, ce marbre fluide qui se prête à la

spontanéité de celui qui le modèle. Nous avons évoqué les stucs de la *Farnesina*. Ils esquissent avec infiniment de discrétion et de légèreté des personnages occupés à des cultes vagues, des paysages légers, vaporeux, allusifs, aux lignes à la fois fermes et évanescentes, où les feuillages délicats, les architectures translucides s'estompent sur le fond immaculé : frères, en blanc sur blanc, de la frise monochrome jaune de la *Maison de Livie*. L'argenterie, si prisée des Romains, déploie au flanc des vases des rinceaux aux enroulements parfaits peuplés d'une faune charmante, des scènes animalières gracieuses, ou, sur un gobelet du fameux *Trésor de Boscoreale* (Louvre), l'avertissement étrange et inquiétant d'une ronde de squelettes couronnés de roses, mi-comiques, mi-sinistres, qui sont ceux des sages et des poètes de l'Hellade. Nous parlerons ailleurs de la glyptique. Mais le verre, dont l'art conquiert alors une virtuosité nouvelle, s'essaie à imiter des substances plus précieuses, camées d'un blanc laiteux sur un fond bleu de nuit (comme sur le *Vase Portland*, British Museum), obsidienne d'un noir de jais incrustée de motifs égyptiens bariolés ; une technique ingénieuse pare les vases « millefiori » d'un tourbillon de couleurs chatoyantes. Habitués à la somptuosité de l'or, de l'argent et des « gemmes », les riches Romains dédaignent désormais l'argile : et cependant, il n'est pas jusqu'à la terre cuite qui ne bénéficie du renouveau de l'art décoratif. Des plaques « Campana », qui décorent les édifices, nous avons dit la stricte et gracieuse ordonnance. À Arezzo, en Toscane, et bientôt dans d'autres ateliers, des potiers fabriquent en série des vases aux formes élégantes revêtus d'un vernis corallin ; ils ornent cette céramique « sigillée » de délicats reliefs, victoires, souples danseuses, musiciennes, ménades, scènes érotiques, rinceaux. Cette poterie d'une rare beauté n'en est pas moins destinée aux humbles : rien ne saurait mieux caractériser l'unité profonde — quant au choix des motifs, au soin de la réalisation — qui imprègne cette époque dans ses manifestations artistiques les plus prestigieuses comme les plus modestes.

Tel est le « miracle augustéen », ce feu de paille qui s'éteindra en quelques décennies après avoir donné au monde romain un art devant lequel on ne peut rester indifférent, qu'on en réprouve l'artifice, imposé à un peuple dont il contrariait les tendances profondes, ou qu'on en admire sans réserve la perfection formelle et la noble élégance.

LE PREMIER SIÈCLE
DE NOTRE ÈRE

Les deux dynasties impériales qui se succèdent au long du Ier s., celles des Julio-Claudiens et des Flaviens, connaissent en matière d'histoire de l'art des évolutions assez analogues, qui à deux reprises conduisent de la pondération, tantôt classicisante, tantôt bourgeoise, de leurs premiers règnes vers les innovations, les audaces et parfois les excès d'une période baroque brève mais marquante.

Les Julio-Claudiens

Après Tibère (14-37), beau-fils d'Auguste, né dans la *gens Claudia* et devenu Julius par adoption, Caligula (37-41), Claude (41-54) et Néron (54-68) sont liés au premier empereur, par le sang ou par l'adoption, à des degrés très divers. La nécessité d'affirmer l'idée dynastique en est d'autant plus ressentie et continue à imprégner l'art officiel, comme déjà au temps d'Auguste, d'un jeu subtil d'allusions et de réminiscences.

Que de différences, toutefois, entre ces quatre empereurs, et, partant, entre les tendances artistiques qui marquent leurs règnes ! Si Tibère perpétue le classicisme du siècle d'Auguste d'une manière moins profondément ressentie, qui accentue ce qu'il pouvait parfois avoir de froideur, si le bref règne de Caligula laisse surtout le souvenir de quelques excentricités, Claude est un personnage difficile à cerner, chez qui les ridicules et les travers ne tuent pas les réalisations originales d'un esprit curieux, érudit et peu conformiste. Enfin,

Néron doit à une personnalité égocentrique, exaltée, excessive, obnubilée par l'art, de devenir en quelques années l'opprobre du peuple romain après en avoir été l'idole : il ne pouvait que laisser une empreinte profonde sur la culture de son temps.

URBANISME ET ARCHITECTURE

Avec les vastes transformations accomplies à Rome par César et par Auguste, l'Urbs est désormais pourvue de l'architecture de représentation convenant à une véritable capitale moderne. C'est pourquoi aucun de leurs successeurs directs n'éprouve le besoin d'imiter les deux premiers Césars en dotant Rome d'un nouveau forum impérial : c'est sur d'autres réalisations que portera leur effort.

Auguste, nous l'avons vu, s'était contenté, non sans quelque affectation de simplicité peut-être, d'habiter un hôtel particulier (domus) du Palatin. Il revient à Tibère d'édifier sur la même colline une véritable résidence impériale. Ce *Palais de Tibère (domus Tiberiana)* est enfoui depuis des siècles sous les jardins Farnese, dont la charmante ordonnance en a empêché l'exploration. Pour autant que l'on sache, il s'agit d'un ample quadrilatère à péristyle central, sans commune mesure avec la maison d'Auguste. Nous en connaissons surtout des annexes, en grande partie ajoutées par d'autres empereurs. Sur le versant septentrional du Palatin, dominant le Forum, se dressent d'impressionnants soubassements de brique, succession de hautes arcades, d'escaliers interminables, de pièces en enfilade. Les siècles ont conservé à ces vestiges toute leur majesté, tout en ensevelissant certains d'entre eux dans une obscurité envoûtante. Sur le flanc oriental du palais de Tibère court un de ces cryptoportiques, ou portiques souterrains éclairés par des soupiraux, dont les Romains appréciaient tant la pénombre et la fraîcheur. Des lambeaux de stucs délicats figurant des Amours suggèrent encore la grâce de sa décoration passée.

Tibère, dont la misanthropie fuit volontiers Rome, passe la seconde moitié de son règne dans l'île de Capri, où il fait édifier, pour des séjours dont la chronique a retenu surtout l'aspect scandaleux, un ensemble de villas dédiées aux douze grands dieux. La *Villa Jovis,* ou *Villa de Jupiter,* domine la pointe orientale de l'île. De la somptueuse résidence ne reste guère que l'ossature puissante et hardie en *opus incertum,* au sommet d'un à-pic plongeant vers les Faraglioni.

Une nouvelle résidence impériale édifiée à Rome par Néron trahit plus les pulsions personnelles de l'empereur que son dévouement à ses fonctions. En 64, un gigantesque incendie ravage dix des quatorze « régions » de l'Urbs, dont trois sont complètement dévastées. L'occasion est belle pour le souverain de s'approprier une partie des terrains ainsi libérés, où il va faire édifier fébrilement par les « architectes et ingénieurs » *(magistri et machinatores)* Severus et Celer une résidence d'un nouveau genre à laquelle sa somptuosité vaut le nom de *Domus aurea* (Maison Dorée) ; ni véritable palais ni hôtel particulier à proprement parler *(domus),* c'est une immense villa qui occupe peut-être avec son parc et ses dépendances une centaine d'hectares, offensant la détresse d'une Rome à moitié détruite. C'est pourquoi, si Néron lui-même se dit « enfin logé comme un homme », la rumeur publique se plaint que Rome soit devenue la demeure d'un seul. Le corps principal de cette résidence est aujourd'hui enseveli, et préservé, sous les thermes de Trajan. Sa conception d'ensemble est celle d'une villa de luxe, disposée en longueur, dont la façade, orientée vers le sud et précédée d'un portique, se creuse d'une cour semi-octogonale qui en rompt la monotonie et fait pénétrer la lumière au cœur de l'édifice. À l'ouest de cette cour, des pièces à plan relativement classique sont réparties autour d'un vaste péristyle rectangulaire dans le grand axe duquel s'ouvre une ample salle à pilastres latéraux, elle-même prolongée par un nymphée obscur dont le plafond s'orne, dans un cadre de rocaille, d'une étonnante mosaïque en pâte de verre figurant l'épisode d'Ulysse et Polyphème : saisissante mise en scène qui, le long d'un axe fortement accentué, par des espaces de plus en plus resserrés,

conduit du grand jour à la pénombre d'une grotte artificielle où luisent vaguement, dans les reflets de l'eau, les acteurs d'un drame sauvage. La partie orientale de la *Domus aurea* présente un plan différent, plus complexe et novateur. Ses pièces principales sont disposées radialement autour de la cour d'une part, et d'autre part autour d'une vaste salle octogonale qu'éclaire un large *oculus* percé dans sa coupole. Des niches, des absides, des alcôves compliquent ces pièces : disposition qui tente ici un coup d'essai avant d'atteindre la pleine maîtrise dans les constructions de Domitien *(Palais du Palatin)* et surtout d'Hadrien *(Villa Hadriana* à Tivoli).

La *Domus aurea,* comme les réalisations les plus hardies de l'époque impériale, est en maçonnerie revêtue de brique. Mais des monuments plus traditionnels continuent — et continueront pendant longtemps — à utiliser le grand appareil de pierre, et l'époque de Claude en tire un parti qui annonce une résurgence des tendances baroques. La *Porte Majeure* de Rome, aux deux baies flanquées d'amples niches à frontons et surmontée d'un triple attique porteur de monumentales inscriptions, incorpore des blocs de travertin presque bruts de carrière, dont les bossages rustiques n'ont pas été ravalés ; de même le puissant soubassement du *Temple de Claude,* commencé aussitôt après la mort de l'empereur par son épouse Agrippine, sur le mont Caelius. En ce domaine comme en d'autres que nous évoquerons ensuite, l'époque s'écarte résolument de la rigueur classique.

Les Julio-Claudiens créent, pour l'usage public, des édifices ou des aménagements remarquables et de type parfois inédit. Tibère installe le premier camp prétorien de Rome, immense casernement destiné à la garde impériale. Claude pourvoit Ostie, qui tend à supplanter Pouzzoles comme principal port italien, des installations nécessaires en lançant vers un îlot artificiel supportant un phare deux longues jetées incurvées. Le même empereur construit deux aqueducs, l'Aquia Claudia et l'Anio Novus, les plus beaux peut-être de ceux dont les arcades, par centaines, scandent les horizons de la campagne romaine ; leurs conduites pénètrent dans Rome par la *Porte Majeure*, dont elles constituent l'attique. Caligula et Néron aménagent dans la plaine du Vatican un nouveau cirque, qui s'ajoute au vénérable *Circus Maximus ;* il s'agit de terrains très longs (jusqu'à 600 m et plus), entourés de gradins et dont la piste est divisée longitudinalement par une « épine dorsale » *(spina)* terminée à ses deux extrémités par les redoutables bornes et autour de laquelle les chars disputent leurs courses ; statues, fontaines et monuments divers ornent la spina, et Caligula fait venir d'Égypte, à cette fin, l'obélisque qui se dresse aujourd'hui sur la place Saint-Pierre. Empereur philhellène, Néron dote Rome d'un vaste gymnase édifié au champ de Mars, auquel il annexe des bains, premier exemple des grands thermes impériaux.

Si Rome était périodiquement dévastée par des incendies, l'effrayant désastre de 64, précédemment évoqué, inspire à Néron le projet d'une ville nouvelle, *Nova Urbs :* non pas création de nouveaux quartiers, mais reconstruction rationnelle des quartiers détruits, selon les principes inédits que décrivent Tacite et Suétone (alignements rectifiés, hauteurs limitées, rues bordées de portiques, emploi de matériaux réfractaires, prohibition des murs mitoyens), bref, la première tentative pour discipliner l'habitat d'une ville qui avait grandi jusqu'alors de la façon la plus désordonnée.

Dans un empire devenu immense, les apports gréco-romains forment avec les traditions architecturales des diverses régions des amalgames insolites. Observons par exemple, aux confins du monde romain, dans l'oasis syrienne de Palmyre, le *Sanctuaire de Bêl*, qui se dresse au cœur d'un immense péribole de plus de deux cents mètres de côté. Ce temple ionique périptère semblerait à première vue assez banal, si son entrée ne s'ouvrait en position dissymétrique sur un de ses côtés longs, répondant ainsi à la nécessité de desservir, selon la coutume locale, deux autels d'importance inégale disposés aux deux extrémités de la *cella*, et si ses frontons n'ornaient de manière factice un toit plat que dominent quatre tours et que couronnent des merlons de type oriental.

STATUAIRE ET PORTRAIT

Les portraits des empereurs julio-claudiens évoluent en un demi-siècle d'un classicisme impassible à un baroque parfois exalté. Livie s'éteint en 29 à plus de quatre-vingts ans, après avoir fait longtemps figure de « reine mère » honorée et redoutée, et Tibère lui-même meurt presque octogénaire ; cependant leurs portraits, sculptés avec une dureté un peu métallique, ne se départissent pas d'une sérénité froide, impérieuse et comme intemporelle, qui se lit aussi, accentuée par la monumentalité de l'œuvre et par une interprétation délibérément classicisante, mais tempérée de mélancolie, dans la tête colossale dite *Junon Ludovisi* (Rome, M. N.) [représentant peut-être Antonia Minor, belle-sœur de Tibère et mère de Claude]. Si les portraits du maladif Caligula ont quelque chose d'halluciné et de glacial à la fois, ceux de Claude sont sans doute les premiers à renouer avec un réalisme sans concession qui avait, depuis Auguste, déserté les effigies officielles : le front est soucieux, les traits marqués par l'âge. Cette animation des surfaces s'affirme dans les portraits de jeunesse de Néron, tel ce beau fragment de bas-relief, au modelé délicat, au visage presque romantique conservé à Fulda (Schloss Fasanerie). Mais les portraits ultérieurs reflètent impitoyablement la dégénérescence d'un règne qui semblait pourtant s'annoncer sous d'heureux auspices. Les bustes, les monnaies ne tardent pas à reproduire un visage empâté, sommé d'une couronne de cheveux calamistrés, aux traits à la fois mous et crispés, au regard inquiétant, au cou excessivement épais. La statue colossale de l'empereur, haute de 120 pieds (près de 36 m), qui domine le vestibule de la *Domus aurea* mettra un comble à cette démesure.

Deux séries d'œuvres illustrent les tentations contradictoires du portrait romain en cette période si intéressante par ses recherches dans des directions diverses. Les grandes statues jupitériennes d'un Tibère et surtout d'un Claude portent à une sorte de paroxysme une tendance constante du portrait romain : l'union d'un corps idéalisé et d'une tête réaliste.

Le *Claude* du Vatican, à la stature athlétique, noblement drapé et couronné, tenant le sceptre, accompagné de l'aigle farouche et soumis, hésite dans son emphase inégalable entre une majesté souveraine et une exaltation artificielle. Mais l'amphigouri qui guette parfois l'art de cour épargne des portraits privés comme celui d'une jeune fille, dite *Minatia Polla* (Rome, M. N.), dont le visage plein et délicat, les bandeaux plats terminés par des boucles sagement rangées traduisent avec profondeur la grâce sérieuse.

Les empereurs rassemblent volontiers dans leurs résidences des collections de sculptures. À Sperlonga, près de Gaète, Tibère fait aménager au bord de la mer un antre profond dont il peuple les anfractuosités de reproductions en marbre de groupes statuaires hellénistiques. Dans ce décor d'une sauvagerie apprêtée, Ulysse et ses compagnons enivrent et aveuglent le monstrueux Polyphème, sont décimés par l'implacable Scylla, succombent à la furie des flots : œuvres d'une grande qualité, au pathétique puissant. De la même école procède le fameux *Laocoon*, que Néron détient dans sa Maison dorée avec quantité d'autres sculptures qu'il a acquises ou dont il a dépouillé les villes et les sanctuaires de Grèce. Si cet attrait pour les collections éclectiques n'est pas nouveau à Rome, on comprend qu'en cette époque attentive aux problèmes de l'histoire et de la théorie des arts il ait favorisé chez un Pétrone, chez un Pline l'Ancien des réflexions sur la variété des styles et la transformation des goûts.

ART DU RELIEF

Pour percevoir l'évolution du bas-relief depuis le règne d'Auguste, observons les fragments de l'*Ara Pietatis Augustae*, aujourd'hui murés dans la façade de la Villa Médicis. Cet autel voué à la piété d'Auguste et de Livie par Tibère, mais achevé en 43 par Claude, devait être dans sa structure assez semblable à l'*Ara Pacis*. Mais les scènes de sacrifice et de procession s'y déroulent sur un arrière-plan de temples aux détails minutieusement rendus, qui situe les personnages dans un cadre topographique très précis. Au pittoresque humain de l'*Ara Pacis* se substitue ainsi, ou s'ajoute, un pittoresque du paysage urbain qui est une nouveauté dans le relief romain et que nous retrouverons souvent dans les périodes suivantes. Les personnages eux-mêmes, leurs visages, leurs toges, sont parcourus de vibrations qui contrastent avec le traitement plus lisse de la grande procession de l'*Ara Pacis*. Le même traitement des surfaces caractérise un grand panneau sculpté du Louvre représentant un *Suovétaurile*. Les pelages des victimes, les plis des toges sont animés d'un ondoiement subtil, et l'attitude gracieuse et comme maniérée de l'officiant tempère d'une note presque affétée la gravité de la scène. Ces reliefs, les bossages de l'architecture claudienne, l'inquiétude des portraits de Claude et, nous le verrons, les panneaux pittoresques de cette époque, tout cela confère à l'art du milieu du Ier s. une tonalité particulière, où commence à se dissoudre l'impassibilité classicisante qui était un des legs du siècle d'Auguste. Mais celle-ci apparaît encore, quoique voilée de mélancolie, sur un fragment de Ravenne (musée San Vitale) figurant dans un style presque hiératique quatre personnages de la famille impériale, dont Auguste lui-même dans une pose jupitérienne : des copies de statues, semble-t-il, transcrites en haut relief.

Transplanté dans les provinces, l'art officiel y connaît d'intéressantes mutations. L'*Arc d'Orange*, érigé sous Tibère, s'orne de tapisseries de pierre où s'accumulent armes gauloises et trophées navals : des signatures aux consonances celtiques y attestent le rôle des artistes locaux (mais certains y verraient plutôt des copies de marques d'armuriers), tandis que l'emploi des sillons de contour rappelle le *Mausolée des Iulii* à Glanum. Plus proches encore de ce dernier sont les grands panneaux du curieux attique double, où fantassins et cavaliers s'affrontent en une mêlée furieuse, héritière, dans sa virtuosité, des recherches spatiales de la peinture hellénistique. À Mayence, des civils établis aux abords du camp militaire romain élèvent en l'honneur de Néron une colonne historiée surmontée d'une statue de Jupiter : là encore ce sont des artistes provinciaux qui y figurent des divinités sur cinq zones de reliefs superposées, en un style classicisant non exempt de gaucherie. Nous avons déjà reconnu sur l'*Arc de Suse*, nous observerons encore (à Adamklissi par exemple) ce recours à des sculpteurs locaux pour la décoration de monuments officiels, qui est une constante de l'art romain.

C'est, au fond, une problématique assez analogue que pose, à Rome même et en Italie, l'adaptation de l'art populaire à de nouveaux genres de commandes. Cet art populaire, dit aussi art « plébéien » pour souligner la part qu'y prend la petite bourgeoisie italienne, n'a cessé depuis le siècle précédent de produire des œuvres auxquelles, après un long dédain, on reconnaît aujourd'hui un grand intérêt. Vers l'époque césarienne, une scène de funérailles d'Amiterne, en Sabine, représente, autour du catafalque porté par huit hommes, le cortège des musiciens, des pleureuses, de la famille affligée, des serviteurs. Étagement en hauteur des différents plans, maladresses d'exécution, souci du détail, proportions hiérarchiques, elle résume ces caractéristiques de l'art plébéien, qu'il partage avec la peinture « triomphale ». Vers 40, à Chieti — toujours dans l'Italie « profonde » —, le notable Caius Lusius Storax apparaît sur sa tombe dans toute la dignité de sa fonction de magistrat, et pour ainsi dire en majesté, offrant à ses compatriotes largesses en espèces et coûteux combats de gladiateurs, entouré d'une foule de collègues et de comparses qui lui est iconographiquement subordonnée. Tout un petit monde d'artisans et de commerçants — couteliers et forgerons, marchands de tissus ou de volailles — se fait représenter dans son atelier ou sa boutique. Mais il arrive que les modestes artistes habitués à ces thèmes soient requis pour célébrer les responsables du culte impérial officiant dans chacun des quartiers *(vici)* de Rome. On trouve alors sur les autels ou les frises commandés par ces *vicomagistri*, appliquées à des défilés cérémoniels ou à des sacrifices qui en soi rappellent l'*Ara Pacis* ou le *Suovétaurile* du Louvre, les gaucheries de proportions

ou les maladresses de mise en page, et les qualités de saveur et de pittoresque, de l'art plébéien privé.

Deux autres courants irriguent encore le relief julio-claudien, si diversifié. La production des cippes funéraires, déjà florissante sous Auguste, continue avec ses autels de marbre couverts de motifs à la fois symboliques et gracieux adroitement ciselés. La coutume des reliefs « pittoresques » se perpétue également, mais sans la riche signification symbolique qu'offraient par exemple les panneaux du petit côté de l'*Ara Pacis*. Sur les *Reliefs* dits *Grimani* (K. M. de Vienne) [époque de Tibère ou de Claude], des femelles d'animaux domestiques ou sauvages cajolent leurs petits, dans un paysage accidenté agrémenté d'arbres noueux. Les pelages, les rochers, les troncs tourmentés, les feuillages délicats, qui rappellent l'art alexandrin, satisfont le goût presque tactile pour les substances exactement rendues et les superficies rugueuses qui s'affirme dans le courant du Ier s. Le même esprit à la fois familier et raffiné inspire un relief où un paysan lourdement chargé, conduisant sa vache, passe devant un sanctuaire rustique.

PEINTURE

Le troisième style de la peinture, tel que nous l'avons défini à propos du siècle d'Auguste, triomphe maintenant en Italie et dans les provinces : à Pompéi, il caractérise les deux premiers tiers du Ier s. Mais la *Maison Dorée* de Néron voit l'apparition d'une nouvelle mode picturale. Ce « quatrième style » représente en un certain sens un retour aux traits dominants du deuxième style : ouverture, projection de colonnes en avant de la paroi, lointains simulés. Mais les architectures feintes y sont peu vraisemblables, et, si leurs colonnes s'alignent en longues perspectives, elles gardent la gracilité et l'aspect plus décoratif que structural qu'avait introduits l'art augustéen. Elles règnent dans la partie supérieure des parois, agrémentées de fausses balustrades, peuplées de personnages dont les proportions diverses égarent le spectateur et le font hésiter sans fin entre mille trompe-l'œil également possibles. Dans la zone principale des murs, en revanche, elles se réduisent à quelques échappées séparant des panneaux monochromes ornés des tableautins impressionnistes et des figures « flottantes » dont l'époque précédente avait répandu le goût. Ce style s'imposera dans les villes vésuviennes lors des réfections exigées par un grave tremblement de terre survenu en 62. Il atteindra, dans une fresque fameuse d'Herculanum, un paroxysme de fantaisie qui ouvre la paroi sur un au-delà moins poétique ou monumental que franchement théâtral, peuplé de masques, de rideaux et de scénographies irréelles. À Pompéi, dans la maison de Pinarius Cerialis, une scène de l'Iphigénie en Tauride se déroule dans un cadre architectural désormais mué en un véritable décor de théâtre.

ARTS MINEURS

La première moitié du Ier s. nous a légué dans les arts mineurs quelques œuvres remarquables, variantes en réduction des bas-reliefs monumentaux. C'est une grande époque de la glyptique, ou ciselure sur pierres dures. Le plus beau camée romain, la *Gemma Augustea* (Vienne, K. M.) date de Tibère ou de la fin du règne d'Auguste. Ce sardonyx à deux couches, où motifs et personnages d'un blanc laiteux se détachent sur un fond sombre et doucement luisant, est un chef-d'œuvre de ciselure, de mise en page, de dessin, d'une froideur apaisée et harmonieuse. Entouré de figures allégoriques, Auguste accueille Tibère triomphant ; le registre inférieur évoque le succès des armes romaines, la douleur et l'abaissement des Barbares vaincus. Plus grand, moins parfait, mais emporté par un mouvement plus tourbillonnant, le *Grand Camée de France* (Paris, B. N.), un sardonyx à cinq couches, pourrait dater du règne de Caligula. Ses trois registres célèbrent l'apothéose d'Auguste, la domination terrestre de Tibère et l'enfer de malheur où sont plongés les vaincus. Tibère y transmet symboliquement le pouvoir à Caligula, comme lui-même le recevait d'Auguste dans la *Gemma Augustea* : art dynastique et programmatique par excellence,

comme le sont une série de gemmes de moindre taille ornées des profils des princes et princesses de la maison impériale.

Ce sont aussi de véritables bas-reliefs historiques en miniature qui ornent deux gobelets d'argent du *Trésor de Boscoreale* (autref. Paris, coll. Ed. de Rothschild ; auj. perdus), à peu près contemporains de la *Gemma Augustea*. Un taureau immolé devant un temple, et maintenu à terre par un puissant mouvement de torsion, est le centre d'une convergence dramatique des regards. La *Clémence d'Auguste* semble préfigurer, par l'agenouillement des Barbares présentant leurs enfants à l'empereur, l'offrande des Rois mages. Ailleurs, Auguste, maître de l'univers, trône dans une position isolée, axiale, surélevée et presque frontale, très exceptionnelle à cette époque : il y a dans cette scène minuscule et imposante les prémices les plus précoces de l'Antiquité tardive.

La « basilique pythagoricienne de la Porte Majeure », à Rome, salle souterraine à trois nefs et à abside creusée dans le tuf, a peut-être été le siège d'une secte mystique. La voûte centrale, le cul-de-four de l'abside sont décorés de stucs remarquables rythmés en nombreux panneaux quadrangulaires que peuplent épisodes mythologiques, figurations de sacrifices, personnages grotesques. Dans l'abside s'impose au regard le *Suicide de Sappho :* du haut d'une roche, la poétesse se précipite dans la mer, tandis qu'Apollon s'apprête à l'accueillir. Ces stucs énigmatiques se différencient de ceux de la *Farnesina* par leur insertion dans un schéma décoratif strict, par un dessin plus inégal, par un relief moins évanescent, plus substantiel, qui rappelle la sculpture sur pierre de ce deuxième quart du Ier s.

Les Flaviens

Vespasien (69-79), qui accède au pouvoir suprême après l'année de troubles sanglants qui suit la mort de Néron, est un empereur de souche bourgeoise. Commencée avec lui, puis avec Titus (79-81) sous les auspices d'une monarchie débonnaire, cette dynastie des Flaviens ne tarde pas à susciter en Domitien (81-96) un tyran détesté — mais qui engage l'architecture et les arts plastiques sur des voies nouvelles et fécondes. Au regard de l'histoire de l'art, le bref règne de Nerva (96-98) s'inscrit dans la lignée de celui de Domitien.

URBANISME ET ARCHITECTURE

Pour la première fois depuis Auguste, Vespasien dote Rome d'un nouveau forum impérial. On connaît assez mal ce *Forum Vespasiani*, grand péristyle de plan très classique axé sur un temple de la Paix. Vespasien y met à la disposition du peuple romain les œuvres d'art de toutes provenances que Néron avait en quelque sorte confisquées pour en orner sa *Maison Dorée*. Sur l'aire étroite et allongée, la seule disponible désormais, qui sépare les forums d'Auguste et de Vespasien et fait communiquer le vieux Forum avec le quartier populeux de Subure, Domitien crée à son tour le *Forum Transitorium*, dit aussi *Forum de Nerva*. On y observe l'habileté des architectes romains à tirer le meilleur parti d'un terrain défavorable. Ce qui pourrait n'être guère plus qu'un passage resserré prend en effet l'aspect d'une longue place à portiques latéraux conduisant à un temple dédié à Minerve, divinité tutélaire de Domitien. Mais les portiques sont ici simulés au moyen de colonnes alignées à très faible distance des murs latéraux de la place, auxquels les unissent des retours d'architrave.

À l'emplacement d'un étang du parc de la *Maison Dorée*, Titus inaugure en 80 l'*Amphithéâtre Flavien*, notre *Colisée*, que devait terminer Domitien. Les amphithéâtres, édifices elliptiques dont les gradins entourent une arène destinée aux spectacles de gladiateurs et de bestiaires, avaient suivi une évolution assez semblable à celle des théâtres, à ceci près qu'ils n'avaient pas d'antécédents helléniques et constituaient une innovation typiquement italienne. Les plus anciens, comme celui de Pompéi, sont en partie creusés, en partie constitués d'un remblai ; leurs escaliers sont extérieurs, et leurs structures internes réduites à quelques galeries tra-versant l'amas de terre. Le *Colisée* représente en revanche l'aboutissement d'une évolution vers des édifices plus complexes, plus structurés. Extérieurement, l'immense ellipse (188 m sur 156) s'élève sur quatre niveaux dont les trois premiers, percés chacun de 80 baies, s'ornent de colonnes engagées présentant la succession désormais canonique des ordres toscan, ionique et corinthien ; un attique haut et massif à pilastres corinthiens couronne et équilibre puissamment l'édifice. L'intérieur de cette masse gigantesque, dont d'interminables saccages n'ont pu venir à bout, est un enchevêtrement ordonné de galeries concentriques et d'escaliers radiaux assurant l'écoulement d'une foule évaluée à 50 000 personnes. La maîtrise des architectes romains s'y manifeste aussi dans l'emploi différencié des matériaux, maçonnerie, brique, tuf, travertin, marbre ; d'impressionnantes fondations ancrent l'ensemble au tréfonds d'un sol médiocrement stable ; sous l'arène, un réseau complexe de couloirs et de salles abrite les « services » nécessaires aux jeux ; un immense *velum* protège les gradins de l'ardeur du soleil. Telles sont aussi, dans leurs grandes lignes, les caractéristiques des principaux amphithéâtres de l'Empire entre le Ier et le IIIe s. à Capoue et à Pouzzoles, à Vérone et à Pola, à Arles et à Nîmes, à Thysdrus-el-Djem.

Sur le Palatin, Domitien bâtit une nouvelle demeure impériale, qui vaut définitivement à ce genre d'édifices son nom de « palais », du nom de la colline (*Palatium*), qui s'affirme ainsi comme la résidence des souverains. Les appartements privés *(Domus Augustana)* y sont désormais clairement séparés des appartements officiels *(Domus Flavia)*. Les premiers s'étagent sur plusieurs niveaux le long du versant méridional du Palatin, en un jeu complexe de salles et de patios. La *Domus Flavia* s'ordonne autour d'une grande cour que décore un bassin octogonal. Au centre de l'aile nord s'élève une impressionnante salle du trône, l'*Aula regia*, où dans une abside siège en majesté le dieu vivant (Domitien est le premier empereur à se faire appeler *dominus et deus*). Le mode de couverture — voûte ou charpente — de cette salle de plus de trente mètres de large est une des énigmes de l'architecture romaine. Dans la « basilique » voisine, deux files de colonnes légèrement détachées des murs créent l'illusion de deux nefs latérales, amplifiant ainsi l'espace réel, en une disposition qui rappelle le *Forum Transitorium*. Au sud de la cour centrale, un immense *triclinium* (salle de banquets) s'ouvre de part et d'autre sur deux nymphées aux parois incurvées creusées de niches, ornés de fontaines de marbre ovales à indentations complexes. Le même jeu de courbes et de contre-courbes caractérise la suite de petites salles qui, à l'ouest de la cour, relie les deux ailes principales. Conçu par l'architecte Rabirius en fonction d'un cérémonial nouveau dont les fastes se déroulent désormais dans des espaces intérieurs étincelants de marbre plutôt qu'au grand jour des places publiques, le palais de Domitien marque ainsi dans l'architecture mixtiligne une nouvelle étape sur la voie d'une maîtrise et d'une virtuosité déjà perceptibles dans la *Maison Dorée.*

Ces innovations trouvent habituellement leurs bancs d'essai dans les résidences — et notamment dans celle de l'empereur, pour peu que celui-ci soit ouvert à ce qui est inédit — et dans les thermes : ceux que Titus bâtit sur le versant méridional de l'Esquilin réalisent à cet égard un progrès sensible dans l'élaboration de ce qui sera le plan type des grands bains impériaux. En revanche, comme souvent dans le monde romain, l'architecture sacrée modère ses audaces ou les déploie dans le gigantisme de constructions dont la conception reste par ailleurs assez traditionnelle. À Brescia, le noble ensemble du *Capitole* déploie autour d'un temple à plan barlong ses colonnades et ses terrasses, qui dominent scénographiquement le forum. Sous Néron peut-être déjà, sous les Flaviens au plus tard, est achevé à Baalbek le *Temple de Jupiter Héliopolitain ;* les six gigantesques colonnes qui se dressent encore sur son podium haut de quatorze mètres laissent une indicible impression de grandeur. Revenons à Rome pour y observer un cas remarquable de continuité urbanistique : coulée dans un moule antique, l'illustre *Piazza Navona,* tracée sur l'emplacement du stade que Domitien aménagea au champ de Mars, en reproduit le plan allongé à extrémité incurvée.

À Pompéi, l'épouvantable éruption de 79 a figé pour l'éternité une petite ville de province dont les ruines prodigieusement vivantes nous font accéder de plain-pied à certains aspects, certes partiels, de la civilisation antique. Si la demeure particulière pompéienne, la *domus,* diffère profondément des « grands ensembles » locatifs qui prolifèrent dans l'Urbs, elle n'en résume pas moins les traits profondément originaux de la maison romaine traditionnelle. Dès le IIe s. av. J.-C., celle-ci s'est constituée par bourgeonnements successifs autour de l'ancien *atrium* au toit partiellement ouvert, au centre duquel un bassin recueillait les eaux de pluie, du *tablinum,* où le maître des lieux recevait l'hommage de ses « clients », ou hommes liges, des *alae,* où étaient vénérées les images des ancêtres. Dans la partie postérieure de la demeure s'étend désormais un péristyle entouré de salles plus vastes et plus luxueuses que les pièces exiguës et sombres de la maison primitive. Certaines domus, comme la *Maison du Faune,* prennent alors les proportions d'un véritable palais hellénistique. Les caractéristiques fondamentales n'en demeurent pas moins, qui rendent la maison romaine si singulière et, à certains égards, si séduisante. C'est, d'abord, sa fermeture sur l'extérieur, dont la séparent des murs opaques ou des rangées de boutiques, son ouverture sur des cours intérieures, atrium et péristyle ; c'est, se combinant paradoxalement avec le trait précédent, l'axialité de sa partie publique, que le regard, depuis la rue, peut prendre en enfilade du vestibule au tablinum à travers l'atrium centré, par contraste avec une partie privée jalousement préservée ; c'est aussi, et peut-être surtout, l'atmosphère étrange d'une demeure à la fois intime et ouverte aux intempéries, où voisinent une pénombre mystérieuse et des espaces directement exposés à la lumière du ciel ; c'est, enfin, le charme de jardins secrets plantés avec amour, où le reflet des fontaines anime des mosaïques aux couleurs vives, où luit le marbre des bassins, des tables, des statues et des *oscilla* — ces disques ou panneaux sculptés suspendus au gré des brises. À l'opposé de la domus urbaine tradition-nelle repliée sur elle-même, la *villa* des campagnes et des bords de mer se déploie largement vers le soleil et le paysage, imitée en cela par des maisons d'un nouveau genre construites à la périphérie des villes ou dans les hauts quartiers et qui mettent cette situation à profit pour s'ouvrir vers l'extérieur.

STATUAIRE ET PORTRAIT

Si la sculpture en ronde bosse de l'époque flavienne crée d'intéressantes statues de divinités comme l'*Hercule* et le *Bacchus* colossaux de basalte vert (Parme, Palazzo della Pilotta) qui ornaient l'*Aula regia* du palais de Domitien, comme le *Mars* de marbre du *Forum de Nerva*, puissant, débonnaire et surchargé d'orne-ments, ou comme la *Victoire* de bronze de Brescia, ce sont une fois encore les portraits qui nous séduisent le plus. Ja-mais peut-être n'est apparue avec autant de clarté que sous Vespasien la différence entre des portraits « auliques » où les traces de l'âge et les particularités physio-nomiques s'estompent sous une impé-rieuse et intemporelle sérénité et des effigies « privées » d'une sincérité totale. La tête extraordinairement massive de l'empereur, chauve et sillonnée de rides, s'éclaire alors d'une expression réfléchie et rusée, résolue, bienveillante et paisible : de la même façon que le portrait de bronze d'un bourgeois de Pompéi, *Lucius Caecilius Jucundus* (Naples, M. N.), ne nous laisse rien ignorer ni de son énorme verrue ni de son astuce amusée et quelque peu retorse. Une célèbre *Statue de Titus* (Vatican) offre un contraste saisissant entre la majesté de l'ample toge aux plis étudiés et la tête carrée au modelé puis-sant, semblable à celle d'un Vespasien plus jeune : impression mêlée que nous éprouvions aussi, pour des raisons diffé-rentes mais au fond analogues, devant les bustes de Pompée. Dans les portraits de Domitien, le nouveau Néron, au front buté sous les boucles calamistrées, à la bouche inquiétante, à la fois charnue et mince, se fait jour une exaltation tyranni-que mêlée de romantisme blasé. Le visage lisse et fin des dames flaviennes contraste avec leur coiffure dressée en éventail, dont les boucles savamment fouillées accro-chent des ombres.

ART DU RELIEF

Quatre séries de reliefs illustrent la diversité de cet art du portrait sous les Flaviens, et notamment sous Domitien. L'architrave des colonnades latérales du *Forum de Nerva* s'orne d'une frise sculptée célébrant Minerve, à laquelle est dédié le temple voisin, par un cycle de légendes dont les personnages trapus, en fort relief, disposés paratactiquement, occupés à des tâches artisanales, évoquent l'art plébéien, comme souvent sur les décors annexes des monuments officiels. Les *Reliefs* dits *de la Chancellerie* (Vatican) sont deux longs panneaux de marbre : l'un d'eux repré-sente Vespasien rentrant dans sa capitale en 70 après sa victoire sur les Juifs, accueilli par Domitien, son fils et futur successeur ; l'autre, un départ en cam-pagne de Domitien, dont la tête a été retouchée en Nerva après que sa mémoire eut été condamnée. Sur un fond neutre, les divinités et les allégories — Mars, Minerve, Rome, la Victoire, les génies du Sénat et du Peuple — y côtoient les humains — princes, vestales, licteurs, prétoriens — en une intimité rarement poussée à ce point dans l'iconographie romaine. L'ensemble est correct, froid, académique, non sans, ici ou là, dans les ornements d'un casque, dans le pied nu d'une Victoire envolée, quelque touche de baroque ou de grâce.

Au sommet de la Voie Sacrée, Domitien élève en l'honneur de son frère Titus un *Arc de triomphe* d'une rare élégance. Son attique, qu'occupe seulement une inscrip-tion monumentale, met en évidence le caractère ornemental des majestueuses lettres capitales latines. Sous l'unique baie, deux reliefs commémorent le triom-phe célébré en 71 par Titus (et par Vespasien) après la prise et la destruction de Jérusalem par les armées romaines. Titus s'avance sur son quadrige, couronné par une Victoire, précédé par Rome (ou par la Vaillance), entouré de licteurs ; portant le butin du temple de Jérusalem — chandelier à sept branches, trompettes d'argent —, des soldats défilent avant de s'éloigner sous un arc de triomphe. Ces panneaux infléchissent l'art du relief officiel vers des directions nouvelles. D'étonnantes distorsions spatiales imposent violemment la majesté du char triomphal ; bien que saisis de profil, les quatre chevaux, magnifiques animaux robustes et fougueux, sont échelonnés horizontalement, tandis que le triomphateur, dominant la foule, est figuré en position frontale : surélévation, frontalité, isolement qui rappellent le nouveau rituel de cour introduit par Domitien et qui, ne trouvant guère de précédent que dans l'Auguste trônant en majesté d'un des gobelets d'argent de Boscoreale, devront attendre plus d'un siècle encore pour devenir la règle. Mais ici, la dissymétrie de la composition, la spontanéité qui anime les comparses et agite les faisceaux des licteurs évitent à la solennité de tourner au hiératisme. Quant au défilé de la troupe, on y retrouve le cadre architectural et le modelé frémissant qu'annonçait déjà l'*Ara Pietatis* ; s'y ajoute, au-dessus des personnages, la présence presque physique de l'air dans lequel ils se meuvent, rendue sensible par les pièces du butin et par les pancartes commémorant des faits d'armes, brandies dans un désordre qui est la vie même. Cette suggestion de l'atmosphère qui enveloppe les protagonistes, que la peinture avait réalisée depuis longtemps (on se rappelle que la mosaïque de la bataille d'Alexandre s'en faisait l'écho), le relief la réalise à son tour. Et surtout, les soldats surgissent sur notre gauche et défilent devant nous, portés par un élan qui les entraîne dans une marche rapide, avant de disparaître sous l'arc qui s'ouvre à droite et semble les happer. Maîtrise d'un espace, maîtrise du mouvement : le second panneau de l'*Arc de Titus* est un moment capital de l'art du relief, et nous sommes là aux antipodes de ces *Panneaux de la Chancellerie* qui leur sont contemporains. N'oublions pas cependant, tant il est vrai que les appréciations que nous portons en ce

domaine doivent être pondérées par des considérations extrinsèques aux œuvres mêmes, que les *Panneaux de la Chancellerie* n'ont jamais été mis en place et doivent peut-être une partie de leur froideur à leur état de conservation impeccable, tandis que les siècles ont donné leur patine aux scènes du triomphe de Titus et accentué leur vibration, et que nous voyons encore ces dernières sous cette voûte deux fois millénaire de l'arc, dans la lumière changeante pour laquelle elles furent conçues et qui leur confère tant de vie.

Dans les dernières années du siècle, l'entrepreneur de travaux publics Haterius édifie à Rome, pour lui-même et sa famille, un tombeau que décorent de nombreuses sculptures. Ce sont les bustes d'adultes au visage simple et sérieux, d'un très jeune enfant à la tête poupine ; des pilastres qu'ornent des rosiers exubérants ; et surtout des panneaux en bas relief d'un puissant intérêt documentaire. L'un d'eux représente des édifices publics de Rome — le *Colisée*, l'*Arc de Titus*, d'autres encore — à la construction desquels Haterius a pu prendre part. Le plus connu évoque pêle-mêle la profession du défunt et des motifs funéraires : grue actionnée par des hommes qui font tourner un tambour, enclos renfermant un autel allumé, tombeau surchargé de sculptures, chapelle de Vénus défunte ou mourante, étendue sur sa couche, près de laquelle jouent des enfants surveillés par une vieille nourrice accablée. L'étagement en hauteur des plans, les disproportions, l'accumulation des détails précis et pittoresques font de cette œuvre étonnante un des documents les plus significatifs de l'art plébéien.

MOSAÏQUE ET PEINTURE

La mosaïque reste au Ier s. trop inféodée à des modèles picturaux, ou trop confinée dans des motifs purement ornementaux, pour être considérée déjà comme la forme artistique autonome qu'elle ne tardera pas à devenir. Une nouveauté se répand toutefois, promise à un brillant avenir : la mosaïque de paroi ou de voûte, qui, n'étant pas soumise aux impératifs de solidité des pavements, utilise des tesselles de verre aux couleurs jusqu'alors inédites, bleues, vert vif, jaunes, dorées, rouge éclatant. Une mosaïque pariétale d'Herculanum figure Neptune et Amphitrite sous une conque chatoyante ; dans les jardins de Pompéi, les fontaines s'agrémentent de motifs aux teintes vives que rehaussent des rangées de coquillages ; à la voûte d'un nymphée de la *Domus aurea*, déjà mentionné, les figures d'Ulysse et Polyphème évoquent des statues de bronze par leurs larges touches brunes et verdâtres, par leurs « lumières » violentes.

Mais le Ier s. de notre ère est surtout, à l'égal de celui qui le précède, une grande époque de la peinture romaine. Nous avons décrit antérieurement les « styles » de la décoration pariétale, c'est-à-dire la structure des parois décorées. Cet aspect, si fondamental dans la peinture romaine, ne doit pas faire oublier l'infinie variété des « tableaux » ou des représentations figurées qui font de cet art un univers fascinant. Laissons le problème de ses origines helléniques : car si beaucoup de ces œuvres remontent effectivement à des archétypes grecs, il reste qu'elles sont dues à des artistes italiens, ou assimilés par l'Empire ; qu'elles ornent les maisons où vivaient les Romains ; que, plus profondément, beaucoup d'entre elles sont des créations, ou des re-créations, de l'époque ; que presque toutes, enfin, correspondent à des sentiments profonds de ceux qui les contemplent.

Ce sont, d'abord, des scènes à sujets mythologiques empreintes d'une grandeur et souvent d'une mélancolie qu'expriment les nobles attitudes, les regards sérieux, rêveurs, comme fixés sur des visions d'un autre monde, ou angoissés par l'atrocité du destin. Hercule contemplant le jeune Télèphe, Achille recevant l'enseignement du centaure Chiron, Médée méditant le meurtre de ses fils, le sacrifice d'Iphigénie, les enfants arrachés au Minotaure se prosternant aux pieds de Thésée, comme absent après le péril affronté, sont de celles-là : tableaux graves ou tourmentés, inoubliables. Il arrive aussi que la mythologie se fasse galante *(Persée délivrant Andromède)*, tendrement amusée (l'*Amour puni*), qu'elle devienne le prétexte d'un paysage à la lumière admirable (la *Chute d'Icare*) ; que la maladresse du peintre confère aux dieux une saveur populaire et presque comique (l'*Enfance de Dionysos*) ; que des croyances étrangères suscitent des parodies irrespectueuses, comme ce *Jugement de Salomon* dont les protagonistes sont des sortes de pygmées bouffons issus du répertoire nilotique. Les scènes les plus grandioses, les plus dramatiques s'éclairent parfois de notations idylliques (la *Biche nourricière de Télèphe*), amusées (le satyre railleur du même tableau) ou familières (la foule qui découvre avec effarement le cadavre du Minotaure). Inversement, des épisodes réalistes sécrètent un noble mystère, comme cet acteur tragique absorbé dans la contemplation presque angoissée du masque avec lequel il va entrer en scène et se pénétrant de son rôle. Le dépaysement, l'évasion semblent les maîtres mots de cet art lorsqu'il décore l'intérieur des demeures, par contraste avec les enseignes explicites et naïves des façades. Mais il arrive que la vie quotidienne, la chronique locale, les paysages de Campanie soient évoqués tantôt avec la minutie tatillonne — si intéressante pour nous ! — de la peinture triomphale (une rixe dans l'amphithéâtre de Pompéi), tantôt par une transfiguration fantastique (sur les pentes d'un Vésuve couvert de vignes, un Bacchus au corps formé d'une énorme grappe). Un boulanger à son éventaire vend ses pains dorés aux clients qui se pressent, mais, sur une frise délicate de la *Maison des Vettii*, ce sont de petits Amours qui s'acquittent avec application de tâches artisanales. Un autre boulanger, Paquius Proculus, se fait portraiturer en compagnie de son épouse dans une pose digne et figée qui évoque les photographies d'antan. Tandis qu'à Stabies, une série de visages et de masques sont rendus par touches fougueuses et impressionnistes : leurs yeux sont des trous d'ombre où s'accroche parfois une lueur fulgurante. L'énigmatique *Primavera* de Stabies (Naples, M. N.), cueillant une fleur d'un geste délicat, s'éloigne de nous en emportant son mystère. En quelques coups de pinceau, ou par touches appliquées, des natures mortes évoquent fruits, gibiers, corbeilles et ces vases de verre dont les reflets fascinent les peintres. Des parois complexes — dans une villa de Stabies, aux thermes de Pompéi — combinent les teintes de la fresque et les reliefs du stuc.

Mais les motifs les plus séduisants peut-être, ceux qui expriment le plus intensément la vision intérieure des artistes italiens, ce sont les paysages : pochades esquissant un navire près d'une côte, sur fond de villas à portiques ; et surtout les « paysages sacrés » : un ou deux arbres noueux au feuillage exubérant, quelques rochers, le reflet d'une mare, une colonne votive ou une simple chapelle qu'animent un personnage ébauchant un geste d'adoration, un pâtre contemplant pensivement son troupeau... Dans une nature hantée par les dieux, Pâris solitaire surveille ses animaux épars sur le mont Ida, que le soir empourpre ; sous le mystère d'un ciel plombé traversé de lueurs étranges, un berger couronné conduit au sacrifice un bouc aux cornes majestueuses qu'il pousse vers un sanctuaire rustique.

Tels sont quelques-uns des multiples aspects de la peinture du Ier s., cet univers de fantaisie et de gravité, de couleurs joyeuses, sombres ou apaisées, de réalisme terre à terre ou d'envolées grandioses, si différent de ce que nous révèle habituellement la sculpture et qui en est comme le complément ou l'envers, tantôt plus précis et tantôt, surtout, plus ouvert sur le rêve.

L'art romain accomplit en ce siècle une évolution qui le conduit progressivement vers la pleine domination de ses moyens. Les modèles étrangers, et notamment helléniques, ont été essayés tour à tour, imités, filtrés, laissant l'acquis d'un savoir-faire impeccable, d'un répertoire inépuisable d'images, d'une riche symbolique ; les empereurs ont imposé par leurs commandes et leurs directives des exigences et des orientations nouvelles ; sans renier son originalité, l'art plébéien a mieux assuré sa technique. Le moment est ainsi venu d'une fusion plus intime de ces éléments si divers.

LE DEUXIÈME SIÈCLE DE NOTRE ÈRE

PENDANT PRESQUE UN SIÈCLE, ROME peut jouir de la paix civile que lui vaut un nouveau mode de désignation des empereurs : l'adoption hors de la famille proche. Nerva a inauguré cette pratique en adoptant Trajan. À leur tour, Hadrien, Antonin le Pieux, Marc Aurèle et Lucius Verus sont choisis par leurs prédécesseurs comme les plus dignes d'exercer le pouvoir. Le seul souverain de cette dynastie d'un type particulier qui ait accédé au trône par filiation, Commode, en marque aussi le terme.

D'autre part cette époque où pour la première fois, en la personne de Trajan, un provincial devient empereur, voit s'instaurer un nouvel équilibre entre les provinces et une Italie qui perd peu à peu sa prééminence au sein de l'Empire, pour l'art comme pour l'économie.

Trajan

Originaire d'Italica, près de Séville, Trajan (98-117) a laissé à la postérité le souvenir du prince par excellence, *optimus princeps*. Ce grand soldat, qui étend l'Empire jusqu'à des limites qui en marquent l'apogée, est aussi un homme simple, intègre, dévoué au bien de ses sujets, soucieux de relancer une économie qui s'essouffle. L'art de Rome en reçoit une coloration nouvelle, après les tendances baroques qui s'étaient fait jour sous Domitien. Il est dans la logique d'un tel règne que ses réalisations les plus marquantes en architecture et en urbanisme célèbrent la grandeur de Rome et du souverain ou améliorent les infrastructures de l'Italie et des provinces. À Rome même, deux grands ensembles, profondément unitaires malgré leurs différences, illustrent exemplairement cette double préoccupation.

URBANISME ET ARCHITECTURE

Le *Forum de Trajan* est le dernier, mais aussi le plus vaste, le plus monumental, des cinq forums impériaux qui, depuis César, ont introduit au cœur de Rome un nouvel urbanisme. Faute de terrain disponible, Trajan doit créer une esplanade artificielle en rasant, au prix de travaux considérables, une colline qui réunissait le Capitole et le Quirinal. Un grand arc à trois baies donne accès à une place à portiques latéraux au centre de laquelle se dresse une statue équestre colossale de l'empereur. Au fond de la place, l'immense *Basilica Ulpia* déploie transversalement ses cinq nefs, prolongées aux deux extrémités par des absides à niche centrale. Derrière la basilique, deux bibliothèques, grecque et latine, encadrent une petite place où se dresse la *Colonne Trajane*. Au-delà encore, Hadrien éleva à son prédécesseur un temple plus grand qu'aucun de ceux des forums antérieurs. Cet ensemble, long de près de trois cents mètres, s'organise donc selon une disposition originale qui rappelle, avec sa basilique transversale, ces camps militaires où Trajan a passé une grande partie de son règne (des cités de Gaule comme Lutèce, Saint-Bertrand-de-Comminges ou Augst adoptent pour leur forum une disposition similaire). Comme dans les forums voisins d'Auguste et de Domitien-Nerva, cette ordonnance unit aux alignements stricts la fantaisie des courbes. Les absides de la basilique trouvent des deux côtés de la place l'écho de deux grandes exèdres latérales ; la façade de l'esplanade est incurvée, accentuant la prééminence de l'arc central ; incurvées, également, les deux colonnades qui relient les bibliothèques au *Temple de Trajan*. Mais en revanche d'autres colonnades, rectilignes, passent transversalement devant les exèdres et les absides et les oblitèrent donc en partie, autorisant ainsi une double lecture de l'ensemble, l'une plus classique, l'autre plus mouvementée. Le tout est décoré d'une profusion de frises de marbre au relief très accentué, très charnu (Victoires sacrifiant des taureaux, Amours, griffons, vases). Cette réalisation est due à l'ingénieur et architecte Apollo-

dore de Damas, que Trajan sut attacher à son service pour la plus grande gloire de Rome.

Les *Marchés de Trajan* sont à tous égards comme le contrepoint du *Forum*. Ils s'emboîtent autour de ses saillants arrondis. Si le Forum resplendit de marbres, ils font triompher l'architecture de brique, rehaussée, pour l'encadrement des baies, par la blancheur mate du travertin. Quand le *Forum* fait violence au relief originel qu'il arase, les *Marchés* se modèlent sur la pente du Quirinal. À la stricte symétrie de l'un répond enfin la disposition apparemment capricieuse des autres, souplement adaptés au terrain disponible, avec leurs rues, leurs boutiques, leur grande halle réparties, superposées, imbriquées sur plusieurs niveaux : innovation totale, aux antipodes du marché romain traditionnel, le *macellum* quadrilatère bordé d'échoppes au sein duquel règne un kiosque circulaire.

Les thermes que Trajan bâtit sur le versant méridional de l'Esquilin réalisent pleinement, pour la première fois, les caractéristiques des grands bains romains, esquissées depuis les thermes de Néron, puis de Titus : immensité de l'ensemble ; audace des espaces couverts ; symétrie absolue conduisant à la reduplication des salles non axiales ; diversité des fonctions ; ingéniosité technique ; somptuosité de la décoration. Le cœur du dispositif est constitué par les majestueux *frigidarium* (salle froide), le *tepidarium* (salle tiède) et le *caldarium* (salle chaude) ; ce dernier, orienté vers le sud-ouest pour bénéficier du soleil de l'après-midi, est chauffé par des dispositifs complexes. Autour, se déploie symétriquement tout ce qui concourt à faire des thermes un centre d'hygiène et de loisirs, un lieu privilégié de la vie sociale, sportive, culturelle : piscines, palestres, gymnases, vestiaires, locaux pour les massages, salles de conférences, bibliothèques, galeries de sculptures ou de tableaux, jardins, installations techniques, répartis dans une enceinte de plus de trois cents mètres de côté. L'architecture thermale, qui avait de longue date démontré une singulière hardiesse dans l'emploi des coupoles, reste à l'avant-garde dans l'usage des voûtes d'arêtes, dans la conception de salles d'une ampleur étonnante, à plan souvent composite.

Nous avons déjà observé que l'architecture utilitaire romaine, en ses meilleurs moments, unit une exceptionnelle noblesse de formes à la maîtrise de l'ingénieur. Il n'est pas surprenant que ces qualités soient spécialement sensibles dans les réalisations de l'urbanisme et de l'équipement du territoire sous un empereur dont nous savons, par sa correspondance avec Pline le Jeune, quelle attention très personnelle il a porté aux infrastructures de l'Empire et qui a su apprécier le génie multiforme d'un Apollodore de Damas. À Ostie, Trajan double le port de Claude, devenu insuffisant, d'un gigantesque bassin hexagonal aux côtés longs de 358 mètres, épure de géomètre aussi originale que parfaite. Dans l'Aurès, la nouvelle colonie de Timgad offre un tracé d'une étonnante rigueur, calqué sur celui d'un camp militaire. Trois ouvrages d'art s'inscrivent dans la lignée du *Pont du Gard* : près des Portes de Fer, un grand pont de pierre et de bois sur le Danube, dû à Apollodore de Damas ; en Espagne, le *Pont d'Alcantara*, aux lignes simples et majestueuses, et le célèbre *Aqueduc* qui enjambe Ségovie de ses arches multiples faites de robustes blocs à bossages émoussés.

L'architecture trajanienne marque ainsi dans l'histoire de la construction romaine comme une pose qui est aussi un bilan des conquêtes du passé. Elle n'apporte aucune innovation technique fondamentale et évite les nouveautés fracassantes, mais elle sait concilier, ou utiliser tour à tour avec un égal bonheur, en les élargissant souvent à des dimensions jusqu'alors inédites, les solutions traditionnelles et les acquis les plus récents.

STATUAIRE ET PORTRAIT

Les portraits de Trajan, ceux de son entourage, traduisent ce que l'époque a de sérieux et de posé. Le visage de l'empereur, simple, énergique et comme ramassé sur une résolution tranquille, est couronné d'une chevelure sans apprêt, aux mèches raides. Trajan est l'un des rares empereurs, le seul peut-être, qui, après avoir été représenté dans toute la force de son impérieuse vigueur, ait admis des portraits où sont nettement perceptibles, comme sur une *imago clipeata* d'Ankara, les stigmates de l'âge et de la lassitude. De son épouse, Plotine, de sa sœur, Marciana, nous connaissons des effigies mélancoliques et sans éclat, comme le seront souvent celles des impératrices de ce siècle.

La statuaire romaine crée alors un de ses derniers types originaux : les statues ou bustes de Daces. Ces habitants de l'actuelle Roumanie, vaincus par Trajan après de sévères campagnes, sont figurés, certes, dans la tradition des images antiques de Barbares, depuis les Perses jusqu'aux Celtes : physionomies farouches, cheveux et barbes hirsutes, braies et amples manteaux. Mais la déformation délibérée des visages, qui accentue le nez et le menton et enfonce les yeux, le recours fréquent aux marbres polychromes et aux proportions colossales, les attitudes immobiles confèrent aux *Daces* une force inquiétante et brisée, une sombre résignation et cet air de souffrance digne sans excès de pathos que nous retrouvons aussi dans la célèbre statue de captive barbare dite *Thusnelda* (Florence, Loggia dei Lanzi).

ART DU RELIEF

La *Colonne Trajane* est le monument le plus significatif de cette grande époque du relief historique. Étonnante innovation que cette colonne cochlide (en colimaçon) et haute de cent pieds dont la fonction est quadruple. Surmontée de la statue de l'empereur, elle marque un point fort dans l'axe de son Forum. Dans son socle ouvragé de Victoires et de monceaux d'armes, une urne d'or doit recueillir les cendres de Trajan. Sa hauteur rappelle celle de la colline qui fut arasée pour aménager le Forum. Enfin, la frise sculptée qui, autour du fût, déroule ses spires sur deux cents mètres de long, commémore les deux campagnes daciques de Trajan.

Apparemment continue, cette frise comporte en réalité de nombreux épisodes séparés par des procédés assez traditionnels (arbres, monuments, personnages se tournant le dos). C'était une tout autre gageure que d'éviter la monotonie dans le retour d'actions dont la typologie est nécessairement restreinte : passages de fleuves, armées en marche, établissement de camps, approvisionnements, harangues, sacrifices, batailles, assauts, poursuites, soumission des vaincus, pillages. Gageure réussie, s'il est vrai qu'aucune scène n'est le calque d'une autre et que les quelque deux mille cinq cents personnages sont, dans leurs traits et dans leurs attitudes, pour ainsi dire individualisés. Il fallait aussi figurer les protagonistes dans un cadre naturel ou architectural rendu avec un profond souci documentaire. Les différences d'échelle entre décors et personnages, les vues cavalières, les résumés et les raccourcis y pourvoient, dans la tradition de la peinture triomphale romaine, des reliefs plébéiens ou, plus tard, des miniatures médiévales : concession importante, dans ce monument officiel, aux canons de l'art populaire, mais concession à peu près unique. Pour le reste, la *Colonne Trajane* réussit — pour la première fois peut-être dans l'art romain et peut-être pour la dernière fois en une fusion aussi intime — la synthèse entre de très anciens schémas hellénistiques et les tendances originales que le bas-relief romain avait progressivement affirmées depuis un siècle et demi. Les premiers confèrent à la gigantesque frise un allant qui la vivifie et une sûreté de traits qui la rend constamment crédible. Les secondes commandent l'ordonnance des scènes, les choix iconographiques, les rapports que les personnages entretiennent entre eux.

On a pu dire que la *Colonne Trajane* était le grand poème épique de l'armée impériale. Cette armée, si individualisés qu'en soient les hommes, y apparaît comme un corps discipliné dont la fameuse « tortue », assaut donné en rangs serrés par une section groupée à l'abri de ses boucliers, symbolise l'action collective. Ses adversaires, les Daces, lui donnent une réplique aussi acharnée et cruelle que l'agression des Romains eux-mêmes, mais que grandit la dignité de leur

souffrance et le suicide héroïque de leur roi Décébale. Cette armée a en Trajan un chef omniprésent, qui paie de sa personne tout en dominant constamment la situation. Loin d'exalter l'empereur par des procédés convenus auxquels l'art officiel savait déjà recourir, comme le grandissement, la frontalité, la surélévation systématique (qu'on se rappelle l'*Arc de Titus*), le sculpteur suggère par des moyens simples — la disposition des personnages, le jeu des regards — l'*aura* de déférence qui l'entoure. Ainsi dans cette scène, perdue parmi tant d'autres, où Trajan donne ses instructions à l'un de ses officiers. Le regard de ce dernier, attentif sans servilité, la physionomie réfléchie et volontaire de l'empereur, le geste d'explication et de persuasion de sa main, la tension contenue de son bras musculeux : ces détails de quelques centimètres, cette synthèse de réalisme et de symbolisme qui est le propre de la *Colonne Trajane* expriment admirablement les rapports mutuels de confiance et de respect qui lient le chef et ses subordonnés, l'énergie maîtrisée qui anime cette armée.

Une très grande frise, haute de trois mètres, dont des fragments sont aujourd'hui incorporés dans l'*Arc de Constantin*, ornait la *Basilica Ulpia*. Selon la technique du récit continu, on y voit Trajan chargeant à cheval l'ennemi, recevant sa soumission, entrant en vainqueur dans Rome. Est-elle, comme on l'a supposé, l'œuvre du même artiste que la *Colonne Trajane ?* Indépendamment de la différence d'échelle, de son relief plus accentué, on y observe une adhésion plus étroite aux procédés de la sculpture hellénistique, par exemple dans la charge impétueuse de Trajan, dans les corps disloqués, les poses violemment pathétiques des morts gisant à terre. Cette œuvre majestueuse est emportée par une fougue que la colonne au contraire endigue par la discipline romaine.

À l'action militaire de Trajan aux confins de l'Empire répond, en Italie même, son œuvre de restauration économique et sociale, dont les *Alimenta*, institution d'assistance pour enfants pauvres, constituent une pièce maîtresse. L'art officiel nous en lègue le témoignage. À

Rome même, les *Plutei Traiani,* ou transennes de Trajan, évoquent la remise des dettes et l'instauration des *Alimenta.* Ces œuvres médiocres, au demeurant fort endommagées, représentent à l'arrière-plan les monuments du Forum romain, amplifiant ainsi la tendance au réalisme topographique inaugurée par l'*Ara Pietatis.* D'une tout autre majesté sont les reliefs de l'*Arc de Bénévent,* commencé en 114 pour célébrer l'ouverture d'une nouvelle route vers Brindisi, la *Via Traiana,* et dont Hadrien devait achever la décoration. Parmi ses nombreux panneaux sculptés, attardons-nous sur ceux qui ornent les côtés de la voûte du porche : distribution de vivres aux familles assistées, sacrifice d'inauguration de la *Via Traiana.* Cette dernière œuvre unit la noble ordonnance, l'assurance paisible de l'*Ara Pacis,* l'animation des surfaces de l'*Ara Pietatis,* la suggestion d'un espace ambiant (par des faisceaux, un arbre) qu'avait introduite l'*Arc de Titus,* l'intimité entre personnages allégoriques et humains des *Reliefs de la Chancellerie* et le pittoresque de l'art plébéien dans la personne d'un joueur de flûte aux joues gonflées. C'est encore l'*Ara Pacis* — pour l'attention affectueuse prêtée à l'enfance — et l'*Arc de Titus* — pour le mouvement irrésistible qui nous entraîne hors du panneau — qu'évoque, sur le relief des *Alimenta,* la figure d'un père de famille portant sur ses épaules ou tirant par la main ses très jeunes fils. Décidément, le relief trajanien se trouve au point de convergence de tendances diverses qui se rejoignent finalement après plus d'un siècle d'évolution séparée et qui ne tarderont guère à diverger à nouveau.

Aux confins de l'Empire, près de la mer Noire et de la Dacie à peine conquise, dans la Dobroudja, Trajan fait élever à Adamklissi un « trophée » à la gloire de ses campagnes daciques, pendant de celui qu'Auguste avait érigé à La Turbie. Cet énorme tambour de pierre est décoré de quarante-quatre grandes métopes sculptées figurant des épisodes de la conquête (combats, exodes, prisonniers enchaînés, etc.) : une *Colonne Trajane* plus statique. Mais ce sont des artistes locaux qui exécutent ces métopes, se pliant avec infiniment de gaucherie aux thèmes romains. Nous avons déjà observé ce phénomène sur l'arc augustéen de Suse, mais il culmine ici de par le nombre, les dimensions et la mise en évidence des métopes. Cet étonnant monument est celui d'un Empire qui se veut universel. D'une part, certes, ces sculpteurs autochtones célèbrent, de gré ou de force, l'abaissement d'un peuple frère par une « récupération » qui n'a guère d'égale. Mais, d'autre part, Rome toute-puissante admet, sollicite, obtient sur ses monuments les plus officiels l'apport des nations les plus périphériques de son Empire, les plus récemment conquises, de celles auxquelles les canons gréco-romains sont les plus étrangers. Une fois de plus — et sans vouloir parer de couleurs idylliques une réalité souvent sombre —, la volonté de synthèse s'affirme et prévaut.

Hadrien

Dans la longue lignée des empereurs romains, la personnalité d'Hadrien (117-138) se détache par ses tendances contrastées et originales. Cet intellectuel philhellène est aussi un grand administrateur ; ce pacifiste est aussi un soldat valeureux ; cette âme mélancolique sait aussi montrer de la dureté lorsque l'exigent les devoirs de sa charge ou que sa vanité est blessée.

URBANISME ET ARCHITECTURE

Rien n'illustre mieux l'influence exercée dans le domaine de l'art par un souverain animé d'idées personnelles et de la volonté de les concrétiser que la différence entre les grandes créations architecturales et sculpturales de Trajan et celles d'Hadrien. Le premier a su utiliser pour ses desseins le génie d'un Apollodore de Damas, que le second, se piquant non sans raisons de compétences en architecture, a acculé à la mort après un désaccord orageux. Quand Trajan privilégie les infrastructures sociales et économiques, Hadrien manifeste sa prédilection pour les temples et les résidences. Mais des temples, des résidences qui sont hors du commun.

C'est le cas du *Temple de Vénus et de Rome*, proche du *Colisée*, avec son apparence externe hellénique (à l'intérieur d'un vaste portique, c'est un périptère sur un emmarchement de type grec) et sa disposition interne opposant deux *cellae* consacrées chacune à une divinité. Hadrien crée en l'occurrence un temple qui, accessible de deux côtés, entièrement ceint de colonnes et dépourvu de podium, contrarie en tout point les habitudes italiques.

Ce n'est pas parce qu'il reflète celles-ci que le *Panthéon* passe parfois pour le « temple romain » par excellence, mais parce qu'une relative indifférence à l'aspect extérieur s'y double d'une élaboration géniale de l'espace interne. Hadrien refond entièrement un temple consacré « à tous les dieux » par Agrippa, dont il a l'élégance de conserver la dédicace. Un *pronaos* de pierre et de marbre au fronton puissant se greffe sur une énorme rotonde cylindrique de brique, couverte d'une coupole surbaissée. Rien de plus massif en apparence que cette rotonde ; en réalité, rien de mieux conçu, avec ses arcs de décharge et les matériaux différenciés de son blocage interne, rien de mieux structuré par des exèdres, des niches, des caissons. Cette masse extérieurement inerte se mue intérieurement en un espace d'une ampleur, d'une harmonie extraordinaires, dont aucun plan, aucune photographie ne peut rendre l'aspect, mais dont la majesté saisit le visiteur d'une émotion indicible. Le gigantisme s'y double d'un miracle de proportions, car la coupole interne, prolongée vers le bas par son double symétrique, formerait une sphère s'inscrivant exactement dans ce vide prodigieux. L'éclairage provient d'un oculus central de 9 m de diamètre, d'où tombe à flots une lumière changeante, et où pénètrent librement les intempéries, mettant ce microcosme en contact avec l'univers.

C'est aussi un microcosme, d'une tout autre espèce, qu'Hadrien construit dans la campagne romaine. La *Villa Hadriana* de Tibur évoque pour ce grand voyageur des sites célèbres d'un Empire qu'il a visité assidûment : Canope et Serapaeum d'Égypte, Poecile, Lycée, Académie d'Athènes. Des statues, originaux ou copies, lui rappellent les *Caryatides* de l'Érechthéion, les *Amazones* de Phidias et de Crésilas, l'*Aphrodite de Cnide* ; elles créent une atmosphère de fantaisie baroque (centaures et satyre de marbre rouge) ou de classicisme presque glacé (bas-reliefs mythologiques).

La *Villa Hadriana* ne s'impose pas à la nature, comme tant de monuments romains, mais elle distribue de façon apparemment capricieuse, au gré des vallons et des collines, ses pavillons, dont chacun en revanche est d'une rigoureuse symétrie. Ce sont souvent des constructions à plan centré, qui reprennent et perfectionnent des solutions techniques déjà éprouvées dans la *Maison Dorée*, dans le *Palais de Domitien*, dans les *Thermes de Trajan*. L'architecture plurilinéaire, combinaison exubérante de droites et de courbes, de plans et de surfaces bombées, y utilise toutes les ressources du blocage et de la brique pour des voûtes d'arêtes et des coupoles « en ombrelle », d'une hardiesse, d'une légèreté et d'une imagination sans égales.

La liste serait longue, à travers l'Empire, des réalisations architecturales d'Hadrien : depuis son propre mausolée à Rome (l'actuel *Château Saint-Ange*) — inspiré à l'évidence de celui d'Auguste, mais, curieusement, plus massif et moins structuré — jusqu'au nouveau *Capitole* d'Ostie ; depuis le grand nymphée de Nîmes dit *Temple de Diane* jusqu'au prétoire de camp de Lambèse en Numidie ; depuis les grands *Thermes de Leptis Magna* en Libye jusqu'à tant de monuments d'Athènes, *Porte d'Hadrien, Bibliothèque* et le colossal *Olympieion*, enfin achevé après sept siècles d'avatars. Dans sa volonté de bâtir une nouvelle Athènes, Hadrien manifeste son philhellénisme et son souci de rééquilibrer l'Empire vers l'Orient : projet que Constantin reprendra et fera aboutir deux siècles plus tard en fondant Constantinople.

SCULPTURE

La personnalité complexe d'Hadrien suscite des portraits d'une diversité déconcertante. L'empereur intellectuel, qui remet à la mode à Rome la barbe du philosophe, se mue parfois en chef au regard impérieux, étincelant, voire, dans une statue du musée d'Istanbul, en conquérant sans merci foulant aux pieds un ennemi écrasé. Si les effigies de l'impératrice Sabine sont empreintes de la douceur un peu résignée qui est celle des dames de ce siècle, le favori de l'empereur, le jeune Bythinien Antinoüs, reçoit l'hommage d'un type sculptural totalement nouveau qui, dans sa perfection formelle, dans son classicisme impeccable tempéré d'une poignante mélancolie, rejoint certaines réussites du portrait augustéen ou julio-claudien, mais avec une sensibilité plus spontanément hellénique. Le contraste est saisissant, ici encore, avec des créations de l'époque trajanienne comme les puissantes statues de Daces.

Même contraste dans les bas-reliefs auliques : plus d'autres commémorations officielles que quelques panneaux d'une rare froideur, comme celui qui célèbre l'*Apothéose de Sabine* en présence de l'empereur (Rome, palais des Conservateurs). Manifestement, ce n'est pas cet art-là qui intéresse Hadrien. En revanche, huit « médaillons » sculptés réemployés plus tard dans l'*Arc de Constantin* (en réalité, ce sont des bas-reliefs circulaires de plus de deux mètres de diamètres) évoquent les chasses du souverain dans la tradition de l'art oriental, puis hellénistique, pour lequel célébrer la vaillance du chasseur c'est célébrer les vertus de l'homme (très vite, cette thématique gagnera aussi les sarcophages romains). Leur forme pose des problèmes de « mise en page », résolus avec bonheur dans la lignée des recherches poursuivies de longue date par les artistes helléniques, sur les vases peints comme sur les monnaies : tel ce tondo de la chasse au lion dont le fauve abattu, gisant avec abandon, occupe l'exergue. La symétrie sans raideur d'une composition souvent axiale, l'élégance des figures éphébiques, leurs légers vêtements de chasse, si différents de la toge solennelle, le classicisme des statues des dieux auxquels sacrifient les veneurs, les paysages sauvages suggérés par un arbre ou un rocher, tout cela donne à ces œuvres si nouvelles (et sans lendemain), qui exaltent le souverain avec discrétion et par des moyens inédits, une saveur insolite où le charme se pare de grandeur, et la rigueur de fantaisie.

Les Antonins

Hadrien adopte Antonin le Pieux (138-161) et lui fait adopter deux successeurs, qui pendant quelques années régneront ensemble : Lucius Verus (161-169) et Marc Aurèle (161-180). Ce dernier, rompant avec une coutume déjà bien établie, transmet le pouvoir à son fils Commode (180-192). Les contrastes sont multiples entre la personnalité équilibrée d'Antonin, la vanité un peu bravache de Lucius Verus, le stoïcisme désabusé de Marc Aurèle, la mégalomanie de Commode : l'art de ce demi-siècle s'en ressent nécessairement. Mais un autre facteur exerce sur les mentalités une influence décisive. L'Empire avait atteint sous Trajan ses limites extrêmes, le golfe Persique, les bouches du Danube ; quelques décennies plus tard, il se voit pour la première fois menacé en son cœur même, l'Italie, lorsqu'en 166 des Barbares germains atteignent l'Adriatique près d'Aquilée. La production artistique garde encore, et gardera longtemps, sa vigueur. Mais l'inquiétude qui tourmente ce siècle fait basculer en quelques années l'art romain vers des formes nouvelles, appartenant désormais à ce qu'il est convenu d'appeler l'Antiquité tardive. Par ailleurs, les provinces tendent à prendre plus de part à la création artistique, face à une Italie dont la vigueur créatrice commence à se tarir.

URBANISME ET ARCHITECTURE

C'est le cas notamment pour l'architecture. À Rome, les principales réalisations des Antonins sont des temples sans originalité très affirmée, comme le *Temple d'Hadrien*, sur l'actuelle Piazza di Pietra et, sur le Forum, le *Temple d'Antonin et de Faustine*. Ce dernier, prostyle sur haut podium, montre bien, avec ses colonnes de cipolin, son entablement de marbre, sa cella en grand appareil de tuf, combien l'architecture sacrée, une fois passées les innovations isolées d'Hadrien, reste traditionaliste. Mais dans d'autres domaines la construction en brique affirme une suprématie qui s'annonçait au siècle précédent. Rome et Ostie se couvrent d'immeubles de rapport, les *insulae*, fondamentalement différentes de la domus traditionnelle : élévation sur plusieurs étages, cour centrale, entrepôts ou boutiques au rez-de-chaussée, pièces relativement indifférenciées, ouverture sur l'extérieur par de multiples fenêtres souvent pourvues de balcons. La brique, parfois de différentes couleurs, ne constitue pas seulement le gros œuvre ; disposée, taillée ou moulée à cette fin, elle forme aussi l'essentiel de la décoration. Il en est de même dans l'architecture funéraire : ainsi, aux portes de Rome, dans le petit chef-d'œuvre qu'est le *Tombeau* dit *d'Annia Regilla*, sorte de chapelle aux proportions harmonieuses, à l'ornementation sobre et élégante.

Mais ce sont surtout l'Asie et l'Afrique qui se couvrent alors d'édifices remarquables. Le siècle précédent avait légué à Baalbek le temple colossal de *Jupiter Héliopolitain*. Sous les Antonins se dresse à ses côtés le *Temple de Bacchus*, un périptère de conception très classique aussi en apparence : mais la richesse extrême de sa décoration, depuis les soffites du péribole jusqu'à l'architrave de la grande porte, et surtout son ordonnance interne avec ses deux étages de niches aux frontons alternativement courbes et triangulaires, séparées par des demi-colonnes cannelées, en font un archétype du baroque antonin. Plus baroque encore est, toujours à Baalbek, le petit *Temple de Vénus*. Sa cella circulaire extérieurement creusée de niches à fond arrondi qui en contrarient la courbure s'élève sur un haut podium. Ce podium, comme l'entablement, forme une série de saillants portant les colonnes, séparés par des indentations concaves dont les fonds sont tangents au mur de la cella. Dès l'époque républicaine, au Largo Argentina, nous avons vu les architectes romains adapter à leur façon la tholos grecque. Le temple rond de Baalbek pousse cette transformation à son point ultime, où la cella circulaire, juchée sur

le podium de tradition italique, ne dessine plus qu'une courbe parmi tant d'autres qui se répondent ou se contrarient mutuellement.

Toujours en Asie, c'est sous les Antonins que naissent le *Théâtre d'Aspendos*, dont le haut mur de scène et l'enceinte en demi-cercle, cernant puissamment l'espace interne, sont exemplaires de ce genre d'édifices ; l'*Asklepieion* de Pergame, qui répartit autour d'une vaste cour propylées, temple, salle de soins, promenades couvertes, théâtre, bibliothèque ; la grande voie à portiques d'Apamée de Syrie, longue de 1 500 mètres, large de 34,50 mètres, bordée de colonnes torses à enroulements contrariés ; ou, à Gerasa, une étrange place ovale à portiques ioniques. En Afrique s'édifient alors les sobres et élégants *Capitoles de Dougga* et de *Sbeitla* ; l'*Arc tétrapyle de Marc Aurèle* à Tripoli, à l'exubérante décoration sculptée ; ou encore, aux deux extrémités d'un aqueduc long de 132 kilomètres, les thermes colossaux d'Antonin à Carthage et le gracieux *Sanctuaire de Zaghouan*, où un portique en fer à cheval enserre le jaillissement de l'eau au pied d'une montagne rocailleuse. Mais ce sont cent autres réalisations analogues qu'il faudrait citer.

STATUAIRE ET PORTRAIT

Baroque est volontiers l'architecture, baroque aussi la sculpture. Dans les portraits, elle aime à jouer, comme à l'époque flavienne tardive, de l'opposition entre le poli des visages et les chevelures bouclées. Le port de la barbe par les hommes, l'usage accru du trépan multiplient les occasions de contrastes et de clairs-obscurs. Une mode nouvelle, apparue sous Hadrien et qui s'impose rapidement, conduit à inciser l'iris et la pupille. Les regards, légèrement levés vers le ciel, se chargent de mélancolie, de rêverie ou d'exaltation. Si les effigies d'Antonin sont encore empreintes de sérénité, si le bellâtre Lucius Verus multiplie les portraits avantageux, Marc Aurèle semble fixer dans le vague un inaccessible idéal (et sa célèbre statue équestre de bronze de la place du Capitole n'éternise pas un conquérant orgueilleux, mais un prince à la fois autoritaire et apaisant). Un *Buste de Commode* travesti en Hercule (Rome, palais des Conservateurs) atteint les sommets du maniérisme. La peau de lion, la chevelure, la barbe sont rendues avec une virtuosité qui se joue de la dureté du marbre ; mais les bras et la massue d'une petitesse disproportionnée muent la vaillance farouche du héros en une pose affectée et vaine qui semble présager la fin de la dynastie. Sous le ciseau naissent des portraits d'un romantisme un peu morbide *(Volcacius Myropnous)*, des statues où la difformité physique s'unit à une intense spiritualité *(Ésope)*. Une fois de plus, des visages enfantins nous bouleversent par l'innocence et l'intensité de leur regard, la délicatesse de leurs traits. Mais dans la lointaine oasis syrienne de Palmyre, de grands tombeaux en forme de tour, perdus au creux d'une vallée désertique, sont peuplés des bustes des défunts qui ont gardé, couverts de bijoux, le hiératisme des idoles orientales.

ART DU RELIEF

Le relief historique reprend ses droits après la pause hadrianéenne. Dans le temple romain élevé par Antonin à son prédécesseur divinisé, une série de trophées d'armes et d'allégories des provinces évoque la grandeur de l'Empire ; on y observe pour la première fois à Rome l'emploi du sillon de contour, connu près de deux siècles auparavant en Narbonnaise et qui réapparaîtra épisodiquement dans l'art officiel italien. À Éphèse, l'auteur d'une grande frise célébrant la victoire de Lucius Verus sur les Parthes concilie la majesté sereine des groupes impériaux, la fougue toute pergaménienne des batailles, l'ingéniosité des allégories en une création puissante qui rappelle les reliefs trajaniens.

De l'époque de Commode, nous conservons onze grands panneaux en l'honneur de Marc Aurèle, dont huit ont été insérés par Constantin dans la décoration de son arc de triomphe. Départ au retour de l'empereur, harangue, sacrifice, soumission des vaincus, scène de clémence, triomphe : les sujets en sont ordinaires et, comme sur *l'Arc de Bénévent,* traités dans un style et selon une iconographie où l'on devine les strates multiples des apports antérieurs. Mais observons une scène de largesse, de *Liberalitas*, où Marc Aurèle (ultérieurement transformé en Constantin) trône en majesté sur une très haute estrade, entouré symétriquement de quatre conseillers ou fonctionnaires beaucoup plus petits que lui ; plus petits encore quoique au premier rang, hommes, femmes et enfants du peuple reçoivent ses dons. Le Christ, ses apôtres, l'humanité ordinaire ne seront pas figurés autrement dans l'art chrétien. Notons encore un procédé qui, apparu dans la *Colonne Trajane*, s'affirme sur ces reliefs : certains personnages nous tournent franchement le dos pour contempler l'empereur, qui nous fait face. Aussi avons-nous l'impression de nous tenir derrière eux et sommes-nous invités pour ainsi dire à nous mêler au dernier rang des spectateurs.

Sur le champ de Mars, Commode célèbre les campagnes de Marc Aurèle contre les Barbares de l'Europe centrale par une colonne cochlide (contenant un escalier à vis) très évidemment inspirée de la *Colonne Trajane*, dont elle diffère toutefois par d'importants détails de style : des reliefs plus prononcés, qui déforment quelque peu la ligne élancée du fût ; un modelé plus sommaire, où trous et sillons tracés au trépan tendent à supplanter le travail du ciseau ; une moindre individualisation des personnages. Deux scènes laissent une impression particulièrement forte. Le *Miracle de la pluie* figure un déluge providentiel, qui sauva l'armée romaine en emportant ses ennemis, provoqué par un personnage ailé aux bras démesurément déployés se dissolvant en un voile épais d'ondes sinueuses, protecteur monstrueux et inquiétant. La *Décapitation des prisonniers barbares* atteint un sommet d'horreur et de pathétique. Sur le sol gisent les têtes coupées et les corps des suppliciés ; mains liées derrière le dos, des prisonniers sont poussés vers leurs bourreaux. L'un d'eux, sur lequel s'abat le glaive, montre un masque d'épouvante absolue où la bouche et les yeux dessinent des trous noirs. Comme Trajan sur la colonne qui lui est dédiée, Marc Aurèle revient périodiquement dans les spirales du relief. Mais les traits tirés de l'empereur, qui souffrait des combats cruels qu'il devait mener pour la sauvegarde de l'Empire, sont taraudés par le souci et la tristesse.

On affirme volontiers que la *Colonne de Marc Aurèle* marque à maints égards, pour le bas-relief, le début de l'Antiquité tardive. Il est vrai qu'elle reflète l'inquiétude d'une époque où l'Empire ne se sent plus totalement assuré de son destin. Mais dans l'ensemble, malgré les exceptions que nous avons relevées, son style, son iconographie sont relativement classiques. Si nous voulons comprendre en quoi l'époque antonine prend une orientation entièrement nouvelle, nous devons regarder un monument moins célèbre, mais plus profondément significatif : la base sculptée d'une colonne élevée en l'honneur d'Antonin par ses deux successeurs, Marc Aurèle et Lucius Verus, et conservée au musée du Vatican. Sur un des côtés de cette base, une inscription monumentale ; sur un autre, l'apothéose d'Antonin et de son épouse Faustine ; sur les deux autres faces, deux scènes de carrousel à peu près identiques. Rien n'est plus classicisant que la scène d'apothéose, traitée en un relief modéré : en bas, les allégories de Rome et du champ de Mars, lieu de la crémation des empereurs ; en haut, flanqués de deux aigles, les bustes du couple impérial ; unissant les deux registres par une robuste oblique, le grand corps nu et ailé du génie de l'immortalité enlevant au ciel les nouveaux *divi*. L'ensemble est correct, froid et ne reçoit quelque vie que des portraits simples et sereins d'Antonin et de Faustine. Le carrousel, en revanche, figure, autour d'une escouade de fantassins, la ronde des cavaliers en un style qui doit tout à l'art plébéien : relief très accentué, proportions déformées, accumulation de détails précis naïvement rendus, figuration sur plusieurs niveaux de personnages situés sur des plans successifs, absence de vues de trois quarts. Maladresse ? On l'accorderait volontiers si la coexistence de deux styles si différents sur un même socle ne nous assurait qu'il s'agit là d'un choix délibéré, de deux aspects à la fois opposés et désormais indissociables de l'art romain dans ce qu'il a de plus officiel.

Nous avions déjà observé dans l'art aulique des apparitions timides des tendances populaires, cantonnées dans des parties secondaires de monuments comme l'*Ara Pacis* elle-même. Mais avec la base de la *Colonne d'Antonin*, l'apport plébéien, qui deviendra un élément essentiel de l'art antique tardif, fait son entrée en force dans les commandes impériales.

Sous le règne d'Hadrien se répand dans les classes aisées le rite de l'inhumation dans des sarcophages sculptés. Cette nouveauté est lourde de conséquences pour l'art romain : diffusion prodigieuse du bas-relief privé et de ce qu'il implique d'individualisme, fût-ce sous le nivelage inévitable des procédés, des modes et des conformismes ; nouveau déferlement vers l'Occident de modèles hellénistiques ; propagation accrue du symbolisme philosophique et religieux.

Les sarcophages sont produits dans des ateliers d'Italie ou d'Occident, mais aussi, le plus souvent, de Grèce et surtout d'Asie Mineure, où ils sont selon le cas dégrossis ou à peu près achevés, seuls les portraits des défunts demeurant à l'état d'ébauche. Les premiers sarcophages se répartissent pour l'essentiel en deux types. La cuve porte soit une frise continue, soit deux grandes guirlandes suspendues dans les festons desquelles s'inscrivent des scènes figurées, avec une prédilection pour les mythes violents et tragiques (Médée, Niobé, Actéon, Marsyas, Méléagre, Hippolyte...), comme en une sorte de désespérance devant le destin des mortels. Le couvercle porte une frise plus petite et se termine aux angles par des masques. Dans le courant du siècle, les ateliers d'Asie Mineure répandent un nouveau type dont le couvercle en forme de lit s'orne des images des défunts allongés, tandis que la cuve, parfois colossale, est scandée par un décor architectural de niches, de colonnes, de caryatides, de frontons où s'inscrivent des figures mythologiques (Muses, travaux d'Hercule) ou des philosophes. Profondément fouillée, d'une virtuosité impeccable, la sculpture est tantôt statique et classicisante, tantôt intensément animée, préludant aux scènes fougueuses qui s'imposeront par la suite. Ainsi, le *Sarcophage de Portonaccio*

(Rome, musée des Thermes) figure une bataille entre Romains et Barbares. Comme sur la *Colonne de Marc Aurèle*, les corps disloqués des vaincus, leurs visages hagards, émaciés, hirsutes, traversés de reflets d'épouvante, crient leur défaite. La mêlée confuse est solidement encadrée aux deux extrémités de la cuve par deux couples de Barbares figés dans une sombre et digne affliction. Tel sarcophage de Mantoue, où des scènes de guerre, de sacrifice et de mariage symbolisent les vertus publiques et privées du défunt — *Virtus, Clementia, Pietas, Concordia* —, rivalise avec les grands panneaux sculptés de Marc Aurèle par le mélange de noblesse et d'animation, et, quant à la technique, par l'usage conjoint et pertinent du ciseau et du trépan. Là encore, l'époque apparaît comme celle d'une synthèse miraculeuse et précaire.

Dans les provinces, l'art officiel, s'il se reflète en des monuments comme la *Porte Noire* de Besançon ou la *Porte de Mars* à Reims, n'affecte guère le comportement des artistes locaux. À l'art plébéien de l'Italie correspondent dans tout l'Empire des productions enracinées dans le terreau régional. Un exemple entre cent : les *Stèles de la Ghorfa* (dans le Haut Tell tunisien), surchargées de motifs empruntés à la thématique gréco-romaine, mais aussi au vieux répertoire punique et libyen, et rendus avec une gaucherie savoureuse dans les échelles et les perspectives.

PEINTURE ET MOSAÏQUE

La peinture romaine ne s'est pas éteinte avec la destruction de Pompéi et des autres sites vésuviens en 79. Mais il est un fait que la fin du Iᵉʳ s. a coïncidé avec un appauvrissement des schémas, architecturaux ou non, qui du deuxième au quatrième style pompéien avaient ordonné les parois. De surcroît, nous ne connaissons plus guère pour le IIᵉ s. que des décors de salles souterraines, généralement des tombes. Il y a là encore des ensembles de grande qualité, tantôt réalistes et animés d'une vie pittoresque (tombe de Rome ornée de jeux enfantins), tantôt vaporeux, semés de scènes, de personnages et de pans de paysages comme inachevés et fondus dans une buée légère (*Tombe de Caivano* en Campanie, *Villa des Quintilii* à la périphérie de Rome), tantôt encore peints de couleurs violentes pour imposer la présence impétueuse d'un dieu exotique (*mithraea* de Santa Maria Capua Vetere et de Marino). Le stuc prend parfois le relais de la peinture pour structurer avec rigueur l'ensemble d'un décor que parsèment des tableautins délicats, comme dans la *Tombe des Pancratii* à Rome (mais la *Tombe des Valerii*, à peu près contemporaine, recourt au stuc seul, qui déroule au long des voûtes ses arabesques immaculées et élégantes). Comme pour les sarcophages, l'Orient est plus fidèle à l'héritage hellénistique, l'Occident plus ouvert à des solutions nouvelles : quand un hypogée de Tyr se couvre de figures mythologiques, de chevaux cabrés, dignes encore de l'art alexandrin, la *Tombe de Clodius Hermes*, à Rome, annonce l'art des catacombes (mais aussi l'arc de Septime Sévère) en muant la foule qui écoute un orateur en un alignement serré de taches allongées complétées par un point, silhouettes sommaires mais d'un grand effet.

Le IIᵉ s. voit l'apogée d'une série particulièrement intéressante de peintures : les *Portraits* dits *du Fayoum*, ces effigies évoquant le visage des défunts que l'on peignait sur toile ou sur bois dans l'Égypte romaine. À leur façon, ces portraits reflètent l'évolution de l'art romain. Dès 24 apr. J.-C., le noble visage d'une femme nommée *Aline* (Berlin-Dahlem) nous interpelle de son regard clair et grave. Au IIᵉ s., une calligraphie naïve côtoie la manière à la fois savante et spontanée d'une peinture à l'encaustique dont les touches épaisses sont reprises à la spatule. Par la suite, le dessin se fera plus abstrait, les yeux s'agrandiront, le regard deviendra plus intense, plus immobile. L'évolution s'amorce ainsi qui conduira par étapes à l'imagerie byzantine.

Ce que les murs perdent au IIᵉ s. en richesse décorative est gagné par le sols, et l'art de la mosaïque atteint sa plénitude dans des registres divers. L'Italie privilégie la mosaïque en noir et blanc, tantôt un peu grêle et sèche, comme dans la série des pavements pour ainsi dire publicitaires de la *Place des Corporations* à Ostie, tantôt d'un puissant effet décoratif, comme dans l'ample et fougueuse composition du *Triomphe de Neptune* qui orne les thermes de la même ville. En revanche, il n'est pas surprenant qu'Hadrien choisisse pour sa villa de Tibur des mosaïques polychromes rappelant, quoique avec moins de finesse peut-être, les plus beaux jours de la mosaïque hellénistique. Il revient surtout à l'Afrique, où cet art va désormais se signaler par sa splendeur et sa fécondité, d'indiquer la voie du juste milieu en multipliant des pavements où une vive polychromie s'unit à une grande sûreté de trait. Mais nous évoquerons ces mosaïques africaines, dont les plus importantes appartiennent aux siècles suivants.

Conflits, coexistence et en fin de compte synthèses entre tendances diverses : si cette situation est banale dans le domaine de l'art, reconnaissons toutefois qu'elle marque particulièrement le IIe s. Nous en avons vu les raisons : l'art romain dispose maintenant d'un répertoire complet de suggestions esthétiques et de solutions techniques, et tous les choix, toutes les alliances lui sont désormais possibles. Le IIe s. subit d'autre part les impulsions puissantes et contradictoires d'empereurs aussi différents que Trajan et Hadrien, Antonin et Commode, tandis que des menaces redoutables succèdent sans délai à une consolidation de l'Empire qui avait pu paraître définitive. Enfin, si les goûts d'un Hadrien et l'afflux des sarcophages orientaux ravivent à Rome les influences helléniques, et les renforcent dans l'art privé, l'art plébéien, qui leur est antithétique, élargit en revanche dans les monuments « auliques » une place qui était restée jusqu'alors marginale. Autant de facteurs antagonistes qui concourent à la richesse contrastée de ce siècle charnière.

LE BAS-EMPIRE

« BAS-EMPIRE » ? « ANTIQUITÉ TARDIVE » ? Fin d'un monde ou continuité ? Le débat n'est pas près d'être clos. Mais en ce qui concerne l'art, la période que nous abordons maintenant est aussi digne d'intérêt que toute autre, et la flamme de la création y reste vivace même dans les années les plus sombres.

Nous y distinguerons trois étapes : après la dynastie sévérienne s'ouvre, en 235, une longue période d'anarchie militaire, à laquelle met fin la tétrarchie, qui toutefois n'en diffère pas radicalement quant aux formes de la création artistique. L'avènement de Constantin en 306 coïncide en revanche avec la recherche d'une esthétique nouvelle, qui marquera l'art romain jusqu'au seuil de l'époque byzantine.

Les Sévères

Avec Septime Sévère (193-211), c'est pour la première fois un empereur non européen qui accède au pouvoir. Lui-même est un Africain de Leptis Magna, en Tripolitaine, tandis que, par son épouse Julia Domna et la famille de celle-ci, de fortes influences syriennes s'exercent à la cour. Septime Sévère, qui se rattache à Marc Aurèle par une adoption fictive, transmet l'Empire à ses deux fils Caracalla et Geta, dont le premier (211-217) ne tarde pas à assassiner le second. Élagabal (218-222) et Sévère Alexandre (222-235) sont apparentés à Septime Sévère par les princesses syriennes. Malgré maintes vicissitudes, l'idéal dynastique est vigoureusement affirmé et l'architecture et le bas-relief en portent les traces.

URBANISME ET ARCHITECTURE

Les ruines grandioses de Leptis Magna sont un des hauts lieux de l'art sévérien, car Septime Sévère voulut faire de sa ville natale une cité splendide, y édifiant un des ensembles architecturaux les plus impressionnants que l'on pût voir hors de Rome.

Le forum sévérien est à Leptis ce que sont à l'Urbs les forums impériaux, dont il comporte les éléments fondamentaux — une place, un temple et, comme dans le Forum de Trajan, une basilique transversale. Probablement dédié à la *gens Septimia*, ou famille des Sévères, le temple, conforme aux traditions italiques par son plan et son haut podium, se dresse au fond d'une vaste place entourée d'arcades retombant sur des colonnes. Un pas important est franchi ici dans l'emploi à grande échelle de ce schéma riche en virtualités. Amplifiant une idée contenue en germe dans certaines architectures mineures comme les petits côtés de l'*Arc d'Orange*, des « frontons syriens » avaient dès le milieu du IIe s. interrompu par une arcade un entablement rectiligne, combinant ainsi la droite et la courbe, la colonne et l'arc, conformément à une tentation constante de l'architecture romaine. Développée pour la première fois de façon répétitive à Leptis Magna, cette structure connaîtra ultérieurement dans l'architecture chrétienne la fortune que l'on sait. Quant à la basilique leptitaine, c'est un ample vaisseau à trois nefs et à deux absides opposées. Mais aucune colonnade ne vient ici oblitérer les absides, comme dans la *Basilica Ulpia*. Au contraire, de hautes colonnes jumelées plaquées contre leur fond et s'élevant sur deux niveaux privilégient l'axe longitudinal et en accentuent l'élan.

D'autres réalisations sévériennes complètent la splendeur de Leptis Magna : un nymphée reflétant dans son bassin en hémicycle les deux étages de son décor de colonnes, architecture sans but pratique conçue pour le seul plaisir des yeux ; un nouveau port où ce sont en revanche des infrastructures utilitaires qui se parent de grandeur architecturale ; reliant l'un à l'autre, la *Via Columnata*, artère monumentale bordée de portiques à la mode syrienne ; un arc tétrapyle enfin, dont nous commenterons ci-après les reliefs.

Rome doit aussi beaucoup à l'activité de cette dynastie. Pour la première fois depuis un siècle, Septime Sévère accroît le palais de Domitien d'une aile nouvelle, la *Domus Severiana*, dont nous pouvons encore contempler, vers la vallée du Grand Cirque, les impressionnantes substructions à sombres arcades de brique. À l'angle sud-est du Palatin, une immense fontaine, le *Septizonium*, dresse son décor théâtral d'exèdres et de colonnes, qui ne devait être détruit qu'au XVIe s. Près de là, Caracalla édifie des thermes qui rivalisent en gigantisme et en somptuosité avec ceux de Trajan, dont ils reprennent les éléments fondamentaux. Mais le caldarium est ici une ample rotonde, plus qu'à moitié saillante vers l'extérieur pour capter largement les rayons du soleil. Le constructeur reprend ainsi la tradition des grandes salles à coupole, que l'architecture thermale avait jadis tant contribué à répandre.

En Syrie, le *Sanctuaire de Baalbek* s'accroît de propylées — galerie transversale richement décorée, desservie par un escalier monumental, flanquée de tours et couronnée d'un fronton de type « syrien » — avant de recevoir, au milieu du IIIe s., une nouvelle cour, hexagonale, entourée d'une colonnade et creusée latéralement de profondes exèdres quadrangulaires, dont le fond donne accès au grand parvis. Ainsi sera complétée la triomphale enfilade qui, par un trajet de plus de 250 mètres de long, conduit à l'*adyton* du temple colossal de Jupiter Héliopolitain.

L'*Amphithéâtre de Thysdrus*, dressant hautainement ses trois ordres d'arcades au-dessus de la bourgade tunisienne d'el-Djem ; le *Théâtre de Sabratha* en Tripolitaine, un des plus impressionnants parce que, édifié en terrain absolument plat, il exalte le caractère architectural de ce genre de monuments et parce qu'une habile restauration a rendu à sa *frons scenae* le prestige d'une colonnade de marbre polychrome à trois étages ; l'artère solennellement bordée d'arcades qui dessert les belles maisons du quartier nord-est de Volubilis, au Maroc : telles sont quelques-unes des réalisations dont cette époque couvre le sol de l'Afrique en ses diverses régions.

STATUAIRE ET PORTRAIT

Le style des portraits n'avait guère évolué depuis Hadrien. Avec un certain retard par rapport au bas-relief historique, il va maintenant basculer en quelques années vers l'Antiquité tardive. Barbe et chevelure abondantes et bouclées, physionomie à la fois énergique et sereine, Septime Sévère se veut encore, en ses bustes et ses statues, proche de ces Antonins dont il se réclame. Mais Caracalla impose une transformation radicale, analogue à la mutation qu'avait recherchée Néron. L'enfant au visage rond, aux traits doux, au regard rêveur est presque méconnaissable dans les effigies impressionnantes que nous a léguées le souverain : sourcils froncés, visage courroucé, violente torsion du cou, tout révèle une personnalité emportée et farouche. C'est là un trait de caractère individuel, certes, et l'on reviendra avec Sévère Alexandre à plus de sérénité. Mais le règne de Caracalla apporte aussi une innovation plus durable : cheveux et barbes forment des masses moins volumineuses, plus indifférenciées, sans ces boucles que les sculpteurs de l'époque précédente se plaisaient à détailler. Cette évolution s'accentue avec les portraits de Sévère Alexandre, où pour la première fois le piquetage remplace le travail du ciseau ou du trépan. Elle deviendra un trait fondamental de l'art du IIIᵉ s.

Les dames de la famille impériale, à commencer par Julia Domna, laissent percevoir une autre énergie et imposent bien autrement leur présence, dans le cérémonial et dans l'art officiel, que les fades impératrices du IIᵉ s. Du reste, l'idéologie dynastique des Sévères, assez semblable à celle des Julio-Claudiens, favorise comme elle les portraits de groupe (nous le constaterons dans les bas-reliefs). Un médaillon de bois peint portant les effigies de Septime Sévère et de Julia Domna, de Caracalla et de Geta (Berlin) — cette dernière effacée après l'assassinat du jeune prince — nous suggère une des voies par lesquelles l'image de la famille impériale pouvait se propager à travers l'Empire. En marge de l'abondante série des *Portraits du Fayoum*, ce document unique, miraculeusement préservé, jette une lueur sur un aspect sans doute essentiel du portrait romain, dont ne subsistent que d'infimes vestiges.

ART DU RELIEF

Depuis Auguste, et surtout depuis Hadrien, l'« École d'Aphrodisias », nom collectif des ateliers de marbriers établis dans cette ville d'Asie Mineure, répandait ses œuvres et dispersait ses praticiens dans le monde romain. Ce sont ces artistes qui assurent la décoration du *Forum*

sévérien de Leptis Magna. Plus encore que les *Gorgones* au regard pétrifiant de la grande place, que distinguent de subtiles variations, huit pilastres sculptés de la basilique attestent leur virtuosité. Le marbre devient à leur gré mousseux ou incroyablement poli, compact ou translucide, lumineux ou sombre. Les corps lisses — Dionysos et sa suite, Hercule et les monstres qu'il combat — se détachent sur des creux d'ombre savamment ménagés, les rinceaux déploient leurs entrelacs. Tels sont les sculpteurs auxquels les riches particuliers commandaient leurs sarcophages et dont l'empereur pouvait requérir les services. Et pourtant, nous voyons la sculpture commémorative officielle préférer à ce brio un art moins fluide et plus austère.

Le décor de l'arc tétrapyle de Leptis Magna exalte le souverain et sa famille. Deux des quatre grands panneaux horizontaux qui ornaient l'attique nous sont parvenus presque intacts. L'un d'eux symbolise la *Concordia* de la famille régnante par la poignée de main qui unit Septime Sévère et Caracalla en présence de Geta, sous le regard approbateur de Julia Domna. Les dieux tutélaires de Leptis, les allégories de la Vaillance et de l'Honneur, des personnalités civiles et militaires apportent leur caution à cet engagement de loyauté. Si l'artiste montre çà et là que l'art du modelé ne lui est pas étranger, il préfère creuser le marbre de profonds sillons que le ciseler. Sur l'autre panneau, une scène de triomphe appelle inévitablement la comparaison avec le cortège de l'*Arc de Titus*. Comme celui de Titus, le char de Septime Sévère se présente à la fois de profil et de face ; comme Titus, Septime Sévère domine la foule. Mais, à Leptis, l'empereur occupe une position parfaitement frontale, et particulièrement surélevée ; bref, flanqué symétriquement de Caracalla et de Geta, il forme avec eux une trinité parfaitement hiératique.

Le décor du grand arc à trois baies dressé en 203 à Rome, sur la Voie Sacrée, pour commémorer les victoires parthiques de Septime Sévère est d'une tout autre nature. Les panneaux relatent les campagnes de l'empereur en Mésopotamie : batailles, sièges, harangues à la troupe... Tout naturellement, le sculpteur retrouve les procédés de la peinture triomphale : vues cavalières, différence d'échelle entre les hommes et le cadre topographique, rendu détaillé des lieux et des équipements. Après tout, les sculpteurs de la *Colonne Trajane* n'avaient pas procédé autrement. Mais, sur l'arc, les foules forment moins une juxtaposition de corps et de visages que des masses compactes dont le ciseau ou le trépan détachent des têtes parfois sommaires, des silhouettes très trapues, des hampes de lances ou d'étendards trop épaisses.

Maladresse incurable d'artistes étalant leur décadence sur un monument des plus officiels, en plein cœur de Rome ? Ne doit-on pas plutôt penser que l'empereur, dans les monuments qui lui tenaient le plus à cœur, ceux de Rome même, renonçait volontiers à la virtuosité éblouissante d'ateliers expérimentés — ceux que nous avons vus à l'œuvre dans le décor architectural de Leptis — pour introduire des formes et un style nouveaux ? Telle pourrait être en fin de compte la raison du contraste fréquent, au Bas-Empire, entre un art décoratif, ou privé, attaché aux modèles hellénistiques et un art commémoratif, ou officiel, dont la « gaucherie » n'est au fond qu'une manifestation de modernisme.

Dédié à la famille impériale par les banquiers et les négociants en bétail, l'*Arc des Argentarii* au Forum Boarium est en réalité une porte solennelle au décor exubérant. Sous la baie, face à face, deux groupes de personnages accomplissent une libation, dans la position frontale désormais habituelle. D'un côté, Septime Sévère, Julia Domna et Geta ; de l'autre, Caracalla et son épouse Plautilla. Mais Geta, mais Plautilla, une fois assassinés par Caracalla, ont été supprimés en effigie, et la pierre a été maladroitement ravalée : les vides sinistres laissés par ces absents dénoncent le crime mieux que tout acte d'accusation.

La production des sarcophages reste florissante, la peinture et la mosaïque donnent alors des œuvres dignes d'intérêt. Toutefois, les incertitudes de la chronologie nous incitent à évoquer ces aspects de l'art sévérien avec leurs homologues de la période suivante.

L'anarchie militaire et la tétrarchie

Un demi-siècle qui voit les empereurs se succéder à un rythme rapide et chaotique (235-284), puis, sous l'énergique impulsion de Dioclétien (284-305), deux décennies de restauration d'un pouvoir désormais partagé entre quatre souverains, la tétrarchie : il est apparemment peu de points communs entre les deux périodes que nous regroupons ici. Mais Dioclétien ne se distingue pas fondamentalement, sinon par la réussite, du moins par les origines et la formation, des « empereurs illyriens » qui l'ont précédé et dont la réaction farouche a commencé à sauver l'Empire, assailli par les Barbares. Sur le plan artistique, ces deux périodes diffèrent surtout en ceci : la tétrarchie a eu le loisir de mener à bien dans le domaine des constructions publiques des réalisations que les empereurs précédents, éphémères, aux abois, ne pouvaient songer à entreprendre.

URBANISME ET ARCHITECTURE

En effet, la période de l'anarchie militaire n'a légué à Rome aucune grande œuvre d'architecture ou d'urbanisme. À une exception près, combien révélatrice de la détresse de l'époque et des menaces qui pesaient alors sur l'Italie : Aurélien (270-275) dote l'Urbs d'une nouvelle enceinte, la première depuis le rempart dit *de Servius Tullius*, érigé plus de six siècles auparavant ! Cette construction de brique de dix-neuf kilomètres de long, haute de six mètres (et ultérieurement surélevée), renforcée tous les cent pieds par une tour carrée, se pare de la beauté sévère que les Romains savaient conférer à leurs réalisations utilitaires. Elle est percée de portes à une ou deux baies flanquées de tours semi-circulaires, décorées de revêtements de travertin, que les empereurs des IVe et Ve s. rendront plus solennelles encore. La Rome médiévale et moderne allait, presque jusqu'à nos jours, tenir à l'aise dans cette enceinte trop large pour elle.

Le règne de Dioclétien renoue avec la grande architecture civile, et il n'est pas sans signification que les deux principaux édifices qu'on lui doit se rapportent à l'une des institutions les plus vénérables de la cité et à l'une des coutumes les plus invétérées de la vie romaine. Sur le vieux Forum, qui après Trajan avait reconquis la faveur des empereurs (le *Temple d'Antonin et de Faustine*, l'*Arc de Septime Sévère*, le *Temple de Saturne* et le *Portique des Dii Consentes* dans leur état du ive s., la *Base des Décennales* sont encore parmi les éléments les plus familiers de son paysage), Dioclétien édifie pour le Sénat une nouvelle *Curie*, à l'emplacement de l'ancienne *Curia Iulia*. Cette ample et haute nef de brique se dresse encore intacte, plus austère d'avoir été dépouillée de son revêtement de stuc et de marbre. À l'intérieur, les gradins bas sur lesquels siégeaient les sénateurs se font face de part et d'autre d'un somptueux pavement en *opus sectile* (marqueterie de marbre) ; le socle du fond portait une statue de la Victoire que Gratien fit enlever en 382, mettant ainsi symboliquement fin à la domination millénaire de la vieille religion païenne.

Les *Thermes de Dioclétien* sur l'Esquilin complètent, avec ceux de Trajan et de Caracalla, la trilogie des grands thermes impériaux de Rome. L'actuelle place de l'Exèdre reflète en son tracé le grand hémicycle qui incurvait leur enceinte vers le sud-ouest, reproduisant et amplifiant la saillie du caldarium ; et l'église Santa Maria degli Angeli, logée tout entière dans une de leurs salles, donne la mesure de leur immensité.

À Split-Spalato, c'est toute une ville qui s'est installée dans le palais où Dioclétien s'est retiré après son abdication, en 305. L'empereur-soldat a conçu sa dernière résidence comme un camp militaire, dont l'Adriatique baignait un des flancs. L'enceinte, les tours, les trois portes, les deux voies principales en T, les casernes de la garde impériale et les dépendances qui occupent une moitié du quadrilatère, tout confirme cette impression. L'autre moitié renferme le palais proprement dit, qu'une longue galerie-promenoir flanque du côté de la mer. Un « péristyle » y conduit, large

rue où se retrouve le motif du portique à arcades, jadis inauguré à Leptis Magna. Devant le palais se dresse le mausolée de l'empereur, édifice octogonal à intérieur circulaire creusé de niches profondes et décoré de deux ordres de colonnes appliquées contre les murs. Le haut podium creusé d'une crypte à voûte surbaissée, le pronaos à colonnes et fronton, le portique qui ceint la cella en font un exemple des édifices à plan centré — nymphées ou sépulcres — qui fleurissent alors et qui reprennent, à échelle plus réduite mais en le compliquant par des subtilités de tracé et des salles souterraines, le schéma du *Panthéon*.

STATUAIRE ET PORTRAIT

Il se pourrait que notre réaction devant les portraits du iiie s. fût la pierre de touche de notre attitude envers l'art romain dans ce qu'il a de plus original, tant ces portraits rompent avec ce qui s'était fait jusqu'alors. On est frappé, d'abord, par leur compacité, due à une construction très stéréométrique, mais aussi à un rendu particulier, apparu, on l'a vu, sous Sévère Alexandre, des chevelures et des barbes ; celles-ci sont suggérées par piquetage ou par incisions courtes et serrées, sans altérer les lignes essentielles de la tête. Les physionomies prennent ainsi la rudesse sans apprêt des barbes non faites et des crânes presque rasés, qu'accentuent les regards directs ou fuyants, sévères, impérieux ou angoissés, exempts de l'exaltation un peu factice ou de la rêverie parfois alanguie que voulaient traduire les yeux levés du iie s. Contre-épreuve révélatrice : l'empereur *Gallien* (253-268), plus intellectuel et philhellène que ses contemporains, renoue un moment, tel un Hadrien du iiie s., avec la barbe et la chevelure fluides, avec le regard levé vers l'au-delà. Nous en ressentons mieux *a contrario* l'originalité profonde, la rude beauté des autres portraits d'empereurs, la force sanguine de *Balbin*, le visage maladif de *Gordien III*, l'inquiétude de *Philippe l'Arabe*, les traits ravagés et amers de *Trajan Dèce*, la méfiance prête à réagir de *Trébonien Galle*. À propos de ces effigies dépouillées, allant à l'essentiel, on a pu parler de cubisme. L'abstraction, la simplification qu'implique ce terme, nous les trouvons, plus encore que dans les portraits de marbre, dans d'autres œuvres plus schématiques par nature. Les monnaies, d'abord : les profils y deviennent de plus en plus massifs et carrés, les cous de plus en plus épais, les barbes en collier et les cheveux ras de plus en plus stéréotypés. Ensuite, des statues en porphyre de travail égyptien. On connaît surtout, en cette pierre qui évoque la pourpre impériale, le fameux groupe des *Tétrarques* de la place Saint-Marc à Venise, provenant de Constantinople. Les Augustes et les Césars s'y tiennent embrassés deux à deux dans un geste qui se veut d'union et d'appui mutuel, mais qui est aussi de méfiance et de crainte réciproques. La simplification exigée par ce matériau difficile produit ici d'impressionnants visages plats, durs, aux yeux immenses, aux rides schématisées, sur des corps sans consistance vêtus de lourds atours. Un autre groupe de *Tétrarques* conservé au Vatican accentue cet aspect de marionnettes à la fois redoutables et inquiètes, aux bras démesurés, soudées par une solidarité ambiguë. Mais ce n'est là qu'un aspect du portrait tétrarchique : car à la même époque, une tête de Dioclétien en marbre de la *Villa Doria Pamphili*, d'une intelligence et d'une énergie peu communes, présente un modelé vigoureux et tourmenté.

SARCOPHAGES

Des Sévères à la tétrarchie, le IIIe s. est l'âge d'or des sarcophages : les commandes privées, obéissant souvent à des préoccupations symbolistes ou spiritualistes, supplantent même totalement, lors des deuxième et troisième quarts du siècle, un art officiel qui connaît alors une de ses périodes les plus noires.

Ce sont des sarcophages qui recueillent les figurations commémoratives qui eussent en d'autres temps illustré la façade des monuments ou des tombeaux. Le *Sarcophage Ludovisi* (Rome, M. N.) commémore une bataille contre les Barbares en amplifiant les essais déjà éclatants de l'époque antonine. Le général

romain — peut-être Hostilien, fils de l'empereur Trajan Dèce, mort en 251 — domine de son élan victorieux la mêlée féroce sur laquelle il semble déployer son vol. Cette scène convulsive, les gestes emphatiques, les faces torturées des Barbares dissimulent une composition très stricte, construite sur des verticales et des obliques.

Mais les figurations sont généralement symboliques. Ce sont souvent des scènes de chasse qui célèbrent les vertus guerrières et l'on y reconnaît les mêmes gestes d'exultation victorieuse que dans les sarcophages de batailles ; des courses de chars, avec leurs vainqueurs et leurs « naufrages », rappellent les vicissitudes de l'existence ; les Muses, les philosophes désignent le défunt comme un intellectuel, un *mousikos aner*, et les saisons résument l'éternité du monde en son cycle de vie et de mort. Annonçant les sarcophages chrétiens, des scènes bucoliques évoquent les bonheurs de l'au-delà. À l'extrémité des cuves, des lions assaillant des animaux introduisent souvent une note d'inquiétude et de cruauté. La crinière, le rictus des fauves deviennent un jeu stylisé de lignes décoratives ; mais c'est avec une férocité impitoyable que les griffes déchirent les chairs.

Sur les sarcophages dionysiaques, dont la cuve ovale évoque les bacs où fermente le raisin, se déroulent des cortèges de personnages lascifs ou joyeux, inspirés ou déchaînés : corps lisses, souples, longi-lignes, taillés avec une virtuosité qui les détache du fond, disposés avec clarté et équilibre. Les scènes d'affliction, les sombres légendes auxquelles se complaisait l'époque antonine se font plus rares, sans disparaître toutefois. Sur un sarcophage d'Agrigente, Phèdre souffre de son cruel amour, entourée de femmes compatissantes : scène admirable de fluidité et d'élégante grandeur, ciselée par des sculpteurs grecs.

Le *Sarcophage d'Acilia* (Rome, M. N.) résume exemplairement la rupture des portraits du IIIe s. avec une tradition artistique pluricentenaire. Les plis de leur toge dessinant des festons solennels, des personnages y sont alignés dont les visages typés, barbus, tantôt chauves, tantôt abondamment chevelus, sont ceux-là mêmes, encore traversés de réminiscences hellénistiques, que le premier art chrétien prêtera aux apôtres, mais ceux, aussi, des compagnons de Marc Aurèle sur les reliefs de l'époque de Commode. Parmi eux, un adolescent aux yeux vifs, au visage lisse, à la chevelure rase rendue par un fin piquetage : un portrait sans aucun doute (Gordien III ?), par opposition aux figures conventionnelles qui l'entourent. Rien ne saurait mieux rendre le fossé qui sépare alors le portrait de la sculpture décorative ou symbolique des sarcophages.

Il faudrait signaler encore d'autres choix stylistiques. Certaines têtes, incroyablement impressionnistes, semblent se dissoudre en une accumulation spongieuse de trous, dans lesquels une vision plus reculée nous restitue les visages. On voit aussi, alors, des personnages non pas baroques, mais franchement rococo, aux visages étroits et saillants, à l'expression gaie et sotte. Telle est, de ce XVIIIe s. avant la lettre aux *Tétrarques* de porphyre sombres et massifs, des philosophes chenus, encore antonins et déjà médiévaux, aux officiers à la chevelure rase, l'étonnante richesse.

Richesse qu'accroît l'art des provinces. L'Afrique crée des œuvres puissantes et déconcertantes, comme le *Génie* de Dougga couronné de tours, à l'expression brutale, comme l'*Hercule de Massicault* (Tunis, musée du Bardo), statue d'initié rude et comme désincarnée, qui se réduit, de profil, à une stèle sans épaisseur et dont le regard se charge d'une sévère spiritualité.

Aux IIe et IIIe s. prospère en Rhénanie, autour de Trèves, une école de sculpteurs à laquelle nous devons les *Stèles de Neumagen* (Trèves, Rheinisches Landesmuseum) ou le *Mausolée d'Igel*. Son domaine de prédilection est la vie quotidienne : scènes familières, activités économiques ; les personnages sont naturels, sereins ou joviaux, tels ces écoliers attentifs, ce joyeux batelier amateur de bon vin. La Gaule est riche aussi en œuvres de ce genre, où se côtoient jeux et fêtes, petits métiers, couples paisibles, divinités parfois étranges. Ces sculptures populaires de l'Occident sont incontestablement parmi les formes d'expression qui annoncent le plus clairement l'art du Moyen Âge.

AUTRES RELIEFS

De même que la tétrarchie ranime l'architecture publique, et pour les mêmes raisons, elle recourt de nouveau au basrelief aulique. Ainsi, Dioclétien élève sur le Forum romain, pour commémorer l'accession au trône des cinq coempereurs, un monument formé de cinq colonnes. La *Base des Décennales*, qui appartenait à l'une d'elles, s'orne de motifs des plus traditionnels : suovétaurile, libation sur un autel, cortège officiel, victoires. Les animaux du suovétaurile sont habilement ciselés, tandis que la scène de libation — sûrement conçue comme plus importante puisqu'un empereur y participe — n'est pas tant sculptée que tracée par des sillons profonds qui en dessinent les motifs sur une surface presque plane. La coexistence des deux procédés sur un même monument confirme l'analyse que nous risquions précédemment : c'est délibérément que les commandes officielles privilégient un art plus fruste d'apparence, mais plus novateur, aux dépens d'une sculpture plus habile, mais plus banale.

Galère, un des collègues de Dioclétien à la tête de l'Empire, érige à Salonique un arc tétrapyle entièrement couvert de basreliefs historiques, disposés en frises étroites et superposées que séparent des bandeaux ornementaux : cette décoration exubérante et envahissante oblitère la structure architecturale du monument, dans la ligne d'une évolution amorcée par l'arc romain de Septime Sévère.

PEINTURE ET MOSAÏQUE

La période qui s'étend des Sévères à la tétrarchie achève, quant à la peinture, le processus commencé depuis la fin du Ier s. : à savoir la dissolution progressive des structures rigoureuses, de caractère originellement architectural, qui organisaient les décors. À Rome, l'*Hypogée des Aurelii* ou une villa sous la basilique Saint-Sébastien en résument l'aboutissement, avec le lacis de minces lignes rouges et vertes qui divisent murs et voûtes en une infinité de petits panneaux blancs peuplés de motifs gracieux, visages, vases, oiseaux, dauphins... La peinture des catacombes reprendra parfois ces schémas. Et la symbolique païenne lui renverra à son tour d'émouvants échos, comme en cette fresque de la *Tombe des Octavii* qui évoque l'âme d'une jeune morte arrivant dans l'Élysée, jardin de roses que peuplent, par touches légères, de frêles silhouettes enfantines.

Parallèlement s'affirme une autre tendance, représentée par des fresques plus majestueuses aux personnages en grandeur nature, mégalographies d'un nouveau genre annoncées par des figurations comme celles des *mithraea*. Dans une maison trouvée à Rome sous l'église Saints-Jean-et-Paul, une vaste composition, l'*Île des bienheureux*, réunit trois divinités sur le fond glauque d'une mer peuplée d'Amours naviguant et jouant. Dans la *Domus praeconum*, édifice du versant méridional du Palatin, c'est le cérémonial d'un banquet solennel qui se déploie sur une paroi. À la périphérie de Leptis Magna, un petit établissement de bains fait contrepoint, avec ses salles exiguës voûtées en demi-cylindre conformes aux traditions architecturales locales, aux majestueuses constructions de Septime Sévère, dont il est contemporain ; ces *Thermes de la Chasse* abritent une grande fresque où des veneurs combattent des fauves, dans des poses à la fois dynamiques et stéréotypées (mais, sur des parois voisines, de gracieuses frises à thèmes nilotiques s'inscrivent plutôt dans une tradition hellénistique brillamment illustrée trois siècles plus tôt par la grande mosaïque de Palestrina).

Aux confins de la peinture et de la gravure, une nouvelle technique est mise au service du portrait : entre deux plaques de verre sont serties des feuilles d'or ou d'argent préalablement nuancées d'ombres subtiles par des incisions d'une infinie délicatesse. Les plus beaux de ces médaillons figurent une mère et ses deux enfants, aux visages doux et mélancoliques (à Brescia), un vieillard émacié au regard songeur (à Arezzo) : œuvres admirables qui, comme tant de sarcophages,

traduisent la spiritualité foncière de cette époque tourmentée.

La mosaïque affirme sa prééminence parmi les arts décoratifs. La mode, notamment dans les provinces de l'Europe nord-occidentale, est à de vastes « tapis » parcourus par des entrelacs de motifs géométriques variés à l'infini, qui rappellent, avec plus de complexité, les subdivisions linéaires des parois. Dans les médaillons circulaires, carrés, hexagonaux ainsi délimités, on multiplie de petits ornements isolés, personnages, animaux ou objets. D'autres compositions prennent au contraire une ampleur qui trouve, comme nous l'avons vu, son équivalent dans certaines fresques contemporaines. Ainsi, aux *Thermes de Caracalla,* sur un gigantesque pavement, des athlètes au corps gonflé de muscles, au cou épais, à la tête brutale préfigurent par leur schématisme puissant le « cubisme » des portraits monétaires ou sculptés des décennies suivantes.

L'Afrique confirme, dans les genres les plus divers, une suprématie qu'annonçait le IIe s. Le *Virgile* de Sousse, entouré de deux Muses, méditatif et inspiré, est un rare exemple de portrait en mosaïque. Des pavements à sujets marins grouillent d'animaux à la fois décoratifs et réalistes, de personnages bon enfant, qu'animaient parfois jadis les reflets des bassins dont ils ornaient le fond ou les parois. Les sujets mythologiques et légendaires sont traités généralement sur un ton plus détaché, plus aimable, plus pittoresque que sur les sarcophages : tels la *Procession dionysiaque* d'el-Djem ou l'*Ulysse* de Dougga, celui-ci écoutant, enchaîné à son mât, le chant de sirènes qui n'ont apparemment rien de très redoutable. À el-Djem encore, l'étonnant *Banquet costumé* illustre avec humour la beuverie de joyeux fêtards échangeant des propos avinés, véritables « bulles » de bande dessinée, devant les taureaux inquiétants mais provisoirement endormis qu'ils devront combattre dans l'arène, tandis que la grande mosaïque des travaux champêtres de Cherchell célèbre les travaux de la terre — labours, semailles, sarclage de la vigne... — avec une vigueur, un élan, un sens des couleurs et un goût du détail juste qui en font un hymne enthousiaste à la vie des campagnes.

Constantin
et ses successeurs

La retraite volontaire de Dioclétien en 305 donne le signal d'un rude affrontement entre prétendants au trône, dont Constantin sort progressivement vainqueur, restaurant ainsi l'unité de l'Empire. L'édit de Milan (313) reconnaît officiellement le christianisme, en attendant que le paganisme à son tour ne subisse persécutions et interdits. Dès lors pourra naître l'art chrétien, appliquant à de nouveaux concepts les schémas iconographiques et stylistiques de l'art romain. Parmi les successeurs de Constantin se détache la figure de Théodose le Grand (379-395), dont le règne voit la séparation définitive du paganisme et de l'État impérial. Le partage de l'Empire entre ses fils Honorius et Arcadius (395) fixe pour l'essentiel la limite chronologique de notre étude. Mais l'art romain continue — et nous évoquerons quelques œuvres plus tardives —, de même que l'Empire se survit entre mille vicissitudes, jusqu'à ce qu'en 527 l'accession de Justinien au trône marque le véritable avènement d'un nouvel univers, celui de Byzance.

La renaissance constantinienne se traduit inéluctablement dans les domaines — l'architecture, l'art commémoratif — qui sont sensibles par tradition aux aléas de l'histoire. Rome bénéficie de ce répit et de son prestige retrouvé ; mais par ailleurs sa prééminence ne tardera pas à être battue en brèche par le développement d'autres cités impériales — Arles ou Trèves, Milan ou Ravenne — et surtout de cette Constantinople que Constantin fonde comme son pendant oriental sur le site de l'ancienne Byzance en 324, l'année même où il rassemble en sa personne la totalité du pouvoir. Ce déplacement vers l'Orient du centre de gravité de l'Empire s'accompagne d'un retour en force des tendances hellénistiques, qui ne s'étaient jamais assoupies en Asie Mineure et dans les régions voisines.

URBANISME ET ARCHITECTURE

L'Urbs se couvre sous Constantin de chantiers importants : nouveaux thermes monumentaux, réfection totale du *Temple de Vénus et de Rome,* basilique chrétienne du Vatican, mausolées à plan centré d'Hélène et de Constantina, mère et fille de l'empereur. Constantin termine une basilique civile qu'avait presque achevée son rival Maxence, vaincu en 312 au pont Milvius. Cette *Basilique de Maxence,* ou *de Constantin,* rompt radicalement avec le schéma traditionnel des basiliques civiles, auxquelles elle est un peu ce que le *Panthéon* d'Hadrien était aux temples italiques : les voûtes s'y substituent en effet aux colonnes et aux charpentes. Sa nef centrale à voûtes d'arêtes, d'un gigantisme inusité jusqu'alors, même dans les plus grandes salles thermales, est flanquée de collatéraux perpendiculaires voûtés en berceau, dans les intervalles desquels s'ancrent ses retombées. À son extrémité, une abside reçoit la statue colossale de l'empereur. Les trois salles latérales qui se dressent encore près du Forum donnent une idée des proportions de l'ensemble.

Le IVe s. donne à Rome deux de ses principaux arcs de triomphe. L'*Arc de Constantin,* près du Colisée, concilie harmonieusement une architecture élégante et une riche décoration sculptée empruntée pour l'essentiel à des monuments du IIe s. : c'est bien le signe d'une époque classicisante que ce retour à un équilibre qu'avait compromis, comme nous l'avons vu, la surcharge décorative du siècle précédent. Le *Janus quadrifrons,* au Vélabre, est un tétrapyle d'un type original, dont des rangées de niches, jadis encadrées de colonnettes, animent les piédroits.

Une ville comme Trèves témoigne des efforts du nouveau souverain pour traduire dans l'architecture de prestige la décentralisation de l'Empire. Les grands thermes impériaux rivalisent avec ceux de Rome. La « basilique », ou salle d'audiences du palais, encore intacte avec sa haute et vaste nef, son ample abside, ses murs lisses percés de fenêtres cintrées, rappelle par la grandiose simplicité de ses lignes, ses proportions à la fois majestueuses et compactes, la *Curie* de Dioclétien. (En revanche, la *Porte Noire*, à la fois porte d'enceinte et entrée solennelle, où le subtil décor sculpté de la cour intérieure fait contrepoint à la puissance dépouillée de l'édifice, remonte probablement à l'époque antonine ou sévérienne.)

SCULPTURE ET PORTRAIT

Le rééquilibrage de l'Empire au profit de l'Orient provoque dans les arts plastiques une nouvelle poussée des influences helléniques ; le rétablissement de l'ordre après les agitations du passé favorise un art noble et apaisé ; enfin, l'adulation croissante du souverain privilégie dans les commandes officielles le gigantisme, les attitudes surhumaines, l'accentuation des hiérarchies. La statuaire, le bas-relief s'en ressentent au premier chef.

Il n'est que de considérer au musée des Conservateurs à Rome deux *Têtes* colossales, l'une, de Constantin, en marbre, haute de 2,60 mètres (elle appartenait à la statue de la grande basilique romaine), l'autre, dont l'identification n'est pas assurée, en bronze. Les sculpteurs n'y privilégient plus, comme au IIIe s., la structure de la tête, désormais moins massive, mais quelques traits dominants du visage redevenu glabre : sous une chevelure soignée, très géométrisée s'imposent le nez aquilin, les yeux immenses, levés vers le ciel dans un dialogue muet dont est exclu le commun des mortels. Ces tendances — visages inscrits dans un ovale allongé, stylisation héroïque des traits — s'accentueront jusqu'à la fin du siècle.

Contraints par leur petitesse à plus de schématisme, les portraits monétaires, puissants moyens de diffusion de l'effigie impériale, font ressortir plus nettement encore ces changements. Comparons deux monnaies de Constantin : l'une remontant encore à l'époque tétrarchique, au profil massif, carré, à la chevelure et à la barbe rudes, au front plissé par la tension, au regard méfiant et perçant ; l'autre, postérieure de deux décennies, aux lignes plus fluides, où l'empereur imberbe, la chevelure soigneusement bouclée, l'œil immense, communique, le regard levé, avec

un invisible au-delà. Ces objets minuscules appartiennent à deux mondes sans commune mesure et sont les jalons d'un bouleversement total des mentalités et des formes. Au cours du IVe s., l'œil s'agrandira encore dans un profil qui s'allongera et deviendra presque diaphane.

Dans les portraits privés, les disparités de région à région sont frappantes. L'Orient grec produit avec son habileté coutumière des statues longilignes, où les physionomies, les plis des vêtements sont comme éthérés. Avec son visage étonnamment allongé, l'*Eutrope* d'Éphèse (Vienne, K. M.), patriarche rêveur, intellectuel presque désincarné, ne déparerait pas un portail gothique. Mais en Occident subsistent les vieilles tendances expressionnistes. À Ostie, un homme à la toge sommairement travaillée, à la tête hirsute et trop volumineuse, exprime dans son visage ravagé toute l'amertume et tout le désespoir du monde.

En cette période de renouveau classicisant, il est curieux — mais cela rejoint nos observations antérieures — de voir les procédés de l'art plébéien prédominer aussi dans les bas-reliefs officiels lorsqu'ils sont au service de la propagande impériale, comme sur le *Sarcophage d'Hélène* en porphyre (avec une bataille très comparable au carrousel de la *Colonne d'Antonin le Pieux*) ou comme dans les frises à sujets historiques de l'*Arc de Constantin*. Par exemple, une scène de largesse *(liberalitas)* place le souverain, démesurément grandi, en position centrale, frontale et surélevée, et pour tout dire en majesté, entouré d'une foule de courtisans, de fonctionnaires et de gens du peuple, qui ne sont plus que des sujets et des faire-valoir ; le tout, dans ce style schématique et trapu qui rappelle l'*Arc de Septime Sévère* et qui, décidément, semble être alors devenu l'apanage de l'art aulique commémoratif. La base de l'*Obélisque de Théodose* à Constantinople (390) peuple de personnages plus longilignes (comme il est naturel en Orient en cette fin de siècle) quatre scènes analogues, les derniers bas-reliefs historiques que l'Antiquité nous ait légués. La voie est désormais tracée vers les représentations du Christ sur les portails romans.

PEINTURE ET MOSAÏQUE

Comme à l'époque précédente, les peintres marquent leur préférence pour les grandes figures classicisantes tracées avec une science consommée du coloris : dame richement parée, sur un plafond du palais de Trèves ; *Déesse Barberini* de Rome, majestueuse *Vénus trônant* (Rome, M. N.) ; ou *Diane* de la Via Livenza, chassant d'un pas vif sous les frondaisons (Rome, *in situ*). Mais, dans l'*Hypogée de l'entrepreneur Trebius Justus,* une scène de construction réaliste prolonge une tradition plus populaire jadis représentée par une fresque républicaine de l'Esquilin, la frise de la Basilica Aemilia, le *Tombeau des Haterii.*

L'univers des mosaïques est toutefois bien plus divers encore. Diversité des techniques : par exemple, l'*opus sectile* prospère alors, juxtaposition de pièces découpées dans des marbres, des pierres, des plaques de verre, et la *Basilique de Junius Bassus* à Rome s'orne ainsi de compositions à la fois minutieuses et maladroites, richement coloriées (*Hylas et les nymphes,* un quadrige vu de face, des tigres assaillant des veaux). Diversité des styles, surtout. En Orient, l'héritage hellénistique s'est maintenu à peu près intact : répertoire iconographique traditionnel, vastes compositions, dessin habile, coloris nuancés, tout cela n'a guère changé depuis six siècles. Ainsi à Antioche, d'où provient, parmi tant d'autres pavements, la grande *Mosaïque de la chasse et des saisons* du Louvre. Les commandes officielles introduisent à Rome un reflet de cet art. Au *Mausolée de Constantin* (Santa Costanza à Rome), une élégante jonchée de rameaux fleuris aux couleurs vives semble transposer audacieusement sur une voûte le vieux thème de la « salle non balayée » *(asarôtos oikos).* À l'autre extrémité du monde romain, en Angleterre, le style change du tout au tout : la *Mosaïque de Taunton* (Taunton, Somerset, Castle Museum), cloisonnée comme souvent dans ces régions de l'Empire, évoque les amours de Didon et Énée par des couleurs en aplat, un dessin d'une gaucherie savoureuse.

L'Afrique reste la contrée la plus novatrice. Une série de pavements évoque la vie des grands domaines ruraux, comme la *Mosaïque du seigneur Julius* (Tunis, musée du Bardo). Au centre, la villa, à la fois fortifiée et luxueuse, comme le palais de Dioclétien à Split ; autour, sur trois registres, la vie des maîtres, des serviteurs, des paysans : dame à sa toilette, seigneur vérifiant les comptes, chien attaché à sa niche, chasse, moissons mûres, cueillette des olives, arbres chargés de fruits... Les couleurs sont gaies, la mise en page harmonieuse ; ces vastes compositions, très décoratives, sont aussi des documents de premier ordre sur l'économie rurale et la vie seigneuriale au Bas-Empire.

La *Villa de Piazza Armerina* en Sicile — un de ces grands domaines, précisément — abrite 3 500 mètres carrés de mosaïques figuratives et ornementales dues à des artistes africains et datant de l'époque constantinienne, encore que les réminiscences stylistiques de la période tétrarchique y soient nombreuses. Dans une galerie longue de 60 mètres se développe le pavement de la *Grande Chasse.* En présence d'un haut fonctionnaire au regard désabusé, des animaux sauvages de toutes espèces sont capturés et embarqués pour les jeux du cirque. Cette immense et puissante composition pleine de fantaisie et de couleurs, où l'on retrouve le goût à la fois réaliste et décoratif que nous venons de signaler dans d'autres pavements, est reprise en mineur par la *Petite Chasse,* épisode de vénerie quotidienne égayé d'un repas champêtre, de même qu'une scène de cirque trouve un écho humoristique dans une course de chars attelés d'oiseaux et montés par des Amours. Parmi d'autres mosaïques d'une surprenante variété — jeunes sportives en bikini, accueil cérémoniel du maître de maison, épisode d'Ulysse et Polyphème, traité avec malice — se détachent celles d'une salle à trois absides, qui célèbrent Hercule. Des monstres jonchent le sol, massacrés et néanmoins terrifiants, comme l'Hydre de Lerne, serpent à tête humaine blafarde, ou comme les Géants transpercés par les flèches du héros : corps musculeux, épais, comme ceux des athlètes des *Thermes de Caracalla* un siècle plus tôt, mais de plus saisis dans les poses violentes et comme insensées que leur inflige la douleur. C'est une des créations les plus impressionnantes de l'Antiquité tardive que ces images d'une force impuissante et convulsée.

ARTS MINEURS

Restauration monarchiste, résurrection d'une vie de cour : il n'est pas surprenant que le IVe s., comme jadis le règne d'Auguste, voie les arts mineurs refleurir après une longue décadence, et les réminiscences classiques s'y donner libre cours. Nous avons déjà évoqué le retour des émissions monétaires à plus d'élégance, perceptible aussi dans de grands médaillons dits « contorniates ». Les « diptyques consulaires » sont des plaques d'ivoire célébrant l'entrée en fonctions de hauts magistrats : dignitaires, divinités, scènes diverses y sont ciselés avec le mélange de solennité dans les poses et d'aisance dans le dessin qui caractérise l'époque. La glyptique recouvre ses droits, avec des camées dynastiques analogues à ceux des Julio-Claudiens. Les plats d'argent se couvrent de motifs hellénistiques repoussés ou niellés. La céramique elle-même participe à ce renouveau, et la sigillée africaine imite l'argenterie par de grands plats à vernis rouge décorés de reliefs. L'art du verre explore de nouvelles techniques, notamment en Rhénanie : verres gravés et surtout précieux « diatrètes », gobelets enveloppés, avec une incroyable virtuosité, d'une résille transparente détachée de leur paroi. Enfin, de précieux manuscrits historiés, où revit encore parfois l'imagerie hellénistique et dont s'inspireront les copistes du Moyen Âge, deviendront d'émouvants relais entre l'Antiquité et les Temps modernes.

IL N'EST PAS AISÉ DE SAISIR DANS SA TOTALITÉ ET SA DIVERSITÉ un art qui s'est développé pendant mille ans sur un territoire immense. Souvent jugé monotone, l'art romain ménage de perpétuelles surprises. Quand on le croit compassé, on s'aperçoit qu'il connaît aussi la tendresse, la fantaisie, la poésie ; quand on le croit terne, on s'aperçoit qu'il aime aussi la couleur, et en use avec brio ou subtilité. L'art aulique, le goût classicisant risquent de faire oublier les tendances populaires, toujours sous-jacentes, souvent triomphantes. La « périphérie » de l'Empire juxtapose ses traditions et ses innovations à celles du « centre », en est influencée et, en retour, les influence ; enfin, chaque « décadence » est compensée par la naissance de formes nouvelles. Si nous considérons de surcroît que chacun de ces plans recoupe tous les autres, nous comprendrons mieux la multiplicité des facettes qu'ils dessinent.

INDEX

Abou-Simbel, 78
Abousir, 60
Abydos, 56, 57, 68, 72, 79, 81, 83
achéménide (art), 193, 196, 198, 199, 202
Achéménides, 41, 193, 203
Acrobate (l'), 105, 109
Acropole, 157, 165, 166, 167, 168, 169
Adad, 35
Adamklissi, 264
Addaura, 4
Adorant de Larsa, 34
Adria, 219
Agamemnon, 114
Agias, 183
Agia Triada, 110
Agoracrite, 171
Agris, 12
Ahmosis, 75
Ahura-Mazdâ, 193, 201
Akkad, 25, 27, 28, 30
Akrotiri (site d'), 110
Alaça Höyük, 36
Alcamène, 170, 171
Alep, 50
Alexandre à la lance, 183
Alexandre le Grand, 88
Alexandrie, 91, 94, 181, 186
al-Hiba, 25
Alimenta (les), 263, 264
Altaï, 213
Altamira, 3, 4
Altin tépé, 48
Amarna, 76, 82
Amasis, 91, 95, 156, 158
Amazone (du Capitole), 166
Amazone Mattei, 166
Amazonomachie, 174, 178, 179, 180
Amélineau, 56
Aménardis, 95
Amenhemat, 65, 67, 81
Amenhemat Ier, 66, 70
Amenhemat III, 66, 71
Amenhotep, 53, 85, 86
Aménophis Ier, 77
Aménophis III, 76, 77, 78, 80, 81, 85
Aménophis IV, 76, 78, 80, 82, 85
Amfreville, 12
Amiterne, 253
Amon, 67, 76, 77, 78, 82, 89
Amon d'or, 95
Amour puni, 259
Amphithéâtre de Thysdrus, 272
Amphithéâtre Flavien, 255
Amphore d'Éleusis, 155
An, 35
Anio Novus (aqueduc), 250
Ankh-haf, 63
Antigonos de Carystos, 189
Antinoüs, 266
Antioche, 281
Antonin, 267
Aoste, 244
Aou, 72
Apelle, 184
Aphrodisias (École d'), 273
Aphrodite aux jardins, 170
Aphrodite de Cnide, 181

Apollodore de Damas, 261, 262
Apollon, 144, 145, 163, 164, 166, 183, 220, 228
Apollon à l'omphalos, 160
Apollon de Dréros, 144
Apollon de Mantiklos, 145
Apollon du Belvédère, 179
Apollon Sauroctone, 181
Apothéose de Sabine, 266
Apoxyomène, 182, 183
Apriès, 89, 95
Aqueduc de Ségovie, 262
Aquia Claudia, 250
Ara Pacis Augustae, 245, 246
Ara Pietatis Augustae, 252
Arcadès, 141
Arc d'Auguste, 244
Arc de Bénévent, 264
Arc de Constantin, 263, 266, 279, 280
Arc des Argentarii, 274
Arc de Septime Sévère, 273
Arc de Suse, 247, 253
Arc de Titus, 258, 273
Arc de triomphe (de Titus), 257
Arc de triomphe de Suse, 244
Arc d'Orange, 252
archaïque (art), 155
Archaïsme, 124, 125, 126, 128, 131, 147, 148, 152, 154, 155, 160, 164, 166, 211
Archermos de Chios, 154
Architecte Kha, 85
Arcs de Cavaillon et de Glanum, 244
Arc tétrapyle de Marc Aurèle, 267
Ardeshir, 203
Arès Borghèse, 171
Arezzo, 248
argenterie, 248
Argolide, 130
Argos, 136, 148, 150
Ariketekana, 95
Arjan, 214
Arringatore, 235
Arsinoé II, 97
Artémise, 176
Artémision d'Éphèse, 152, 153, 175
Ashayt, 69
Asklepieion de Pergame, 267
Askos Benacci, 10
Assiout, 69
Assouan, 72
Assour, 28, 35, 43, 44, 45
Assurbanipal, 44, 47
Assyrie, 16
Assyriens, 208
Astyage, 194
Athéna, 161, 163, 165, 167, 168
Athéna Lemnia, 166
Athéna Lindia (sanctuaire d'), 234
Athéna Parthénos, 168, 189
Athéna Promachos, 166, 169
Athènes, 131, 136, 148, 158, 159, 166, 188, 211
Atlas, 163
Aton, 76
Attale Ier, 187, 189
attique (art), 155
attique (style), 139
Auguste, 238, 242, 243, 245

Auguste de Fondi, 245
Auguste de Prima Porta (statue d'), 246
augustéen (art), 242
Aurige, 160
Autel de Domitius Ahenobarbus, 235, 247
Autel des Douze Dieux, 170
Autel de Zeus, 188, 189
Autun, 244
Avaris, 75
Aveuglement de Polyphème, 141

Baalbek, 256, 267
Bâbâ Djân, 42
Babylone, 28, 32, 40, 48, 49, 50, 51, 198
Baguettes d'Isturitz, 2
Balbin, 275
Banquet costumé, 278
Base des Décennales, 277
Basilica Ulpia, 261, 263, 272
basilique, 233
Basilique de Junius Bassus, 281
Basilique de Maxence, 279
Basilique Émilienne, 240
bas-relief, 25, 235, 245, 252, 263, 266, 269, 280
Bassæ, 172, 173
Bataille d'Alexandre, 184
Bataille d'Issos, 184
Bedjmès, 59
Bégo (mont), 6
Behbeit el-Hagar, 89
Béhistoun, 197, 198
Beni-Hassan, 67, 74
Bibân el-Harim, 79
Bibân el-Molouk, 79
Bibliothèque d'Attale Ier, 189
Bichapour, 203
Biche nourricière de Télèphe, 259
bijouterie, bijoux, 74, 115, 142
Black and White (style), 140
Boğazköy, 36, 37
Bol d'Alstetten, 11
Bol de Schwarzenbach, 11
Bouqras, 20
Bouray, 13
Bourdeilles, 3
Brassempouy, 4
Brescia, 256
bronze (âge du), 6, 7, 8, 10, 11, 39, 40, 98
bronzier, 105, 114
Bruniquel, 4
Brutus capitolin, 230, 231
Bryaxis, 178
Brygos, 158
Bubastis, 71, 88
Bucrane de tell Halaf, 20
Buste de Commode, 268
Buste de Pompée, 240
Bustes de Déméter et Koré, 230
Byzance, 279

Caius Cassius, 234
Caius Lusius Storax, 253
Calamis, 160

Caligula, 249, 251
Callimaque, 171
Calydon, 150
Cambyse Ier, 194
Canachos, 161
Canosa, 12
Capitole, 228
Capitole d'Ostie, 265
Capoue, 219
Carnac, 8
Carrare, 243
Caryatides de l'Érechthéion, 169
Castor et Pollux, 150
Catacombes d'Hermopolis, 91
Çatal Höyük, 19, 20
Caton d'Utique, 240
Caton et Porcia, 240
Cavalier Rampin, 157
Celer, 250
Celtes, 10, 12, 13, 14
celtique (art), 11, 12, 14
Centaure, 220
Céphisodote, 173, 173
céramique, 99, 103, 108, 110, 116, 119, 122, 123, 127, 129, 130, 131, 137, 138, 141, 151, 155, 155, 156, 157, 217, 218, 224, 225, 231, 248, 282
Céramique à Athènes (cimetière du), 127
céramique attique, 128, 158
céramique crétoise, 119
céramique protoattique, 139
Cerf de Kostromskaïa, 209
Cerro de los Santos, 9
Cerveteri, 217, 218, 219, 220, 223
César (Jules), 237, 238, 240
Cestius, 245
chalcolithique, 6
Champollion, 53, 89
Chancelier Nakhti, 69
chapiteau corinthien, 172
Chapour Ier, 203
Char de Thoutmosis IV, 83
Char de Trundholm, 7
Chasse d'Alexandre, 182
Chasse du sanglier de Calydon, 150
Château Saint-Ange, 265
Chaudron de Gundestrup, 13
Chechonq Ier, 87, 91
Cheikh el Beled, 63
Chéops, 60, 61, 62, 63
Chephren, 60, 61, 62
Chéramyès, 153, 154
Cherchell, 278
Chiéti, 253
Chimère d'Arezzo, 225
Chios, 152, 153, 154
Chiusi, 218, 220, 223, 225
Choga Mami, 18
Chrysaôr, 150
Chryssolakkos, 103
Chute d'Icare, 259
Cicéron, 240
Circus Maximus, 251
Ciste Ficoroni, 225, 231
Classicisme, 125, 128, 148, 161, 164, 166, 169, 192
Classicisme (second), 170
Claude, 249, 250, 251, 252
Clazomènes, 152, 155
Clémence d'Auguste, 254
Cléobis et Biton, 150
Cléopâtre, 97

Cléopâtre VII, 88
Clitias, 156
Clusium-Volterra (groupe), 225
Code de Hammourabi, 32, 34
Coffret de Toutankhamon, 83
Colisée, 255, 255, 258
Collier d'Uttendorf, 11
Colonne d'Antonin le Pieux, 269, 280
Colonne de Marc Aurèle, 269, 270
Colonne Trajane, 261, 262, 263, 268
Colosse de Chabaka, 95
Colosses de Memnon, 78
Combarelles, 3
Concordia, 273
Constantin, 279, 280
Corinthe, 130, 131, 136, 137, 148, 150
corinthien (style), 137, 139, 141, 151
Corridor de la procession, 108
Cortone, 219
Cos, 234
Coupe de Khosroès, 204
Coupe de Nestor, 112, 116
Coupe d'or de Djehouty, 87
Coupe en or de Dendra, 121
Couteau de Djebel el-Arak, 55
Cratère de Vix, 11, 151, 156
crétois (style), 144
Critios, 159
Ctésiphon, 203
cunéiforme, 198
Curie de Dioclétien, 275, 280
Cyclades, 102, 110, 111, 130, 136, 141, 145
cycladique (style), 142
Cyrus, 195, 196
Cyrus II, 194

Daces, 262
Dahshour, 66, 74, 75
Dame d'Auxerre, 144
Dame d'Elche, 9
Dame Nanteuil, 74
Dame Senebtisi, 74
Dame Takouchit, 95
Dame Touy, 85
Darius, 197, 198, 199, 200, 201, 202
Débarquement de la nef des Argonautes, 150
Décapitation des prisonniers barbares, 268
dédalique (style), 144
Déesse au vase jaillissant, 33, 34, 45, 46
Déesse Barberini, 281
Deinocratès de Rhodes, 186
Deir el-Bahari, 66, 68, 78, 81, 85
Deir el-Bahari (temple de), 53
Deir el-Medineh, 80
Délos, 145, 154, 186
Delphes, 131, 147, 148, 150, 150, 175, 188
Déméter assise, 179
Dendara, 88, 89, 90, 93
Diadumène, 166
Diane, 281
Didymes, 153
Dieu Nabou, 46
Dinos, 155
Dioclétien, 275
Dipylon, 130, 131, 136, 140

Discobole, 165
Disque de Mélos, 162
Disque d'or, 12
Diyâlâ (vallée de la), 26, 27
Djéhoutyhotep, 67, 71, 74
Djoser, 58, 59, 62
Domitien, 255
Domus aurea, 250, 251, 259
Domus Flavia, 255
Domus praeconum, 278
Domus Severiana, 272
dorique (architecture), 128, 149
dorique (ordre), 159
Doryphore, 165, 166, 182
Dour-kourigalzou, 35
Dour-Sharroukên, 44, 45, 47
Dréros, 144
Durandal et Joyeuse (les épées), 105

Eanna d'Ourouk, 21
E-babbar (temple de l'), 35
Ebla, 16, 25, 37, 38
Ecbatane, 195
Écuries d'Augias, 163
Edfou, 89, 90, 93
Éirênê et Ploutos, 173
Élam, 24, 35, 36, 39, 41, 42
el-Amarna, 80
el-Bercheh, 74
El Cigarralejo, 9
el-Djem, 278
Éléphantine, 65
Éleusis, 140, 141
El Hibeh, 88
el-Obeïd, 25
Emar, 28, 38
Enfance de Dionysos, 259
Enlèvement de Ganymède, 179
Enlèvement des Sabines, 241
Entremont, 13
Éphèbe blond, 159, 164, 166
Éphèbe de Critios, 160
Éphèse, 152
Épidaure, 174, 174, 179
Érechthéion, 169
Érétrie, 133, 134
Ergotimos, 156
Éridou, 25
Ermant, 68, 73
Eschyle, 162
Esculape (sanctuaires d'), 234
Esna, 89
Ésope, 268
Esquilin, 231, 241, 242
étrusque (art), 224
Étrusques, 10, 216, 219, 224, 226
Eumène II, 187, 188, 191
Euphranor, 184
Euphronios, 159, 223
Euphronios, 158
Eupompos, 182
Eurysaces (Vergilius), 245, 247
Euthymidès, 223
Eutrope d'Éphèse, 280
Eutychidès, 185
Exékias, 158
ex-voto, 25, 56, 65, 72, 95, 147, 230
ex-voto d'Attale Ier, 189

Farnesina, 248, 254
Felsina (Bologne), 219

Femme à l'écharpe, 31
fer (âge du), 8, 9, 29, 40, 41
figurines, 109, 120
Firouzabad, 203
Flamininus, 235, 240
Font-de-Gaume, 3
Fortuna Primigenia (sanctuaire), 234
Fortune virile (temple de la), 233
Forum, 230, 233, 238, 243, 255, 277
Forum d'Auguste, 243
Forum de Nerva, 257
Forum de Trajan, 261
Forum Iulium, 238
Forum sévérien, 273
Forum Transitorium (Forum de Nerva), 255, 256
Forum Vespasiani, 255
Fresque de la flotte, 111
Fresque dite de la tauromachie, 108
Fresque du printemps, 110
fresques, 107, 118, 154
Frise de Civitalba, 235
Frise des archers, 198
Fronton occidental (Olympie), 163
Fronton principal (Olympie), 163

Gallien, 275
Gaulois Ludovisi, 189
Gaulois mourant, 189, 190
Gaumata, 198
Gemma Augustea, 254
Généléos, 154
Génie de Dougga, 277
géométrique (art), 125, 127, 130
géométrique (style), 128
Gigantomachie, 150, 164, 190, 191, 192
Giza, 60, 66, 67
Glanum, 13
glyptique, 254, 282
Godin tépé (palais de), 42
Gordien III, 275
Gortyne, 143, 144
Goudéa (série de), 29, 30, 31
Gouzana, 50
Grand Autel de Pergame, 190, 191
Grand Camée de France, 254
Grand Chanteur Our-Nanshé, 27
Grande Chasse, 281
gravures rupestres, 6
Groupe d'Athéna et d'Héraclès, 220
Guerrier de Capestrano, 10, 11
Guerriers de Sainte-Anastasie et de Grézan, 13

Habuba, 21, 22
Hachette de Malia, 110
Haçilar, 19
Hadrien, 165, 264
Hagéladas, 161, 165
Halicarnasse, 176, 180
Hallstatt, 11
Hamadhān, 195
Hammourabi, 28, 32
Han (art des), 205
Harappa, 29
Hasanlu, 41, 42, 43
Hassouna, 18
Hatchepsout, 77, 78, 85

Haterius, 258
Hathor, 78, 79, 83, 93, 96
Hawara, 66, 71, 74
Hékatompédon II, 134, 152
Héliopolis, 67, 89, 93
hellénistique (art), 125, 181
helléno-scythe (art), 211
Hémaka, 58
Hepat, 37
Héphaïstos (temple d', «Théseion»), 166
Héra, 154
Héraclès, 163
Héra de Samos, 153
Héraion d'Argos, 135, 168
Héraion de Samos, 133, 134
Héraion d'Olympie, 149
Herculanum, 254
Hercule (sanctuaires d'), 234
Hercule de Massicault, 277
Hermès, 180
Hermès Azara, 183
Hermodore de Salamine, 233
Hermopolis, 90, 93
Hérodote, 89
Hésyrê, 59
Heunebourg (la), 14
Hibis (temple d'), 89
Hiéraconpolis, 74
hiéroglyphes, 53, 56, 63, 93, 110
Hippodamos, 177
Hittites, 36, 37, 42
Homère, 123, 133
Homme aux cheveux bouclés, 104
homme de Néandertal, 2
Homme et un centaure, 132
Homo sapiens sapiens, 2
Horemheb, 79, 82, 86
Horologium Augusti, 244
Horus, 93
Hotepdjedef, 59
Hydries de Cerveteri, 223
Hydries de Caere, 154, 158
Hylas et les nymphes, 281
Hypogée de l'entrepreneur Trebius Justus, 281
Hypogée des Aurelii, 277

Ibou, 66
Ictinos, 167, 168, 172
Ida, 136
Île des bienheureux, 278
Iliade (l'), 133, 156
Ilioupersis, 142
Illahoun, 74
Iménéminet, 83
Imgur-bel, 44
Imhotep, 53, 58
Inanna (déesse), 21
Inanna-Kititoum (temple d'), 33
Intendant Ebih-il, 27
Intendant Méry, 69
ionique (ordre), 152, 154
Ipouy, 83
Ishtar, 26
Ishtar (porte d'), 48
Ishtarat, 26
Ishtoup-iloum, 33
Isis, 93, 97
ivoire, 38, 39, 50, 57, 121, 142, 144, 151, 217, 218, 224, 282

Janus quadrifrons, 279
jardins suspendus, 49
Jéricho, 18
Jérusalem (temple de), 50
Jerwan (aqueduc de), 45
Jeune Garçon au crâne rasé, 104
Jugement de Salomon, 259
Jupiter Anxur (sanctuaire de), 234
Jupiter Stator (temple de), 233
Justinien, 279

Kahoun, 65
Kalakh, 44
Kalon, 162
Kambos, 120
Kanish, 43
Karaburun, 154
Karagodeouachkh, 212
Karkemish, 50
Karnak, 67, 70, 72, 76, 77, 86, 88, 89, 92, 94, 95
Karomama, 95
Kar Toukoulti Ninourta, 33
Kawa, 88, 92
Kerma, 65, 72
Khafadjé, 25
Khasékhem, 57
Khéma, 72
Khéti (tombeau de), 67
Khnoumhotep accroupi, 72
Khokhlatch, 215
Khonsou, 77
Khorsabad, 16, 45
Kish, 25, 27
Knossos, 102, 103, 104, 107, 108, 109, 110, 120
Kom-Ombo, 89, 90, 90
Koré à la grenade, 157
Koré au péplos, 157
Koré d'Euthydikos, 159
Korés, 221
Korés de l'Acropole, 157
Kos, 188
koudourrous, 35
Koulakovsky, 209
Koul-Oba, 206
Kourigalzou II, 35
Kouroi de Sounion, 157
Kouros de Ténéa, 150

Lagash, 29
La Madeleine, 4
La Marche, 4
Laocoon, 192, 252
Lapithes contre les Centaures, 163
Larsa, 32, 35
Lascaux, 3, 4, 5
Las Monedas, 3, 4
La Tène, 11, 12
Laugerie-Basse, 4
Laussel, 4
Lébèna, 100
Léda, 174
Lefkadia, 184
Léocharès, 178, 179, 181, 182, 183
Leptis Magna, 271, 272, 273
Levant, 37, 50
levantine (architecture), 38
Levanzo, 6
Liberalitas, 268
Libon d'Élis, 162

Lionne blessée, 47
Lirinon, 93
Lisht, 66, 72, 74
Livie, 251
Livre des morts, 84
Los Millares, 8
Louve du Capitole (la), 228
Louxor, 76, 82, 88
Lucius Caecilius Jucundus, 257
Lucius Verus, 267
Luristân, 24, 36, 41
Luristân (bronzes du), 27, 43
Lysippe, 165, 179, 182, 183, 185, 190

Macédoine, 212
Maison Carrée, 244
Maison de Livie, 242, 248
Maison des fresques, 107
Maison des Vettii, 259
Maison Dorée, 253, 256
Maison du faune, 236, 256
Maison du faune à Pompéi, 184
Maître d'Olympie, 164
Maître Rampin, 157
Malgatta, 80
Malia, 100, 102, 103, 104, 105, 106, 107, 110
Mantoue, 219
Marathon, 158
Marc Antoine, 240
Marc Aurèle, 267
Marchés de Trajan, 261
Mardouk (temple de), 49
Mari, 25, 26, 27, 31, 32, 33, 34
Mariette (Auguste), 91
Marlik, 41, 43
Marmaria, 175
marqueterie, 105
Marsoulas, 4
Marsyas, 165
Masque d'Agamemnon, 112, 114
Mausole, 176, 178
Mausolée, 178, 179, 180
Mausolée de Constantin, 281
Mausolée des Iulii, 244, 247, 252
Mausolée d'Halicarnasse, 175
Mausolée d'Igel, 277
Mausoleion, 176
Maya, 86
Médamoud, 67, 71, 88
Mèdes, 194
Médinet Habou, 79, 80, 83, 88, 89, 91, 92
Médinet Madi, 67
mégalithique, 8
Mégaron de la reine, 107, 108
Megiddo, 38
Meir, 71
Mekétré, 69
mélien (style), 141
Mélos, 102, 141, 150
Melpum (Milan), 219
Memphis, 82, 89, 91
Ménade de Dresde, 180
Mendès, 89
Menna, 82
Merveilles (vallée des), 6
Meskeneh, 28
mésolithique, 6
Mésopotamie, 17, 18, 19, 23, 24, 28, 29, 31, 32, 40

mésopotamien (art), 26
Mésopotamiens, 42
Messara (tombes de), 100, 101, 103
Methethy, 63
Milet, 152, 153, 177, 185
Minatia Polla, 252
Minet el-Beïda, 122
minoenne (civilisation), 98
Minos, 98
Minoussinsk, 214
Miracle de la pluie, 268
Miroir de Kelermès, 211
Mit Farès, 71
Mithridate, 203
Mnésiclès, 168
Mobilier funéraire, 27
Mochlos, 100, 101
Monterozzi, 10
Montescudaio, 10
Montou, 67, 77
Montouemhat (tombeau de), 91, 92, 95
Montouemhat assis, 95
Montouhotep, 68
Montouhotep le Grand, 64, 66
mosaïque, 236, 237, 258, 259, 270, 271, 274, 278, 281
Mosaïque de la chasse et des saisons, 281
Mosaïque de Taunton, 281
Mosaïque du seigneur Julius, 281
Moschophore, 157
Moulins-sur-Céphons, 14
Mout, 77
Mureybat, 18
Mycènes, 99, 112, 117, 118, 119, 120, 122, 123
Mykerinos, 60, 62
Myron, 165
Myrtos, 99, 100

Nabopolassar, 48, 49
Nabou, 44
Nabuchodonosor, 48
Nabuchodonosor (palais de), 49
Nagada (civilisation de), 55
Nages, 13
Nain Seneb, 64
Napata, 88
Naqsh-i Roustem, 204
Naucratis, 153
Naxos, 102, 145, 148
Néapolis, 214
Nebmertouf, 85
Nectanebo, 95, 96
Nectanebo Ier faisant l'offrande du pain, 93
Neferourê, 85
Nefertari, 78, 79
Nefertyabet, 63
Nefret, 63, 72
Nekhtorheb agenouillé, 96
néolithique, 5, 6, 8, 18
Néron, 249, 250, 251
Nerva, 255
Nésa, 59
Nessos, 141
Niaux, 3
Nicias, 184
Nikandré, 145
Niké, la Victoire ailée, 154

Niké, 172
Nimroud, 46
Ningal, 45
Ninive, 40, 44, 45
Ninni-zaza, 26
Noces Aldobrandines, 248
Novios Plautios, 231
Numana, 10
nuraghi, 8, 9

Obeïd, 18, 19
Obeïd (époque d'), 20
Obélisque de Théodose, 280
Octave, 237, 242
Odalisques, 4
Odyssée (l'), 133, 137, 140, 242
Œnochoé, dite de Marseille, 108
Œnochoé de Basse-Yutz, 12
Œnomaos, 163
Olbia, 211
Olpè Chigi, 140
Olympie, 131, 142, 147, 161, 162, 162, 172
Olympieion, 265
Olynthe, 177, 178, 186
Onatas, 162
Oplontis, 242
Ordonnateur du sacrifice, 34
orfèvrerie, 39, 74, 87, 105, 114, 122, 137, 203, 205, 215, 218
orientalisant (art), 125
Orvieto, 219, 225
Osiris, 65, 72, 84, 88, 90
Osorkon, 91
Osorkon Ier, 95
Osorkon III, 94
Ossuaire Gualandi, 220
Ostie, 250, 262, 280
Ouadi es Seboua, 77
Ougarit, 28, 29, 38, 39
Ouïgarak, 213
Oukh-otep, 67
Oulski, 209
Our, 29, 30, 31
Ourartou, 47, 48, 142
Our-Nammou, 28, 30
Our-Ningirsou, 31
Ourouk, 21, 22, 23, 32
Ouserhat, 83
Ouserkaf, 62
oushebtis, 70

Paeonios de Mendé, 172
Paestum, 161, 222
Pakhom, 97
Palaikastro, 104
palais, 25, 29, 50, 132
palais (époque des), 98
palais crétois, 102, 107
Palais de Darios, 200
Palais de Tibère, 249
Palais de Xerxès, 200
Palais du Palatin, 250
palais mésopotamien, 32
palais minoen, 106
palais mycénien, 118
paléolithique, 1, 2, 3, 5, 6, 18
Palestrina, 234, 236
Palmyre, 251, 268
Pamphilos, 184
Panéhésy, 83

Panneaux de la Chancellerie, 258
Panthéon, 265
Panthéon d'Hadrien, 244
Panthère de Kelermès, 209
Panticapée, 211
papyrus, 93
papyrus démotiques, 91
papyrus funéraires, 83
Paquius Proculus, 259
Paramessou, 86
pariétal (art), 3, 6
Parisienne (la), 108, 119
Parme, 219
Paros, 102, 141, 161, 164
Parthénon, 161, 166, 167, 169
Parthes, 203
Pasargades, 195, 196, 197
Pausias, 184
Pectoral, 206, 208, 212
Pédoubastis, 95
Peigne de Solokha, 212
Peintre d'Achille, 173
Peintre d'Andokidès, 158
Peintre de Berlin, 158, 159
Peintre de Brygos, 159
Peintre de Kléophradès, 158, 223
Peintre de la Gorgone, 155, 156
Peintre de Nessos, 155
Peintre de Penthésilée, 164
Peintre des Niobides, 164
peinture, 253, 274
peinture attique, 158
peinture égyptienne, 73
peinture étrusque, 221
peinture murale, 118
peinture romaine, 236, 241, 259, 270
peintures amarniennes, 82
peintures de Knossos, 107
peinture sur vases, 20
Pélops, 163
Pendentif aux abeilles, 105
Pépi Ier, 62
Pépi II, 62, 71
Pérachora, 135
Pergame, 181, 187, 188, 189, 190
Périclès, 167
Pérouse, 219
Persée décapitant Méduse, 142
Persée délivrant Andromède, 259
Persépolis, 199
Perses, 194
Petite Chasse, 281
Pétosiris, 91
Petsopha, 104
Phaistos, 102, 103, 104, 106
Phalères d'argent de Manerbio, 12
pharaon, 52, 56, 59, 61, 62, 71, 72, 79, 84
Phare d'Alexandrie, 186
Pharsale, 183
Phidias, 159, 166, 167, 168, 225
Philae, 89
Philétairos, 187
Philippe l'Arabe, 275
Philoxénos d'Érétrie, 184
Phintias, 158, 223
Phocée, 152, 153
Phylakopi, 110
Piankhy, 87, 91
Piazza Navona, 256
Pierre le Grand, 206
pierres à cerf, 214

Pindare, 162, 163
Pirée (Le), 177
Pirithoos, 163
Pisistrate, 157
Piskokephalo, 104
Place des Corporations à Ostie, 271
Plaque de harnais, 209
Plaque de Vergina, 212
Plaque de Weiskirchen, 12
Plaques Boccanera, 221
Plaques Campana, 221
Plaques de Tarquinia, 223
plastique grecque, 142
Platanos, 99
Plutei Traiani, 264
Polyclète, 161, 165, 166, 183
Polyclète le Jeune, 175, 176
Polycrate, 153
Polygnote de Thasos, 164
Polyzalos, 160
Pompée, 238, 240
Pompéi, 236, 239, 241, 242, 253, 254, 256, 259
Pont d'Alcantara, 262
Pont du Gard, 244
Pontecagnano, 9
Porte de Mars à Reims, 270
Porte des lions, 113, 117, 120
Porte de tous les pays, 199
Porte d'Hadrien, 265
Porte du roi, 37
Porte Majeure de Rome, 250, 251
Porte Noire de Besançon, 270
Porte Noire de Trèves, 280
Porteur de rhyton, 108
Porteuse d'offrandes, 69, 220
Porticus Aemilia, 234
Portique des Bubastides, 88, 92
Portrait d'Akhamenré, 92
Portrait d'Alexandre II, 93
Portrait de Démosthène, 185
Portraits dits du Fayoum, 270
Poséidon, 168
Pouzour-Ishtar, 33
Praxitèle, 165, 180, 181, 183, 185
Préneste, 217, 218
Prêtre Amenemhatankh, 72
Prêtre assis de Murlo, 220
Priène, 178
Prima Porta, 242
Primavera de Stabies, 259
Prince Ahmosis, 85
Prince aux fleurs de lys, 107
Prince Rahotep, 63
Prinias, 144
Prise de Troie, 174
Procession dionysiaque, 278
Propylées, 168, 169
protoargien (style), 141
Protoattique, 139, 140
protocorinthien (style), 137, 138
Psammétique, 96
Psammétique Ier, 87
Psammétique-sa-neith, 96
Pseudo-vizir, 74
Psiax, 223
Psousennès (tombeau de), 91
Ptolémée II, 89
Ptolémée Ier Sôtêr, 88
Pylos, 118, 119, 122
pyramides, 58, 60, 61, 66
Pythéos, 176, 178

Qau el-Kebir, 66
Quantir, 80

Rabirius, 256
Ramesseum, 78, 91
Ramsès II, 76, 77, 78, 80, 83, 86
Ramsès III, 83
Ramsès III couronné par Horus et Seth, 86
Ramsès IX prosterné, 86
Ramsèsnakht songeur, 86
Ramsès VI tenant un Libyen par les cheveux, 86
Ras Shamra, 38
Rawlinson (sir), 198
Rê, 65, 67
Rehemouankh assis, 72
Reine Napir-asou, 36
reines ptolémaïques, 97
Reine Tétichéri, 85
Rekhmiré, 81
Relief d'audience (au Palais de Xerxès), 201
reliefs amarniens, 82
Reliefs dits de la Chancellerie, 257
Reliefs et peintures, 92
Reliefs Grimani, 253
rempart de Servius Tullius, 274
Renenoutet, 67
Rhamnonte, 171
Rhodes, 141, 142, 188, 234
Rhoikos, 152
Rhyton de Knossos, 109
Rhyton du Siège, 116
Riace (statues de), 160
Roc-de-Sers, 3
Roi Néchao, 93
Roi-prêtre, 23
Roi Serpent, 57
Rome, 220, 228, 229, 230, 232, 233, 234, 235, 238, 243, 251, 256, 261, 264, 266, 272, 274, 279
Rondes de Samarra, 20
Roquepertuse, 13
Rouffignac, 3

sace (art), 213
Saint-Marcel d'Argenton, 13
Saint-Rémy-de-Provence, 247
Saïs, 87, 89
Salamine, 158
Salle aux cent colonnes, 200, 201
Salle des doubles haches de Knossos, 107
Salle du trône de Knossos, 107
Salle du trône du palais de Minos, 110
Salmanasar III, 46
Salonique, 277
Sam'al, 50
Samarra, 18
samien (style), 144, 146
Samos, 134, 135, 141, 145, 152, 153
Sanam, 88, 92
Sanctuaire d'Apollon, 135
Sanctuaire de Baalbek, 272
Sanctuaire de Bêl, 251
Sanctuaire de Zaghouan, 267
sanctuaires, 132, 134, 147, 148, 234
Saqqara, 56, 57, 58, 59, 60, 67
Sarcophage d'Acilia, 276

Sarcophage d'Alexandre, 180, 184
Sarcophage de Portonaccio, 269
Sarcophage d'Hélène, 280
Sarcophage Ludovisi, 276
sarcophages, 276
Sarenpout, 66
Sargon II, 44
Sarmates, 214, 215
Sassanides, 203, 204
Satsnéfrou agenouillée, 72
Saturnia, 9
Satyre au repos, 181
Satyros, 176
Sauromates, 213
sceaux-cylindres, 22, 26, 34, 202
Scène de l'investiture, 34
Schliemann (Henri), 112, 113, 115, 123
Scopas, 175, 178, 179, 180, 181
Scribe du Louvre, 64
Scribe Nespakachouty lisant un papyrus, 96
sculpture, 157, 159, 169, 170, 178, 189, 189, 190, 192, 220, 225, 225, 230, 240, 245, 246, 252, 258, 267, 269
sculpture dédalique, 143
sculptures d'Olympie, 163, 164
scythe (art), 205, 206, 207, 208, 209, 210, 212
Scythes, 207, 208, 210, 214
Sebekhotep, 73
Séhétépibré-ankh, 72
Semerkhet (tombeau de), 58
Senmout, 53, 78, 84, 85
Sennachérib, 45
Sennouy, 72
Senpou, 72
Sépa, 59
Septime Sévère, 235, 271
Septizonium, 272
Sérapeum, 91, 93
Sésostris, 65
Sésostris Ier, 67, 70, 71
Sésostris II, 71
Sésostris III, 66, 67, 70, 71
Setaou, 84
Sethi assis, 86
Sethi Ier, 77, 79, 83
Severus, 250
Shamash, 33, 45
Shamshi-Adad, 43
Sicyone, 148
Silanion, 183
Sin, 45
Sin-houtsou, 44
Siphnos, 154
Skara Brae, 8
Smyrne, 133
Snéfrou, 60
Sobek, 65, 67
Socrate, 183
Soleb, 77
Sophilos, 156
Sparte, 136, 148, 164
Spello, 244
Sperlonga, 252
Sphinx de Chépenoupet II, 95
sphinx de Giza, 61
Spina, 219
Split-Spalato, 275
Stabies, 259
statuaire, 26, 30, 84, 85, 143, 145, 146, 148, 150, 153, 154, 159, 160,

165, 168, 171, 182, 183, 185, 190, 220, 230, 231, 234, 239, 257, 272, 275, 280
statuaire corinthienne, 150
statuaire de bois, 63
statuaire égyptienne, 94
statuaire mésopotamienne, 31
statuaire romaine, 262
Statue assise de Nefret, 72
Statue Barberini, 239
Statue d'Assurnazirpal II, 46
Statue Dattari, 96
Statue de Panémérit, 97
Statue de Sobekemsaf, 73
Statue de Titus, 257
Statue d'Harmakis, 95
Statue d'Idrimi d'Alalah, 38
Statue guérisseuse Tyskiewickz, 96
Statues de Riace, 160
statues-menhirs, 6
statuettes de bronze, 131
statuettes d'ivoire, 136
Stèle d'Aménophis II, 83
Stèle d'Ampharété, 173
Stèle de Baal au foudre, 38
Stèle de chasse, 22
Stèle de Dexiléos, 173, 174
Stèle de la Via Statilia, 240
Stèle de Narâm-Sin, 26, 31, 198
Stèle des colliers, 83
Stèle des vautours, 25
Stèle d'Hégésô, 173
Stèle d'Ountash Napirisha, 36
Stèle d'Our-Nammou, 31
Stèle du génie ailé, 196
Stèle du roi Serpent, 56
Stèle funéraire de Hirschlanden, 11
Stèle Giustiniani, 162
Stèles de la Ghorfa, 270
Stèles de Neumagen, 277
stèles funéraires, 173
Stoa d'Attale II, 188
Stoa d'Eumène, 188
Stonehenge, 8
Strett-weg, 11
Suez (canal de), 197
Suicide de Sappho, 254
Sumer, 16, 28, 30
sumérienne (civilisation), 21, 22, 23
Suovétaurile, 252
Supports de Brolio, 221
Suse, 20, 21, 32, 198
Sylla, 237
Syracuse, 149

Tabularium, 234
Tagisken, 213
Taharqa, 87, 95
Tanagra, 185
Tanis, 71, 89, 91, 92
Tanquinia, 217, 221, 222, 223
Taq-è Bostan, 204
Tarente, 231
Tarquinia, 217, 221, 222, 223
Taureau de Crète, 163
Tchertomlyk, 212
Tchilikta, 213
Tchoga Zanbil, 35
Téké (tombes de), 100
Tell al-Rimah, 32, 33
Tell Asmar, 26, 31
Tell Brak, 20, 25
Tell Chuera, 26

Tell el-Amarna, 78
Tell es-Sawwan, 18, 19
Tell Halaf, 18
temple, 238, 251
Temple blanc, 21
Temple d'Antonin et de Faustine, 266
Temple d'Aphaia, 161
Temple d'Apollon, 133, 175
Temple d'Apollon à Delphes, 157
Temple d'Apollon Épikourios, 172
Temple d'Artémis, 149
Temple d'Asclépios, 174
Temple d'Athéna, 188
Temple d'Athéna Aléa, 179
Temple d'Athéna Niké, 171
Temple d'Auguste et de Livie, 244
Temple de Bacchus, 267
Temple de Claude, 250
Temple de Corfou, 149
Temple de Delphes, 161
Temple de Diane, 265
Temple de Didymes, 154, 175
Temple de Jupiter capitolin, 219
Temple de Jupiter Héliopolitain, 256
Temple de Mercure, 244
Temple de Néandria, 152
Temple de Portonaccio, 219
Temple de Pyrgi, 224
Temple de Samos, 152
Temple de Tanis, 88
Temple de Thermos, 135
Temple de Trajan, 188, 261
Temple de Vénus, 267
Temple de Vénus et de Rome, 265, 279
Temple de Vesta, 233
Temple d'Hadrien, 266
Temple d'Héra à Olympie, 149
Temple d'Héra à Samos, 152
Temple dit de Poséidon à Paestum, 161, 162
temple divin, 78
temple d'Olympie, 164
Temple E de Sélinonte, 162
temple romain, 229
temples, 219, 233
temples divins, 76, 77
temples doriques, 135, 161
temples grecs, 135
Temples jumeaux de San Omobono, 219
temples ptolémaïques, 90
tépé Nush-i-Jan, 42
Terracine, 234
Teshoup, 37
Tête biface de Heidelberg, 12
Tête boudeuse du Sinaï, 85
Tête d'Agrippa, 245
Tête d'Apollon, 179
Tête de Djerablous, 38
Tête de femme d'Ourouk, 26
Tête de Psammétique II, 95
Tête de sphinge, 72
Tête d'Octave, 245
Tête d'Ousirour, 96
Tête du Dipylon, 157
Tête en quartzite de Didoufri, 62
Tête féminine, 23
Tête Fortnum, 230
Tête n° 643, dite Tête miraculeuse, 157
Tête verte, 97

Tétrarques (groupe des), 276
Thaïs, 202
Thasos, 141, 145
théâtre, 176, 234, 238, 239, 244
Théâtre d'Aspendos, 267
Théâtre d'Épidaure, 176, 177
Théâtre de Pompée, 239
Théâtre de Sabratha, 272
Thèbes, 68, 76, 79, 119
Thémistocle, 160
Théodoros, 152
Théodoros de Phocée, 175
Théra, 130, 145
thermes, 256, 261, 272, 279
Thermes de Baies, 244
Thermes de Caracalla, 278
Thermes de Dioclétien, 275
Thermes de la Chasse, 278
Thermes de Leptis Magna, 265
Thermos, 133, 134, 135, 139
Thésée, 163
thinite (époque), 56
This, 56
Tholos de Delphes, 175
Tholos d'Épidaure, 175
Tholos de Vaphio, 120
Tholos d'Orchomène, 120
Thot, 91
Thoutmosis Ier, 79
Thoutmosis III, 77, 85, 92
Thoutmosis IV, 77
Thoutmosis IV et sa mère, 85
Thusnelda, 262
Tibère, 249, 250, 251, 252
Timgad, 262
Timothéos, 174, 178
Tirynthe, 117, 118, 119, 122
Titus, 254
Tivoli, 234
Tiy, 85
Tôd, 185
Tolstaïa mogila, 206, 212
tombe à tholos, 118
Tombeau Caecilia Metella, 244
Tombeau d'Aba, 93
Tombeau d'Annia Regilla, 267
Tombeau de Pabasa, 92
Tombeau de Psousennès, 92
Tombeau des Haterii, 281
Tombeau de Ti, 63
Tombe Campana, 218
Tombe Cardarelli, 222
Tombe d'Agamemnon, 118
Tombe de Clodius Hermes, 270
Tombe de Koul-Oba, 211
Tombe de la chasse et de la pêche, 221
Tombe de la Ciaia, 223
Tombe de la scrofanera, 223
Tombe de la souris, 222
Tombe de Montouemhat, 92
Tombe de Pétosiris, 93
Tombe des 5 sièges, 220
Tombe des augures, 222

Tombe des bacchantes, 222
Tombe des biges (Tombe Stackelberg), 223
Tombe des inscriptions, 222
Tombe des jongleurs, 222
Tombe des léopards, 223
Tombe des lionnes, 222
Tombe des Octavii, 278
Tombe des olympiades, 222
Tombe des Pancratii, 270
Tombe des taureaux, 221
Tombe des Valerii, 270
Tombe des vases peints, 222
Tombe du baron, 222
Tombe du lit funèbre, 223
Tombe du plongeur, 222
Tombe du triclinium, 222
Tombe du vieillard, 222
Tombe Francesca Giustiniani, 223
Tombe Regolini Galassi, 218
Tombe royale d'Isopata, 107
tombes à fosse, 113, 117, 121
Tombes de Nefertari et du prince Imen-her-Khepes-hef, 84
Tombes du Seigneur au Capridé et de la Princesse, 37
Tombe-Temple de Knossos, 107
Torque de Fenouillet, 12
Torque de Lasgraisses, 12
Torse de Nefertiti, 86
Torse de Niké, 161
Tour de Babel, 49
Toutankhamon, 75, 76, 82, 86, 91
Trajan, 260, 262
Trajan Dèce, 275
Trébonien Galle, 275
Trésor d'Atrée, 118, 120
Trésor de Boscoreale, 248, 254
Trésor de l'Oxus, 203
Trésor des Athéniens, 161
Trésor de Siphnos, 155
Trésor de Ziwiyé, 42, 208
Trésorier Ramosé, 94
Trèves, 277, 279
Triomphe de Neptune, 271
Tripylon, 200
Troie, 112, 142, 161
Trois-Frères, 3
Trophée de la Turbie, 244
Tuc d'Audoubert, 4
Turin, 185
Turmuca (groupe de), 225
Tyché, 185
Tyrannochtones, 160

Ulysse, 278
urbanisme, 177, 178, 185, 186, 261, 274

Val Camonica, 6, 10
Vallée des Reines, 79, 84
Vallée des Rois, 79, 81, 83, 91

Vase aux guerriers, 122
Vase Chigi (ou Olpé Chigi), 138
Vase de Zagazig, 87
Vase en or d'Hasanlu, 43
Vase François, 156
Vase Portland, 248
vases de métal, 120
vases de pierre, 104, 109, 110
vases funéraires, 173
vases protocorinthiens, 138
Vassiliki, 99
Véies, 218, 220
vénus aurignaciennes, 3, 4
Vénus de Milo, 185
Venus Genetrix, 171
Vénus impudique, 4
Vénus Médicis, 185
Vénus trônant, 281
Vergina, 184
Vespasien, 254, 255
Vettersfelde, 213
Vetulonia, 217, 220
Via Columnata, 272
Via Traiana, 264
Victoire ailée, 154
Victoire de Samothrace, 192
Villa de Livie, 245
Villa de Piazza Armerina, 281
Villa des Mystères, 241, 242
Villa d'Oplontis, 248
Villa Hadriana, 250, 265
Villa Jovis, ou *Villa de Jupiter*, 250
villanovien, 9
villanovienne (culture), 217
Virgile de Sousse, 278
Vitruve, 219
Vix, V. cratère de Vix
Vixsoe, 11
Vizir Antefoker (tombe du), 74
Vizir Iymérou, 73
Volcacius Myropnous, 268
Volubilis, 272
Vulca, 220
Vulci, 219, 220, 225

Waldalgesheim (style de), 12
Walika, 66
Woldenberg, 6

Xerxès, 199, 200, 201

Yarim tépé, 18
Yazilikaya, 37

Zakros, 107, 109
Zeus, 166
Zeus debout, 179
Zeus en majesté, 168

PHOTOGRAPHIES

Imprimerie New Interlitho
Dépôt légal Mai 1988 - N° de série Éditeur : 14600
Imprimé en Italie *(Printed in Italy)*. - 720051 - Mai 1988